회계사·세무사·경영지도사 합격을 위한

해커스 경영아카데미 합격 시스템

해커스 경영아카데미 인강

취약 부분 즉시 해결!
교수님께 질문하기 게시판 운영

무제한 수강 가능+
PC 및 모바일 다운로드 무료

온라인 메모장+
필수 학습자료 제공

* 인강 시스템 중 무제한 수강, PC 및 모바일 다운로드 무료 혜택은 일부 종합반/패스/환급반 상품에 한함

해커스 경영아카데미 학원

쾌적한 환경에서 학습 가능!
개인 좌석 독서실 제공

철저한 관리 시스템
미니 퀴즈+출석체크 진행

복습인강 무제한 수강+
PC 및 모바일 다운로드 무료

* 학원 시스템은 모집 시기별로 변경 가능성 있음

회계사 · 세무사 · 경영지도사 단번에 합격! **해커스 경영아카데미 cpa.Hackers.com**

해커스
서호성
객관식 경제학

2권 | 거시·국제

해커스 경영아카데미

이 책의 저자

서호성

경력

현 | 해커스 경영아카데미 교수
해커스공기업 교수
해커스금융 교수
메가스터디 공무원 7급 경제학
합격의 법학원 감정평가사, 노무사 경제학
보험연수원 보험계리사 경제학

전 | 윌비스 고시학원 7급 경제학

저서

해커스 회계사 서호성 경제학
해커스 서호성 객관식 경제학
해커스 세무사 재정학
해커스 세무사 객관식 재정학
해커스 세무사 재정학 FINAL
해커스공기업 쉽게 끝내는 경제학 이론 + 기출동형문제
해커스 TESAT(테셋) 2주 완성 이론 + 적중문제 + 모의고사
해커스 매경TEST 2주 완성 이론 + 적중문제 + 모의고사
서호성 ABC 경제학
서호성 ABC 경제학 기출문제집
ABC 경제학 핵심포인트

머리말

안녕하세요. 서호성입니다.
오랜 시간 경제학 강의를 하면서 느낀 점은 수험생 여러분들이 경제학은 어렵다는 선입견을 강하게 가지고 있다는 것입니다. 특히 객관식 경제학의 최고난도인 회계사 경제학은 더 어렵게 생각하시는 분들이 많습니다.

회계사 경제학을 가르치는 저의 모토는 두 가지입니다.

첫째, "경제학은 어려운 것이 아니라 익숙하지 않은 것이다."
경제학은 과목 자체가 어렵다기 보다는 익숙하지 않아 어렵게 느껴지는 과목입니다. 여러분이 경제학에 충분히 익숙해질 수 있도록 다양한 사례를 통해 이해시켜드리겠습니다. 저의 노력으로 경제학을 재밌는 과목으로 만들어, 경제학이 어렵다는 고정관념을 깨드리고 싶습니다.

둘째, "모두 아는 것이 중요한 것이 아니라 시험에 나오는 것을 아는 것이 중요하다."
경제학 시험을 준비할 때 다양한 내용을 읽어보는 것을 중시하는 수험생분들을 많이 보았습니다. 단언컨대 시험에 나오는 내용은 정해져 있으므로, 고득점하겠다는 목표를 달성하기 위해서는 출제되는 내용에 집중하여 학습하는 것이 중요합니다. 본 교재와 수업을 통하여 시험에 나오는 경제학 기본 개념 정리부터 고난도 문제풀이까지 단계별로 학습하여 고득점하도록 이끌어드리겠습니다.

회계사 경제학을 효과적으로 학습할 수 있도록 이 교재를 집필하게 되었습니다. 교재의 특징은 다음과 같습니다.

1. 경제학 핵심이론을 요약하여 수록하였습니다.
시험에 반복적으로 나오는 내용을 표로 요약하고, 핵심 키워드를 직접 채워보며 학습한 내용을 효과적으로 정리할 수 있습니다.

2. 객관식 문제를 단계별로 수록하였습니다.
경제학은 시험별로 문제 난이도가 상이하지만 출제되는 포인트는 정해져 있으므로 다양한 시험에서 출제된 문제 중 중요한 문제들을 엄선하여 수록하였습니다.
Step 1 기본문제는 개념을 정확히 알면 풀 수 있는 문제로 구성하였고, Step 2 심화문제는 여러 단계에 걸쳐 계산하거나 어려운 주제에 대한 문제로 구성하였습니다. Step 3 실전문제는 응용력과 사고력이 필요한 공인회계사 문제로 구성하였습니다. 객관식 문제를 단계별로 풀어보며 학습한 이론을 점검하고 실전 감각을 키울 수 있습니다.

3. 논리적이고 상세한 해설을 수록하였습니다.
문제를 이해하는데 필요한 설명을 상세하게 제시하고, 문제를 풀이할 때 생각해야 하는 순서에 따라 해설을 체계적으로 작성하였습니다. 경제학 문제는 논리적으로 접근하여 순차적으로 풀이해야 합니다. 체계적인 풀이 방법에 익숙해지면 실제 시험장에서 어떠한 문제를 만나더라도 쉽게 접근하고 풀이할 수 있습니다.

경제학을 가르치는 사람으로서 가장 행복한 순간은 수험생 여러분들이 어렵다고 생각하던 경제학을 저와 함께 학습하며 재미있고 해볼만한 과목이라고 생각하는 게 표정에서 드러날 때입니다. 저와 여러분들이 함께 노력한다면 경제학은 회계사 시험 합격의 통과점에 지나지 않을 것이라고 단언하여 말씀드리겠습니다.

이 책을 출간하면서 많은 도움을 주신 유동균 원장님, 해커스 출판사 관계자분들과 해커스 경영아카데미 교수님들께 진심으로 감사드립니다.

서호성

목차

거시경제학

제8장 국민소득 결정이론

Topic 15 GDP, 국민소득 결정이론 8
Step 1 기본문제 13
Step 2 심화문제 28
Step 3 실전문제 42

Topic 16 소비함수와 투자함수 52
Step 1 기본문제 54
Step 2 심화문제 60
Step 3 실전문제 68

제9장 화폐금융론

Topic 17 본원통화와 화폐공급 80
Step 1 기본문제 82
Step 2 심화문제 100
Step 3 실전문제 104

Topic 18 화폐수요 108
Step 1 기본문제 111
Step 2 심화문제 128
Step 3 실전문제 136

제10장 총수요와 총공급, 물가와 실업

Topic 19 IS-LM & 총수요 - 총공급 144
Step 1 기본문제 148
Step 2 심화문제 166
Step 3 실전문제 186

Topic 20 물가와 실업 214
Step 1 기본문제 222
Step 2 심화문제 238
Step 3 실전문제 254

제11장 경기변동과 경제성장

Topic 21 경기변동 286
- Step 1 기본문제 291
- Step 2 심화문제 304
- Step 3 실전문제 310

Topic 22 경제성장론 316
- Step 1 기본문제 321
- Step 2 심화문제 338
- Step 3 실전문제 346

국제경제학

제12장 국제무역론

Topic 23 무역이론 360
- Step 1 기본문제 363
- Step 2 심화문제 378
- Step 3 실전문제 384

Topic 24 자유무역과 보호무역 402
- Step 1 기본문제 407
- Step 2 심화문제 420
- Step 3 실전문제 422

제13장 국제금융론

Topic 25 환율 434
- Step 1 기본문제 437
- Step 2 심화문제 448
- Step 3 실전문제 456

Topic 26 국제수지 476
- Step 1 기본문제 479
- Step 2 심화문제 492
- Step 3 실전문제 506

제8장

국민소득 결정이론

Topic 15 GDP, 국민소득 결정이론
Topic 16 소비함수와 투자함수

Topic 15 GDP, 국민소득 결정이론

01 국민경제의 순환

개념	국민 경제의 주체가 재화와 서비스의 생산, 분배, 지출하는 과정을 순환하면서 되풀이하는 것
국민소득의 세 측면	(1) **생산국민소득**: 재화와 용역을 생산물 시장에 제공한 대가로 얻은 판매액의 합계 ➜ 최종 생산물의 합계 = ㉮ ______ 의 합 (2) **분배국민소득**: 노동·토지·자본 등의 생산 요소를 생산 요소 시장에 제공한 대가로 얻은 요소 소득의 합계 ➜ ㉯ ______ (3) **지출국민소득**: 생산물 시장에서 재화와 용역을 구입한 대가로 지출한 금액의 합계 ➜ ㉰ ______
국민소득 3면 등가의 법칙	(1) **국민소득 3면 등가의 법칙**: 국민 경제의 전체적 활동은 생산·분배·지출의 어느 측면에서 측정하더라도 같은 금액이 되는 것을 의미함 (2) ㉱ ______ 국민소득 = ㉲ ______ 국민소득 = ㉳ ______ 국민소득

02 국내총생산

개념	한 나라 안에서 일정 기간(통상 1년) 동안 새로이 생산한 재화와 서비스의 최종 생산물의 시장 가치를 합한 것
계산 방법	(1) 생산 활동을 통해 만들어 낸 부가가치의 합 (2) 총생산물의 가치 - 중간 생산물 (3) 최종 생산물의 가치
유용성	(1) 한 나라의 경제 활동 수준과 국민소득 규모를 파악하는 지표가 됨 (2) 국가 간의 경쟁력을 비교하는 지표로서의 기능을 함 (3) 개방경제하에서는 국민총생산에 비해 유용한 국민 소득 지표로 활용됨
한계	(1) ㉴ ______ 을 통해서 거래되지 않는 재화와 용역은 제외됨 예 주부의 가사 노동, 지하 경제, 농부의 자가 소비 농산물 등 (2) ㉵ ______ 이나 국민 복지 수준의 정확한 반영 불가능 (3) ㉶ ______ 파악 불가능 (4) 여가의 가치가 반영되지 않음 (5) 환경오염, 교통사고 등의 처리비용도 생산으로 계산됨

핵심키워드

㉮ 부가가치, ㉯ 임금 + 지대 + 이자 + 이윤, ㉰ 민간소비지출 + 국내총투자 + 정부소비지출 + 순수출, ㉱ 생산, ㉲ 분배, ㉳ 지출, ㉴ 시장, ㉵ 삶의 질, ㉶ 소득 분배 상태

GNP와의 관계	(1) 국민총생산(GNP): 한 나라의 국민이 일정 기간(통상 1년) 동안 새로이 생산한 재화와 서비스의 최종 생산물의 시장 가치를 합한 것 (2) GDP = GNP + 외국인의 국내 생산액 – 자국민의 해외 생산액 = GNP – ㉮ ______ GDP / GNP 외국인의 국내 생산액 / 자국민의 국내 생산액 / 자국민의 해외 생산액
국민총소득 (GNI)	(1) 개념: 국민들의 생활수준(후생수준)을 측정하기 위한 소득지표 (2) 실질GNI = 실질GDP + ㉮ ______ (해외수취요소소득 – 해외지급요소소득) + 교역조건 변화에 따른 ㉯ ______ (3) ㉰ ______ = $\frac{\text{수출단가}}{\text{수입단가}}$ × 100 (환율과 교역조건은 역관계)
명목GDP와 실질GDP	(1) 명목GDP: 생산량을 ㉱ ______의 가격으로 측정하여 화폐 가치로 평가한 것 (2) 실질GDP: 생산량을 ㉲ ______의 가격으로 측정하여 화폐 가치로 평가한 것
경제성장률	(1) ㉳ ______ = $\frac{\text{금년도 실질GDP} - \text{전년도 실질GDP}}{\text{전년도 실질GDP}}$ × 100 (2) 1인당 경제성장률 = 경제성장률 – ㉴ ______
실제GDP와 잠재GDP	(1) ㉵ ______GDP(actual GDP): 한 나라의 경제가 실제로 생산한 모든 최종 생산물을 평가 한 것 (2) ㉶ ______GDP(potential GDP): 한 나라 국경 안에 존재하는 모든 생산 자원을 정상적으로 고용할 경우 생산 가능한 모든 최종 생산물의 시장 가치 ➜ 완전고용 GDP, 완전고용 국민소득 (3) GDP ㉷ ______ = 실제GDP – 잠재GDP (4) 잠재GDP의 또 다른 의미 ① 인플레이션을 가속화시키지 않고 실현시킬 수 있는 최대 GDP ② 자연 GDP와 결부되는 실업률을 ㉸ ______이라 함

핵심키워드

㉮ 해외 순수취 요소소득, ㉯ 무역손익, ㉰ 교역 조건, ㉱ 측정시점, ㉲ 기준시점, ㉳ 경제성장률, ㉴ 인구증가율, ㉵ 실제, ㉶ 잠재, ㉷ 갭, ㉸ 자연 실업률

03 고전학파의 국민소득결정이론

기본가정	(1) 제1가정: 세이의 법칙 "공급은 스스로 수요를 창출한다" 공급이 되면, 그만큼 소득이 창출되고, 이 소득이 수요로 나타남 (2) 제2가정: 모든 가격변수(물가, 명목이자율, 명목임금)의 ㉮ ______ (3) 제3가정: 노동의 수요와 공급은 실질임금의 함수이며, 완전경쟁시장임 노동자는 물가변화를 항상 정확히 예상함(완전예견) (4) 제4가정: 노동시장에서 수요와 공급의 불일치는 신축적인 명목임금에 의하여 아주 신속히 조절됨. 따라서 노동시장은 항상 균형이라고 보아도 좋으며 이는 완전고용을 의미함
국민소득 결정	고전학파의 국민소득결정이론의 골자는 노동시장에서 자율적으로 고용수준이 결정되고(완전고용), 이것이 한 나라 전체의 생산함수와 결합하여 총공급곡선을 결정하며, 이 총공급에 의하여 국민소득이 결정된다는 것임

04 케인즈의 국민소득결정이론

등장배경	대공황의 타개라는 실천적인 목표의식을 가지고 등장하여, 대공황에서의 극심한 실업은 생산물에 대한 수요가 부족하기 때문에 발생하는 현상이라고 진단하고, 총수요를 증대시키기 위해 정부지출을 증대시키고, 조세를 감면해주는 등 적극적인 재정정책이 필요하다고 주장하였음
기본가정	충분한 잉여생산능력이 있다고 가정함
균형 국민소득결정의 기본모형	(1) 모형의 필요성 케인즈의 기본가정을 전제로 총수요(총지출)에 의해 균형국민소득이 결정되어 가는 과정을 구체적으로 검증할 수 있는 분석틀이 필요함 (2) 기본모형 $Y^D = C + I^D + G + X_N$ $C = a + c(Y - T_0),\ 0 < c < 1$ (a: 절대소비, c: 한계소비성향) $T = T_0 + tY$ (t: 세율, 만약 정액세라고 한다면 $t = 0$) $I^D = I^0$ (독립투자) $G = G^0$ (정부지출) $NX = X - M$ (순수출) $X = X_0$ $M = M_0 + mY$ (m: 한계수입성향) Y^D = 총수요(총지출) $Y^D = Y$ (균형조건식) 균형조건식이 의미하는 것은 총수요(총지출)(Y^D)만큼 국내총생산(Y)할 때 균형국민소득이 결정된다는 것임

핵심키워드
㉮ 완전신축성

균형 국민소득 결정의 기본모형	(3) **균형국민소득 결정과정에 대한 이해** 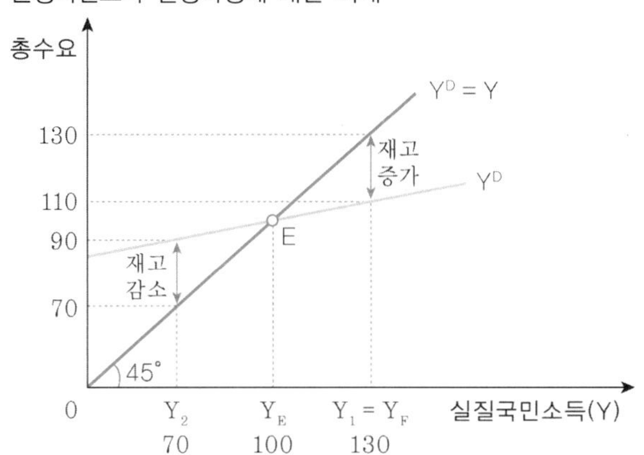 ① 45°선까지의 높이가 생산량(총공급)을 나타내고, Y^D까지의 높이가 총수요를 나타냄 ② Y_2(**2기의 국민소득**): 생산량 < 유효수요이므로, 초과수요로 인해 ➜ 재고감소가 초래됨 ➜ 부족한 재고를 보충하기 위해 차기 생산량이 증가함 ➜ 차기 국민소득이 증가함 ③ Y_1(**1기의 국민소득**): 생산량 > 유효수요이므로, 수요부족으로 인해 ➜ 재고증가가 초래됨 ➜ 지나친 재고를 먼저 처리하기 위해 차기 생산량이 감소함 ➜ 차기 국민소득이 감소함 ④ 45°선과 총수요곡선이 만나는 점에서 균형국민소득이 달성됨

05 승수이론

승수	독립투자 증가분에 대한 균형국민소득증가분의 비율 예 정부지출이 1원 증가할 경우, 균형국민소득이 얼마나 증가하는가를 나타내는 비율
승수효과	(1) **개념**: 독립지출(독립투자, 정부지출, 절대소비 등)이 증가하면, 균형국민소득은 승수배만큼 증가하게 되는 효과를 의미함 (2) **공식**: 균형국민소득의 변동분 = 독립지출의 변동분 × 승수 예 정부지출승수가 5일 때, 정부지출을 100억원 증가시키면, 균형국민소득은 500억원 증가하게 되고, 투자승수가 7일 때, 독립투자가 100억원 증가하면, 균형국민소득은 700억원 증가하게 됨

승수의 도출	(1) 기본가정(개방경제를 전제로 할 경우) $Y = C + I + G + X - M$ $C = a + c \cdot Y_d = a + c(Y - T)$(단, Y_d: 처분가능소득 $Y_d = Y - T$) $T = T_0 + tY$(t: 세율, 만약 정액세라고 한다면 $t = 0$) $I = I_0$ $G = G_0$ $X = X_0$ $M = M_0 + mY$(m: 한계수입성향) (2) 도출과정 $Y = C + I + G + X - M$ $= a + c(Y - T_0 - tY) + I_0\ G_0 + X_0 - M_0 - mY$, 이를 Y에 대해서 풀면 $Y = \frac{1}{1 - c(1-t) + m}[a - cT_0 + I_0 + G_0 + X_0 - M_0]$ (3) 폐쇄경제, 정액세일 때는 $m = 0$, $t = 0$이므로 ① ㉮ ______ 승수: $\frac{dY}{dG} = \frac{1}{1-c}$ ② ㉯ ______ 승수: $\frac{dY}{dI} = \frac{1}{1-c}$ ③ ㉰ ______ 승수: $\frac{dY}{dT} = \frac{-c}{1-c}$ (4) 개방경제, 비례세, 유발투자까지 고려한 승수 ① ㉮ ______ 승수: $\frac{dY}{dG} = \frac{1}{1 - c(1-t) + m - i}$ ② ㉯ ______ 승수: $\frac{dY}{dI} = \frac{1}{1 - c(1-t) + m - i}$ ③ ㉰ ______ 승수: $\frac{dY}{dT} = \frac{-c}{1 - c(1-t) + m - i}$ (5) 균형재정승수 ① ㉱ ______ : 세입과 세출이 같을 때 G = T를 의미함 ② ㉱ ______ 승수: $\frac{dY}{dG} + \frac{dY}{dT} = \frac{1-c}{1-c} = 1$ ③ 정액세일 경우에만 1이고 나머지 경우는 1보다 작음

핵심키워드

㉮ 정부지출, ㉯ 투자, ㉰ 조세, ㉱ 균형재정

STEP 1 기본문제

01 상중하
거시경제지표에 관한 설명으로 옳지 않은 것은? [노무사 20]

① 국내총생산은 영토를 기준으로, 국민총생산은 국민을 기준으로 계산한다.
② 국내총생산 3면 등가의 법칙은 폐쇄경제에서 생산, 지출, 분배국민소득이 항등관계에 있다는 것이다.
③ 국내총생산은 특정 시점에 한 나라 안에서 생산된 부가가치의 합이다.
④ 국민총생산은 국내총생산과 대외순수취요소소득의 합이다.
⑤ 국내총소득은 국내총생산과 교역조건 변화에 따른 실질 무역손익의 합이다.

02 상중하
국민소득계정 항등식의 투자에 대한 설명으로 옳은 것은? [지방직 7급 20]

① 생산에 사용될 소프트웨어 구매는 고정투자에 포함되지 않는다.
② 음(−)의 값을 갖는 재고투자는 해당 시기의 GDP를 감소시킨다.
③ 신축 주거용 아파트의 구매는 고정투자에서 제외되고 소비지출에 포함된다.
④ 재고투자는 유량(flow)이 아니라 저량(stock)이다.

정답 및 해설

01 ③ 국내총생산은 유량이므로 일정 기간 동안 한 나라 안에서 생산된 부가가치의 합이다.

02 ② 재고투자의 감소는 그 연도의 GDP를 감소시킨다.

[오답체크]
① 사용하려고 구매한 고정자산은 유형자산이지만, 투자 목적으로 구매하면 그것은 고정투자이다.
③ 당해 건설된 가계의 아파트 구입은 GDP의 투자계정에 해당한다.
④ 재고투자는 유량(flow) 지표이다.

03 상중하

GDP(Gross Domestic Product)의 측정에 대한 설명으로 옳은 것은? [국가직 7급 17]

① 식당에서 판매하는 식사는 GDP에 포함되지만, 아내가 가족을 위해 제공하는 식사는 GDP에 포함되지 않는다.

② 발전소가 전기를 만들면서 공해를 발생시키는 경우, 전기의 시장가치에서 공해의 시장가치를 뺀 것이 GDP에 포함된다.

③ 임대 주택이 제공하는 주거서비스는 GDP에 포함되지만, 자가 주택이 제공하는 주거서비스는 GDP에 포함되지 않는다.

④ A와 B가 서로의 아이를 돌봐주고 각각 임금을 상대방에게 지불한 경우, A와 B 중 한 사람의 임금만 GDP에 포함된다.

04 상중하

근로자의 실업수당이 현재 GDP에 미치는 영향으로 올바른 것을 고르시오. [서울시 7급 14]

① 실업수당은 일종의 소득이기 때문에 GDP에 포함된다.

② 실업수당은 과거 소득의 일부이므로 GDP에 포함되지 않는다.

③ 실업수당은 부가가치를 발생하므로 GDP에 포함된다.

④ 실업수당은 정부지출이기 때문에 GDP에 포함된다.

⑤ 실업수당은 이전지출이기 때문에 GDP에 포함되지 않는다.

05 상중하 방앗간에서 밀 3톤을 총 3만달러에 수입한 뒤, 밀 2톤은 소비자들에게 팔아 총 3만달러의 매상을 올리고, 나머지 1톤은 밀가루로 만들어 2만달러를 받고 제과점에 팔고, 제과점에서는 이 밀가루로 빵을 만들어 3만달러를 받고 소비자에게 팔았다. 이때 국내에서 창출된 총 부가가치는 얼마인가? [국회직 8급 16]

① 2만달러 ② 3만달러 ③ 6만달러
④ 8만달러 ⑤ 9만달러

정답 및 해설

03 ① 시장에서 거래되지 않은 것은 GDP에 포함되지 않는다.

[오답체크]
② 환경오염과 같은 삶의 질은 GDP에 포함되지 않는다.
③ 임대 주택이 제공하는 주거서비스와 귀속임대료 모두 GDP에 해당된다.
④ A와 B가 서로의 아이를 돌봐주고 각각 임금을 상대방에게 지불한 경우, A와 B의 임금 모두 GDP에 포함된다.

04 ⑤ 실업수당은 정부가 실업자에게 단순히 구매력을 이전하는 이전지출이므로 GDP에 포함되지 않는다.

05 ② 1) 최종재로 계산하는 것이 좋다.
2) 밀 2톤은 소비자들에게 팔아 총 3만달러의 매상을 올렸으므로 밀이 최종재이며 가치는 3만달러이다.
3) 1톤은 밀가루로 만들어 2만달러를 받고 제과점에 팔고, 제과점에서는 이 밀가루로 빵을 만들어 3만달러를 받고 소비자에게 팔았으므로 빵이 최종재이며 가치는 3만달러이다.
4) 수입품은 GDP에 포함하지 않으므로 '최종재의 가치 6만달러 – 수입품의 가치 3만달러 = 총 3만달러'이다.

06 상중하

2020년도에 어떤 나라의 밀 생산 농부들은 밀을 생산하여 그 중 반을 소비자에게 1,000억원에 팔고, 나머지 반을 1,000억원에 제분회사에 팔았다. 제분회사는 밀가루를 만들어 그 중 절반을 800억원에 소비자에게 팔고 나머지를 제빵회사에 800억원에 팔았다. 제빵회사는 빵을 만들어 3,200억원에 소비자에게 모두 팔았다. 이 나라의 2020년도 GDP는? (단, 이 경제에서는 밀, 밀가루, 빵만을 생산한다) [서울시 7급 17]

① 1,600억원
② 2,000억원
③ 3,200억원
④ 5,000억원

07 상중하

자동차 중고매매업체가 출고된 지 1년이 지난 중고차(출고 시 신차가격은 2,000만원) 1대를 2011년 1월 초 1,300만원에 매입하여 수리한 후, 2011년 5월 초 갑에게 1,500만원에 판매하였다. 이론상 이 과정에서의 2011년 GDP 증가 규모는? [국가직 7급 12]

① 증가하지 않았다.
② 200만원
③ 1,300만원
④ 1,500만원

08 상중하 균형국민소득결정식과 소비함수가 다음과 같을 때, 동일한 크기의 정부지출 증가, 투자액 증가 또는 감세에 의한 승수효과에 대한 설명으로 옳은 것은? [지방직 7급 13]

> • 균형국민소득결정식: $Y = C + I + G$
> • 소비함수: $C = B + a(Y - T)$
> (단, Y는 소득, C는 소비, I는 투자, G는 정부지출, T는 조세이고, I, G, T는 외생변수이며, $B > 0$, $0 < a < 1$이다)

① 정부지출 증가에 의한 승수효과는 감세에 의한 승수효과와 같다.
② 투자액 증가에 의한 승수효과는 감세에 의한 승수효과보다 작다.
③ 정부지출 증가에 의한 승수효과는 감세에 의한 승수효과보다 크다.
④ 투자액 증가에 의한 승수효과는 정부지출의 증가에 의한 승수효과보다 크다.

정답 및 해설

06 ④ 2020년도에 생산된 최종생산물의 시장가치는 소비자가 구입한 밀 1,000억원, 밀가루 800억원, 빵 3,200억원이므로 이를 모두 합하면 GDP는 5,000억원이다.

07 ② 1) 출고 시 신차가격 2,000만원은 작년의 GDP에 포함된다.
2) 중고차를 매입한 1,300만원은 단지 소유권 이전에 불과하므로 올해의 GDP에서 제외된다.
3) 중고차를 1,300만원에 매입하여 수리한 후 1,500만원에 판매하였다면 올해의 부가가치는 200만원이므로 200만원만큼 GDP가 증가한다.

08 ③ 해외부분과 비례세가 없는 모형이다. 한계소비성향이 a이므로 정부지출승수와 투자승수는 모두 $\frac{1}{1-a}$이고, 조세승수는 $\frac{-a}{1-a}$이다. 그러므로 정부지출승수와 투자승수의 크기는 같으면서 조세승수(절댓값)보다는 크다.

[오답체크]
① 정부지출 증가에 의한 승수효과는 감세에 의한 승수효과보다 크다.
② 투자액 증가에 의한 승수효과는 감세에 의한 승수효과보다 크다.
④ 투자액 증가에 의한 승수효과는 정부지출의 증가에 의한 승수효과와 동일하다.

09 상중하

어떤 국가의 실질 국내총생산(GDP)은 1,000단위라고 하자. 한편, 이 나라의 경제주체들의 민간소비는 200단위, 투자는 150단위, 정부지출은 400단위라고 한다. 이 나라의 순수출은 몇 단위인가? [국가직 7급 10]

① 150 ② 200
③ 250 ④ 300

10 상중하

A국의 총수요는 200억달러이며 장기생산량 수준은 300억달러이다. A국 총수요 구성 항목 중 소비를 제외한 구성항목은 독립 지출이다. 소비는 가처분 소득에 영향을 받으며 한계소비성향은 1/2이다. 아울러 물가수준은 고정되어 있다. 정부가 장기생산량 수준을 달성하고자 할 때, 증가시켜야 할 재정지출 규모는? (단, 조세는 정액세로 가정한다) [서울시 7급 15]

① 25억달러 ② 50억달러
③ 100억달러 ④ 200억달러

11 상중하

A국의 소비지출(C), 투자지출(I), 정부지출(G), 순수출(Xn), 조세징수액(T)이 다음과 같을 때, 이에 관한 설명으로 옳은 것은? (단, Y는 국민소득이고, 물가, 금리 등 가격변수는 고정되어 있으며, 수요가 존재하면 공급은 언제나 이루어진다고 가정한다) [노무사 20]

• $C = 300 + 0.8(Y - T)$	• $I = 300$
• $G = 500$	• $Xn = 400$
• $T = 500$	

① 균형국민소득은 4,000이다.
② 정부지출이 10 증가하는 경우 균형국민소득은 30 증가한다.
③ 조세징수액이 10 감소하는 경우 균형국민소득은 30 증가한다.
④ 정부지출과 조세징수액을 각각 100씩 증가시키면 균형국민소득은 100 증가한다.
⑤ 정부지출승수는 투자승수보다 크다.

정답 및 해설

09 ③ $Y = C + I + G + (X - M)$ ➜ $1{,}000 = 200 + 150 + 400 + (X - M)$ ➜ $(X - M) = 250$

10 ② 1) 승수는 $\frac{1}{1 - c(1-t) + m}$이다.

2) 문제의 독립지출은 이자율의 영향을 받지 않으며, 조세도 정액세로 고정되어 있다.

3) 한계소비성향 $c = 0.5$이므로 정부지출승수 $\frac{dY}{dG} = \frac{1}{1-c} = 2$이다. 따라서 국민소득을 100억달러 증가시키려면 재정지출을 50억달러 증가시켜야 한다.

11 ④ 1) $Y = C + I + G + Xn$

2) $Y = 300 + 0.8Y - 400 + 300 + 500 + 400$ ➜ $0.2Y = 1{,}100$ ➜ $Y = 5{,}500$

3) 지문분석

④ 균형재정승수는 1이므로 정부지출과 조세징수액을 각각 100씩 증가시키면 균형국민소득은 100 증가한다.

[오답체크]

① 균형국민소득은 5,500이다.

② 정부지출승수는 $\frac{1}{1-c}$이므로 $\frac{1}{1-0.8} = 5$이다. 따라서 정부지출이 10 증가하는 경우 균형국민소득은 50 증가한다.

③ 정부지출승수는 $\frac{-c}{1-c}$이므로 $\frac{-0.8}{1-0.8} = -4$이다. 조세징수액이 10 감소하는 경우 균형국민소득은 40 증가한다.

⑤ 정부지출승수는 투자승수와 같다.

12 상중하

정부의 총수요 확대 정책 수단에는 정부지출 확대 및 조세감면 정책이 있다. 균형 국민소득결정 모형에서 2,000억원의 정부지출 확대와 2,000억원의 조세 감면의 효과에 대한 설명으로 옳은 것은? (단, 밀어내기 효과(crowding-out effect)는 없으며 한계소비성향은 $\frac{3}{4}$ 이다)

[국가직 7급 17]

① 정부지출 확대는 6,000억원, 조세 감면은 6,000억원의 총수요확대 효과가 있다.
② 정부지출 확대는 6,000억원, 조세 감면은 8,000억원의 총수요확대 효과가 있다.
③ 정부지출 확대는 8,000억원, 조세 감면은 6,000억원의 총수요확대 효과가 있다.
④ 정부지출 확대는 8,000억원, 조세 감면은 8,000억원의 총수요확대 효과가 있다.

13 상중하

단순 케인지안모형에서 승수(multiplier)는 $\frac{1}{1-b}$ 이다. 그러나 현실 경제에서 승수는 이렇게 크지 않다. 그 이유로 가장 옳지 않은 것은? (단, b는 한계소비성향이다) [서울시 7급 18]

① 조세가 소득의 증가함수이기 때문이다.
② 수입(import)이 소득의 증가함수이기 때문이다.
③ 화폐수요가 이자율의 감소함수이기 때문이다.
④ 투자가 소득의 증가함수이기 때문이다.

14 상중하 균형국민소득은 $Y = C(Y - T) + G$이다. 정부가 민간분야에 대해 5,000억원의 조세삭감과 5,000억원의 지출증가를 별도로 실시할 경우, 조세삭감과 정부지출로 인한 균형국민소득의 변화(절댓값)를 옳게 설명한 것은? (단, Y: 균형국민소득, $C(Y-T)$: 소비함수, T: 조세, G: 정부지출, 0 < 한계소비성향(MPC) < 1이다) [노무사 21]

① 조세삭감 효과가 정부지출 효과보다 크다.
② 정부지출 효과와 정부지출 효과는 동일하다.
③ 조세삭감 효과가 정부지출 효과보다 작다.
④ 조세승수는 $-1/(1-MPC)$이다.
⑤ 정부지출 승수는 $MPC/(1-MPC)$이다.

정답 및 해설

12 ③ 1) 한계소비성향이 0.75이므로 정부지출승수 $\frac{dY}{dG} = \frac{1}{1-c} = \frac{1}{1-0.75} = 4$이다.

2) 조세승수 $\frac{dY}{dG} = \frac{-c}{1-c} = \frac{-0.75}{1-0.75} = -3$이다.

3) 정부지출이 2,000억원 증가하면 국민소득이 8,000억원 증가하고, 조세가 2,000억원 감면되면 국민소득이 6,000억원 증가한다.

13 ④ 독립지출 증가로 국민소득이 증가할 때 투자가 소득의 증가함수이면 투자도 증가하므로 유효수요가 더 크게 증가하고, 그에 따라 국민소득도 더 크게 증가한다. 그러므로 유발투자가 존재하는 경우에는 단순 케인지안모형에서 승수효과가 더 크게 나타난다.

14 ③ 1) 문제에서 정부지출승수는 $\frac{1}{1-MPC}$, 조세승수는 $\frac{-MPC}{1-MPC}$이다.

2) 균형재정승수가 1이므로 정부지출의 효과가 조세삭감 효과보다 크다.

15 상중하

A국과 B국의 거시경제모형이 각각 다음과 같을 때 이에 대한 설명으로 옳은 것은?

[국가직 21]

A국	B국
• $C = 20 + 0.8Y_D$	• $C = 20 + 0.8Y_D$
• $Y_D = Y - T$	• $Y_D = Y - T$
• $T = 30 + 0.25Y$	• $T = 30$
• $I = 40$	• $I = 40$
• $G = 50$	• $G = 50$
• $X = M = 0$	• $X = M = 0$

(단, C는 소비, Y_D는 가처분소득, Y는 국민소득, T는 조세, I는 투자, G는 정부지출, X는 수출, M은 수입을 나타내며, 측정 단위는 조원이다)

① A국의 균형국민소득이 215조원이라고 할 때 균형국민소득을 4% 증가시키기 위해서는 정부지출을 8.6조원 증대시키면 된다.
② B국의 균형국민소득이 430조원이라고 할 때 균형국민소득을 4% 증가시키기 위해서는 투자를 3.44조원 증대시키면 된다.
③ 정부지출의 증대가 균형국민소득에 미치는 영향의 크기는 A국과 B국이 동일하다.
④ A국의 한계세율이 증가하면 균형국민소득 역시 증가한다.

16 상중하

다음과 같은 경제모형을 가정한 국가의 잠재총생산 수준이 Y^*라고 할 때, 총생산갭을 제거하기 위해 통화당국이 설정해야 하는 이자율은?

[국가직 7급 13]

• $C = 14{,}000 + 0.5(Y - T) - 3{,}000r$
• $I = 5{,}000 - 2{,}000r$
• $G = 5{,}000$
• $NX = 400$
• $T = 8{,}000$
• $Y^* = 40{,}000$

(단, Y는 국민소득, C는 소비, I는 투자, G는 정부지출, T는 조세, NX는 순수출, r은 이자율)

① 2%
② 4%
③ 6%
④ 8%

정답 및 해설

15 ② B국의 승수는 $\frac{1}{1-0.8}=5$이다. B국의 균형국민소득이 430조원이라고 할 때 균형국민소득을 4% 증가시키기 위해서는 17.2조원을 증가시켜야 한다. 정부지출승수와 투자승수는 동일하므로 투자를 3.44조원 증대시킬 때 승수 5를 곱하면 17.2조원이 증가된다.

[오답체크]

① A국의 승수는 $\frac{1}{1-0.8(1-0.25)}=2.5$이다. A국의 균형국민소득이 215조원이라고 할 때 균형국민소득을 4% 증가시키기 위해서는 8.6조원을 증가시켜야 한다. 정부지출승수가 2.5이므로 정부지출을 2.15조원 증대시키면 된다.

③ 정부지출승수가 다르므로 정부지출의 증대가 균형국민소득에 미치는 영향의 크기는 A국과 B국이 다르다.

④ A국의 한계세율이 증가하면 승수가 감소하므로 균형국민소득 역시 감소한다.

16 ④ 1) $AE=C+I+G+NX$

2) $AE=14{,}000+0.5(Y-8{,}000)-3{,}000r+5{,}000-2{,}000r+5{,}000+400=20{,}400-5{,}000r+0.5Y$

3) 균형은 $Y=AE$이다.

4) $Y=20{,}400-5{,}000r+0.5Y$, $Y=40{,}800-10{,}000r$이다.

5) 균형국민소득이 잠재GDP와 같아지는 이자율을 계산하기 위해 $Y=40{,}000$을 균형국민소득식에 대입하면 $r=0.08$이다.

17 상중하

다음과 같은 케인즈의 경제모형을 가정할 때, 정부지출승수, 투자승수, 정액조세승수를 순서대로 바르게 배열한 것은? [지방직 7급 11]

> • $Y = C + I + G$
> • $C = 0.75(Y - T) + 200$
> • $I = 200$
> • $G = 200$
> • $T = 200$
> (단, Y는 국민소득, C는 소비지출, I는 투자지출, G는 정부지출, T는 정액조세를 나타낸다)

① 3, 3, −3
② 3, 4, −2
③ 4, 3, −2
④ 4, 4, −3

18 상중하

A국의 경제는 $C = 0.7(Y - T) + 25$, $I = 32$, $T = tY + 10$으로 표현된다. 완전고용 시의 국민소득은 300이며, 재정지출은 모두 조세로 충당할 때, 완전고용과 재정지출의 균형을 동시에 달성하는 t는? (단, Y는 국민소득, C는 소비, I는 투자, G는 정부지출, T는 조세, t는 소득세율을 나타낸다) [지방직 7급 15]

① $\frac{1}{5}$
② $\frac{1}{4}$
③ $\frac{1}{3}$
④ $\frac{1}{2}$

정답 및 해설

17 ④ 1) 정부지출, 투자승수는 $\frac{1}{1-c(1-t)+m}$ 이다.

2) 정액조세승수는 $\frac{-c}{1-c(1-t)+m}$ 이다.

3) 한계소비성향(c)은 0.75이고 나머지는 존재하지 않는 모형이다.

4) 대입하면 정부지출승수는 4, 투자승수는 4, 정액조세승수는 −3이다.

18 ③ 1) 해외부분을 언급하지 않고 있으므로 $AE = C + I + G$이다.

2) 균형재정을 달성하기 위해서는 조세와 같아야 하므로 $G = tY + 10$이다.

3) 국민소득이 완전고용 국민소득과 일치하므로 $Y = AE = 300$이 성립한다.

4) 위 공식에 대입하면 $AE = C + I + G = 0.7(Y - tY - 10) + 25 + 32 + (tY + 10)$ ➜ $300 = 0.7(300 - 300t - 10) + 25 + 32 + 300t + 10$ ➜ $300 = 90t + 270$ ➜ $t = \frac{1}{3}$ 이다.

19 상중하

B국가는 전 세계 어느 국가와도 무역을 하지 않으며, 현재 GDP는 300억달러라고 가정하자. 매년 B국가의 정부는 50억달러 규모로 재화와 서비스를 구매하며, 세금수입은 70억달러인 반면 가계로의 이전지출은 30억달러이다. 민간저축이 50억달러일 경우 민간소비와 투자는 각각 얼마인가? [서울시 7급 13]

① 180억달러, 50억달러
② 210억달러, 40억달러
③ 130억달러, 70억달러
④ 150억달러, 60억달러
⑤ 추가 정보가 필요하다.

20 상중하

국민총소득은 1,000조원이고 정부지출은 200조원, 조세수입은 150조원, 투자는 250조원인 폐쇄경제에서의 민간저축은? [지방직 21]

① 200조원
② 250조원
③ 300조원
④ 450조원

21 상중하 폐쇄경제하에서 소비(C)는 감소하고 정부지출(G)은 증가할 경우 민간저축과 정부저축에 대한 설명으로 가장 옳은 것은? (단, 국민소득과 세금은 고정되어 있다고 가정한다) [서울시 16]

① 민간저축과 정부저축 모두 증가한다.
② 민간저축과 정부저축 모두 감소한다.
③ 민간저축은 증가하고 정부저축은 감소한다.
④ 민간저축은 감소하고 정부저축은 증가한다.

정답 및 해설

19 ② 1) 정부저축 = 조세 − 정부지출 − 이전지출이다.
2) 조세수입이 70억달러, 정부지출이 50억달러, 이전지출이 30억달러, 조세수입이 70억달러이므로 정부저축은 −10억달러이다. 민간저축이 50억달러, 정부저축이 −10억달러이므로 경제전체의 총저축은 40억달러이다.
3) 폐쇄경제에서는 국내총저축과 국내총투자가 일치하므로 투자는 40억달러이다.
4) 총저축 = 국민소득 − 소비 − 정부지출이므로 40 = 300 − 민간소비 − 50이다. 따라서 민간소비는 210이다.

20 ③ 1) $Y = C + I + G$
2) 조건을 대입하면 $1{,}000 = C + 250 + 200$ ➜ $C = 550$
3) $Y = C + S_P + T$
4) 조건을 대입하면 $1{,}000 = 550 + S_P + 150$ ➜ $S_P = 300$이다.

21 ③ 1) 민간저축 $S_P = (Y - T - C)$이므로 민간소비(C)가 감소하면 민간저축은 증가한다.
2) 정부저축 $S_G = (T - G)$이므로 정부지출(G)이 증가하면 정부저축은 감소한다.

STEP 2 심화문제

22 상중하

다음 〈보기〉 중 GDP가 증가하는 경우는 모두 몇 개인가? [국회직 8급 14]

〈보기〉

ㄱ. 국세청이 세무조사를 강화함에 따라 탈세규모가 줄어들었다.
ㄴ. 도시에 거주하는 사람에 대한 농지매입규제가 폐지됨에 따라 농지가격이 상승하였다.
ㄷ. 자가 보유주택의 귀속임대료가 상승하였다.
ㄹ. 금융구조조정이 성공적으로 마무리되어 은행들의 주가가 급등하였다.
ㅁ. 자동차 제조 기업에서 판매되지 않은 재고증가분이 발생하였다.

① 1개 ② 2개 ③ 3개
④ 4개 ⑤ 5개

23 상중하

다음 〈보기〉 중 국내총생산이 증가되는 경우를 모두 고르면? [국회직 8급 13]

〈보기〉

ㄱ. 국내 A사의 자동차 재고 증가
ㄴ. 중고자동차 거래량 증가
ㄷ. 은행들의 주가 상승
ㄹ. 주택 임대료 상승
ㅁ. 맞벌이 부부 자녀의 놀이방 위탁 증가

① ㄱ, ㄴ, ㄷ ② ㄱ, ㄷ, ㄹ ③ ㄱ, ㄹ, ㅁ
④ ㄴ, ㄷ, ㄹ ⑤ ㄷ, ㄹ, ㅁ

정답 및 해설

22 ③ ㄱ. 국세청이 세무조사를 강화하여 탈세규모를 줄이면 시장가치로 평가할 수 있는 생산량이 많아지므로 GDP가 증가한다.

ㄷ. 자가 보유주택의 귀속임대료는 GDP에 포함되므로 귀속임대료 상승은 GDP 상승요인이다.

ㅁ. 재고증가분이 발생하고 자동차가 판매되지 않더라도 올해 생산되었다면 올해 GDP에 포함된다. 즉, 판매되지 않은 재고증가분이 발생하면 GDP가 증가한다.

[오답체크]

ㄴ. 농지매입 규제가 폐지되면 도시에 거주하는 사람들의 농지에 대한 수요가 늘어나서 농지가격이 상승한다. 하지만 농지가격 상승은 생산이 아니므로 GDP에 영향을 주지 않는다.

ㄹ. 은행들의 주가 상승도 생산이 아니므로 GDP에 영향을 주지 않는다.

23 ③ **[오답체크]**

ㄴ. 중고는 기존 자산의 거래이므로 국내총생산 증가와 무관하다.

ㄷ. 기존자산의 소유권 가격의 상승이므로 국내총생산 증가와 무관하다.

24 상중하

GDP에 대한 설명으로 옳은 것을 〈보기〉에서 모두 고르면? [17. 국회직 8급]

〈보기〉

ㄱ. 정부가 출산장려금으로 자국민에게 지급하는 금액은 GDP에 포함된다.
ㄴ. A사가 생산한 자동차의 재고 증가는 GDP 증가에 영향을 주지 못하지만, 중고자동차의 거래량 증가는 GDP를 증가시킨다.
ㄷ. 중국인의 한국 내 생산활동은 한국의 GDP 산출에 포함된다.
ㄹ. 아파트 옥상에서 상추를 재배한 전업주부가 이 생산물을 가족들의 저녁식사에 이용한 경우 이는 GDP에 포함되지 않는다.
ㅁ. 한국의 의류회사가 베트남에서 생산하여 한국으로 수입 판매한 의류의 가치는 한국의 GDP에 포함되지 않는다.

① ㄱ, ㄴ, ㄷ ② ㄱ, ㄴ, ㅁ ③ ㄱ, ㄷ, ㅁ
④ ㄴ, ㄷ, ㄹ ⑤ ㄷ, ㄹ, ㅁ

25 상중하

해외부문이 존재하지 않는 폐쇄경제에서 소비함수는 $C = 100 + 0.8(1-t)Y$, 민간투자는 180, 정부지출은 180이다. 정부가 정부지출을 200으로 늘린다고 할 때, 다음 설명 중 옳은 것은? (단, C는 소비, t는 조세율, Y는 국민소득이다) [국회직 8급 15]

① 조세율이 0이면 국민소득은 변하지 않는다.
② 조세율이 0이면 국민소득은 20만큼 증가한다.
③ 조세율이 0이면 국민소득은 50만큼 증가한다.
④ 조세율이 0.25이면 국민소득은 40만큼 증가한다.
⑤ 조세율이 0.25이면 국민소득은 50만큼 증가한다.

정답 및 해설

24 ⑤

GDP에 포함되는 항목	GDP에 포함되지 않는 항목
귀속임대료(자기집 사용료)	여가
자가소비 농산물(농부)	자가소비 농산물(도시의 텃밭)
파출부의 가사노동	주부의 가사노동
신규주택매입	기존주택매입
국방, 치안서비스(공공재)	상속, 증여
금년 생산했지만 판매되지 않은 재고	주식가격, 부동산가격변동
회사채이자	국공채이자
가계가 구입한 목재(최종생산물)	목수가 구입한 목재(중간생산물)

[오답체크]

ㄱ. 정부가 출산장려금으로 자국민에게 지급하는 금액은 이전지출에 해당하므로 GDP에 포함되지 않는다.

ㄴ. 중고자동차는 당해 연도 생산물이 아니므로 GDP에 포함되지 않는다.

25 ⑤ 1) 정부지출승수는 $\frac{1}{1-c(1-t)+m}$ 이다.

2) 조세율이 0인 경우 승수는 $\frac{1}{1-c}$ 이므로 $\frac{1}{1-0.8}=5$이다. 정부지출을 20 늘리면 국민소득은 $5\times20=100$만큼 증가한다.

3) 조세율이 0.25인 경우 승수는 $\frac{1}{1-c(1-t)}$ 이므로 $\frac{1}{1-0.8(1-0.25)}=\frac{5}{2}$ 이다. 정부지출을 20 늘리면 국민소득은 $2.5\times20=50$만큼 증가한다.

26 상중하

표는 기업 甲과 乙로만 구성된 A국의 연간 국내 생산과 분배를 나타낸다. 이에 관한 설명으로 옳지 않은 것은? [감정평가사 21]

항목	甲	乙
매출액	400	900
중간투입액	0	400
임금	250	300
이자	0	50
임대료	100	100
이윤	(　)	(　)
요소소득에 대한 총지출	(　)	(　)
부가가치	(　)	(　)

① 기업 甲의 요소소득에 대한 총지출은 400이다.
② 기업 甲의 부가가치는 400이다.
③ 기업 甲의 이윤은 기업 乙의 이윤과 같다.
④ A국의 임금, 이자, 임대료, 이윤에 대한 총지출은 900이다.
⑤ A국의 국내총생산은 기업 甲과 기업 乙의 매출액 합계에서 요소소득에 대한 총지출을 뺀 것과 같다.

27 상중하

케인즈 단순모형에서 총소득은 100, 민간소비는 80, 소비승수는 2라고 가정할 때 총소득이 110으로 변화한다면 민간소비로 옳은 것은? (단, 정부지출, 조세 및 순수출은 각각 0이다) [국회직 8급 19]

① 80　② 85　③ 90
④ 95　⑤ 100

정답 및 해설

26 ⑤ 1) 표

항목	甲	乙
매출액	400	900
중간투입액	0	400
임금	250	300
이자	0	50
임대료	100	100
이윤	(50)	(50)
요소소득에 대한 총지출	(400)	(500)
부가가치	(400)	(500)

2) 지문분석

⑤ A국의 국내총생산은 기업 甲과 기업 乙의 매출액 합계인 900이고 요소소득에 대한 총지출이 500이므로 그 차이는 400이다. 국내총생산은 900이므로 옳지 않다.

27 ② 1) 소비승수는 $\frac{1}{1-c(1-t)+m}$ 이다.

2) 소비승수 = 1/(1 − 한계소비성향)이므로 한계소비성향은 0.5이다.

3) 총소득이 10 증가하므로 소비는 5 증가하고 결과적으로 소비는 85가 된다.

28 상중하

〈보기〉의 경제모형에서 한계수입성향이 0.1로 감소하면 (ㄱ) 균형소득수준과 (ㄴ) 순수출 각각의 변화로 옳은 것은? (단, Y는 국민소득, C는 소비, I는 투자, X는 수출, M은 수입이다)

[감정평가사 21]

〈보기〉

- $Y = C + I + X - M$
- $C = 100 + 0.6Y$
- $I = 100$
- $X = 100$
- $M = 0.4Y$

① ㄱ: 증가, ㄴ: 증가
② ㄱ: 감소, ㄴ: 증가
③ ㄱ: 증가, ㄴ: 감소
④ ㄱ: 감소, ㄴ: 감소
⑤ ㄱ: 불변, ㄴ: 증가

29 상중하

〈보기〉와 같은 경제환경하에서 개인저축과 균형이자율(r^*)은? [국회직 8급 16]

〈보기〉

- $Y = C + I + G$
- $Y = 6{,}000$
- $G = 3{,}000$
- $T = 1{,}500$
- $C = 200 + 0.5(Y - T)$
- $I = 1{,}000 - 40r$

(단, Y는 국민소득, C는 소비지출, T는 조세, I는 투자지출, r은 이자율, G는 정부지출이다. 이 때 r의 균형값인 균형이자율은 r^*로 표시한다)

	개인저축	균형이자율(r^*)
①	2,050	11.25
②	2,000	11.25
③	2,050	11.50
④	2,000	11.50
⑤	2,050	12.25

30 상중하

어떤 국가의 거시경제가 다음과 같다. 이 국가의 현재 경기상황은 어떠하며, 이를 안정시키기 위한 정부의 조세정책으로서 한계조세율은 어떻게 조정되어야 하는가? [국회직 8급 17]

- $Y = C + I + G$
- $C = 50 + 0.75(Y - T)$
- $I = 150$
- $G = 250$
- $T = 200 + 0.25Y$
- $\overline{Y} = 750$

(Y: 소득, C: 소비, I: 투자, G: 정부구매, T: 조세, $\overline{Y}$: 자연생산량)

	경기상황	한계조세율	조정
①	경기침체	2.5%p	감소
②	경기침체	5%p	감소
③	경기침체	7%p	감소
④	경기과열	2.5%p	증가
⑤	경기과열	5%p	증가

정답 및 해설

28 ① 1) $Y = C + I + X - M$ ➜ $Y = 100 + 0.6Y + 100 + 100 - 0.4Y$ ➜ $0.8Y = 300$ ➜ $Y = 375$

2) 한계수입성향이 0.1로 감소하면 $Y = 100 + 0.6Y + 100 + 100 - 0.1Y$ ➜ $0.5Y = 300$ ➜ $Y = 600$이 되므로 국민소득은 증가한다.

3) 순수출은 $100 - 0.4 \times 375 = -50$에서 $100 - 0.1 \times 600 = +40$으로 증가한다.

29 ① 1) $Y = C + I + G$

2) $6{,}000 = 200 + 0.5(6{,}000 - 1{,}500) + 1{,}000 - 40r^* + 3{,}000$을 정리하여 풀면 ➜ $4r^* = 45$ ➜ $r^* = 11.25$이다.

3) 개인저축 $= Y - T - C = 6{,}000 - 1{,}500 - 2{,}450 = 2{,}050$이다.

30 ② 1) 균형국민소득을 구하면 $Y = 50 + 0.75(Y - 200 - 0.25Y) + 150 + 250$

➜ $Y - 0.75 \times 0.75Y = 50 + 250 = 300$ $Y ≒ 682$

2) 자연생산량보다 적으므로 경기침체이다.

3) 한계조세율을 t라고 가정하고 소비함수를 변형하면 $C = 50 + 0.75(Y - 200 - tY)$이다.

4) 변형한 식을 대입하여 균형국민소득을 구하면 $Y = 50 + 0.75(Y - 200 - tY) + 150 + 250$에서 $Y = 750$이 되는 t를 구하면 $t = 0.2$가 구해지므로 5%p 감소하여야 한다.

31 상중하

A국 국민소득계정의 구성 항목이 아래와 같다. A국의 (ㄱ) GDP와 (ㄴ) 재정수지는?

[감정평가사 20]

• 소비 = 300	• 투자 = 200
• 민간저축 = 250	• 수출 = 150
• 수입 = 150	• 정부지출 = 100

① ㄱ: 500, ㄴ: -50
② ㄱ: 500, ㄴ: 100
③ ㄱ: 600, ㄴ: -50
④ ㄱ: 600, ㄴ: 100
⑤ ㄱ: 750, ㄴ: 100

32 상중하

개방경제인 甲국의 국민소득결정모형이 다음과 같을 때, 甲국의 국내총소득, 국민총소득, 처분가능소득은? (단, 제시된 항목 외 다른 것은 고려하지 않는다)

[감정평가사 19]

• 국내총생산: 1,000	• 대외 순수취 요소소득: 20
• 교역조건 변화에 따른 실질무역 손익: 50	• 감가상각: 10
• 사내유보이윤: 10	• 각종 세금: 3
• 이전지출: 3	

① 1,000, 980, 960
② 1,000, 1,020, 1,000
③ 1,050, 1,050, 1,050
④ 1,050, 1,070, 1,050
⑤ 1,070, 1,050, 1,030

33 상중하

한 경제에 부유한 계층과 가난한 계층이 존재하고 부유한 계층의 한계소비성향은 가난한 계층의 한계소비성향보다 작다. 정부가 경기 부양을 위해 조세를 감면하려고 할 때 다음 중 가장 적절하지 않은 것은? [국회직 8급 16]

① 가난한 계층의 조세 감면을 크게 할수록 경기 부양효과가 크다.
② 조세 감면 총액이 커지면 경기 부양효과가 커진다.
③ 소득분포가 경기 부양효과의 크기에 영향을 미친다.
④ 가난한 계층의 비율이 높을수록 경기 부양효과가 커진다.
⑤ 부유한 계층과 가난한 계층의 한계소비성향의 차이가 작을수록 경기 부양효과가 커진다.

정답 및 해설

31 ③ 1) 국민소득 3면 등가의 법칙에 따라 $GDP = GDE$이다.
2) $Y = C + I + G + X - M$으로 구성되므로 $Y = 300 + 200 + 100 + 150 - 150 = 600$이다.
3) 민간저축(S_p) = 소득(Y) − 소비(C) − 조세(T)로 구성된다. ➜ $250 = 600 - 300 -$ 조세 ➜ 조세 $= 50$
4) 재정수지는 $T - G = 50 - 100 = -50$이다.

32 ④ 1) 국내총소득(GDI)은 GDP + 교역조건 변화에 따른 실질무역손익이다. 따라서 $1{,}000 + 50 = 1{,}050$이다.
2) 국민총소득(GNI)은 GDP + 교역조건 변화에 따른 실질무역손익 + 국외 순수취요소소득이다. 따라서 $1{,}000 + 50 + 20 = 1{,}070$이다.
3) 처분가능소득은 GNI − 감가상각 − 사내유보이윤이다. 따라서 $1{,}070 - 10 - 10 = 1{,}050$이다.

33 ⑤ 1) 부유한 계층은 한계소비성향이 작으므로 조세감면으로 발생하는 소득증가분이 소비로 지출되는 정도가 가난한 계층보다 작다.
2) 부유한 계층과 가난한 계층의 한계소비성향의 차이가 클수록 경기 부양효과가 커진다.

34 상중하

폐쇄경제하에서 정액세만 있는 경우 균형재정승수의 값과 그 이유에 대한 설명으로 옳은 것을 〈보기〉에서 고르면? [국회직 8급 16]

〈보기〉

ㄱ. 정부지출의 증가가 조세의 증가에 의해 완전 상쇄되므로 국민생산에 미치는 영향은 전혀 없기 때문이다.
ㄴ. 정부지출의 증가는 그 자체가 즉각적으로 유효수요를 증가시키고 조세의 증가 또한 유효수요를 증가시켜 총체적으로 국민생산이 증가하기 때문이다.
ㄷ. 정부지출의 증가는 일반적으로 그 자체가 즉각적으로 유효수요를 증가시키는 반면 조세의 증가는 소비지출의 감소를 통해서만 유효수요에 영향을 미치기 때문이다.
ㄹ. 정부지출의 증가는 그 자체가 즉각적으로 유효수요를 증가시키지만 조세는 정부가 이를 거두어들이는 기간이 상황마다 다르기 때문이다.
ㅁ. 정부지출 증가에 따라 조세가 2배로 증가하여 국민생산이 감소하기 때문이다.

	균형재정승수	이유
①	0	ㄱ
②	1	ㄴ
③	1	ㄷ
④	-1	ㄹ
⑤	-1	ㅁ

35 상중하 다음은 케인즈의 국민소득결정모형이다. 완전고용 국민소득수준이 Y_3이라면 다음 설명 중 옳지 않은 것은? (Y: 소득, AE: 총지출, C: 소비, C_0: 기초소비, c: 한계소비성향, I: 투자, I_0: 독립투자) [국회직 8급 14]

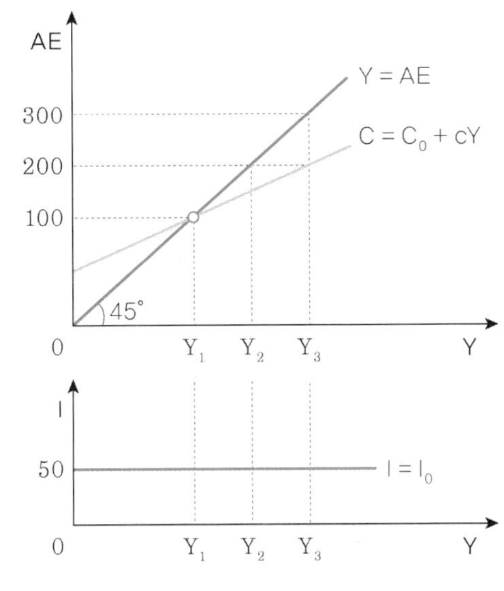

① OY_3 수준에서 총수요는 250이다.

② 완전고용에 필요한 총수요는 300이다.

③ 위 그래프는 유발투자를 고려하고 있지 않다.

④ 디플레이션 갭이 100이다.

⑤ OY_3 수준에서 소비와 투자의 차이는 150이다.

정답 및 해설

34 ③ 1) 정액세만 존재하는 폐쇄경제의 균형재정승수 = 정부지출승수 + 조세승수 = $\frac{1}{1-c} + \frac{-c}{1-c} = 1$

2) 정부지출의 증가는 일반적으로 그 자체가 즉각적으로 유효수요를 증가시키는 반면 조세의 증가는 소비지출의 감소를 통해서만 유효수요에 영향을 미치기 때문이다. 또한 조세감면은 일부가 저축으로 누출되므로 정부지출 효과보다 작다.

35 ④ $Y = AE$가 45°선이므로 $Y_1 = 100$, $Y_2 = 200$, $Y_3 = 300$임을 알 수 있다. 그리고 투자는 소득에 상관없이 50이다. 따라서 총수요 = 총지출 = $AE = C_0 + cY + I$이다.

'디플레이션 갭 = 완전고용 국민소득 − 완전고용 국민소득에서 측정한 총수요'이므로 완전고용 국민소득은 300이고 완전고용 국민소득에서 측정한 총수요가 250이므로 디플레이션 갭은 50이다.

[오답체크]

① 소득 Y_3 수준에서 소비는 200이고 투자는 50이므로 총수요는 250이다.

② 완전고용 국민소득이 $Y_3 = 300$이므로 완전고용에 필요한 총수요도 300이다.

③ 소득에 영향을 받는 투자를 유발투자라고 한다. 사안에서는 투자가 소득과 상관없이 일정하므로 유발투자가 없다.

⑤ 완전고용 국민소득에서 소비는 200이고 투자는 50이므로 양자의 차이는 150이다.

36 상중하

다음 글에 따를 때 이 경제의 민간저축(private saving)으로 옳은 것은? [국회직 8급 19]

- 이 경제는 폐쇄경제이다.
- $Y = C + I + G + NX$가 성립한다.
  (단, Y는 국민소득, C는 소비, I는 투자, G는 정부지출, NX는 순수출을 의미한다)
- 국민저축(national saving)은 500, 조세는 200, 정부지출은 300이다.

① 200 ② 400 ③ 600
④ 800 ⑤ 1,000

37 상중하

개방경제 甲국의 국민소득결정모형이 다음과 같다. 특정 정부지출 수준에서 경제가 균형을 이루고 있으며 정부도 균형예산을 달성하고 있을 때, 균형에서 민간저축은? (단, Y는 국민소득, C는 소비, I는 투자, G는 정부지출, T는 조세, X는 수출, M은 수입이다) [감정평가사 19]

- $Y = C + I + G + (X - M)$
- $C = 150 + 0.5(Y - T)$
- $I = 200$
- $T = 0.2Y$
- $X = 100$
- $M = 50$

① 150 ② 200 ③ 225
④ 250 ⑤ 450

38 상중하 해외부문이 존재하지 않는 폐쇄경제의 균형에서 총투자는 국민저축(national saving)과 같고, 국민저축은 민간저축(private saving)과 정부저축(public saving)으로 구성되어 있다. 국민소득이 480이고 소비지출이 350, 정부지출이 100, 조세가 80일 때 사적저축은?

[국회직 8급 15]

① 30 ② 50 ③ 80
④ 100 ⑤ 130

39 상중하 폐쇄경제인 A국의 국민소득(Y)이 5,000이고 정부지출(G)이 1,000이며 소비(C)와 투자(I)가 각각 $C = 3{,}000 - 50r$, $I = 2{,}000 - 150r$과 같이 이자율(r)의 함수로 주어진다고 할 때, 균형 상태에서의 총저축은? (단, 총저축은 민간저축과 정부저축의 합이다) [감정평가사 16]

① 1,000 ② 1,250 ③ 1,500
④ 2,250 ⑤ 2,500

정답 및 해설

36 ③ 1) 국민저축 = 민간저축 + 정부저축
2) 500 = 민간저축 + (200 − 300) ➜ 민간저축 = 600

37 ④ 1) 균형재정이므로 $T = G$이다. 따라서 $G = 0.2Y$이다.
2) Y를 구하면 $Y = 150 + 0.5Y - 0.1Y + 200 + 0.2Y + 100 - 50$ ➜ $Y = 400 + 0.6Y$ ➜ $Y = 1{,}000$이다.
3) 민간저축 $S_p = Y - C - T$이므로 $1{,}000 - (150 + 400) - 200 = 250$이다.

38 ② 사적저축 $S = Y - T - C = 480 - 80 - 350 = 50$

39 ② 1) 총저축 = 민간저축 + 정부저축 ➜ $S = Y - C - G$
2) 국민소득 항등식 $Y = C + I + G$ ➜ $5{,}000 = 3{,}000 - 50r + 2{,}000 - 150r + 1{,}000$ ➜ $1{,}000 = 200r$ ➜ $r = 5$
3) $C = 3{,}000 - 250 = 2{,}750$
4) $I = 2{,}000 - 750 = 1{,}250$
5) 총저축 $= 5{,}000 - 2{,}750 - 1{,}000 = 1{,}250$

STEP 3 실전문제

40 상중하

다음 중 저량변수(stock variable)는? [회계사 21]

① 소비 ② 저축 ③ 국내총생산
④ 외환보유고 ⑤ 감가상각

41 상중하

국민소득지표에 대한 설명으로 옳지 않은 것은? [회계사 17]

① 폐쇄경제에서는 실질GDP와 실질GDI가 같다.
② 명목GNI는 명목GNP와 동일한 개념이다.
③ 교역조건 변화에 따른 실질무역손익이 음(−)의 값을 가질 경우, 실질GDI는 실질GDP보다 작다.
④ 실질GNI는 실질GNP와 동일한 개념이다.
⑤ 명목 국외순수취 요소소득이 음(−)의 값을 가질 경우, 명목GNI는 명목GDP보다 작다.

42 케인즈의 균형국민소득결정모형에서 실제 지출이 Y_3 수준이라고 할 때, 재고와 생산량에 대한 설명으로 옳은 것은? [회계사 18]

상중하

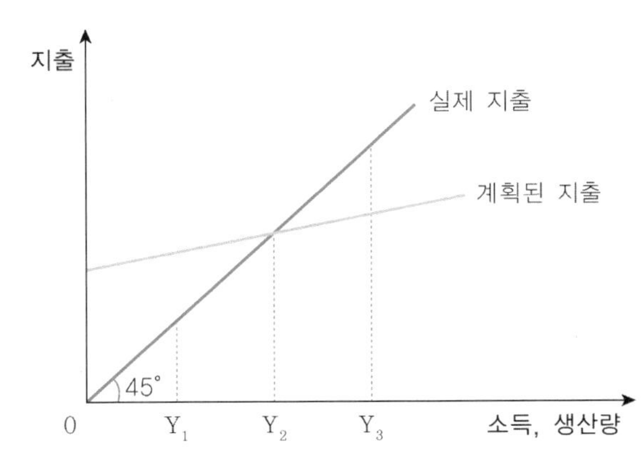

① 재고가 증가하여 생산량이 증가한다.
② 재고가 감소하여 생산량이 증가한다.
③ 재고가 증가하여 생산량이 감소한다.
④ 재고가 감소하여 생산량이 감소한다.
⑤ 재고가 불변하여 생산량이 불변한다.

정답 및 해설

40 ④ 1) 유량변수
일정 기간에 측정되는 지표 예 소득, 소비, 투자, 저축, 수요량, 국내총생산, 국제수지, 재정적자, 감가상각 등
2) 저량변수
예 국부, 통화량, 재고량, 외환보유고, 정부부채 등

41 ④ 실질로 집계할 때에는 가격변화에 따른 구매력 변화가 GDP에 반영되지 않으므로 교역조건 변화에 따른 실질무역손익이 0보다 크거나 작을 수 있다. 따라서 실질GNI는 실질GNP와 다르다.

[오답체크]
① 'GDI = GDP + 교역조건 변화에 따른 실질무역 손익'이므로 폐쇄경제에서는 실질GDP와 실질GDI가 같다.
② 국민소득 3면 등가에 따라 명목GNI는 명목GNP와 동일한 개념이다.
③ 실질GDI = 실질GDP + 교역조건 변화에 따른 실질무역손익이다. 교역조건 변화에 따른 실질무역손익이 음(−)의 값을 가질 경우, 실질GDI는 실질GDP보다 작다.
⑤ 명목으로 계산할 때에는 교역조건변화에 따른 실질무역손익이 0이므로 명목GNI = 명목GDP + 국외순수취 요소소득의 관계가 성립하므로 명목 국외순수취 요소소득이 음(−)의 값을 가질 경우, 명목GNI는 명목GDP보다 작다.

42 ③ 생산량이 Y_3일 때는 계획된 지출(유효수요)이 총생산(실제지출)에 미달하므로 재고가 증가한다. 재고가 증가하면 기업들이 생산을 줄이게 되므로 생산량이 감소한다.

43 상중하

폐쇄경제에 대한 케인즈의 국민소득결정모형이 다음과 같다.

• $C = a + 0.75(Y - T)$	• $I = b + 0.15Y$
• $T = c + 0.2Y$	• $G = \overline{G}$

Y, C, I, T, G는 각각 소득, 소비, 투자, 조세 및 정부지출이다. a, b, c는 각각 소득에 의존하지 않는 자율적(autonomous) 소비, 투자 및 조세를 나타내는 상수이다. 정부지출이 $\overline{G}$로 일정할 때, 자율적 소비 승수는? [회계사 22]

① 2.5 ② 3.0 ③ 3.5
④ 4.0 ⑤ 4.5

44 상중하

어떤 경제의 소비(C), 투자(I), 정부지출(G), 순수출(NX)이 다음과 같다. 경기에 대한 불확실성 때문에 투자가 50에서 0으로 감소할 때 순수출의 변화는? [회계사 15]

• $C = 200 + 0.8Y$	• $I = 50$
• $G = 50$	• $NX = 300 - 0.3Y$(Y는 국민소득)

① 불변 ② 15 감소 ③ 15 증가
④ 30 감소 ⑤ 30 증가

45 상중하 다음은 폐쇄 경제에 대한 국민소득결정모형이다. 정부가 총생산을 잠재총생산 수준과 일치하도록 조정하려면 정부지출의 변화는? [회계사 20]

> • $C = 100 + 0.8(Y - T)$
> • $I = 200$
> • $G = 50$
> • $T = 50 + 0.25Y$
> • $Y = C + I + G$
> • $Y^p = 750$
> (단, Y, C, I, G, T, Y^p는 각각 총생산, 소비, 투자, 정부지출, 조세, 잠재총생산을 나타낸다)

① 50 감소 ② 25 감소 ③ 10 감소
④ 10 증가 ⑤ 25 증가

정답 및 해설

43 ④ 1) 자율적 소비는 a이므로 정부지출승수와 동일하다.

2) 승수 = $\frac{1}{1-c(1-t)+m-i}$

3) 조건을 대입하면 $\frac{1}{1-0.75(1-0.2)-0.15} = \frac{1}{1-0.75} = 4$이다.

44 ⑤ 1) $Y = 200 + 0.8Y + 50 + 50 + 300 - 0.3Y$ ➜ $0.5Y = 600$ ➜ $Y = 1,200$

2) 승수 = $\frac{1}{1-c(1-t)+m} = \frac{1}{1-0.8+0.3} = 2$

3) 투자감소분 × 투자승수 = 국민소득의 변화분 ➜ $-50 \times 2 = -100$ ➜ $Y = 1,100$

4) 최초의 순수출: $300 - 360 = -60$

5) 투자변화 후 순수출: $300 - 330 = -30$ ➜ 순수출 30 증가

45 ③ 1) 주어진 조건을 대입하여 균형국민소득을 구하면 $Y = 100 + 0.8(Y - 50 + 0.25Y) + 200 + 50 = 310 + 0.6Y$이므로 현재 국민소득은 $Y = 775$이다.

2) 잠재총생산이 750이므로 현재 국민소득에서 줄여야하는 것은 25이다.

3) 문제에서 제시된 조건으로 승수를 구하면 $\frac{1}{1-c(1-t)} = \frac{1}{1-0.8(1-0.25)} = 2.5$이다.

4) 정부지출 × 승수(2.5) = 국민소득의 변화(25)이므로 정부지출을 10 감소시켜야 한다.

46 상중하 어떤 폐쇄 경제의 소비(C), 투자(I), 정부지출(G)이 다음과 같다. 정부가 조세를 20만큼 삭감하면 소비는 얼마나 변하는가? [회계사 16]

- $C = 100 + 0.6(Y - T)$
- $I = 50$
- $G = 30$
- $T = 30$

(단, Y는 국민소득, T는 조세이다)

① 20 감소 ② 30 감소 ③ 30 증가
④ 50 감소 ⑤ 50 증가

47 상중하 다음과 같은 개방 거시경제모형에서 정부가 정부지출을 40만큼 증가시키고자 한다. 이 경우 순수출은 얼마나 변하는가? [회계사 17]

- $Y = C + I + G + EX - IM$
- $C = 100 + 0.6(Y - T)$
- $I = 100$
- $G = 50$
- $T = 50$
- $EX = 70$
- $IM = 20 + 0.1Y$

(단, Y, C, I, G, EX, IM, T는 각각 총수요, 소비, 투자, 정부지출, 수출, 수입, 조세이다)

① 4 감소 ② 8 감소 ③ 12 감소
④ 4 증가 ⑤ 8 증가

48 다음은 개방경제에 대한 케인즈의 국민소득결정모형이다. [회계사 19]
상중하

- $C = 500 + 0.6(Y - T)$
- $I = 200$
- $G = 100$
- $T = 100$
- $X = 300$
- $IM = 0.1Y$

(Y, C, I, G, T, X, IM은 각각 총생산, 소비, 투자, 정부지출, 조세, 수출, 수입을 나타낸다)

이때 수출승수는?

① 0.5 ② 1.0 ③ 1.5
④ 2.0 ⑤ 2.5

정답 및 해설

46 ③ 1) 정부지출승수의 일반형은 $\frac{1}{1-c(1-t)+m-i}$ 이다.

2) 조건을 대입하면 조세승수는 $\frac{-c}{1-c}$ 이다.

3) 조세를 20 삭감하면 조세승수가 $\frac{0.6}{1-0.6} = 1.5$이므로 국민소득이 30 늘어난다.

4) 국민소득이 30 증가하고 정액세 20만큼 감면되면 가처분소득은 50만큼 증가한다.

5) 한계소비성향이 0.6이므로 $50 \times 0.6 = 30$만큼 증가한다.

47 ② 1) 문제에서 정부지출승수를 구하기 위한 요소를 살펴보면 한계소비성향, 한계수입성향만 주어져 있다.

2) 이를 반영한 정부지출승수는 $\frac{1}{1-c+m} = \frac{1}{1-0.6+0.1} = 2$이다.

3) 정부지출을 40만큼 증가시키면 정부지출승수에 의해 $40 \times 2 = 80$까지 증가한다.

4) 수출은 외생적으로 고정이고 국민소득이 증가할 경우 한계수입성향은 0.1이므로 수입이 8 증가한다.

5) 따라서 순수출은 8 감소한다.

48 ④ 1) 수출승수는 정부지출승수와 동일하다.

2) 정부지출승수는 $\frac{1}{1-c(1-t)+m-i} = \frac{1}{1-0.6+0.1} = 2$이다.

49 상중하

다음은 어느 폐쇄경제를 나타낸다. 이 경제에 대한 다음 설명 중 옳은 것은? [회계사 18]

- $Y = C + I + G$
- $C = 1{,}000 + 0.5Y$
- $I = 100 - 25r$
- $G = 0$
- $\overline{Y} = 2{,}100$
- $S = \overline{Y} - C - G$
- $GAP = Y - \overline{Y}$

(단, Y, C, I, G, r, $\overline{Y}$, S, GAP은 총수요, 소비, 투자, 정부지출, 실질이자율, 총생산, 총저축, 인플레이션 갭이며 실질이자율은 중앙은행이 조정한다)

① 중앙은행이 실질이자율을 일정하게 유지할 경우 투자가 외생적으로 50만큼 증가하면 총수요는 150만큼 증가한다.

② 중앙은행이 실질이자율을 4로 설정할 경우 양(+)의 인플레이션 갭이 발생한다.

③ 중앙은행이 실질이자율을 1로 설정할 경우 총저축이 투자보다 많은 초과 저축이 발생한다.

④ 중앙은행이 실질이자율을 인플레이션 갭이 0이 되도록 설정할 경우 투자는 50이 된다.

⑤ 정부지출 증가로 총수요가 50만큼 증가하는 경우 중앙은행이 인플레이션 갭을 이전 수준으로 유지하려면 실질이자율을 2만큼 인상하여야 한다.

50 상중하

다음과 같은 고전학파모형에서 정부가 조세를 100억원 증가시켰을 때, 그 결과가 옳게 짝지어진 것은? [회계사 18]

- $Y = C + I + G$
- $C = 100 + 0.7(Y - T)$
- $I = 1{,}000 - 50r$
- $Y = 5{,}000$

(단, Y, C, I, G, T, r은 각각 국민소득, 소비, 투자, 정부지출, 조세, 이자율을 의미한다)

	공공저축의 변화	개인저축의 변화	투자의 변화
①	100억원 증가	30억원 감소	70억원 증가
②	100억원 증가	70억원 감소	30억원 증가
③	70억원 증가	30억원 감소	70억원 증가
④	70억원 증가	70억원 감소	30억원 감소
⑤	70억원 증가	30억원 감소	70억원 감소

정답 및 해설

49 ④ 1) Y는 총수요, $\overline{Y}$가 총공급이다.

2) 총수요 $Y = 1,000 + 0.5Y + 100 - 25r$ ➜ $Y = 1,100 + 0.5Y - 25r$이다. 균형 시 $Y = 2,200 - 50r$이다.

3) 지문분석

④ 중앙은행이 실질이자율을 2로 설정하면 실제GDP와 잠재GDP가 같으므로 인플레이션갭이 0이 된다. $r = 2$를 투자함수에 대입하면 투자는 50이 된다.

[오답체크]

① 중앙은행이 실질이자율을 일정하게 유지할 경우 투자가 외생적으로 50만큼 증가하면 $I = 150 - 25r$이 되므로 $Y = 1,150 + 0.5Y - 25r$ ➜ 균형 시 $Y = 2,300 - 50r$이 되므로 총수요가 100만큼 증가한다.

② 중앙은행이 실질이자율을 4로 설정하여 총수요함수 $Y = 2,200 - 50r$에 대입하면 $Y = 2,000$이다. 총수요가 총공급보다 낮으므로 디플레이션갭이 발생한다.

③ 실질이자율이 1이면 $Y = 2,150$이고 소비함수에 대입하여 소비를 구하면 2,075이다. 따라서 저축 $S = 2,100 - 2,075 = 25$이다. 반면 실질이자율이 1%이면 투자는 75이므로 저축보다 투자가 많아 초과 투자가 발생한다.

⑤ 정부지출 증가로 총수요가 50만큼 증가하는 경우 $Y = 2,250 - 50r$이 된다. 중앙은행이 인플레이션갭을 이전 수준으로 유지하려면 실질이자율을 1만큼 인상하여 투자를 50감소시켜야 한다.

50 ① 1) 정부지출이 고정된 상태에서 조세를 100억원 증가시키면 정부저축(= $T - G$)은 100억원 증가한다.

2) 조세가 100억원 증가하면 민간의 가처분소득이 100억원 감소하고 한계소비성향이 0.7이므로 70억원의 민간소비가 감소한다. 또한 한계저축성향은 0.3이므로 민간저축은 30억원 감소한다.

3) 고전학파모형은 Y가 항상 완전고용 GDP로 일정하므로 민간소비가 70억원 감소하면 투자가 70억원 증가할 것이다(세이의 법칙).

51 상중하

고전학파이론에 따르면 기업의 이윤을 극대화하는 노동량 수준에서 만족하는 조건으로 가장 적절한 것은? [회계사 18]

① 명목임금 = 명목임대가격
② 명목임금 = 노동의 한계생산물
③ 명목임금 = 실질임금
④ 명목임금 = 실질임금 × 노동의 한계생산물
⑤ 명목임금 = 재화의 가격 × 노동의 한계생산물

52 상중하

폐쇄경제의 소비(C), 투자(I), 정부지출(G), 조세수입(T)이 다음과 같다.

- $C = 200 + 0.5(Y - T)$
- $I = 100$
- $G = 100$
- $T = 100$ (Y는 국민소득)

국민소득은 $Y = C + I + G$로 결정된다. 정부가 조세수입을 200으로 늘릴 때 정부저축, 민간저축, 국민저축(national saving)의 변화에 대한 설명 중 옳은 것은? [회계사 14]

	정부저축	민간저축	국민저축
①	증가	감소	불변
②	감소	감소	감소
③	감소	증가	불변
④	증가	불변	증가
⑤	감소	불변	감소

53 다음은 어느 개방경제의 국민계정 항등식에 관한 자료이다.
상중하

• $Y = 1,000$	• $C + G = 700$
• $Y - T - C = 200$	• $X - IM = 100$

Y, C, G, T, X, IM은 각각 총생산, 소비, 정부지출, 조세, 수출, 수입을 나타낸다. 이때 투자(I)와 공공저축($T - G$)은? [회계사 22]

	투자	공공저축
①	100	80
②	150	90
③	200	100
④	250	110
⑤	300	120

정답 및 해설

51 ⑤ 고전학파는 모든 시장이 완전경쟁시장이므로 노동시장의 균형에서는 $w = MP_L \times P$가 성립한다.

52 ① 1) $Y = 200 + 0.5Y - 50 + 100 + 100$ ➜ $0.5Y = 350$ ➜ $Y = 700$
2) 민간저축 = $Y - C - T = 700 - 500 - 100 = 100$이다.
3) 정부저축 = $T - G = 0$이다. 따라서 국민저축은 100이다.
4) 정부가 조세수입을 늘리게 되면 $Y = 200 + 0.5Y - 100 + 100 + 100$ ➜ $0.5Y = 300$ ➜ $Y = 600$이다.
5) 민간저축 = $600 - 400 - 200 = 0$이다.
6) 정부저축 = $200 - 100 = 100$이다. 따라서 국민저축은 100이다.

53 ③ 1) 투자
$Y = C + I + G + X - M$이다. 주어진 자료를 대입하면 $1,000 = 700 + I + 100$이므로 $I = 200$이다.
2) 공공저축
$X - M = Y - C + I + G$ ➜ T를 더하고 T를 빼면 $X - M = (Y - C - T) + (T - G) - I$이다.
$100 = 200 + (T - G) - 200$이므로 $T - G = 100$이다.

Topic 16

소비함수와 투자함수

01 소비함수론

절대소득 가설	(1) 소득이 증가하면 반드시 소비도 증가 소비의 크기가 소득의 크기에 의해 결정되므로 ㉮ ______이 증가하면 소비도 증가함 (2) 소비함수는 소비축을 통과(MPC < APC) 기초소비 한계소비성향(MPC)이 0과 1 사이이므로 소득의 증가분 모두가 소비되는 것은 아니며 소득이 없어도 소비되는 기초소비 때문에 소비함수는 소비축을 통과함
쿠즈네츠의 실증 분석	(1) 단기소비함수(SRC; Short-Run Consumption): ㉯ ______ 평균소비성향이 한계소비성향보다 큼. 따라서 소비수요곡선은 절편을 가지며 우상향함. 이 결과는 케인즈 절대소득 가설과 일치함 (2) 장기소비함수(LRC; long-run consumption): ㉰ ______ 케인즈의 절대소득과 달리 평균소비성향과 한계소비성향이 동일함. 따라서 장기소비수요곡선은 원점으로부터 우상향하는 직선임
상대소득 가설	(1) 소비의 상호의존성 개인의 소비는 사회적 의존관계에 있는 동류집단의 소비행위에 영향을 받음. 이는 ㉱ ______(demonstration effect)를 발생시킴 (2) 소비의 비가역성(irreversibility) 소득이 증가에 따라 일단소비가 증가하면 소득이 감소하더라도 소비를 줄이기가 어려움 이는 ㉲ ______(ratchet effect)를 발생시킴
항상소득 가설	(1) 소비는 항상소득의 증가함수이며 임시소득에 영향을 받지 않는다. (2) 경기호황기에는 평균소비성향이 작고, 불황기에는 평균소비성향이 크다.
생애주기 가설	(1) 생애주기 가설에 따르면 조세조정은 당기 가처분소득은 변화시킬 수 있으나 미래 예상소득에는 거의 영향을 미칠 수 없음 (2) 정부가 이전지출을 하는 경우 ㉳ ______이 큰 노년층을 대상으로 하는 것이 소득증가측면에서 보다 효과적임
랜덤워크 가설	(1) 항상소득 가설에 합리적 기대를 도입한 소비이론임 (2) $C_t = C_{t-1} +$ ㉴ ______

핵심키워드

㉮ 소득, ㉯ $APC > MPC$, ㉰ $APC = MPC$, ㉱ 전시효과, ㉲ 톱니효과, ㉳ 평균소비성향, ㉴ 예상하지 못한 충격

02 투자함수론

현재가치법	(1) 개념 투자로부터 얻는 예상수입의 현재가치와 투자재의 구입비용을 비교해 투자 여부를 결정하는 것 (2) 공식 $PV=\frac{B_1}{(1+r)}+\frac{B_2}{(1+r)^2}\cdots\cdots\cdots\frac{B_n}{(1+r)^n}$ $NPV=PV-C$ (P는 현재가치, C는 비용) $PV>C$(즉, $NPV>0$)이면 투자를 ㉮ ______ 시키고, $PV<C$(즉, $NPV<0$)이면 투자를 ㉯ ______ 시킴
내부수익률법	(1) 개념 내부수익률(투자의 한계효율)과 이자율을 비교해 투자를 결정한다는 케인즈의 투자결정이론으로, 투자의 한계효율이란 투자로부터 얻게 되는 수입의 현재가치(PV)와 투자비용(C)이 같아지는 할인율(m)을 의미함. 즉, 투자의 순현재가치를 0으로 만드는 할인율을 의미함 (2) 공식 $PV=\frac{B_1}{(1+m)}+\frac{B_2}{(1+m)^2}+\cdots\cdots\cdots+\frac{B_n}{(1+m)^n}-C=0$ $m=MEI>r$이면 투자를 ㉮ ______ 시키고, $m=MEI=r$이면 투자를 ㉯ ______, $m=MEI<r$이면 투자를 ㉰ ______ 시킴
신고전파 투자이론	(1) 자본의 사용자비용 ㉱ ______ (단, P_K는 자본가격이며 r은 실질이자율이다) (2) 공식 기업의 적정 자본량은 $P\cdot MP_K=(r+d)P_K$일 때 이루어짐
토빈의 q	(1) 개념 주식시장과 기업의 투자를 연계시킨 이론으로 주가에 반영된 미래를 고려한 투자이론 (2) 공식 $\frac{\text{주식시장에서 평가된 기업의 시장가치(시가총액)}}{\text{기업실물자본의 대체비용(공장설비비용)}}$ ㉲ ______ 시장에서 평가하는 기업가치가 자본량을 늘리는 데 드는 비용보다 크므로 투자하는 것이 바람직함

핵심키워드
㉮ 증가, ㉯ 중지, ㉰ 감소, ㉱ $C=(r+d)P_K$, ㉲ 1보다 클 경우

STEP 1 기본문제

01 상중하 전통적인 케인즈 소비함수의 특징이 아닌 것은? [지방직 7급 13]

① 한계소비성향이 0과 1 사이에 존재한다.
② 평균소비성향은 소득이 증가함에 따라 감소한다.
③ 현재의 소비는 현재의 소득에 의존한다.
④ 이자율은 소비를 결정할 때 중요한 역할을 한다.

02 상중하 소비이론에 대한 설명으로 옳지 않은 것은? [지방직 21]

① 생애주기 가설에 따르면 청장년기에 비해 노년기에 평균소비성향이 낮아진다.
② 항상소득 가설에 따르면 단기에 소득이 증가함에 따라 평균소비성향이 낮아진다.
③ 케인즈(Keynes)에 따르면 소득이 증가함에 따라 평균소비성향이 낮아진다.
④ 상대소득 가설에 따르면 현재 소득이 동일하더라도 과거의 최고소득 수준이 높을수록 평균소비성향이 높다.

03 상중하 소비이론에 관한 설명으로 옳지 않은 것은? [노무사 20]

① 항상소득이론에서 일시소득의 한계소비성향은 항상소득의 한계소비성향보다 크다.
② 생애주기이론에서 소비는 미래소득의 영향을 받는다.
③ 절대소득 가설에서는 현재 처분가능소득의 절대적 크기가 소비의 가장 중요한 결정요인이다.
④ 처분가능소득의 한계소비성향과 한계저축성향의 합은 1이다.
⑤ 절대소득 가설이 항상소득이론보다 한시적 소득세 감면의 소비 진작 효과를 더 크게 평가한다.

04 상중하 소비이론 중 생애주기(life-cycle) 가설에 대한 설명으로 옳지 않은 것은? [국가직 7급 11]

① 소비자는 일생동안 발생할 소득을 염두에 두고 적절한 소비수준을 결정한다.

② 청소년기에는 소득보다 더 높은 소비수준을 유지한다.

③ 저축과 달리 소비의 경우는 일생에 걸쳐 거의 일정한 수준이 유지된다.

④ 동일한 수준의 가처분소득을 갖고 있는 사람들은 같은 한계소비성향을 보인다.

정답 및 해설

01 ④ 케인즈에 의하면 현재소비는 현재의 가처분소득에 의해서만 결정된다. 그러므로 이자율은 소비에 아무런 영향을 미치지 않는다.

02 ① 생애주기 가설에 따르면 청장년기는 소비보다 소득이 높으므로 평균소비성향($\frac{C}{Y}$)이 1보다 작지만 노년기는 소비가 소득보다 많으므로 평균소비성향이 1보다 크다.

03 ① 항상소득이론에서 일시소득은 소비를 증가시키지 않는다. 따라서 항상소득의 한계소비성향이 크다.

04 ④ 1) 생애주기 가설에 의하면 소득은 청·유년기와 노년기에는 적고 중·장년기에는 많으나 소비는 일생에 걸쳐 거의 일정한 수준이므로 청·유년기와 노년기에는 소득보다 더 높은 소비를 하고 중·장년기에는 저축을 많이 한다고 설명한다.

2) 그러므로 동일한 가처분소득을 갖고 있다고 하더라도 청·유년기나 노년기인지 중·장년기인지에 따라 한계소비성향이 서로 다르다.

05 상중하

소비이론에 대한 설명으로 옳지 않은 것은? [국가직 7급 16]

① 레입슨(D. Laibson)에 따르면 소비자는 시간 비일관성(time inconsistency)을 보인다.
② 항상소득 가설에 의하면 평균소비성향은 현재소득 대비 항상소득의 비율에 의존한다.
③ 생애주기 가설에 의하면 전 생애에 걸쳐 소비흐름은 평탄 하지만, 소득흐름은 위로 볼록한 모양을 갖는다.
④ 가계에 유동성제약이 존재하면 현재소득에 대한 현재소비의 의존도는 약화된다.

06 상중하

프리드먼(M. Friedman)의 항상소득이론에 대한 설명으로 가장 옳지 않은 것은? [서울시 7급 18]

① 소비는 미래소득의 영향을 받는다.
② 소비자들은 소비를 일정한 수준에서 유지하고자 한다.
③ 일시적 소득세 감면이 지속적인 감면보다 소비지출 증대효과가 작다.
④ 불황기의 평균소비성향은 호황기에 비해 감소한다.

07 상중하

국회가 2014년 1월 1일에 연간 개인 소득에 대한 과세표준 구간 중 8,800만 ~ 1억 5천만원에 대해 종전에는 24%를 적용했던 세율을 항구적으로 35%로 상향 조정하고, 이를 2015년 1월 1일부터 시행한다고 발표했다고 하자. 밀튼 프리드만(Milton Friedman)의 항상소득 가설에 의하면 이 소득 구간에 속하는 개인들의 소비 행태는 어떤 변화를 보일까? (단, 이외의 다른 모든 사항에는 변화가 없다고 가정한다) [서울시 7급 14]

① 소비는 즉각적으로 증가할 것이다.
② 소비는 즉각적으로 감소할 것이다.
③ 2014년에는 소비에 변화가 없고, 2015년 1월 1일부터는 감소할 것이다.
④ 2014년에는 소비가 감소하고 2015년 1월 1일부터는 변화가 없을 것이다.
⑤ 2014년이나 2015년 등의 시간에 상관없이 소비에는 변화가 없을 것이다.

정답 및 해설

05 ④ 가계의 유동성제약이 존재하면 현재소비의 현재소득에 대한 의존도가 커지게 된다.

[오답체크]

① 데이비드 레입슨의 즉각적 만족 가설(pull of instant gratification hypothesis)에 따르면 소비자는 순간 혹은 현재의 만족에 취약하기 때문에, 현재소비가 현재소득에 강하게 영향을 받는 근시안적 행동을 한다는 것이다. 소비자들은 현재의 소비가 미래의 소비보다 훨씬 더 중요하고 만족감을 크게 느끼기 때문에, 시간이 지날수록 할인율이 매번 같은 것이 아니라 점차 감소하는 특징을 갖게 된다. 이를 소비의 시간 비일관성(time inconsistency)이라고 한다.

06 ④ 1) 프리드먼의 평균소비성향은 $k(1-\frac{\text{임시소득}}{\text{총소득}})$이다.

2) 경기불황으로 임시소득이 감소하면 평균소비성향이 높아진다.

07 ② 항상소득 가설은 항상소득에 의해 소비가 결정된다는 것이다. 내년부터 소득세율 인상이 예고되면 미래 예상소득이 감소하므로 올해부터 소비가 감소하게 될 것이다.

08 상중하

소비이론에 관한 설명으로 옳은 것은? [노무사 18]

① 항상소득 가설에 따르면, 호황기에 일시적으로 소득이 증가할 때 소비가 늘지 않지만 불황기에 일시적으로 소득이 감소할 때 종전보다 소비가 줄어든다.
② 생애주기 가설에 따르면, 소비는 일생 동안의 소득을 염두에 두고 결정되는 것은 아니다.
③ 한계저축성향과 평균저축성향의 합은 언제나 1이다.
④ 케인즈의 소비함수에서는 소비가 미래에 예상되는 소득에 영향을 받는다.
⑤ 절대소득 가설에 따르면, 소비는 현재의 처분가능소득으로 결정된다.

09 상중하

소비이론에 대한 설명으로 옳은 것만을 〈보기〉에서 모두 고르면? [국가직 7급 19]

〈보기〉

ㄱ. 소비의 무작위행보(random walk)가설이 성립하면 예상된 정책 변화는 소비에 영향을 미치지 못한다.
ㄴ. 리카도의 대등정리(Ricardian equivalence)가 성립하면 정부지출에 변화가 없는 한 조세의 삭감은 소비에 영향을 미치지 못한다.
ㄷ. 기간 간 선택모형에 따르면 소비는 소득과 상관없이 매기 일정하다.
ㄹ. 항상소득 가설에 따르면 한계소비성향은 현재소득에 대한 항상소득의 비율에 의존한다.

① ㄱ, ㄴ
② ㄱ, ㄷ
③ ㄴ, ㄹ
④ ㄷ, ㄹ

10 상중하

A기업은 투자를 통해 1년 후에 110원, 2년 후에 121원의 수익을 얻을 수 있다. 이 투자로 인한 수익의 현재가치는? (단, A기업의 할인율은 연 10%로 일정하다) [지방직 7급 12]

① 200원
② 209원
③ 220원
④ 231원

11 상중하

공공사업 A에 투입할 100억원의 자금 중에서 40억원은 민간부문의 투자에 사용될 자금이었고, 60억원은 민간부문의 소비에 사용될 자금이었다. 이 공공사업을 평가하기 위한 사회적 할인율(social discount rate)은? (단, 민간부문 투자의 세전 수익률과 세후 수익률은 각각 15.0%와 10.0%이다) [지방직 7급 20]

① 11.5% ② 12.0%
③ 12.5% ④ 13.0%

정답 및 해설

08 ⑤ **[오답체크]**

① 항상소득 가설에 의하면 호황기에 일시적으로 소득이 증가할 때 소비가 약간 증가하고, 불황기에 일시적으로 소득이 감소할 때 소비가 약간 감소한다.
② 생애주기 가설에 의하면 소비는 일생 동안의 소득에 의해 결정된다.
③ 한계저축성향과 한계소비성향의 합은 항상 1이고, 평균소비성향과 평균저축성향의 합도 항상 1이다. 그러나 한계저축성향과 평균저축성향의 합이 1이 된다는 보장은 없다.
④ 케인즈의 절대소득 가설에 의하면 소비는 미래 예상소득이 아니라 현재의 가처분소득에 의해 결정된다.

09 ① **[오답체크]**

ㄷ. 기간 간 선택모형에 의하면 소비는 소득과 상관없이 일정한 것이 아니라 소득이 증가하면 소비가 증가하게 된다.
ㄹ. 항상소득 가설에 의하면 소비함수가 $C = kY_P = k(Y - Y_t)$이므로 소비함수를 Y에 대해 미분하면 한계소비성향 $MPC = \frac{dC}{dY} = k$이다. 그러므로 한계소비성향은 현재소득에 대한 항상소득의 비율과 관계없이 일정하다.

10 ① 현재가치 $PV = \frac{110}{1+0.1} + \frac{121}{(1+0.1)^2} = 200$

11 ② 1) 사회적 할인율을 구할 때 소비는 세후 수익률, 투자는 세전 수익률을 사용하여 가중평균한다.
2) 따라서 사회적 할인율 = 민간소비 세후 수익률$(0.10) \times \frac{60}{100}$ + 투자소비 세전 수익률$(0.15) \times \frac{40}{100} = 0.06 + 0.06 = 0.12$이므로 12%이다.

STEP 2 심화문제

12 상중하

소비이론에 대한 설명으로 옳은 것을 〈보기〉에서 모두 고르면? [국회직 8급 15]

〈보기〉

ㄱ. 절대소득 가설에 따르면, 가처분소득이 증가할 때 소비지출이 증가하므로 소비함수곡선이 상방으로 이동한다.
ㄴ. 쿠즈네츠(Kuznets)의 실증 분석에 따르면, 장기에는 평균소비성향이 한계소비성향보다 크다.
ㄷ. 상대소득 가설은 소비의 가역성과 소비의 상호의존성을 가정한다.
ㄹ. 항상소득 가설에 따르면, 현재소득이 일시적으로 항상소득 이상으로 증가할 때, 평균소비성향은 일시적으로 상승한다.

① ㄱ ② ㄷ ③ ㄱ, ㄹ
④ ㄴ, ㄷ ⑤ 모두 옳지 않다.

13 상중하

소비이론에 관한 설명으로 옳지 않은 것은? [감정평가사 20]

① 생애주기 가설에 따르면 장기적으로 평균소비성향이 일정하다.
② 항상소득 가설에 따르면 단기적으로 소득 증가는 평균소비성향을 감소시킨다.
③ 케인즈(M. Keynes)의 소비 가설에서 이자율은 소비에 영향을 주지 않는다.
④ 피셔(I. Fisher)의 기간 간 소비선택이론에 따르면 이자율은 소비에 영향을 준다.
⑤ 임의보행(random walk) 가설에 따르면 소비의 변화는 예측할 수 있다.

14 소비이론에 대한 설명으로 옳은 것만을 〈보기〉에서 모두 고르면? [국회직 8급 20]
상중하

〈보기〉

ㄱ. 케인즈(J. M. Keynes)의 절대소득 가설은 사람들의 장기소비행태를 설명할 수 있다.
ㄴ. 프리드만(M. Friedman)의 항상소득 가설에 따르면 임시소득의 비중이 높을수록 평균소비성향이 감소한다.
ㄷ. 안도(A. Ando)와 모딜리아니(F. Modigliani)의 생애주기 가설에 따르면 사람들의 평균소비성향은 유·소년기와 노년기에는 높고 청·장년기에는 낮다.

① ㄱ ② ㄱ, ㄴ ③ ㄱ, ㄷ
④ ㄴ, ㄷ ⑤ ㄱ, ㄴ, ㄷ

정답 및 해설

12 ⑤ ㄱ. 절대소득 가설에서는 가처분소득이 증가해도 소비함수곡선 자체가 이동하지 않는다. 소비함수곡선을 따라서 우측 상방으로 이동한다.
ㄴ. 쿠즈네츠의 실증 분석에 따르면 단기에는 평균소비성향이 한계소비성향보다 크지만 장기에는 평균소비성향과 한계소비성향이 동일하다.
ㄷ. 상대소득 가설은 사람들의 소비가 자신의 절대적인 소득수준보다는 다른 사람들의 소득수준이나 자신의 서로 다른 시점 간 소득을 비교한 상대소득에 의해 결정된다는 가설이다. 또한 소비의 비가역성(톱니효과, ratchet effect)에 의하면 현재의 소비는 현재의 소득수준뿐만 아니라 과거의 최고 소득수준에도 영향을 받는다.
ㄹ. 항상소득 가설에 따르면 현재소득이 일시적으로 항상소득 이상으로 증가할 때 소비자들은 임시소득의 증가로 인식하고 항상소비를 거의 늘리지 않는다. 소득은 증가하지만 소비는 거의 일정하므로 평균소비성향은 일시적으로 하락한다.

13 ⑤ 임의보행(random walk) 가설에 따르면 예상된 충격은 예측이 가능하나 예상되지 못한 충격은 합리적 기대하에서도 예측이 불가능하다.

14 ④ ㄴ. 프리드만(M. Friedman)의 항상소득 가설에 따르면 평균소비성향은 항상소득의 일정 비율이다.
평균소비성향은 $k(1-\frac{\text{임시소득}}{\text{총소득}})$이므로 임시소득의 비중이 높을수록 평균소비성향이 감소한다.
ㄷ. 안도(A. Ando)와 모딜리아니(F. Modigliani)의 생애주기 가설에 따르면 사람들의 평균소비성향은 유·소년기와 노년기에는 소비가 소득보다 높으므로 $APC>1$이고 청·장년기에는 소득보다 소비가 낮으므로 $APC<1$이다.

[오답체크]
ㄱ. 케인즈(J. M. Keynes)의 절대소득 가설은 사람들의 장기소비행태를 설명할 수 없다.

15 상중하

소비이론에 관한 설명으로 옳은 것을 모두 고른 것은? [감정평가사 18]

ㄱ. 케인즈 소비함수에 의하면 평균소비성향이 한계소비성향보다 크다.
ㄴ. 상대소득 가설에 의하면 장기소비함수는 원점을 통과하는 직선으로 나타난다.
ㄷ. 항상소득 가설에 의하면 항상소비는 평생 부(wealth)와 관계없이 결정된다.
ㄹ. 생애주기 가설에 의하면 중년층 인구비중이 상승하면 국민저축률이 하락한다.

① ㄱ, ㄴ ② ㄱ, ㄷ ③ ㄴ, ㄷ
④ ㄴ, ㄹ ⑤ ㄷ, ㄹ

16 상중하

절약의 역설(paradox of thrift)에 대한 설명 중 옳은 것을 〈보기〉에서 모두 고르면? [국회직 8급 18]

〈보기〉

ㄱ. 경기침체가 심한 상황에서는 절약의 역설이 발생하지 않는다.
ㄴ. 투자가 이자율 변동의 영향을 적게 받을수록 절약의 역설이 발생할 가능성이 크다.
ㄷ. 고전학파 경제학에서 주장하는 내용이다.
ㄹ. 임금이 경직적이면 절약의 역설이 발생하지 않는다.

① ㄱ ② ㄴ ③ ㄱ, ㄷ
④ ㄴ, ㄹ ⑤ ㄴ, ㄷ, ㄹ

17 상중하 투자이론에 대한 다음 설명 중 옳지 않은 것은? [국회직 8급 18]

① 투자는 토빈(Tobin) q의 증가함수이다.
② 자본의 한계생산이 증가하면 토빈(Tobin) q값이 커진다.
③ 투자옵션모형에 따르면, 상품가격이 정상이윤을 얻을 수 있는 수준으로 상승하더라도 기업이 바로 시장에 진입하여 투자하지 못하는 이유는 실물부문의 투자가 비가역성을 갖고 있기 때문이다.
④ 재고투자모형은 수요량 변화에 따른 불확실성의 증가가 재고투자를 증가시킬 수도 있다는 점을 설명한다.
⑤ 신고전학파에 따르면 실질이자율 하락은 자본의 한계편익을 증가시켜 투자의 증가를 가져온다.

정답 및 해설

15 ① ㄱ. 케인즈 소비함수에 의하면 한계소비성향이 1보다 작으므로 원점에서 그은 기울기인 평균소비성향이 접점의 기울기인 한계소비성향보다 크다.
ㄴ. 항상소득 가설과 상대소득 가설 모두 장기소비함수는 원점을 통과하는 직선으로 나타난다.

[오답체크]
ㄷ. 항상소득 가설에 의하면 항상소비는 항상소득과 관련된다. 평생 부(wealth)는 항상소득에 해당하므로 평생 부가 증가하면 소비도 증가한다.
ㄹ. 생애주기 가설에 의하면 중년층 인구는 소비보다 소득이 많으므로 중년층 비중이 상승하면 국민저축률이 증가한다.

16 ② 절약의 역설은 케인즈가 주장한 것으로 저축의 증가가 오히려 소득의 감소를 통해 저축감소를 가져온다는 것이다.

[오답체크]
ㄱ. 경기침체가 심한 상황에서 주로 발생한다.
ㄷ. 케인즈가 주장하는 내용이다.
ㄹ. 임금이 경직적이면 절약의 역설이 발생한다.

17 ⑤ 1) 신고전학파에 따르면 실질이자율 하락은 자본의 한계비용을 감소시켜 투자의 증가를 가져온다.
2) 투자옵션모형의 결론
㉠ 불확실성하에서는 투자의 비가역성 때문에 투자의 진입가격은 정상이윤 수준보다 높게 결정된다.
㉡ 기업은 불확실한 상황에서는 사태를 관망하며 선택권을 보유하는 것이 유리하다.
㉢ 결국 불확실성의 존재는 투자의 시기를 지연시키고, 투자를 감소시킨다.
3) 재고투자모형
㉠ 재고투자는 규모면에서 GDP의 1%에 불과하지만 불황기 지출감소의 50%를 차지한다.
㉡ 경기변동과 밀접한 관련을 가지고 있으며, 다른 투자에 비하여 변동성이 높다.
㉢ 결국 불확실성의 증가는 생산평준화 등을 위해 재고투자를 증가시키는 결과를 가져온다.

18 상중하

자본재 가격이 일정할 때 소비재 가격이 상승하면? (단, 할인율은 일정하다) [국회직 8급 16]

① 자본의 한계효율곡선이 우측으로 이동한다.
② 자본의 한계효율곡선이 좌측으로 이동한다.
③ 자본의 한계효율곡선의 기울기의 절댓값이 작아진다.
④ 자본의 한계효율곡선의 기울기의 절댓값이 커진다.
⑤ 자본의 한계효율곡선은 변하지 않는다.

19 상중하

A기업은 ○○산업단지에 현재 시점에서 10억원의 투자비용이 일시에 소요되는 시설을 건축하기로 했다. 이 시설로부터 1년 후에는 10억원의 소득이 발생할 것으로 예상되고 2년 후에는 B기업이 20억원에 이 시설을 인수하기로 했다고 하자. 연간 이자율이 50%라면 A기업의 입장에서 해당 사업의 내부수익률은 얼마인가? [세무사 15]

① 50%
② 100%
③ 150%
④ 200%
⑤ 250%

20 상중하

A, B 두 투자 사업은 사업초기에 대부분의 비용이 발생하고, 사업기간은 각각 5년, 10년이다. 그리고 2%의 할인율하에서 순현재가치(NPV)는 동일하며 내부수익률은 각각 5%와 3%이다. 다음 설명 중 옳지 않은 것은? [세무사 14]

① A, B 모두 내부수익률이 할인율보다 높아서 사업 추진이 가능하다.
② 내부수익률로 보면 A가 B보다 높아서 A를 선택한다.
③ A의 순현재가치와 B의 순현재가치가 같아서 현재가치법으로는 투자의 우선순위를 결정할 수 없다.
④ 현재가치법에 따르면 할인율을 4%로 하면 B의 순현재가치가 A보다 커져서 B를 선택한다.
⑤ 투자계획의 크기가 서로 다른 상황에서는 내부수익률만으로 투자의 우선순위를 결정하는 경우 오류가 발생할 수 있다.

정답 및 해설

18 ① 자본의 한계효율곡선은 경기전망이 낙관적이거나, 투자비용이 감소, 기술진보 등이 일어날 때 우측으로 이동한다. 따라서 자본재 가격이 일정할 때 소비재 가격이 상승하면 경기전망이 낙관적이므로 자본의 한계효율곡선이 우측으로 이동한다.

19 ② 1) 내부수익률은 순편익의 현재가치가 0이 되는 할인율(m)이므로 아래의 식을 풀면 순편익의 현재가치를 계산할 수 있다.

2) $NPV = -10 + \frac{10}{(1+m)} + \frac{20}{(1+m)^2} = 0$

3) 위의 식은 아래와 같이 정리되므로 $m = -2$ 혹은 1로 계산된다. 내부수익률이 (−)가 될 수는 없으므로 적절한 내부수익률 값은 $m = 1$임을 알 수 있다.

4) $(1+m)^2 - (1+m) - 2 = 0$ ➔ $m^2 + m - 2 = 0$ ➔ $(m+2)(m-1) = 0$

20 ④ 할인율이 3%와 5% 사이에 있을 때는 투자안 A의 순현재가치는 0보다 크지만 투자안 B의 순현재가치는 0보다 작다. 그러므로 현재가치법에 따르더라도 할인율이 4%라면 순현재가치가 더 큰 투자안 A를 선택하게 된다.

21 상중하

아래와 같은 비용과 편익이 발생하는 공공사업의 순편익의 현재가치는? (단, 할인율은 10%이다) [세무사 20]

구분	0기	1기	2기
비용	1,400	0	0
편익	0	550	1,210

① -350 ② -100 ③ 0
④ 100 ⑤ 350

22 상중하

A, B 두 사업의 연차별 수익이 아래 표와 같다. 두 사업의 비용편익 분석 결과에 관한 설명으로 옳지 않은 것은? [세무사 17]

사업안	사업연차별 수익		
	0년	1년차	2년차
A	-1,000	0	1,210
B	-1,000	1,150	0

① 순현재가치 평가 결과 할인율이 7%라면 A가 유리한 사업이다.
② 순현재가치 평가 결과 할인율이 8%라면 B가 유리한 사업이다.
③ 할인율에 따라 내부수익율과 순현재가치의 평가 결과가 상이하다.
④ 내부수익률 기준으로는 B가 유리한 사업이다.
⑤ 순현재가치로 평가하는 경우, 할인율이 높을수록 편익이 단기간에 집약적으로 발생하는 단기투자에 유리하다.

정답 및 해설

21 ④ $NPV = -1,400 + \frac{550}{(1+0.1)} + \frac{1,210}{(1+0.1)^2} = -1,400 + 500 + 1,000 = 100$

22 ① 1) 공공사업 A와 B의 순편익의 현재가치는 아래의 식으로 나타낼 수 있다.

2) $NPV_A = -1,000 + \frac{1,210}{(1+r)^2}$

3) $NPV_B = -1,000 + \frac{1,150}{(1+r)}$

4) 할인율이 7%일 때는 A와 B의 순편익의 현재가치는 각각 57, 75이고, 할인율이 8%일 때는 각각 37, 65로 계산된다. 할인율이 7%일 때와 8%일 때 모두 공공사업 B의 순편익의 현재가치가 더 크므로 현재가치법을 사용하면 두 경우 모두 공공사업 B가 유리하게 평가된다.

5) 할인율이 10%일 때 A의 순편익이 0이고, 할인율이 15%일 때 B의 순편익이 0이므로 A의 내부수익률은 10%, B의 내부수익률은 15%이다. 그러므로 내부수익률법으로 평가하면 공공사업 B가 유리하게 평가된다.

6) 할인율이 0%인 경우 A사업의 순현재가치가 더 크므로 A사업을 선택해야 한다.

STEP 3 실전문제

23 상중하

대학생 K는 매월 30만원을 용돈으로 받아 전부 소비하는 생활을 하고 있었다. 그러던 중 2014년 8월에 취업이 확정되어 2015년 1월부터 매월 300만원을 급여로 받을 예정이다. 그러나 2015년 1월 이전까지는 용돈 이외에 추가적인 소득은 없다. 취업이 확정된 직후 각 소비이론에 따른 K의 소비 변화량을 비교한 것 중 옳은 것은? [회계사 15]

- A: 절대소득 가설에 따른 소비 변화량
- B: 차입제약(borrowing constraint)이 없는 경우 생애주기이론(life - cycle theory)에 따른 소비 변화량
- C: 차입제약이 있는 경우 생애주기이론에 따른 소비 변화량

① $A < B \le C$ ② $A \le C \le B$ ③ $C \le A < B$
④ $C \le B < A$ ⑤ $B = A < C$

24 상중하

생애주기 가설(life-cycle hypothesis)에 대한 설명으로 가장 적절한 것은? [회계사 18]

① 부(wealth)가 일정한 양(+)의 수준으로 주어진 경우 소비함수의 기울기는 1보다 크다.
② 부가 증가하면 소비함수가 아래쪽으로 이동한다.
③ 생애 전 기간 동안 부는 지속적으로 증가한다.
④ 장기적으로 평균소비성향이 일정해진다는 사실을 설명할 수 있다.
⑤ 단기적으로 소비는 부에 의존하지만 소득에는 의존하지 않는다고 가정한다.

25 상중하

은퇴까지 앞으로 20년간 매년 6,000만원의 소득을 얻을 것으로 예상되는 노동자가 있다. 현재 이 노동자는 잔여 생애가 40년이고 자산은 없으며 2억원의 부채를 갖고 있다. 생애소득 가설에 따를 때, 이 노동자의 은퇴 시 순자산(= 자산 − 부채)과 잔여 생애 동안의 연간 소비는? (단, 이자율은 항상 0이고, 사망 시 이 노동자의 순자산은 0이다) [회계사 19]

	순자산	연간 소비
①	4억원	2,000만원
②	5억원	2,500만원
③	6억원	3,000만원
④	7억원	3,500만원
⑤	8억원	4,000만원

정답 및 해설

23 ② 1) 미래소득이 증가한 상황이다.
2) A: 절대소득 가설에 따른 소비 변화량은 절대소득이 변하지 않았으므로 불변이다.
3) B: 차입제약(borrowing constraint)이 없는 경우 생애주기이론(life-cycle theory)에 따른 소비 변화량은 미래소득 발생을 계기로 미리 당겨서 쓸 수 있다.
4) C: 차입제약이 있으면 차입제약이 없을 때 보다는 적게 증가한다.

24 ④ 소득이 많을 때 저축을 하고 소득이 적을 때 저축한 금액을 사용하는 것을 통해 장기적으로 평균소비성향이 일정해진다는 사실을 설명할 수 있다.

[오답체크]
① 부(wealth)가 일정한 양(+)의 수준으로 주어진 경우 소비함수의 기울기는 1보다 작다.
② 부가 증가하면 소비함수가 위쪽으로 이동한다.
③ 생애 전 기간 동안 소비는 지속적으로 증가한다.
⑤ 단기적으로 소비는 부와 소득에 모두 의존한다.

25 ② 1) 은퇴시점까지 20년 동안 매년 6,000만원의 소득이 있으므로 생애기간의 총소득이 12억원이다.
2) 총소득 12억원에서 부채 2억원을 차감하면 순소득이 10억원이다.
3) 생애주기 가설에 의하면 사람들은 소비를 일정하게 유지하고자 한다. 따라서 순소득 10억원을 잔여 생애기간인 40년으로 나누어주면 연간 소비는 2,500만원임을 알 수 있다.
4) 순소득 10억원 중에서 은퇴시점까지 20년 동안 매년 2,500만원을 소비로 지출하면 은퇴시점에서 순자산은 5억원이 된다.

26 상중하

A국 정부는 영구히 소득세율을 5%p 인상하기로 하고 그 시행시기는 1년 후로 발표하였다. 항상소득 가설의 관점에서 소득세율 개정 발표 이후 소비에 대한 다음 설명 중 옳은 것은? [회계사 20]

① 소비는 발표 즉시 감소하고 이후 그 수준으로 계속 유지된다.
② 소비는 발표 즉시 감소하지만 1년 후에는 발표 이전 수준으로 회복된다.
③ 발표 후 1년 동안 소비는 균일하게 감소하고 이후 그 수준으로 계속 유지된다.
④ 발표 후 1년 동안 소비는 영향을 받지 않지만 1년 후에는 감소하고 이후 그 수준으로 계속 유지된다.
⑤ 소비는 영향을 받지 않는다.

27 상중하

다음은 소비함수에 대한 설명이다. 이에 대한 분석으로 옳지 않은 것은? [회계사 16]

- 김씨는 절대소득 가설을 따르며, 소비함수는 $C = 0.8Y + 10$이다.
  (단, C는 소비, Y는 소득이다)
- 이씨는 항상소득 가설을 따르며, 소비함수는 $C_t = 0.5Y_t^P$, $Y_t^P = 0.5Y_t + 0.3Y_{t-1}$이며, 소득은 t기에 120, $t-1$기에 80이다.
  (단, C_t는 t기의 소비, Y_t^P는 t기의 항상소득, Y_t는 t기의 소득이다)
- 박씨는 상대소득 가설을 따르며, 소비함수는 $Y \geq Y_m$일 때에 $C = 0.7Y$이며, $Y < Y_m$일 때에 $C = 0.7Y_m + 0.5(Y - Y_m)$이다.
  (단, C는 소비, Y는 소득, Y_m은 과거 최대 소득이다)

① 김씨의 $\frac{\Delta C}{\Delta Y}$는 소득의 크기에 상관없이 일정하다.
② 김씨의 $\frac{C}{Y}$는 소득의 증가에 따라서 체감한다.
③ 이씨의 $\frac{C_t}{Y_t}$는 1보다 크다.
④ 박씨의 $\frac{\Delta C}{\Delta Y}$는 Y가 Y_m보다 작을 때 1보다 작다.
⑤ 박씨의 $\frac{\Delta C}{\Delta Y}$는 Y가 Y_m보다 클 때 1보다 작다.

정답 및 해설

26 ① 1) 항상소득 가설은 항상소득만 소비에 영향을 미친다는 것을 의미한다.
2) 소득세율을 영구히 인상하는 것은 항상소득의 감소를 의미한다.
3) 따라서 소비는 즉각 감소할 것이고 그 수준으로 유지될 것이다.

27 ③ 이씨의 t기 소득 $Y_t = 120$이고, $(t-1)$기 소득이 $Y_{t-1} = 80$이므로 대입하면 $Y_t^P = 60 + 24 = 84$이고 소비는 42이다. 따라서 평균소비성향 $\frac{C_t}{Y_t} = \frac{42}{120}$이므로 1보다 작다.

[오답체크]

① 김씨의 $\frac{\Delta C}{\Delta Y}$는 한계소비성향 0.8로 일정하다.

② 김씨의 $\frac{C}{Y}$는 평균소비성향 $0.8 + \frac{10}{Y}$로 소득의 증가에 따라서 체감한다.

④ 박씨의 $\frac{\Delta C}{\Delta Y}$는 Y가 Y_m보다 작을 때 소비는 $C = 0.7Y_m + 0.5(Y - Y_m)$이므로 $\frac{dC}{dY} = 0.5$로 1보다 작다.

⑤ 박씨의 $\frac{\Delta C}{\Delta Y}$는 Y가 Y_m보다 클 때 소비함수가 $C = 0.7Y$이므로 한계소비성향 $\frac{dC}{dY} = 0.7$로 1보다 작다.

28 상중하

경제학자 A가 추론한 소비함수는 다음과 같은 특징을 가진다. 이 특징을 가장 잘 반영하는 소비함수는? [회계사 17]

- 늘어난 소득이 소비를 증가시키지만, 소비의 증가는 소득의 증가보다는 작다.
- 평균소비성향은 소득이 증가함에 따라 감소한다.
- 현재의 소비는 현재의 소득에 의존한다.

①
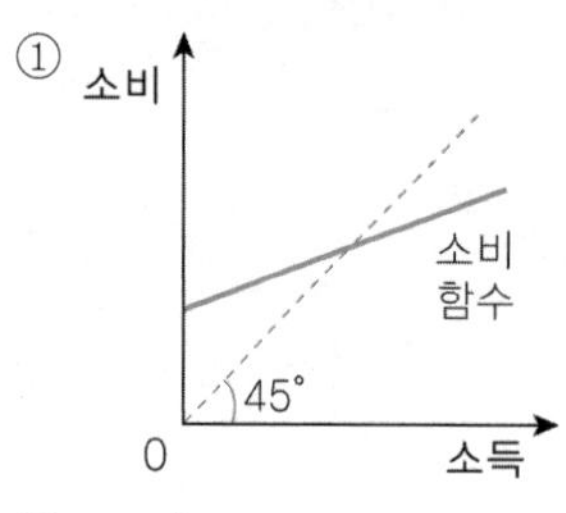

②
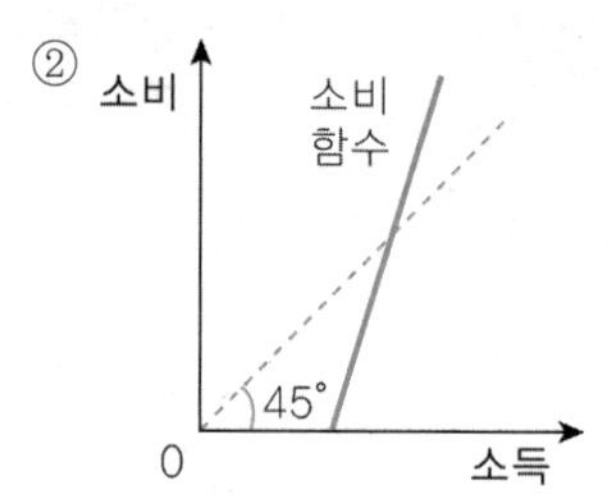

③
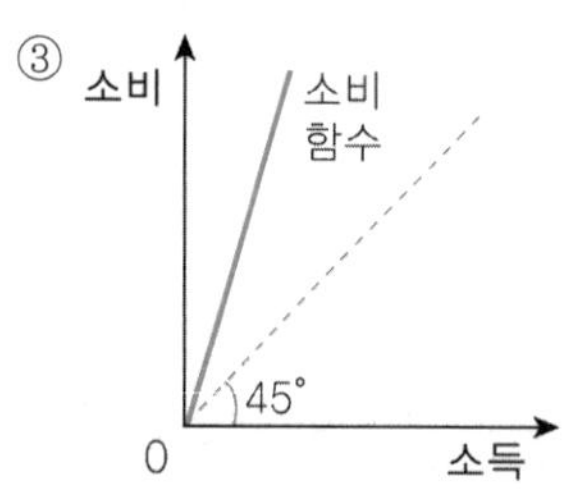

④
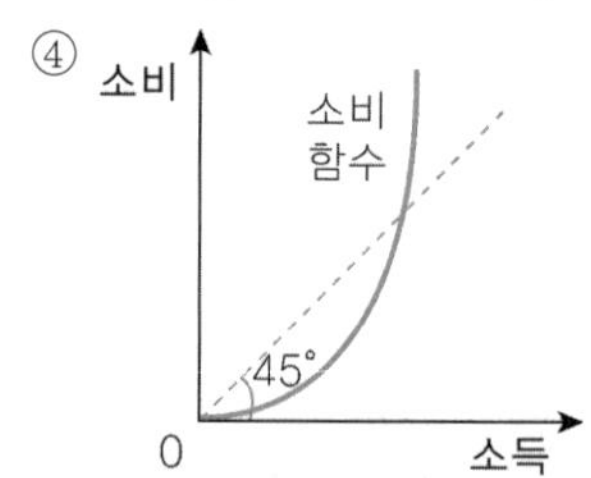

⑤
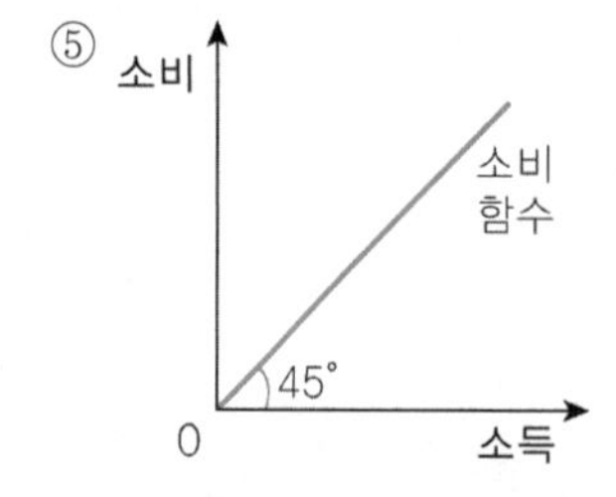

29 상중하

다음은 대규모 재정이 투입되는 공공투자사업의 경제적 타당성 평가에 대한 설명이다. 이 사업은 분석기간(= 공사기간 + 완공 후 30년) 초기에 사업비용의 대부분이 발생하는 반면, 편익은 후기에 대부분 발생한다. 분석기간 동안의 비용 - 편익 분석을 수행해 보니, 5.5%의 사회적 할인율 수준에서 편익/비용 비율(B/C ratio)이 정확히 1.0이었다. 그런데 경제상황이 변해 사회적 할인율을 4.5%로 변경하여 다시 분석을 하게 되었다. 새로운 분석결과에 대한 다음 설명 중 옳은 것은? [회계사 20]

① 분석기간 동안 발생한 할인 전 편익의 총합이 할인 전 비용의 총합보다 더 많이 증가하였다.
② 할인 후 편익의 총합은 증가하고, 할인 후 비용의 총합은 감소하였다.
③ 순현재가치(NPV)는 감소하여 0보다 작아졌다.
④ 편익/비용 비율은 증가하여 1.0보다 커졌다.
⑤ 내부수익률(IRR)은 더 커졌다.

정답 및 해설

28 ① 1) 늘어난 소득이 소비를 증가시키지만 한계소비성향이 양수이고, 소비의 증가는 소득의 증가보다는 작으므로 한계소비성향이 0보다 크고 1보다 작다는 것이다.
2) 평균소비성향은 원점에서 그은 기울기이므로 원점에서 그은 기울기가 감소하는 함수는 ①밖에 없다.

29 ④ 1) 사회적 할인율의 하락은 미래에 발생할 편익을 현재로 돌렸을 때 가치를 높여준다.
2) 편익이 미래에 많이 발생한다고 했으므로 현재가치로 평가한 편익/비용 비율이 1보다 커질 것이다.

[오답체크]
① 분석기간 동안 발생한 할인 전 편익의 총합은 변함이 없다.
② 할인 후 편익, 비용의 총합은 모두 증가한다. 다만 미래에 주로 있는 편익이 훨씬 많이 증가한다.
③ 편익/비용 비율이 1보다 크면 편익 - 비용으로 구하는 순현재가치(NPV)는 0보다 크다.
⑤ 내부수익률(IRR)은 기업가의 직관적 통찰에 의해 구하는 것이므로 관련이 없다.

30 상중하

자본의 한계생산(MP_K)이 다음과 같이 자본량(K)의 함수로 주어진 기업이 있다.

$$MP_K = \frac{16}{K} + 0.02$$

최종 생산물인 소비재의 자본재에 대한 상대가격은 언제나 1이고, 실질이자율과 감가상각률은 각각 0.10과 0이다. 현재 자본량이 220이면, 이 기업은 최적 자본량에 도달하기 위해 자본량을 어떻게 조정해야 하는가? [회계사 19]

① 20만큼 줄인다.
② 20만큼 늘린다.
③ 30만큼 줄인다.
④ 30만큼 늘린다.
⑤ 현재의 수준을 유지한다.

31 상중하

다음은 신고전학파의 투자모형이 적용되는 경제이다. 이 경제에서 자본량은 자본 추가에 따른 실질이윤율이 양수이면 증가, 음수이면 감소, 영(0)이면 변함이 없다. 이 경제의 정상상태(steady state)에서 자본량은 얼마인가? [회계사 17]

- 자본 추가에 따른 실질이윤율: $MP_K - p_K(r+\delta)$
- 생산함수: $Y = K^{1/2}(\overline{L})^{1/2}$
- 시장에서 주어진 자본의 실질가격, 실질이자율: $p_K = 100$, $r = 2\%$
- 고정된 노동량, 감가상각률: $\overline{L} = 100$, $\delta = 8\%$

(단, MPK, p_K, r, δ, Y, K, $\overline{L}$는 각각 자본의 한계생산물, 자본의 실질가격, 실질이자율, 감가상각률, 생산물, 자본량, 고정된 노동량이며 자본의 가격상승률은 생산물 가격상승률과 같다고 가정한다)

① 1/4 ② 1/2 ③ 1
④ 2 ⑤ 4

정답 및 해설

30 ① 1) 자본재 1단위를 추가적 투입할 때 추가적으로 얻는 수입은 $VMP_K = P \times MP_K$이다.
2) 자본의 사용자비용은 $C = (r+d)P_K$이다. 균형에서는 양자가 같아야 하므로 $P \times MP_K = (r+d)P_K$가 성립한다.
3) 소비재와 자본재의 상대가격은 1이므로 $1 \times MP_K = (r+d) \times 1$이다.
4) 감가상각률과 실질이자율을 대입하면 $MP_K = (0.1+0)$ ➜ $\frac{16}{K} + 0.02 = 0.1$ ➜ $16 = 0.08K$ ➜ $K = 200$이다. 따라서 20만큼 줄여야 한다.

31 ① 1) 정상상태는 자본이 일정하게 유지되는 것을 의미하므로 문제에서 제시된 자본추가에 따른 이윤율이 0이라는 의미이다.
2) MP_K는 생산함수를 미분하여 구한다. $Y = K^{1/2}(\overline{L})^{1/2}$를 미분하면 $MP_K = \frac{\sqrt{\overline{L}}}{2\sqrt{K}}$이다.
3) $\overline{L} = 100$이므로 이를 대입하면 $MP_K = \frac{5}{\sqrt{K}}$이다.
4) 주어진 조건을 대입하면 $\frac{5}{\sqrt{K}} - 100(0.02+0.08) = 0$ ➜ $K = \frac{1}{4}$이다.

32 상중하

어느 국가의 제조업 부문과 서비스업 부문 노동의 한계생산물이 다음과 같다.

- 제조업 부문 노동의 한계생산물: $\frac{2}{\sqrt{L_M}}$
- 서비스업 부문 노동의 한계생산물: $\frac{1}{\sqrt{L_S}}$

이 국가에서는 제조업과 서비스업 부문 간의 노동 이동이 자유로워 제조업과 서비스업 부문의 명목임금이 W로 같다. 신고전학파의 분배이론을 적용할 경우 다음 설명 중 옳은 것만을 모두 고르면? (단, L_M과 L_S는 각각 제조업과 서비스업 부문의 노동 투입, P_M과 P_S는 각각 제조업과 서비스업 부문의 생산물가격을 나타낸다) [회계사 21]

가. L_M과 L_S가 같다면 W/P_S는 W/P_M의 2배이다.
나. W가 1이고 P_M이 2이면 L_M은 16이다.
다. P_M과 P_S가 같고 L_M과 L_S의 합계가 50이라면 L_S는 10이다.

① 가 ② 나 ③ 다
④ 가, 나 ⑤ 나, 다

정답 및 해설

32 ⑤ 1) 신고전파 분배이론 $P \cdot MP_L = W$이다.

2) 제조업 부분을 구하면 $P_M \cdot \frac{2}{\sqrt{L_M}} = W$이다.

3) 서비스업 부분을 구하면 $P_S \cdot \frac{1}{\sqrt{L_S}} = W$이다.

4) 둘의 명목임금이 동일하므로 $P_M \cdot \frac{2}{\sqrt{L_M}} = P_S \cdot \frac{1}{\sqrt{L_S}}$가 성립한다.

5) 지문분석

나. W가 1이고 P_M이 2이면 $2 \cdot \frac{2}{\sqrt{L_M}} = 1$ → L_M은 16이다.

다. P_M과 P_S가 같고 $\frac{2}{\sqrt{L_M}} = \frac{1}{\sqrt{L_S}}$ → $2\sqrt{L_S} = \sqrt{L_M}$ → $L_M = 4L_S$이다.

L_M과 L_S의 합계가 50이므로 $L_M + L_S = 50$ → $4L_S + L_S = 50$ → $L_S = 10$이다.

[오답체크]

가. L_M과 L_S가 같다면 $2P_M = P_S$이므로 W/P_S는 $W/2P_M$이다. 즉, W/P_M의 $\frac{1}{2}$배이다.

제9장
화폐금융론

Topic 17 본원통화와 화폐공급
Topic 18 화폐수요

Topic 17

본원통화와 화폐공급

01 화폐

개념	일상 거래에서 일반적으로 통용되는 지불 수단
기능	(1) 교환의 매개 수단 ➜ 가장 본원적인 기능 (2) 가치의 척도 (3) 가치 저장 수단 ➜ 물가가 안정적이어야 가치 저장 기능이 잘 발휘됨 (4) 장래 지불의 표준 (5) 회계의 단위
발달과정	물품 화폐 ➜ 칭량 화폐 ➜ 주조 화폐 ➜ 신용 화폐 ➜ 전자 화폐

02 통화량과 통화지표

통화량	(1) 일정 시점에서 시중에 유통되고 있는 화폐의 양 (2) 통화량이 너무 많으면 인플레이션이 발생할 수 있고, 너무 적으면 거래가 위축될 수 있으므로 통화량을 적정 수준으로 유지하는 것은 매우 중요함
통화지표	(1) 통화(M1) = 현금통화(민간보유현금) + 예금통화(요구불예금: 보통예금, 당좌예금) (2) 총통화(M2) ① 협의통화(M1) + 저축성예금 + 시장형 금융상품 + 실적배당형 금융상품 + 금융채 + 거주자 외화예금 등 ② ㉮ ______________의 금융상품은 제외

핵심키워드

㉮ 만기 2년 이상

03 화폐의 공급

본원통화

(1) 의미
- ① 중앙은행의 창구를 통하여 시중에 나온 현금으로 예금은행의 신용창조의 토대가 됨
- ② 본원통화가 1단위 공급되면 통화량은 본원통화 공급량보다 훨씬 더 크게 증가함
- ③ 기초통화(Reserve Base): 중앙은행으로부터 공급되는 현금. 중앙은행 부채
- ④ 고성능통화(High-powered Money): 신용창조 과정을 통해 몇 배로 증가

(2) 공급 경로
- ① 정부의 재정 적자 ➜ 본원통화 증가
- ② 예금은행의 차입 증가 ➜ 본원통화 증가
- ③ 국제수지 흑자, 차관 도입 ➜ 외환 유입 ➜ 원화로 교환 ➜ 본원통화 증가
- ④ 중앙은행의 유가증권 구입, 건물 구입 ➜ 본원통화 증가

(3) 구성

<table>
<tr><th colspan="3">본원통화(10억)</th></tr>
<tr><td>현금통화
(2억)</td><td colspan="2">지급준비금(8억)</td></tr>
<tr><td>현금통화
(2억)</td><td>㉮ ____________:
시재금(7억)</td><td rowspan="2">중앙은행 지급준비예치금(1억)</td></tr>
<tr><td colspan="2">㉯ ____________(9억)</td></tr>
</table>

중앙은행의 기능

(1) 발권 은행
(2) 은행의 은행
(3) 통화 금융 정책의 집행 기관
(4) 정부의 은행
(5) 외환관리업무 수행

통화승수

(1) 현금통화비율(c)이 주어진 경우

$$m = \frac{M}{H} = \frac{1}{c + z(1-c)} \quad \left(c = \frac{\text{현금통화}(C)}{\text{통화량}(M)},\ z = \frac{\text{실제지급준비금}(Z)}{\text{예금통화}(D)}\right)$$

(2) 현금예금비율(k)이 주어진 경우

$$m = \frac{M}{H} = \frac{k+1}{k+z} \quad \left(l = \frac{\text{현금통화}(C)}{\text{예금통화}(D)}\right)$$

신용창조

(1) 개념: 은행이 본원적 예금(예금은행 밖에서 예금은행 조직으로 최초로 흘러 들어온 예금)을 기초로 하여 대출을 통해 예금통화를 창조하는 것

(2) 파생적 예금(derivative deposit): 본원적 예금에 의해 추가로 창출된 요구불예금

(3) ㉰ ____________ 승수: $\frac{1}{\text{지급준비율}(r)}$(요구불예금만 존재하며, 예금은행이 필요지급준비금만 보유할 경우, 예금은행은 대출의 형태로만 자금을 운용한다는 가정이 있을 때)

핵심키워드

㉮ 시중은행 지급준비금, ㉯ 화폐발행액, ㉰ 신용창조

STEP 1 기본문제

01 상중하

통화량을 감소시키는 요인만을 모두 고르면? (단, 부분준비제도하의 화폐공급모형에서 법정 지급준비율과 초과지급준비율의 합이 1보다 작고, 다른 조건은 일정하다) [국가직 7급 21]

ㄱ. 중앙은행의 공개시장매도
ㄴ. 중앙은행의 재할인율 인상
ㄷ. 예금자의 현금통화비율($\frac{\text{현금통화}}{\text{요구불예금}}$) 감소
ㄹ. 시중은행의 초과지급준비율 감소

① ㄱ, ㄴ
② ㄱ, ㄷ
③ ㄴ, ㄹ
④ ㄷ, ㄹ

02 상중하

통화승수(본원통화 대비 통화량의 비율)가 증가하는 원인으로 옳지 않은 것은? [지방직 7급 21]

① 경제불안의 해소로 은행부도의 위험이 낮아졌다.
② 은행의 요구불예금에 대한 이자율이 하락하였다.
③ 가계가 보유하는 화폐 중 현금보유 비중이 감소하였다.
④ 은행의 초과지급준비금 보유가 감소하여 은행 대출이 증가하였다.

03 지급준비율과 관련하여 옳지 않은 것은? [국가직 7급 17]
상중하

① 우리나라는 부분지급준비제도를 활용하고 있다.
② 은행들은 법정지급준비금 이상의 초과지급준비금을 보유할 수 있다.
③ 100% 지급준비제도하에서는 지급준비율이 1이므로 통화승수는 0이 된다.
④ 지급준비율을 올리면 본원통화의 공급량이 변하지 않아도 통화량이 줄어들게 된다.

정답 및 해설

01 ① 1) 통화량 = 본원통화 × 통화승수 $(= \frac{1}{c+z(1-c)})$

2) 지문분석

ㄱ. 중앙은행의 공개시장매도는 본원통화의 감소요인이다.
ㄴ. 중앙은행의 재할인율 인상은 통화승수의 감소요인이다.

[오답체크]

ㄷ. 예금자의 현금통화비율$(\frac{\text{현금통화}}{\text{요구불예금}})$ 감소는 통화승수의 증가요인이다.
ㄹ. 시중은행의 초과지급준비율 감소는 통화승수의 증가요인이다.

02 ② 1) 통화승수 $= \frac{1}{c+z(1-c)}$

2) 지문분석

② 은행의 요구불예금에 대한 이자율이 하락하면 현금인출이 많아져 현금 - 통화비율이 상승한다. 따라서 통화승수가 하락한다.

[오답체크]

① 경제불안의 해소로 은행부도의 위험이 낮아지면 예금의 증가로 현금 - 통화비율이 하락하여 통화승수가 상승한다.
③ 가계가 보유하는 화폐 중 현금보유 비중이 감소하면 현금 - 통화비율이 하락하여 통화승수가 상승한다.
④ 은행의 초과지급준비금 보유가 감소하면 통화승수가 상승한다.

03 ③ 통화승수 $m = \frac{1}{c+z(1-c)}$ 이므로 지급준비율이 $z = 1$이면 통화승수가 1이다.

04 상중하

화폐공급의 증감 여부를 바르게 연결한 것은? [국가직 11]

ㄱ. 금융위기로 인하여 은행의 안전성이 의심되면서 예금주들의 현금 인출이 증가하였다.
ㄴ. 명절을 앞두고 기업의 결제수요가 늘고, 개인들은 명절준비를 위해 현금 보유량을 늘린다.
ㄷ. 한국은행이 자금난을 겪고 있는 지방 은행들로부터 국채를 매입하였다.
ㄹ. 은행들이 건전성 강화를 위해 국제결제은행(BIS) 기준의 자기자본비율을 높이고 있다.

	ㄱ	ㄴ	ㄷ	ㄹ
①	감소	증가	감소	증가
②	감소	감소	증가	감소
③	증가	감소	증가	감소
④	증가	감소	감소	증가

05 상중하

통화공급에 대한 설명으로 옳은 것은? [지방직 7급 11]

① 준예금통화란 이자율이 비교적 높은 요구불예금을 말한다.
② 초과지급준비금은 총예금에서 지급준비금을 공제한 것이다.
③ 현금통화비율이 클수록 통화량의 조절이 용이해진다.
④ 순신용승수는 신용승수보다 작다.

06 중앙은행의 화폐공급에 관한 설명으로 옳은 것은? [노무사 20]
상중하

① 예금창조기능은 중앙은행의 독점적 기능이다.
② 본원통화는 현금과 은행의 예금을 합친 것이다.
③ 중앙은행이 민간에 국채를 매각하면 통화량이 증가한다.
④ 중앙은행이 재할인율을 인하한다고 발표하면 기업은 경기과열을 억제하겠다는 신호로 받아들인다.
⑤ 법정지급준비율은 통화승수에 영향을 미친다.

정답 및 해설

04 ② ㄱ, ㄴ. 사람들이 현금인출을 하여 현금보유를 늘리면 파생통화량이 감소하게 한다.
ㄷ. 한국은행이 국채를 매입하면 본원통화량이 증가한다.
ㄹ. 은행들이 건전성 강화를 위해 국제결제은행(BIS) 기준의 자기자본비율을 높이면 대출을 줄이므로 통화량이 감소한다.

05 ④ 신용창조액에서 시초의 본원통화를 제한 것이 순신용창조액이다. 따라서 신용승수보다 순신용승수가 더 작다.

[오답체크]
① 준예금통화는 이자율이 높은 저축성예금과 거주자외화예금이다.
② 초과지급준비금 = 지급준비금 − 법정지급준비금이다.
③ 현금통화비율이 클수록 통화승수가 작아지기 때문에 통화량의 조절이 어려워진다.

06 ⑤ $m = \frac{M}{H} = \frac{1}{c + z(1-c)}$ 이므로 법정지급준비금은 통화승수에 영향을 미친다.

[오답체크]
① 예금창조기능은 예금은행도 가능하다.
② 본원통화는 현금과 지급준비금을 합친 것이다.
③ 중앙은행이 민간에 국채를 매각하면 통화량이 감소한다.
④ 중앙은행이 재할인율을 인하한다고 발표하면 기업은 경기부양을 하겠다는 신호로 받아들인다.

07 상중하

부분지급준비제도하의 통화공급모형에서 법정지급준비율과 초과지급준비율의 합이 1보다 작다. 다른 조건이 일정할 때, C/D 비율의 증가로 발생하는 현상은? (단, C는 현금, D는 요구불예금이다) [국가직 9급 20]

① 현금 유통량이 증가하고 통화공급도 증가한다.
② 통화공급은 증가하지만 지급준비금은 변화가 없다.
③ 통화공급이 감소한다.
④ 현금 유통량은 증가하지만 통화공급은 변화가 없다.

08 상중하

본원통화량이 불변인 경우, 통화량을 증가시키는 요인만을 〈보기〉에서 모두 고르면? (단, 시중은행의 지급준비금은 요구불예금보다 적다) [지방직 7급 18]

〈보기〉

ㄱ. 시중은행의 요구불예금 대비 초과지급준비금이 낮아졌다.
ㄴ. 사람들이 지불수단으로 요구불예금보다 현금을 더 선호하게 되었다.
ㄷ. 시중은행이 준수해야 할 요구불예금 대비 법정지급준비금이 낮아졌다.

① ㄱ, ㄴ
② ㄱ, ㄷ
③ ㄴ, ㄷ
④ ㄱ, ㄴ, ㄷ

09 상중하

최근 A는 비상금으로 숨겨두었던 현금 5천만원을 은행에 요구불예금으로 예치하였다고 한다. 현재 이 경제의 법정지급준비율은 20%라고 할 때, 예금창조에 대한 〈보기〉의 설명 중 옳은 것을 모두 고르면? [서울시 7급 19]

〈보기〉

ㄱ. A의 예금으로 인해 이 경제의 통화량은 최대 2억 5천만원까지 증가할 수 있다.
ㄴ. 시중은행의 초과지급준비율이 낮을수록, A의 예금으로 인해 경제의 통화량이 더 많이 늘어날 수 있다.
ㄷ. 전체 통화량 가운데 민간이 현금으로 보유하는 비율이 낮을수록, A의 예금으로 인해 경제의 통화량이 더 많이 늘어날 수 있다.
ㄹ. 다른 조건이 일정한 상황에서 법정지급준비율이 25%로 인상되면, 인상 전보다 A의 예금으로 인해 경제의 통화량이 더 많이 늘어날 수 있다.

① ㄱ, ㄴ ② ㄴ, ㄷ
③ ㄱ, ㄴ, ㄷ ④ ㄱ, ㄴ, ㄷ, ㄹ

정답 및 해설

07 ③ 예금현금비율이 높아지면 통화승수가 작아져 현금유통량이 작아지고 통화공급도 감소한다.

08 ② 1) 통화공급량 = 통화승수 × 본원통화($M^s = \frac{1}{c + z(1-c)} \times H$)로 나타낼 수 있다.

2) 초과지급준비율이나 법정지급준비율이 낮아지면 실제지급준비율(z)이 낮아져 통화승수가 커지므로 통화량이 증가한다.

[오답체크]

ㄴ. 현금통화비율(c)이 상승하면 통화승수가 커지므로 통화량이 감소하게 된다.

09 ② ㄴ. 시중은행의 초과지급준비율이 낮을수록, 신용승수가 크므로 A의 예금으로 인해 경제의 통화량이 더 많이 늘어날 수 있다.

ㄷ. 전체 통화량 가운데 민간이 현금으로 보유하는 비율이 낮을수록, 은행예금이 많아지므로 A의 예금으로 인해 경제의 통화량이 더 많이 늘어날 수 있다.

[오답체크]

ㄱ. A가 5천만원을 예금하면 예금통화는 최대 2억 5천만원까지 증가할 수 있으나 현금통화가 5천만원 감소하므로 최대로 증가할 수 있는 통화량의 크기는 2억원이다.

ㄹ. 다른 조건이 일정한 상황에서 법정지급준비율이 25%로 인상되면, 인상 전보다 A의 예금으로 인해 경제의 통화량이 감소한다.

10 상중하

통화량 공급을 늘리기 위한 중앙은행의 공개시장조작(open market operation) 정책으로 옳은 것은? [국가직 7급 15]

① 정부채권을 매입한다.
② 재할인율을 인하한다.
③ 중앙은행의 지급준비율을 인하한다.
④ 시중 민간은행의 대출한도 확대를 유도한다.

11 상중하

본원통화 및 통화량에 관한 설명으로 옳은 것을 〈보기〉에서 모두 고른 것은? [노무사 14]

〈보기〉

ㄱ. 본원통화가 증가할수록 통화량은 증가한다.
ㄴ. 지급준비율이 높을수록 통화승수는 증가한다.
ㄷ. 본원통화는 민간보유현금과 은행의 지급준비금을 합한 것이다.
ㄹ. 중앙은행이 민간은행에 대출을 하는 경우 본원통화가 증가한다.

① ㄱ, ㄴ ② ㄱ, ㄹ ③ ㄴ, ㄷ
④ ㄱ, ㄷ, ㄹ ⑤ ㄴ, ㄷ, ㄹ

12 통화승수에 관한 설명으로 옳지 않은 것은? [노무사 18]

상중하

① 통화승수는 법정지급준비율을 낮추면 커진다.

② 통화승수는 이자율 상승으로 요구불예금이 증가하면 작아진다.

③ 통화승수는 대출을 받은 개인과 기업들이 더 많은 현금을 보유할수록 작아진다.

④ 통화승수는 은행들이 지급준비금을 더 많이 보유할수록 작아진다.

⑤ 화폐공급에 내생성이 없다면 화폐공급곡선은 수직선의 모양을 갖는다.

정답 및 해설

10 ① 공개시장조작정책이란 중앙은행이 단기금융시장에서 국공채를 매입하거나 매각하는 정책을 말한다. 중앙은행이 공개시장조작을 통해 통화공급을 늘리려면 공개시장에서 국채를 매입해야 한다. 국채를 매입하면 본원통화가 증가하므로 통화량이 증가하게 된다.

[오답체크]

② 재할인율정책이다.

③ 지급준비율정책이다.

11 ④ 1) 통화공급량은 '통화승수 × 본원통화'이므로 본원통화가 증가할수록 통화량이 증가한다.

2) 통화승수 $m = \frac{1}{c + z(1-c)}$ 이므로 지급준비율(z)이 높을수록 통화승수는 작아진다.

12 ② 1) 통화승수 $m = \frac{1}{c + z(1-c)}$ 이므로 통화승수의 크기는 지급준비율과 현금통화비율에 의해 결정된다.

2) 이자율 상승으로 요구불예금이 증가하면 현금통화비율이 낮아지므로 통화승수가 커지게 된다.

13 상중하

화폐공급량은 민간의 현금보유량과 금융기관이 발행하는 예금화폐의 합계이고, 본원통화는 민간의 현금보유량과 금융기관의 지불준비금의 합계이다. 민간의 예금대비 현금보유 비율이 0.2이고 금융기관의 지불준비율이 0.1인 경우 화폐승수는? [지방직 7급 11]

① 2.0　　② 3.0

③ 4.0　　④ 5.0

14 상중하

A국 시중은행의 지급준비율이 0.2이며 본원통화는 100억달러이다. A국의 통화승수와 통화량은 얼마인가? (단, 현금통화비율은 0이다) [지방직 7급 17]

	통화승수	통화량
①	0.2	500억달러
②	5	500억달러
③	0.2	100억달러
④	5	100억달러

15 상중하

중앙은행이 정한 법정지급준비율이 12%이고, 시중은행의 초과지급준비율이 3%이다. 또한 민간은 통화의 일부를 현금으로 보유하며, 그 비율은 일정하다. 만약 중앙은행이 60억원 상당의 공채를 매입한다면, 시중의 통화량은 얼마나 증가하겠는가? [국회직 8급 15]

① 60억원 ② 400억원
③ 500억원 ④ 60억원 초과 400억원 미만
⑤ 400억원 초과 500억원 미만

정답 및 해설

13 ③ 1) 통화승수 $= \frac{k+1}{k+z}$ (단, k: 현금예금비율, z: 지급준비율)

2) 따라서 통화승수 $= \frac{0.2+1}{0.2+0.1} = 4$이다.

14 ② 1) 현금통화비율 $c=0$, 지급준비율 $z=0.2$이므로 통화승수 $m = \frac{1}{c+z(1-c)} = \frac{1}{0+0.2(1-0)} = 5$ 이다.

2) 통화승수가 5이므로 본원통화의 크기가 100억달러이면 통화량은 500억달러가 된다.

15 ④ 1) 통화승수는 $\frac{k+1}{k+z}$이다.

2) 지급준비율 = 법정지급준비율 + 초과지급준비율이다.

3) 통화량의 증가분 = 통화승수 × 본원통화의 증가분이다.

4) $\frac{k+1}{k+0.15} \times 60$억원 = 통화량 증가이다.

㉠ $k=0$이면 통화승수는 약 66이므로 통화량은 396억원 정도이다.

㉡ $k=$ 무한대이면 통화승수는 약 1이므로 통화량은 60억원 정도이다.

5) 시중의 통화량은 60억원 초과 400억원 미만이 된다.

16 상중하

A국가의 경제주체들은 화폐를 현금과 예금으로 절반씩 보유한다. 또한 상업은행의 지급준비율은 10%이다. A국의 중앙은행이 본원통화를 440만원 증가시켰을 때 A국의 통화량 변동은? [지방직 7급 19]

① 800만원 증가
② 880만원 증가
③ 1,100만원 증가
④ 4,400만원 증가

17 상중하

모든 은행이 초과지불준비금은 보유하지 않고 민간은 현금을 모두 요구불예금으로 예금한다고 가정한다. 요구불예금의 법정지급준비율이 20%인 경우 중앙은행이 국채 100억원을 사들인다면 이로 인한 통화량의 창출 규모는? [국가직 7급 12]

① 80억원
② 100억원
③ 200억원
④ 500억원

18 상중하 갑국의 중앙은행은 금융기관의 초과지급준비금에 대한 금리를 −0.1%로 인하했다. 이 통화 정책의 기대효과로 옳지 않은 것은? [지방직 7급 20]

① 중앙은행에 하는 저축에 보관료가 발생할 것이다.
② 은행들은 가계나 기업에게 하는 대출을 확대할 것이다.
③ 기업들이 투자와 생산을 늘려서 고용을 증대시킬 것이다.
④ 기업의 투자자금이 되는 가계부문의 저축이 증가할 것이다.

정답 및 해설

16 ① 1) 경제주체들이 화폐를 현금과 예금으로 절반씩 보유하므로 현금통화비율 $c = 0.5$이다.
2) 현금통화비율 $c = 0.5$, 지급준비율 $z = 0.1$인 경우 통화승수는 다음과 같다.

$$m = \frac{1}{c + z(1-c)} = \frac{1}{0.5 + 0.1(1-0.5)} = \frac{1}{0.55}$$

3) 본원통화가 440만원 증가하면 통화량은 $800(= \frac{1}{0.55} \times 440)$만원 증가한다.

17 ④ 1) 신용승수는 $\frac{1}{z}$이다. (단, z는 지급준비율이다)
2) 중앙은행이 국채를 사들이면 본원통화가 증가한다.
3) 통화량의 창출규모는 $\frac{1}{0.2} \times 100$억원 $= 500$억원이다.

18 ④ 초과지급준비금에 대한 금리 인하의 결과 금융시장에서 자금의 공급이 증가하면 이자율이 하락하고, 이렇게 되면 가계의 입장에서는 저축이 감소할 것이다.

19 상중하

어떤 경제의 완전고용국민소득이 400조원이며, 중앙은행이 결정하는 이 경제의 총화폐공급은 현재 30조원이다. 다음 표는 이 경제의 이자율에 따른 총화폐수요, 총투자, 실질국민소득의 변화를 나타낸 것이다. 이 경제에 대한 설명으로 가장 옳은 것은? [서울시 7급 19]

이자율(%)	총화폐수요(조원)	총투자(조원)	실질국민소득(조원)
1	70	120	440
2	60	110	420
3	50	100	400
4	40	80	360
5	30	50	320

① 실질국민소득이 완전고용수준과 같아지려면 중앙은행은 총화폐공급을 20조원만큼 증가시켜야 한다.
② 현재 이 경제의 실질국민소득은 완전고용수준보다 40조원만큼 작다.
③ 중앙은행이 총화폐공급을 지금보다 30조원만큼 증가시키면 균형이자율은 1%가 된다.
④ 현재 이 경제의 균형이자율은 4%이다.

20 상중하

A은행의 초과지급준비금이 0인 상황에서, 甲이 A은행에 예치했던 요구불예금 5,000만원의 인출을 요구하자 A은행은 보유하고 있는 시재금을 활용하여 지급하였다. 이 경우 A은행의 상황으로 옳은 것은? (단, 요구불예금에 대한 법정 지급준비율은 15%이다) [국가직 7급 12]

① 고객의 요구불예금 잔고가 750만원 감소한다.
② 고객의 요구불예금 잔고가 4,250만원 감소한다.
③ 지급준비금이 법정기준보다 750만원 부족하게 된다.
④ 지급준비금이 법정기준보다 4,250만원 부족하게 된다.

21 상중하 철수는 장롱 안에서 현금 100만원을 발견하고 이를 A은행의 보통예금계좌에 입금하였다. 이로 인한 본원통화와 협의통화(M1)의 즉각적인 변화는? [서울시 7급 17]

① 본원통화는 100만원 증가하고, 협의통화는 100만원 증가한다.
② 본원통화는 100만원 감소하고, 협의통화는 100만원 감소한다.
③ 본원통화는 변화가 없고, 협의통화는 100만원 증가한다.
④ 본원통화와 협의통화 모두 변화가 없다.

정답 및 해설

19 ① 균형이자율은 화폐의 수요와 공급이 일치하는 수준에서 결정되는데, 현재는 통화공급이 30조원이므로 이자율이 5%, 실질국민소득이 320조원이다. 잠재GDP가 400조원이고, 현재의 실질국민소득이 320조원이므로 실질국민소득이 완전고용수준보다 80조원 미달하는 상태이다. 잠재GDP 수준에서는 이자율이 3%이고, 총화폐수요가 50조원이므로 잠재GDP에 도달하려면 통화량을 20조원 증가시켜야 한다.

[오답체크]
② 현재 이 경제의 실질국민소득은 완전고용수준보다 80조원만큼 작다.
③ 중앙은행이 총화폐공급을 지금보다 30조원만큼 증가시키면 균형이자율은 2%가 된다.
④ 현재 이 경제의 균형이자율은 5%이다.

20 ④ 1) 시재금은 은행이 가지고 있던 법정준비금이다.
2) 초과지급준비금이 0인 상태에서 시재금으로 요구불예금 5,000만원을 지급하고 나면 은행이 지급한 5,000만원의 15%에 해당하는 750만원만큼의 법정지급준비금은 보유할 필요가 없어진다.
3) 따라서 부족한 법정지급준비금은 5,000만원에서 750만원을 차감한 4,250만원이 된다.

21 ④ 1) 철수가 장롱에 있던 현금 100만원을 보통예금 계좌에 입금하면 현금통화(민간보유현금)가 100만원 감소한다.
2) 예금통화가 100만원 증가하므로 현금통화와 예금통화를 합한 협의통화는 변하지 않는다.
3) 중앙은행에서 화폐가 발행된 적이 없으므로 본원통화와 협의통화 모두 변화가 없다.

22 상중하

다음은 어느 은행의 대차대조표이다. 이 은행이 초과지급준비금을 전부 대출할 때, 은행시스템 전체를 통해 최대로 증가시킬 수 있는 통화량의 크기는? (단, 법정지급준비율은 20%이며 현금통화비율은 0%이다) [국가직 7급 18]

자산(억원)		부채(억원)	
지급준비금	600	예금	2,000
대출	1,400		

① 120억원
② 400억원
③ 1,000억원
④ 2,000억원

23 상중하

시장이자율이 상승할 때 동일한 액면가(face value)를 갖는 채권의 가격변화에 대한 설명으로 옳지 않은 것은? [지방직 7급 17]

① 무이표채(discount bond)는 만기가 일정할 때 채권가격이 하락한다.
② 이표채(coupon bond)는 만기가 일정할 때 채권가격이 하락한다.
③ 실효만기가 길수록 채권가격은 민감하게 변화한다.
④ 무이표채의 가격위험은 장기채보다 단기채가 더 크다.

24 상중하 매년 이자를 지급하는 일반 이표채권(straight coupon bond)의 가격 및 이자율과 관련된 설명으로 옳지 않은 것은? [국가직 7급 14]

① 이 이표채권의 가격은 액면가 아래로 낮아질 수 있다.
② 이 이표채권의 가격이 액면가보다 높다면 이 채권의 시장수익률은 이표이자율보다 낮다.
③ 이미 발행된 이 이표채권의 이표이자액은 매년 시장수익률에 따라 다르게 지급된다.
④ 이표채권가격의 상승은 그 채권을 매입하여 얻을 수 있는 수익률의 하락을 의미한다.

정답 및 해설

22 ③ 1) 법정지급준비율이 20%이므로 예금이 2,000억원이면 은행은 법정지급준비금으로 400억원을 보유해야 한다.
2) 실제지급준비금이 600억원이므로 법정지급준비금 400억원을 초과한 200억원이 초과지급준비금이다.
3) 은행이 초과지급준비금을 모두 대출하여 최대로 증가할 수 있는 예금통화의 크기는 1,000억원(= 200억원 $\times \frac{1}{0.2}$)이다. 이 경우 현금통화는 변하지 않고 예금통화만 1,000억원 증가하므로 최대로 증가시킬 수 있는 통화량의 크기는 1,000억원이다.

23 ④ 채권가격은 이자율과 반비례하므로 시장이자율이 상승하면 이표채와 할인채(무이표채)의 가격은 모두 하락한다. 또한 만기가 길수록 채권가격은 이자율 변화에 민감하므로 가격위험은 단기채보다 장기채가 더 크다.

24 ③ 이미 발행된 이표채권의 이표이자액은 채권에 표시되어 있는대로 지급된다. 이를 표면이자율이라고 한다.

25 상중하

다음의 조건을 지닌 만기 3년짜리 채권 중 가격이 가장 싼 것은? (단, 이표(coupon)는 1년에 1번 지급하며, 이표율(coupon rate)은 액면가(face value) 대비 이표 지급액을 의미한다) [지방직 7급 15]

	액면가	이표율	금리
①	10,000원	10%	10%
②	10,000원	8%	8%
③	10,000원	10%	7%
④	10,000원	8%	10%

26 상중하

매년 24만원을 받는 영구채(원금상환 없이 일정 금액의 이자를 영구히 지급하는 채권)가 있다. 연 이자율이 6%에서 8%로 오른다면 이 채권가격이 변화는? [지방직 7급 12]

① 108만원 감소한다.
② 108만원 증가한다.
③ 100만원 감소한다.
④ 100만원 증가한다.

27 상중하

시중금리가 연 5%에서 연 6%로 상승하는 경우, 매년 300만원씩 영원히 지급받을 수 있는 영구채의 현재가치의 변화는? [지방직 7급 16]

① 30만원 감소 ② 60만원 감소
③ 300만원 감소 ④ 1,000만원 감소

정답 및 해설

25 ④ 1) 채권가격과 시장이자율(= 금리)은 반비례한다. 따라서 시장이자율이 높을수록 채권가격이 낮아진다.
2) 지문분석
④는 시장이자율이 이표율보다 높으므로 채권을 액면가보다 싸게 판매해야만 한다.
[오답체크]
①② 이표율과 금리가 동일하므로 채권가격은 10,000원으로 유지된다.
③ 금리보다 이표율이 높으므로 액면가보다 높게 거래된다.

26 ③ 1) 영구채의 가격은 $P = \frac{A}{r}$(단, 채권가격 P, 채권이자 A, 채권수익률 r)이다.
2) 연 이자율 6%일 경우 $400 = \frac{24}{0.06}$이고 연 이자율 8%일 경우 $300 = \frac{24}{0.08}$이다.
3) 따라서 채권가격은 100만원 감소한다.

27 ④ 1) 매년 A원의 이자를 지급받는 영구채의 가격 $P = \frac{A}{r}$이다.
2) 이자율이 5%일 때 매년 300만원의 이자를 지급받는 영구채의 가격 $P = \frac{300\text{만원}}{0.05} = 6{,}000$만원이다.
3) 이자율이 6%로 상승하면 동일한 영구채의 가격 $P = \frac{300\text{만원}}{0.06} = 5{,}000$만원으로 하락한다. 따라서 이자수입의 현재가치가 1,000만원 감소함을 알 수 있다.

STEP 2 심화문제

28 상중하

화폐에 관한 설명으로 옳은 것은? [감정평가사 21]

① 상품화폐의 내재적 가치는 변동하지 않는다.
② M2는 준화폐(near money)를 포함하지 않는다.
③ 명령화폐(fiat money)는 내재적 가치를 갖는 화폐이다.
④ 가치 저장수단의 역할로 소득과 지출의 발생시점을 분리시켜 준다.
⑤ 다른 용도로 활용될 수 있는 재화는 교환의 매개수단으로 활용될 수 없다.

29 상중하

통화량의 증가를 가져오지 않는 것을 〈보기〉에서 모두 고르면? [국회직 8급 13]

〈보기〉

ㄱ. 재할인율의 인상
ㄴ. 중앙은행의 공채 매입
ㄷ. 중앙은행의 외환보유고 증가
ㄹ. 법정지불준비율의 인하
ㅁ. 신용카드 사용으로 인한 민간의 현금보유비율 감소

① ㄱ　② ㄱ, ㄴ　③ ㄴ, ㄷ, ㄹ
④ ㄱ, ㄴ, ㄷ, ㄹ　⑤ ㄴ, ㄷ, ㄹ, ㅁ

30 통화공급 과정에 관한 설명으로 옳은 것을 모두 고른 것은? [감정평가사 19]
상중하

ㄱ. 100% 지급준비제도가 실행될 경우, 민간이 현금통화비율을 높이면 통화승수는 감소한다.
ㄴ. 민간이 현금은 보유하지 않고 예금만 보유할 경우, 예금은행의 지급준비율이 높아지면 통화승수는 감소한다.
ㄷ. 중앙은행이 민간이 보유한 국채를 매입하면 통화승수는 증가한다.

① ㄱ ② ㄴ ③ ㄱ, ㄴ
④ ㄱ, ㄷ ⑤ ㄴ, ㄷ

정답 및 해설

28 ④ 화폐는 가치 저장수단의 역할로 소득이 발생했을 때 저장하여 소득이 없을 때 사용할 수 있게 해주므로 소득과 지출의 발생시점을 분리시켜 준다.

[오답체크]
① 상품화폐의 내재적 가치는 변동한다.
② 준화폐는 화폐로의 전환이 매우 용이하여 사실상 화폐와 거의 비슷한 취급을 받는 자산을 말한다. 그래서 명칭이 니어 머니(near money)이며 저축예금계좌, 유가증권 등이 포함된다. M2는 M1에 예금취급기관의 각종 저축성예금, 시장성 금융상품, 실적배당형 금융상품, 금융채 및 거주자예금을 더한 것이다. 따라서 준화폐는 M2에 포함된다.
③ 명령화폐(fiat money)는 명목화폐이다. 명목화폐는 물건이 가진 실질적 가치와는 관계없이, 표시되어 있는 화폐 단위로 통용되는 화폐, 지폐, 은행권, 보조 화폐 따위를 의미하므로 내재적 가치를 가지고 있지 않은 화폐이다.
⑤ 다른 용도로 활용될 수 있는 재화는 교환의 매개수단으로 활용될 수 있다.

29 ① ㄱ. 통화승수가 감소하므로 통화량 감소요인이다.

[오답체크]
ㄴ. 중앙은행의 공채 매입은 본원통화가 증가하므로 통화량이 증가한다.
ㄷ. 중앙은행의 외환보유고 증가는 달러를 원화로 바꾸어 주어야 하므로 통화량이 증가한다.
ㄹ. 법정지불준비율의 인하는 통화승수를 증가시키므로 통화량이 증가한다.
ㅁ. 신용카드 사용으로 인한 민간의 현금보유비율 감소는 통화승수를 증가시키므로 통화량이 증가한다.

30 ② **[오답체크]**
ㄱ. 100% 지급준비제도가 실행될 경우, 지급준비율이 1이면 현금통화비율과 관련 없이 통화승수가 1이다.
ㄷ. 중앙은행이 민간이 보유한 국채를 매입하면 본원통화는 증가하나 통화승수는 변하지 않는다.

31 상중하

민간은 화폐를 현금과 요구불예금으로 각각 1/2씩 보유하고, 은행은 예금의 1/3을 지급준비금으로 보유한다. 통화공급을 150만큼 늘리기 위한 중앙은행의 본원통화 증가분은? (단, 통화량은 현금과 요구불예금의 합계이다) [감정평가사 20]

① 50 ② 100 ③ 150
④ 200 ⑤ 250

32 상중하

통화량(M)을 현금(C)과 요구불예금(D)의 합으로, 본원통화(B)를 현금(C)과 지급준비금(R)의 합으로 정의하자. 이 경우 현금보유비율(cr)은 C/D, 지급준비금 비율(rr)은 R/D로 나타낼 수 있다. 중앙은행이 본원통화를 공급할 때 민간은 현금 보유분을 제외하고는 모두 은행에 예금하며, 은행은 수취한 예금 중 지급준비금을 제외하고는 모두 대출한다고 가정한다. cr이 0.2, rr이 0.1이면 통화승수의 크기는? [감정평가사 16]

① 1.5 ② 2.0 ③ 3.7
④ 4.0 ⑤ 5.3

정답 및 해설

31 ② 1) 통화승수 $= \frac{1}{c+z(1-c)}$

2) c(현금통화비율) $= 0.5$, z(지급준비율) $= \frac{1}{3}$

3) 통화량 증가분 = 통화승수 × 본원통화 증가분

4) $150 = 1.5(= \frac{1}{0.5+\frac{1}{3}(1-0.5)})$ × 본원통화 증가분 ➜ 본원통화 증가분 = 100

32 ④ 1) 통화승수 $\frac{k+1}{k+z}$ ($k =$ 현금예금비율)

2) $\frac{0.2+1}{0.2+0.1} = 4$이다. 따라서 통화승수는 4이다.

STEP 3 실전문제

33 상중하

어느 경제의 현금통화, 지급준비금, 요구불예금이 각각 다음과 같다. 이때 통화승수는?

[회계사 22]

구분	금액
현금통화	80억원
지급준비금	10억원
요구불예금	100억원

① 2.0 ② 2.5 ③ 3.0
④ 3.5 ⑤ 4.0

34 상중하

다음은 어느 경제의 통화량 관련 자료이다. 이 경제에서 본원통화량이 3억달러 증가하면 통화량은 얼마나 증가하는가?

[회계사 18]

- 통화량은 현금과 예금의 합계이다.
- 본원통화량은 현금과 지급준비금의 합계이다.
- 예금 대비 지급준비금의 비율은 10%이다.
- 예금 대비 현금의 비율은 50%이다.

① 3억달러 ② 4.5억달러 ③ 6억달러
④ 7.5억달러 ⑤ 9억달러

35 상중하

어느 경제의 현금통화는 400조원, 법정지급준비율은 5%이며 은행은 50조원의 초과지급준비금을 보유하고 있다. 이 경제의 요구불예금 대비 현금보유 비율이 40%라면 본원통화와 M1 통화승수는? (단, 요구불예금 이외의 예금은 없다고 가정한다) [회계사 19]

	본원통화	M1 통화승수
①	450조원	2.5
②	450조원	2.8
③	450조원	3.2
④	500조원	2.5
⑤	500조원	2.8

정답 및 해설

33 ① 1) 통화승수 $= \dfrac{\text{통화량}}{\text{본원통화}} = \dfrac{C+D}{C+Z}$ 이다.

2) 조건을 대입하면 $\dfrac{80+100}{80+10} = 2$ 이다.

34 ④ 1) 현금예금비율이 주어져 있으므로 통화승수는 $\dfrac{k+1}{k+z}$ 이다.

2) $\dfrac{0.5+1}{0.5+0.1} = 2.5$ 이므로 통화량 증가분 = 본원통화량 증가분 3억달러 × 통화승수 2.5 = 7.5이다.

35 ⑤ 1) 요구불예금 대비 현금보유비율이 40%이므로 $\dfrac{\text{현금}}{\text{요구불예금}} = \dfrac{400\text{조원}}{\text{요구불예금}} = \dfrac{4}{10}$ ➜ 요구불예금은 1,000조원이다.

2) 법정지급준비금은 50조원이고 초과지급준비금은 50조원이므로 총지급준비금은 100조원이다.

3) 본원통화 = 현금통화 + 지급준비금이므로 500조원이다.

4) M1 통화승수 $= \dfrac{\text{통화량}}{\text{본원통화}} = \dfrac{\text{현금통화}+\text{요구불예금}}{\text{현금통화}+\text{지급준비금}} = \dfrac{1{,}400\text{조원}}{500\text{조원}} = 2.8$ 이다.

36 상중하

상업은행인 해피은행의 재무상태표(대차대조표)가 아래와 같다고 하자. 법정지급준비율이 10%라고 가정할 때 해피은행이 보유하고 있는 초과 지급준비금을 신규로 대출하는 경우 은행제도의 신용창조를 통한 총통화량의 증가분은 최대 얼마인가? [회계사 15]

자산		부채	
지급준비금	60	예금	200
대출	40		
국채	100		

① 100 ② 200 ③ 300
④ 400 ⑤ 500

37 상중하

은행 A의 재무상태표(대차대조표)는 다음과 같다.

자산(억원)		부채 및 자본(억원)	
지급준비금	50	예금	200
증권	50	납입자본금	50
대출	150		

위와 같은 상황에서, 급작스런 50억원의 예금 인출이 발생했다고 한다. 은행 A는 일단 지급준비금 50억원으로 이와 같은 인출 상황에 대응하였다. 법정지급준비율이 10%일 때, 법정지급준비금을 마련하기 위한 은행 A의 조치에 대한 설명으로 옳지 않은 것은? [회계사 17]

① 중앙은행으로부터 부족한 지급준비금만큼 차입한다.
② 은행 A가 보유한 증권을 부족한 지급준비금만큼 매각한다.
③ 부족한 지급준비금만큼 신규대출을 늘린다.
④ 콜시장으로부터 부족한 지급준비금만큼 차입한다.
⑤ 추가로 주식을 발행하여 부족한 지급준비금만큼 충당한다.

38 상중하

어떤 경제에 서로 대체관계인 국채와 회사채가 있다고 하자. 회사채의 신용위험(credit risk) 증가가 국채가격, 회사채가격, 그리고 회사채의 위험프리미엄(risk premium)에 미치는 영향으로 옳은 것은? (단, 국채의 신용위험은 불변이고 채권투자자는 위험기피적이라고 가정한다) [회계사 15]

	국채가격	회사채가격	위험프리미엄
①	불변	불변	불변
②	하락	하락	증가
③	상승	하락	증가
④	상승	하락	감소
⑤	상승	상승	증가

정답 및 해설

36 ④ 1) 신용승수 $= \frac{1}{z} = \frac{1}{0.1} = 10$

2) 법정지급준비금 = 법정지급준비율 × 예금 ➜ $20 = 0.1 \times 200$

3) 초과지급준비금이 40이므로 통화량 증가는 $40 \times 10 = 400$이다.

37 ③ 1) 갑작스런 예금인출이 발생하면 은행이 가지고 있는 자산 중 지급준비금 50억원이 0이 된다.

2) 따라서 은행은 현재 남아있는 예금 150억원의 법정지급준비금 15억원을 준비해야 한다.

3) 지문분석

③ 신규대출은 지급준비금과 관련이 없다.

[오답체크]

①②④⑤ 부족한 지급준비금을 확보하는 방법이다.

38 ③ 1) 회사채의 신용위험 증가 ➜ 이자율 상승 ➜ 채권가격 하락

2) 국채수요 증가 ➜ 국채가격 상승 ➜ 국채수익률 하락

3) 위험프리미엄 = 회사채수익률 − 국채수익률

4) 회사채수익률은 증가하고 국채수익률은 하락하였으므로 위험프리미엄은 커진다.

Topic 18

화폐수요

01 고전학파의 화폐수요이론

고전적 화폐수량설	(1) 교환 방정식 ① 개념: 교환 방정식에서 통화의 유통속도 V가 일정하여 통화량 M이 변화할 경우 이에 비례하여 명목국민소득이 변화한다는 것 ② $MV = PY$ ③ 화폐의 수요: 거래를 성사시키기 위해서는 명목 국민소득의 일정 비율만큼의 화폐가 필요함. 교환의 매개 수단으로서의 화폐의 기능 중시 (2) ㉮ ________
현금잔고 방정식	(1) $M = kPY$ (k: 마샬의 k) (2) 가치의 저장 기능 중시: 사람들은 금융 자산의 일부를 전부 채권으로 보유하지 않고 일부를 현금으로 보유함

02 케인즈의 화폐수요이론

케인즈의 화폐수요	(1) 유동성 선호설(theory of liquidity preference) ① 유동성: 일반적으로 어떤 자산이 그 가치의 손실없이 얼마나 빨리 교환의 매개 수단으로 교환될 수 있는가 하는 정도. 모든 종류의 자산 중 화폐가 유동성이 가장 큼 ② 케인즈는 유동성을 화폐 자체로 보아 화폐수요를 유동성 선호라고 표현함 ③ 케인즈는 유동성 선호의 동기를 거래적 동기, 예비적 동기, 투기적 동기로 구분함 (2) 화폐수요의 동기 ① 거래적 동기: 일상적인 지출을 위한 화폐수요. 소득의 증가함수 ② 예비적 동기: 예상하지 못한 지출에 대비하기 위한 화폐수요. 소득의 증가함수 ③ ㉯ ________ 동기: 장래 수입을 극대화하기 위한 화폐수요. 케인즈의 화폐수요이론에서 가장 중요. 이자율의 감소함수

핵심키워드

㉮ 통화공급 증가율 + 유통속도 증가율 = 물가상승률 + 경제성장률, ㉯ 투기적

케인즈의 화폐수요	(3) 투기적 동기의 화폐수요 ① 사람들이 일상생활에 필요하기 때문에 보유하는 화폐를 활성잔고(active balance)라 하고, 활성잔고 이외에 더 보유하고 있는 화폐를 유휴잔고(idle balance)라 함. 케인즈는 채권 투자를 위한 기회를 노려 유휴잔고를 보유한다고 봄 ② 채권가격이 높으면 낮아지기를 기다려 일시적으로 화폐를 소유하게 되는데, 이것이 투기적 동기에 의한 화폐수요임 ③ 이자율 상승 ➜ 채권가격 하락(채권 수익률 상승) ➜ 채권수요 증대 ➜ 현금수요 감소 ④ 이자율 하락 ➜ 채권가격 상승(채권 수익률 하락) ➜ 채권수요 감소 ➜ 현금수요 증대 (4) ㉮ ________(liquidity trap) ① 이자율이 매우 낮은 수준(채권가격이 매우 높은 수준)이 되면 개인들은 이자율 상승 채권가격 하락)을 예상하여 화폐수요를 무한히 증대시키게 된다. 이때에는 개인들의 화폐수요곡선이 수평선이 되는 구간(화폐수요의 ㉯ ________이 무한대)이 도출되는데 이를 유동성 함정이라 함 ② 유동성 함정은 대체로 경기가 극심한 침체 상태일 때 발생 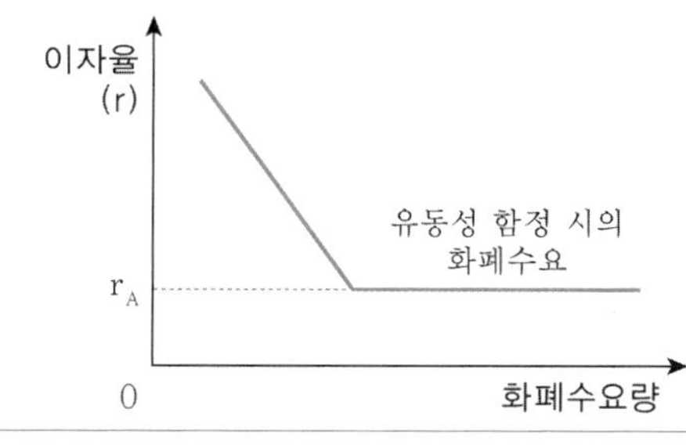

핵심키워드

㉮ 유동성 함정, ㉯ 이자탄력성

03 케인즈 학파의 화폐수요이론

Baumol의 재고이론	(1) 화폐로 교환할때의 거래비용 $\frac{PY}{M} \times Pb = \frac{P^2Y}{M}b$로 표현할 수 있음 (2) 화폐보유의 기회비용 평균적으로 $\frac{M}{2}$을 보유하므로 포기한 이자비용은 $\frac{M}{2}$임 (3) 화폐수요함수의 도출 ① 화폐보유의 총비용은 감소하다가 증가하는 패턴을 보이므로 최소화하는 M을 구하기 위해서 M으로 미분하여 구함 ② $M^* = P\sqrt{\frac{2bY}{r}}$ 여기서 평균화폐보유액은 $\frac{M}{2} = M^D = P\sqrt{\frac{bY}{2r}}$ 가 도출됨
Tobin의 자산선택이론	(1) 대체효과 > 소득효과 이자율 상승 ➜ ㉮ __________ ➜ 화폐(현금)보유 감소 (2) 대체효과 < 소득효과 이자율 상승 ➜ 채권보유 감소 ➜ 화폐(현금)보유 증가 (3) 결론 이자율이 상승 시 대체효과가 소득효과보다 크면 투기적 화폐수요는 이자율의 ㉰ __________ 이지만 대체효과가 소득효과보다 작다면 증가함수가 됨

04 신화폐수량설

개념	프리드만이 고전학파의 화폐수량설을 발전시킨 이론으로, 화폐를 일종의 상품이나 자산으로 취급하여 화폐의 수요를 예산제약에 의한 효용극대화원리나 이윤극대화원리에 의해 결정된다는 일종의 자산선택이론
화폐수요함수	(1) 화폐보유자에게 중요한 것은 실질화폐량($\frac{M^D}{P}$)임 (2) $\frac{M^D}{P} = f(Y_P,\ r,\ \pi^e)$ (3) 항상소득의 화폐수요의 탄력성을 1이라(항상소득의 변화율만큼 화폐수요가 변한다) 가정하면 $\frac{M^D}{P} = k(r,\ \pi^e)Y_P = \frac{1}{V(r,\ \pi^e)}Y_P$임

핵심키워드
㉮ 채권보유 증가, ㉯ 감소함수

STEP 1 기본문제

01 상중하

정책당국이 내년의 경제성장률은 7%, 화폐유통속도는 1.5% 수준으로 예상하고 있다고 가정한다. 급격한 물가 상승을 우려한 정책당국이 내년 물가상승률을 3%로 억제하기 위한 내년도의 적정 통화성장률은? [국가직 7급 11]

① 6.5%　　② 7.5%
③ 8.5%　　④ 9.5%

02 상중하

甲국의 중앙은행은 다음 해 실질경제성장률과 물가상승률 목표를 각각 4%와 3%로 두고 있다. 甲국의 화폐유통속도 증가율이 다음 해에도 2%가 될 것으로 예상된다. 화폐수량설에 기초할 때 甲국의 다음 해 적정 통화성장률은? [지방직 21]

① 3%　　② 4%
③ 5%　　④ 6%

정답 및 해설

01 ③ 1) 통화량 변화율 + 유통속도의 변화율 = 물가상승률 + 경제성장률
2) 통화량 변화율 + 1.5% = 3% + 7% ➜ 통화량 변화율은 8.5%이다.

02 ③ 1) 화폐수량설에 따르면 통화량 변화율 + 유통속도 변화율 = 물가상승률 + 실질경제성장률이다.
2) 통화량 변화율 + 2% = 3% + 4% ➜ 통화량변화율은 5%이다.

03 상중하

A국의 경제에서 화폐유통속도가 일정하고 실질GDP가 매년 3% 증가한다. 수량방정식(quantity equation)이 성립한다고 가정할 때 옳지 않은 것은? [지방직 7급 11]

① 통화량을 3% 증가시키면 물가는 현재 수준으로 유지된다.
② 통화량을 현재 수준으로 고정시킨다면 물가는 3% 하락하게 된다.
③ 통화량을 현재 수준으로 고정시킨다면 명목GDP 증가율은 3%가 될 것이다.
④ 통화량을 6% 증가시키면 명목GDP 증가율은 실질GDP 증가율의 2배가 된다.

04 상중하

다음은 전통적 화폐수량설에 관한 문제이다. A국은 우유와 빵만을 생산하며 그 생산량과 가격은 아래 표와 같다. 2010년도의 통화량이 20억원이면 2011년도의 통화량은? (단, 통화의 유통속도는 2010년도와 2011년도에 동일하다) [국가직 7급 12]

연도	우유		빵	
	가격(원/병)	생산량(백만병)	가격(원/병)	생산량(백만개)
2010년	250	40	200	10
2011년	300	40	400	15

① 20억원
② 25억원
③ 30억원
④ 35억원

05 화폐수요에 대한 설명으로 옳은 것은? [지방직 7급 15]

상중하

① 신용카드가 널리 보급되면 화폐수요가 감소한다.

② 경기가 좋아지면 화폐수요가 감소한다.

③ 이자율이 증가하면 화폐수요가 증가한다.

④ 경제 내의 불확실성이 커지면 화폐수요가 감소한다.

정답 및 해설

03 ③ 수량(교환)방정식은 $MV = PY$이다. 이때 M은 통화량, V는 화폐유통속도, PY는 명목GDP, Y는 실질GDP이다. 이때 화폐유통속도가 일정하고 실질GDP가 매년 3% 증가할 경우 통화량을 현재수준으로 고정시킨다면 명목GDP 증가율은 3% 하락한다.

04 ③ 1) 화폐수량설은 $MV = PY$이다.
2) 2010년: 20억원 $\times V = 250 \times 0.4$억원 $+ 200 \times 0.1$억원 ➜ $V = 6$이다.
3) 2011년: $M \times 6 = 300 \times 0.4$억원 $+ 400 \times 0.15$억원 ➜ $M = 30$억원이다.

05 ① 신용카드가 널리 보급되면 화폐를 보유할 필요성이 적어지므로 화폐수요가 감소한다.

[오답체크]

② 경기가 좋아지면 사람들의 지출이 늘어나므로 화폐수요가 증가한다.

③ 이자율이 상승하면 화폐보유의 기회비용이 상승하므로 화폐수요가 감소한다.

④ 경제의 불확실성이 커지면 사람들은 이에 대비하기 위해 화폐수요를 늘리므로 화폐수요가 증가한다.

06 상중하

다음은 3인($i = 1,2,3$)만이 존재하는 경제의 화폐수요를 나타낸다. 경제전체의 마샬 k는?

[보험계리사 18]

- 개인 i의 화폐수요: $M_i^d = k_i Y_i$
  (단, M_i^d, Y_i, k_i는 각각 개인 i의 화폐수요, 소득, 마샬 k)
- 경제전체의 화폐수요: $M^d = kY$
  (단, M^d, Y, k는 각각 경제전체의 화폐수요, 소득, 마샬 k)
- $Y_1 = 20$, $Y_2 = 40$, $Y_3 = 60$
- $k_1 = 0.4$, $k_2 = 0.4$, $k_3 = 0.2$

① 0.30
② 0.33
③ 0.36
④ 0.39

07 상중하

화폐수요에 대한 설명으로 옳지 않은 것은? [국가직 7급 12]

① 화폐는 다른 금융자산에 비해 교환수단으로는 우등(superior)하나, 가치저장수단으로는 열등(inferior)하다.
② 보몰-토빈(Baumol-Tobin)의 거래적 화폐수요이론에 따르면 다른 조건이 일정할 때 소득이 2배 증가하면 화폐수요는 2배보다 더 많이 증가한다.
③ 프리드만(M. Friedman)의 화폐수요모델은 케인즈(J. M. Keynes)의 화폐수요모델에 비해 화폐유통속도가 안정적인 것을 전제한다.
④ 피셔(I. Fisher)의 거래수량설에서 강조된 것은 화폐의 교환수단 기능이다.

08 보몰-토빈(Baumol-Tobin)의 거래적 화폐수요이론에 대한 설명으로 가장 옳지 않은 것은?

상중하

[서울시 7급 19]

① 거래적 화폐수요는 이자율의 감소함수이다.
② 거래적 화폐수요는 소득의 증가함수이다.
③ 화폐를 인출할 때 발생하는 거래비용이 증가하면 거래적 화폐수요는 증가한다.
④ 거래적 화폐수요의 소득탄력성은 1이다.

정답 및 해설

06 ① 1) 개인의 화폐수요는 각각 $20 \times 0.4 = 8$, $40 \times 0.4 = 16$, $60 \times 0.2 = 12$로 총 36이다.

2) 총소득은 120이고 이 중 36을 보유하고 있으므로 $\frac{36}{120} = 0.3$이다. 따라서 마샬의 $k = 0.3$이다.

07 ② 1) 보몰-토빈의 거래적 동기의 화폐수요이론인 재고이론은 케인즈의 거래적 동기의 화폐수요이론이 발전된 이론으로 화폐수요는 $\frac{M}{2} = M^D = P\sqrt{\frac{bY}{2r}}$ 이다.

2) 따라서, 화폐 수요는 소득, 물가, 거래비용 등에는 비례하고 이자율에는 반비례하므로 소득이 2배 증가하면 화폐수요는 2배 이하로 증가한다.

[오답체크]
① 화폐자산은 교환수단으로는 뛰어나나 가치저장수단으로는 열등한 자산이다.
③ 프리드만의 신화폐수량설에서는 케인즈의 화폐수요이론에 비하여 화폐유통속도 혹은 화폐수요가 안정적이기 때문에 금융정책의 효과가 강력하다고 한다.
④ 피셔의 교환방정식은 화폐의 가치저장기능을 강조하는 화폐수요이론이 아니라 통화량이 증가하면 수요가 증가하고 그로 인해 물가가 정비례로 증가한다고 하면서 화폐의 교환수단으로서의 기능을 강조한다.

08 ④ 보몰-토빈의 거래적 화폐수요이론의 화폐수요함수는 $M^d = P\sqrt{\frac{bY}{2r}}$ 이다.

화폐수요함수를 다시 정리하면 $M^d = P\sqrt{\frac{bY}{2r}} = \frac{1}{\sqrt{2}}Pb^{\frac{1}{2}}Y^{\frac{1}{2}}r^{-\frac{1}{2}}$ 이므로 화폐수요의 소득탄력성은 $\frac{1}{2}$, 이자율탄력성은 $-\frac{1}{2}$임을 알 수 있다.

[오답체크]
① 이자율이 상승하면 화폐수요가 감소한다.
② 소득이 증가하면 거래적 화폐수요가 증가한다.
③ 화폐를 인출할 때 발생하는 거래비용(b)이 증가하면 화폐수요가 증가한다.

09 유동성 함정에 대한 설명으로 옳지 않은 것은? [지방직 7급 12]

상중하

① 화폐수요의 이자율탄력성이 무한대가 되는 영역을 가리킨다.

② 통화정책보다는 재정정책이 효과가 더 크다.

③ 화폐를 그대로 보유하는 것보다는 채권을 매입하는 것이 낫다.

④ 정부지출 증가로 인한 구축효과는 일어나지 않는다.

10 수익률곡선(yield curve)에 대한 설명으로 옳지 않은 것은? [국가직 21]

상중하

① 만기 외에 다른 조건이 동일한 채권의 만기와 이자율 사이의 관계를 나타내는 곡선이다.

② 이자율의 기간구조에 대한 분할시장이론(segmented markets theory)은 단기채권과 장기채권의 이자율이 시간의 흐름에 따라 같은 방향으로 움직이는 이유를 설명해 준다.

③ 이자율의 기간구조에 대한 유동성 프리미엄이론(liquidity premium theory)은 수익률곡선이 전형적으로 우상향하는 이유를 설명해 준다.

④ 이자율의 기간구조에 대한 기대이론(expectations theory)에 따르면, 중앙은행이 앞으로 계속 단기이자율을 낮추겠다는 공약을 할 경우 장기이자율은 하락해야 한다.

11 이자율 기간구조에 대한 설명으로 옳은 것을 모두 고른 것은? [국가직 7급 11]
상중하

ㄱ. 기대이론에 의하면, 미래의 단기이자율 상승이 예상된다는 것은 수익률곡선이 우상향함을 의미한다.
ㄴ. 기대이론에 의하면, 미래의 단기이자율 하락이 예상된다는 것은 수익률곡선이 우하향함을 의미한다.
ㄷ. 유동성 프리미엄이론에 의하면, 미래의 단기이자율 상승이 예상된다는 것은 수익률곡선이 우상향함을 의미한다.
ㄹ. 유동성 프리미엄이론에 의하면, 미래의 단기이자율 하락이 예상된다는 것은 수익률곡선이 우하향함을 의미한다.

① ㄱ, ㄴ, ㄷ
② ㄱ, ㄴ, ㄹ
③ ㄱ, ㄷ, ㄹ
④ ㄴ, ㄷ, ㄹ

정답 및 해설

09 ③ 1) 유동성 함정 구간에서는 확대금융정책을 실시하더라도 이자율이 하락하지 않기 때문에 금융정책의 정책효과가 사라진다. 반면 재정정책을 실시하더라도 구축효과가 발생하지 않으므로 재정정책의 효과가 크다.
2) 유동성 함정(liquidity trap)이란 이자율이 최저수준으로 떨어지면 채권가격이 최고로 높아 모든 채권을 매각하여 투기적 화폐수요가 최대가 되는 구간을 말한다. 최저 이자율수준에서 투기적 화폐수요곡선은 수평선이 되고, 투기적 화폐수요가 이자율에 무한탄력적이 된다.

10 ② 이자율의 기간구조에 대한 분할시장이론(segmented markets theory)은 단기채권과 장기채권을 완전히 다른 것으로 보는 것이다. 따라서, 단기채권과 장기채권의 이자율이 서로 연관성이 없음을 알려준다.

11 ① 1) 이자율 기간구조란 채권의 만기와 채권이자율(수익률) 간의 관계를 말하는 것이다.
2) 기대이론이란 장기이자율은 기대되는 미래 단기이자율의 평균이라는 가설로서 미래의 단기이자율 상승이 예상되면 수익률곡선이 우상향하며 미래의 단기이자율 하락이 예상되면 수익률곡선이 우하향한다.
3) 유동성 프리미엄이론에서 '채권수익률 = 기대이론 + 위험과 유동성 포기에 대한 대가'이므로 미래 단기이자율 상승이 예상되면 당연히 수익률곡선이 우상향한다.

[오답체크]

ㄹ. 프리미엄론에서 미래의 단기이자율 하락이 예상되면 위험과 유동성 포기에 대한 대가가 더욱 커지기 때문에 수익률곡선이 우상향한다고 한다.

12 상중하

이자율의 기간구조에 대한 설명으로 옳지 않은 것은? [지방직 7급 20]

① 만기가 서로 다른 채권들이 완전대체재일 경우 유동성 프리미엄이 0에 가까워지더라도 양(+)의 값을 갖는다.

② 기대이론에 따르면 현재와 미래의 단기이자율이 같을 것이라고 예상하는 경제주체들이 많을수록 수익률곡선은 평평해진다.

③ 유동성 프리미엄이론에 따르면 유동성 프리미엄은 항상 양(+)의 값을 갖고 만기가 길어질수록 커지는 경향을 보인다.

④ 미래에 단기이자율이 대폭 낮아질 것으로 예상되면 수익률곡선은 우하향한다.

13 상중하

현재 시점에서 A국 경제의 채권시장에 1년 만기, 2년 만기, 3년 만기 국채만 존재하고 각각의 이자율이 3%, 5%, 6%이다. 현재 시점으로부터 2년 이후에 성립하리라 기대되는 1년 만기 국채의 이자율 예상치에 가장 가까운 값은? (단, 이자율의 기간구조에 대한 기대이론이 성립한다) [국가직 7급 20]

① 4% ② 6%

③ 8% ④ 10%

14 상중하 1년 만기 채권 금리가 5%, 2년 만기 채권 금리가 4%이고, 1년 만기 대비 2년 만기 채권의 유동성 프리미엄이 1%이다. 이자율 기간구조 이론 중 유동성 프리미엄이론에 따르면, 1년 뒤 1년 만기 채권에 대한 기대금리는? [보험계리사 19]

① 1% ② 2%
③ 3% ④ 4%

정답 및 해설

12 ① ①③ ㉠ 유동성 프리미엄이론은 장기이자율은 평균적인 미래단기이자율과 현금보유를 포기하는 대가(=유동성 프리미엄)의 합으로 결정된다는 이론이다. 따라서 만기가 서로 다른 채권 간에 대체관계는 존재해도 그 둘은 완전대체제는 아니며, 현금보유를 포기한 대가의 합의 크기에 따라 장기이자율이 결정된다는 주장이다.
㉡ 이 이론에서는 이자율은 현금보유 포기의 비용이며 유동성 프리미엄은 항상 양(+)의 값을 가진다.
㉢ ①은 이자율 기간구조 이론 중 기대이론에 대한 설명과 유동성 프리미엄이론에 대한 설명을 교묘하게 섞어서 틀린 문장을 만들어 놓은 것이다.

[오답체크]
② 기대이론은 시장 참가자들이 평균적으로 예상하는 미래 단기이자율이 장기이자율을 결정한다는 주장으로, 만기가 서로 다른 채권 간에 완전한 대체관계가 존재한다고 가정하고, 장기이자율은 단기이자율로 여러 차례에 걸쳐 재투자한 것과 같다고 본다. 즉, 장기이자율은 단기이자율의 기하학적 평균과 같을 때 시장참가자들은 이 둘을 무차별적으로 본다는 주장이다.
시장분할이론은 단기이자율과 장기이자율은 특정 만기에 대한 시장참가자의 선호도가 결정한다는 주장으로, 만기가 서로 다른 채권 간에는 대체관계가 존재하지 않고, 단기이자율과 장기이자율은 각각 단기자금과 장기자금의 수요와 공급에 따라 결정된다는 주장이다.

13 ③ 1) 이자율의 기간구조에 대한 기대이론은 N년 만기 채권의 수익률은 N년 동안 발생할 것으로 예상되는 1년 이자율의 평균값과 같다.
2) 지금 2년 만기 채권을 사고 나온 원리금으로 다시 1년 만기 채권을 사서 나온 원리금과 지금 3년 만기 채권을 사서 나온 원리금은 같아야 한다.
3) $(1+0.05)^2 \cdot (1+r)=(1+0.06)^3$이 성립해야 한다.
4) 이를 변화율의 공식으로 변환하면 $2*5\%+r\%=3*6\%$가 성립한다. 따라서 $r=8\%$이다.

14 ① 1) 유동성 프리미엄이론
㉠ 투자자들은 유동성이 떨어지는 장기채권보다 유동성이 높은 단기채권을 선호하므로 장기이자율은 단기이자율 예상치의 평균에 유동성 프리미엄을 더한 것으로 보는 이론이다.
㉡ 유동성 프리미엄이론 = 기대이론의 이자율 + 유동성 프리미엄
2) 2년 만기 채권금리 = 현시점과 1년 뒤 시점에서의 1년 만기 채권금리의 평균 + 유동성 프리미엄이다.
3) 4% = 현시점과 1년 뒤 시점에서의 1년 만기 채권금리의 평균 + 1%
4) 현시점과 1년 뒤 시점에서의 1년 만기 채권금리의 평균은 3%이다.
5) $\frac{5\%+x\%}{2}=3\%$이므로 1년 뒤 1년 만기 채권의 기대금리는 1%이다.

15 상중하

현재 1년 만기 국채이자율이 2%이고, 1년 후 1년 만기 국채이자율이 4%로 예상되며, 1년 만기 대비 2년 만기 국채의 유동성 프리미엄은 0.3%라고 한다. 이자율의 기간구조 이론 중 기대 이론과 유동성 프리미엄이론에 따른 현재 2년 만기 국채이자율을 각각 순서대로 올바로 나열한 것은? (단, 소수점 둘째 자리에서 반올림한다) [보험계리사 18]

① 3.0%, 3.3%
② 3.3%, 3.0%
③ 3.0%, 4.3%
④ 3.3%, 4.0%

16 상중하

효율적 시장가설(efficient market hypothesis)에 관한 설명으로 옳은 것을 모두 고른 것은? [노무사 20]

ㄱ. 주식가격은 매 시점마다 모든 관련 정보를 반영한다.
ㄴ. 주식가격은 랜덤워크(random walk)를 따른다.
ㄷ. 미래 주식가격의 변화에 대한 체계적인 예측이 가능하다.
ㄹ. 주식가격의 예측이 가능해도 가격조정은 이루어지지 않는다.

① ㄱ, ㄴ
② ㄱ, ㄷ
③ ㄴ, ㄷ
④ ㄴ, ㄹ
⑤ ㄷ, ㄹ

정답 및 해설

15 ① 1) 기대이론

㉠ 현시점에서 미래의 특정 시점까지의 이자율은 미래의 각 기간별 이자율에 의해 결정된다는 이론이다.

㉡ 1년 만기 국채이자율이 2%, 1년 후 1년 만기의 국채이자율이 4%이면 2년 동안의 평균이자율은 2%이다. ➜ $\frac{2\% + 4\%}{2} = 3\%$

2) 유동성 프리미엄이론

㉠ 현시점에서 미래의 특정시점까지의 이자율은 각 기간별 이자율과 유동성 프리미엄의 합이 되도록 결정된다는 이론이다.

㉡ 유동성 프리미엄이론 = 기대이론의 이자율 + 유동성 프리미엄 $= 3\% + 0.3\% = 3.3\%$

16 ① 1) 효율적 시장 가설은 자본시장의 가격이 이용가능한 정보를 충분히 즉각적으로 반영하고 있다는 가설이다.

2) 약형 EMH(weak-form EMH): 어떤 투자라도 가격이나 수익의 역사적 정보에 기초한 거래에 의하여 초과수익을 얻을 수 없다. 즉 과거의 주가 또는 수익률이 지닌 정보는 초과수익을 획득함에 있어 유용하거나 적절하지 못하다.

3) 준강형 EMH(semi strong-form EMH): 어떤 투자라도 공식적으로 이용 가능한 정보를 기초로 한 거래에 의하여 초과수익을 얻을 수 없다. 공식적으로 이용가능한 정보란 과거의 주가자료, 기업의 보고된 회계자료, 증권관계기관의 투자자료와 공시자료 등이다.

4) 강형 EMH(strong-form EMH): 어떤 투자라 할지라도 모든 이용 가능한 정보 - 공식적으로 이용가능하든 그렇지 않든(내부정보) - 를 사용함으로써 초과수익을 실현할 수 없다.

시장	반영정보	분석방법	정상이윤	초과이윤			정보비용
				과거정보	현재정보	미래정보	
약형	과거정보	기술적 분석	O	X	O	O	O
준강형	과거 + 현재	기본적 분석	O	X	X	O	O
강형	과거 + 현재 + 미래	분석 불필요	O	X	X	X	X

[오답체크]

ㄷ. 미래 주식가격의 변화에 대한 체계적인 예측이 불가능하다.

ㄹ. 주식가격의 예측이 가능해도 가격조정이 이루어질 수 있다.

17 상중하

최근 해외투자가 급증하고 있는 가운데 투자자들은 투자 포트폴리오의 미래가치에 대한 분산(불확실성)을 최소화하고자 한다. 세 프로젝트 중 2개에 동일한 비중으로 투자할 때, 불확실성을 최소화하기 위한 포트폴리오는? (단, 각 프로젝트에서 발생할 수 있는 수익은 동일하고 프로젝트 간 분산 및 공분산 행렬(variance covariancematrix)은 아래와 같다)

[지방직 7급 15]

구분	중동	동남아	남미
중동	0.4	-	-
동남아	0.5	0.6	-
남미	0.25	0.4	0.2

① 프로젝트 중동과 동남아
② 프로젝트 중동과 남미
③ 프로젝트 동남아와 남미
④ 세 프로젝트 모두 차이가 없음

18 상중하

효율적 시장 가설(Efficient Market Hypothesis)에 대한 설명으로 옳은 것은?

[국가직 7급 10]

① 자본시장이 효율적이라면 금융자산의 가격에는 이미 공개된 모든 정보가 반영되어 있다.
② 시장에서 오랫동안 주식 투자를 하면 지속적으로 초과수익을 얻을 수 있다.
③ 계속 6개월 이상 하락했던 주식의 가격은 조만간 올라갈 것이라고 예상된다.
④ 금융자산의 가격 추세에 따라 투자하면 지속적으로 초과수익을 얻을 수 있다.

19 효율적 시장 가설에 대한 설명으로 가장 적절한 것은? [국가직 7급 12]
상중하

① 시장참가자에게 공개된 정보로 증권의 미래가격의 변동을 예측할 수 있다면 시장은 그 정보집합에 대해 효율적이다.

② 과거의 정보뿐 아니라 현재 이용 가능한 모든 공개정보도 즉각 주가에 반영된다면 강형 효율적 시장 가설이 성립한다.

③ 차익거래는 비합리적 투자자들에 의한 시장왜곡현상을 바로 잡는 역할을 한다.

④ 약형 효율적 시장 가설이 성립하면 준강형과 강형 효율적 시장 가설도 성립한다.

정답 및 해설

17 ② 1) 분산(variance)이란 평균에서 벗어난 정도를 측정하는 지표로, 어떤 투자안의 기대수익의 분산이 크다는 것은 그 투자안의 위험(불확실성)이 크다는 것을 의미한다. 세 프로젝트 중 중동과 남미의 분산(각각 0.4와 0.2)이 동남아의 분산(0.6)보다 작으므로 불확실성을 최소화하기 위해서 남미에 투자해야 한다.

2) 공분산(covariance)이란 두 변수의 움직임의 관계를 나타내는 것으로 두 변수가 같은 방향으로 변하면 공분산은 양의 값을 갖게 되고, 두 변수가 반대방향으로 변하는 경우는 음의 값을 갖게 된다. 두 가지 투자안의 공분산이 크면 두 투자안의 기대수익이 같은 방향으로 변하는 것이므로 분산투자를 해도 불확실성을 줄이는 효과가 작아진다. 중동과 남미 사이의 공분산(0.25)이 중동과 동남아, 동남아와 남미 사이의 공분산(각각 0.5와 0.4)보다 작으므로 중동과 남미에 투자할 때 불확실성이 최소화된다.

18 ① 효율적 시장 가설(EMH)이란 자본시장에서 형성된 증권가격이 증권가격에 영향을 미칠 수 있는 모든 정보를 즉각적으로 반영한다는 가설이다.

[오답체크]

②④ 효율적 시장에서는 모든 정보가 주식가격에 반영되어 있으므로 시장평균 이상의 수익을 얻는 것이 불가능하다.

③ 효율적 시장에서는 계속 6개월 이상 하락했던 주식의 가격이 올라갈 것인지 또는 내려갈 것인지 알 수 없다.

19 ③ **[오답체크]**

① 효율적 시장 가설(EMH; Efficient Market Hypothesis)은 정보효율성과 관련이 있는 것으로서 자본시장의 가격이 이용 가능한 정보를 충분히, 즉각적으로 반영하고 있어서 그러한 정보를 바탕으로 한 어떠한 거래도 초과수익을 얻지 못한다는 것이다. 공개된 정보로 증권의 미래가격의 변동을 예측할 수 있다면 시장은 그 정보집합에 대해 비효율적이다.

②④ 과거의 정보뿐 아니라 현재 이용 가능한 모든 공개정보도 즉각 주가에 반영된다면 준강형 효율적 시장 가설이 성립한다.

20 상중하

포트폴리오이론에 대한 설명으로 옳은 것은? [국가직 7급 10]

가. 자산 수익률간의 상관계수가 0이면 위험분산의 효과가 전혀 없다.
나. 분산투자를 통해 자산선택에서 발생하는 체계적인 위험을 모두 제거할 수 있다.

① 가
② 나
③ 가, 나
④ 가, 나 모두 옳지 않다.

21 상중하

금융시장과 금융상품에 관한 서술 중 옳은 것을 〈보기〉에서 모두 고른 것은? [서울시 7급 18]

〈보기〉

ㄱ. 효율시장 가설(efficient markets hypothesis)에 따르면 자산가격에는 이미 공개되어 있는 모든 정보가 반영되어 있다.
ㄴ. 주가와 같이 예측 불가능한 자산가격 변수가 시간이 흐름에 따라 나타나는 움직임을 임의보행(random walk)이라 한다.
ㄷ. 어떤 자산이 큰 손실 없이 재빨리 현금으로 전환될 수 있을 때 그 자산은 유동적이며, 그 반대의 경우는 비유동적이다.
ㄹ. 일정한 시점 혹은 기간 동안에 미리 정해진 가격으로 어떤 상품을 살 수 있는 권리를 풋옵션(put option)이라고 한다.

① ㄱ, ㄴ
② ㄱ, ㄴ, ㄷ
③ ㄱ, ㄷ, ㄹ
④ ㄱ, ㄴ, ㄷ, ㄹ

22 상중하

조세법이 대부자금(loanable funds)의 공급을 증가시키는 방향으로 개정되었다고 가정할 때, 이러한 법 개정이 대부자금 균형거래량 수준에 가장 큰 영향을 미칠 수 있는 상황은? [서울시 7급 13]

① 대부자금수요곡선이 매우 탄력적이며, 대부자금공급곡선이 매우 비탄력적인 경우
② 대부자금수요곡선이 매우 비탄력적이며, 대부자금공급곡선이 매우 탄력적인 경우
③ 대부자금수요곡선과 공급곡선 모두 매우 탄력적인 경우
④ 대부자금수요곡선과 공급곡선 모두 매우 비탄력적인 경우
⑤ 정답 없음

정답 및 해설

20 ④ 1) 상관계수(correlation coefficient)는 두 확률변수 간 상관관계의 정도를 나타내는 것으로 −1과 +1 사이의 값을 갖는다. 두 변수가 완전한 양의 상관관계를 가지면 상관계수는 +1의 값을 갖고, 두 변수가 완전한 음의 상관관계를 갖는 경우에는 상관계수가 −1이 된다. 그리고 독립적인 경우에는 상관계수가 0이다.

2) 지문분석

가. 상관계수가 +1이 아닌 주식으로 포트폴리오를 구성하면 기대수익률을 일정하게 유지하면서 위험을 줄일 수 있게 되는데, 이를 포트폴리오 효과(portfolio effect)라고 한다. 즉, 상관계수가 +1이면 위험분산 효과가 없으며, 상관계수가 +1이 아니면 위험분산 효과가 있다. 그러므로 자산수익률 간의 상관계수가 0인 경우에도 위험분산효과가 나타난다.

나. 분산투자를 통해 자산선택에서 발생하는 체계적인 위험을 모두 제거할 수 없다.

21 ② ㄱ. 효율시장 가설이란 자본시장의 가격이 이용가능한 정보를 충분히 즉각적으로 반영하고 있다는 가설이다. 즉 어떤 투자자라도 이용가능한 정보를 기초로 한 거래에 의해 초과 수익을 얻을 수 없다는 것이다. 이는 시장이 효율적이므로 자신이 가진 정보는 이미 주가에 반영되었고 따라서 투자자의 예측에 영향을 준 정보로 인한 가격변화는 또 다시 발생하지 않을 것이기 때문이라는 것이다.

ㄴ. 랜덤워크 가설(Random Walk Hypothesis)은 현재의 주가는 과거의 주가나 추이에 영향을 받지 않고 매 시점마다 독립적으로 움직인다는 가설이다. 이 가설에 따르면 매 시점의 주가는 상호 독립적이고, 무작위적(random)으로 움직이기 때문에 과거의 주가 데이터를 바탕으로 미래의 주가를 예측하는 것은 불가능하다. 어디로 갈지 알 수 없는 주가 변동을 만취한 사람의 걸음걸이에 빗댄 표현이다.

ㄷ. 유동성(liquidity)이란 어떤 자산이 얼마나 가치 손실 없이 쉽게 현금화될 수 있는지의 정도를 말한다.

[오답체크]

ㄹ. 옵션(option)이란 미리 정해진 조건에 따라 일정 시점 혹은 일정한 기간 내에 상품이나 유가증권 등의 특정자산을 사거나 팔 수 있는 권리를 말한다. 옵션에는 어떤 상품을 살 수 있는 권리인 콜옵션(call option)과 팔 수 있는 권리인 풋옵션(put option)이 있다.

22 ① 1) 저축에 대한 비과세 도입과 같은 대부자금의 공급을 증가시키는 방향으로 세법이 개정되면 대부자금의 공급곡선이 오른쪽으로 이동한다.

2) 대부자금의 공급곡선이 오른쪽으로 이동할 경우 대부자금의 공급곡선이 매우 비탄력적이고 대부자금의 수요곡선이 매우 탄력적일 때 대부자금의 균형거래량이 가장 크게 증가한다.

23 상중하

어떤 경제의 국내저축(S), 투자(I), 그리고 순자본유입(KI)이 다음과 같다고 한다. 아래 조건에서 대부자금시장의 균형이자율(r)은 얼마인가? [노무사 15]

- $S = 1{,}400 + 2{,}000r$
- $I = 1{,}800 - 4{,}000r$
- $KI = -200 + 6{,}000r$

① 2.0%　② 4.25%　③ 5.0%
④ 6.5%　⑤ 8.25%

24 상중하

폐쇄경제 균형국민소득은 $Y = C + I + G$이고 다른 조건이 일정할 때, 재정적자가 대부자금시장에 미치는 효과로 옳은 것은? (단, 총투자곡선은 우하향, 총저축곡선은 우상향, Y: 균형국민소득, C: 소비, I: 투자, G: 정부지출이다) [노무사 21]

① 대부자금공급량은 감소한다.
② 이자율은 하락한다.
③ 공공저축은 증가한다.
④ 저축곡선은 오른쪽 방향으로 이동한다.
⑤ 투자곡선은 왼쪽 방향으로 이동한다.

정답 및 해설

23 ③ 1) 저축과 순자본유입은 국내 대부자금시장에서 대부자금의 공급이다. 따라서 대부자금의 공급곡선은 $S+KI=1{,}200+8{,}000r$이다.

2) 투자는 대부자금의 수요이므로 대부자금 수요곡선은 $I=1{,}800-4{,}000r$이다.

3) 균형이자율을 구하기 위해 $S+KI=I$로 두면 $1{,}200+8{,}000r=1{,}800-4{,}000r$ ➔ $12{,}000r=600$이므로 $r=0.05$이다.

24 ① 1) 대부자금의 공급은 저축이다.

2) 재정적자가 발생하면 정부저축이 감소하므로 대부자금의 공급이 감소한다.

3) 대부자금의 공급이 감소하면 이자율이 상승하고 대부자금거래량은 감소한다.

4) 지문분석

① 저축은 민간저축 + 정부저축으로 이루어지는데 정부저축이 감소하므로 대부자금공급량은 감소한다.

[오답체크]

② 이자율은 상승한다.

③ 공공저축은 감소한다.

④ 저축곡선은 왼쪽 방향으로 이동한다.

⑤ 투자곡선은 변화가 없다.

STEP 2 심화문제

25 상중하

화폐수요에 관한 설명으로 옳은 것은? [감정평가사 21]

① 이자율이 상승하면 현금통화 수요량이 감소한다.
② 물가가 상승하면 거래적 동기의 현금통화 수요는 감소한다.
③ 요구불예금 수요가 증가하면 M1 수요는 감소한다.
④ 실질 국내총생산이 증가하면 M1 수요는 감소한다.
⑤ 신용카드 보급기술이 발전하면 현금통화 수요가 증가한다.

26 상중하

화폐의 중립성이 성립하면 발생하는 현상으로 옳은 것은? [감정평가사 21]

① 장기적으로는 고전적 이분법을 적용할 수 없다.
② 통화정책은 장기적으로 실업률에 영향을 줄 수 없다.
③ 통화정책은 장기적으로 실질 경제성장률을 제고할 수 있다.
④ 통화정책으로 물가지수를 관리할 수 없다.
⑤ 중앙은행은 국채매입을 통해 실질이자율을 낮출 수 있다.

27 상중하

한 국가의 명목GDP는 1,650조원이고, 통화량은 2,500조원이라고 하자. 이 국가의 물가수준은 2% 상승하고, 실질GDP는 3% 증가할 경우에 적정 통화공급 증가율은 얼마인가? (단, 유통속도 변화 $\Delta V = 0.0033$이다) [국회직 8급 18]

① 2.5%　② 3.0%　③ 3.5%
④ 4.0%　⑤ 4.5%

정답 및 해설

25 ① 이자율이 상승하면 화폐보유의 기회비용이 증가하므로 현금통화 수요량이 감소한다.

[오답체크]
② 물가가 상승하면 더 많은 현금을 가지고 있어야 거래가 가능하므로 거래적 동기의 현금통화 수요는 증가한다.
③ 요구불예금은 M1에 포함되므로 요구불예금 수요가 증가하면 M1 수요는 증가한다.
④ 실질 국내총생산이 증가하면 소득이 증가하므로 M1 수요가 증가할 수 있다.
⑤ 신용카드 보급기술이 발전하면 현금을 보유할 이유가 없으므로 현금통화 수요가 감소한다.

26 ② 1) 화폐의 중립성은 통화량이 실물변수에 영향을 줄 수 없다는 것을 의미한다.
2) 지문분석
② 재정정책, 통화정책 모두 장기적으로 자연산출량을 생산하므로 실업률에 영향을 줄 수 없다.

[오답체크]
① 장기적으로는 고전적 이분법을 적용할 수 있다.
③ 통화정책은 장기적으로 실질 경제성장률을 제고할 수 없다.
④ 화폐의 중립성이 성립하면 통화량이 물가에만 영향을 미치므로 통화정책으로 물가지수를 관리할 수 있다.
⑤ 화폐의 중립성이 성립하면 실질변수에 영향을 주지 않으므로 실질이자율을 낮출 수 없다.

27 ⑤ 1) 화폐수량설은 $MV = PY$이다.
2) 주어진 조건을 대입하면 PY가 명목GDP, M이 2,500이므로 $V = 1,650/2,500 = 0.66$이다.
3) V변화율 $= \Delta V/V = 0.0033/0.66 = 1/200 = 0.5\%$이다.
4) M변화율 + V변화율 = P변화율 + Y변화율이므로 M변화율 $= 2\% + 3\% - 0.5\% = 4.5\%$이다.

28 상중하

화폐수량방정식에 따른 화폐수량설에 대한 설명으로 옳지 않은 것은? [국회직 8급 16]

① 산출량은 생산요소의 공급량과 생산기술에 의해 결정된다.
② 중앙은행이 통화량을 증가시키면 산출량의 명목가치는 비례적으로 증가한다.
③ 통화량의 증가는 산출량에 영향을 미치지 않는다.
④ 통화량이 증가하면 화폐의 유통속도는 증가한다.
⑤ 통화량을 급속히 증가시키면 인플레이션율은 높아진다.

29 상중하

어느 경제에서 1년 동안 쌀만 100kg 생산되어 거래되었다고 하자. 쌀 가격은 1kg당 2만원이고 공급된 화폐량은 50만원이다. 이 경우 화폐의 유통속도는 얼마인가? (단, 화폐수량설이 성립한다) [감정평가사 19]

① 1 ② 2 ③ 3
④ 4 ⑤ 5

30 상중하

수량방정식($MV = PY$)과 피셔효과가 성립하는 폐쇄경제에서 화폐유통속도(V)가 일정하고, 인플레이션율이 2%, 통화증가율이 5%, 명목이자율이 6%라고 할 때, 다음 중 옳은 것을 모두 고른 것은? (단, M은 통화량, P는 물가, Y는 실질소득이다) [감정평가사 18]

〈보기〉

ㄱ. 실질이자율은 4%이다.
ㄴ. 실질경제성장률은 4%이다.
ㄷ. 명목경제성장률은 5%이다.

① ㄱ ② ㄴ ③ ㄱ, ㄷ
④ ㄴ, ㄷ ⑤ ㄱ, ㄴ, ㄷ

정답 및 해설

28 ④ 1) 화폐수량설은 $MV = PY$이다.
2) 통화량의 변화와 유통속도는 관계가 없으므로 '통화량이 증가하면 화폐의 유통속도는 증가한다.'는 설명은 옳지 않다.

29 ④ 1) 화폐수량설은 $MV = PY$이다.
2) 50만원 × 유통속도 = 2만원 × 100 ➜ 유통속도는 4이다.

30 ③ $MV = PY$에서 변화율로 바꾸면 통화량의 변화율 + 유통속도의 변화율 = 물가상승률 + 경제성장률(= 실질소득 증가율)이다.
ㄱ. 명목이자율 − 물가상승률 = 실질이자율이므로 $6\% - 2\% = 4\%$이다.
ㄷ. 명목경제성장률은 물가상승률 + 실질경제성장률이므로 5%이다.

[오답체크]
ㄴ. $5\% + 0\% = 2\% +$ 실질경제성장률이므로 실질경제성장률은 3%이다.

31 상중하 다음 글에 따를 때 이 경제의 2010년 화폐의 유통속도와 2019년 통화량으로 옳은 것은?

[국회직 8급 19]

- 이 경제는 폐쇄경제이며, 화폐수량설을 따른다.
- 이 경제는 단일 재화인 빵을 생산한다.
- 2010년 빵의 가격은 개당 1, 생산량은 100이며 통화량은 5이다.
- 2019년 빵의 생산량은 2010년 대비 50% 증가하였고 화폐의 유통속도는 절반으로 줄어들었으며 빵의 가격은 변함이 없다.

① 10, 10　② 10, 30　③ 15, 15
④ 20, 15　⑤ 20, 30

32 상중하 화폐수요함수는 $\frac{M^d}{P} = \frac{Y}{5i}$ 이다. 다음 중 옳은 것을 모두 고른 것은? (단, $\frac{M^d}{P}$ 는 실질화폐잔고 i는 명목이자율, Y는 실질생산량, P는 물가이다)

[감정평가사 17]

ㄱ. 명목이자율이 일정하면, 실질생산량이 k% 증가할 경우 실질화폐잔고도 k% 증가한다.
ㄴ. 화폐유통속도는 $\frac{5i}{Y}$ 이다.
ㄷ. 명목이자율이 일정하면 화폐유통속도는 일정하다.
ㄹ. 실질생산량이 증가하면 화폐유통속도는 감소한다.

① ㄱ, ㄴ　② ㄱ, ㄷ　③ ㄴ, ㄷ
④ ㄴ, ㄹ　⑤ ㄷ, ㄹ

33 상중하

어떤 국가에서 정부가 신용카드 수수료에 대한 세금을 인상하였다고 한다. 이 정책이 국민경제에 미치는 파급효과에 대한 설명 중 옳지 않은 것은? (단, 장기공급곡선을 제외하고는 수직이거나 수평이지 않은 일반적인 IS, LM, AS, AD곡선을 가진 경제를 가정한다)

[국회직 8급 15]

① 민간의 현금 보유비율은 증가한다.
② 통화량은 감소한다.
③ 단기에 이자율은 상승하고 산출은 감소한다.
④ 화폐수량설과 피셔효과(Fisher effect)에 따르면 장기적으로 물가는 하락한다.
⑤ 화폐수량설과 피셔효과에 따르면 장기적으로 실질이자율은 하락한다.

정답 및 해설

31 ④ 1) 화폐수량설은 $MV = PY$이다.
2) 2010년: $5 \cdot V = 1 \cdot 100$ ➔ $V = 20$이다.
3) 2019년: $M \cdot 10 = 1 \cdot 150$ ➔ $M = 15$이다.

32 ② ㄱ. 명목이자율이 일정하면, $\frac{M^d}{P} = \frac{Y}{5i}$이고 i에 변화가 없으므로 실질생산량이 $k\%$ 증가할 경우 실질화폐잔고 $\frac{M^d}{P}$도 $k\%$ 증가한다.

ㄷ. 화폐유통속도는 $M^d = \frac{PY}{5i}$를 $MV = PY$에 대입하면, $V = 5i$의 관계가 도출된다. 명목이자율이 일정하면 화폐유통속도는 5로 일정하다.

[오답체크]
ㄴ. 화폐유통속도는 $V = 5i$이다.
ㄹ. 실질생산량과 화폐의 유통속도는 관련이 없다.

33 ⑤ 화폐수량설과 피셔효과에 따르면 화폐는 실물에 영향을 미치지 못하므로 장기적으로 실질이자율은 일정하다.

34 상중하

㉠~㉣에 들어갈 말로 알맞은 것은? [지방직 7급 14]

> 케인즈는 화폐수요를 거래적 동기, 예비적 동기 그리고 투기적 동기로 분류하면서 거래적 동기 및 예비적 동기는 (㉠)에 의존하고, 투기적 동기는 (㉡)에 의존한다고 주장했다. 특히 (㉡)이 낮을 때 채권가격이 (㉢), 투자자의 채권 투자 의욕이 낮은 상황에서 투기적 동기에 따른 화폐 수요가 (㉣)고 하였다.

	㉠	㉡	㉢	㉣
①	소득	이자율	높고	작다
②	소득	이자율	높고	크다
③	이자율	소득	높고	크다
④	이자율	소득	낮고	작다

35 상중하

보몰(W. Baumol)의 거래적 화폐수요이론에 대한 설명으로 옳지 않은 것을 〈보기〉에서 모두 고르면? [국회직 8급 16]

〈보기〉

ㄱ. 거래적 화폐수요는 이자율의 감소함수이다.
ㄴ. 한 번에 인출하는 금액이 커지면 거래비용이 증가한다.
ㄷ. 화폐수요에 있어서 규모의 불경제가 존재한다.
ㄹ. 거래비용이 증가하면 화폐수요는 증가한다.
ㅁ. 한 번에 인출하는 금액이 커지면 화폐수요도 커진다.

① ㄱ, ㄴ ② ㄴ, ㄷ ③ ㄴ, ㄹ
④ ㄹ, ㅁ ⑤ ㄴ, ㄷ, ㅁ

36 상중하 폐쇄경제에서 국내총생산이 소비, 투자 그리고 정부지출의 합으로 정의된 항등식이 성립할 때, 국내총생산과 대부자금시장에 관한 설명으로 옳지 않은 것은? [감정평가사 21]

① 총저축은 투자와 같다.
② 민간저축이 증가하면 투자가 증가한다.
③ 총저축은 민간저축과 정부저축의 합이다.
④ 민간저축이 증가하면 이자율이 하락하여 정부저축이 증가한다.
⑤ 정부저축이 감소하면 대부자금시장에서 이자율은 상승한다.

정답 및 해설

34 ② 1) 케인즈에 의하면 거래적 동기 및 예비적 동기의 화폐수요는 소득에 비례하나 투기적 동기의 화폐수요는 이자율에 반비례한다.
2) 이자율과 채권가격은 역의 관계에 있으므로 이자율이 낮을 때는 채권가격이 높아 채권가격이 하락할 가능성이 크다.

35 ② 1) 케인즈의 거래적 동기의 화폐수요이론이 발전된 이론으로 화폐수요는 $\frac{M}{2} = M^D = P\sqrt{\frac{bY}{2r}}$ 이다.
2) 소득의 제곱근에 비례하는 증가함수이다.
3) 이자율의 감소함수이다.
4) 거래비용(b)의 증가함수이다.
5) 물가가 상승하면 명목화폐수요도 증가한다.
6) 지문분석
ㄴ. 한 번에 인출하는 금액이 적으면 자주 거래가 이루어지므로 거래비용이 증가한다.
ㄷ. 화폐수요에 있어서 제곱근에 비례하므로 소득이 4배 증가하면 화폐수요는 2배 증가한다. 따라서 규모의 경제가 존재한다.

36 ④ 대부자금시장은 자금의 수요인 투자와 자금의 공급인 저축이 균형을 이루어 이자율이 결정된다고 본다. 따라서 민간저축이 증가하면 이자율이 하락하지만 정부저축과는 관련이 없다.

STEP 3 실전문제

37 상중하

어느 경제의 화폐수요함수가 다음과 같다.

$$\frac{M^d}{P} = \frac{Y}{4i}$$

M^d, P, Y, i는 각각 명목화폐수요, 물가수준, 총생산, 명목이자율을 나타낸다. 이 경제의 화폐유통속도는? [회계사 19]

① i ② $4i$ ③ $\frac{1}{4i}$

④ $\frac{1}{4}$ ⑤ 4

38 상중하

다음은 A국 거시경제에 대한 고전학파모형이다. 이 모형에 따를 경우 원금 100달러를 빌리면 1년 후에 갚아야 하는 원리금은? (단, 소수점 이하는 반올림한다) [회계사 20]

- 화폐수량방정식: $MV = PY$
- 피셔방정식: $(1+i) = (1+r)(1+\pi)$
- 통화량 증가율: 8%
- 국내총생산 증가율: 3%
- 화폐유통속도 변화율: 0%
- 실질이자율: 1%

(단, M, V, P, Y, i, r, π는 각각 통화량, 화폐유통속도, 물가, 국내총생산, 명목이자율, 실질 이자율, 물가상승률을 나타낸다. 증가율, 변화율, 이자율은 연간 기준이다)

① 102달러 ② 104달러 ③ 106달러

④ 108달러 ⑤ 110달러

39 상중하

어느 거시경제에서 다음과 같이 화폐시장 균형과 피셔방정식이 성립한다.

- 화폐시장 균형: $\frac{M}{P} = \frac{Y}{V}$
- 피셔방정식: $i = r + \pi^e$

여기서 M, P, Y, V, i, r, π^e는 통화공급량, 물가, 생산량, 화폐유통속도, 명목이자율, 실질이자율, 기대 인플레이션을 나타낸다. 이 경제에서 T시점 전까지 통화 공급량 증가율이 5%, 생산량 증가율이 2%, 실질이자율이 3%로 지속되어 왔다. T시점에서 통화 공급량 증가율이 예고 없이 7%로 영구히 상승하였다. 다음 설명 중 옳은 것을 모두 고르면? (단, 화폐유통속도는 일정하고, 생산량 증가율 및 실질이자율은 변하지 않으며 기대는 합리적으로 이루어진다)

[회계사 22]

가. T시점 전의 인플레이션은 2%이다.
나. T시점 후의 명목이자율은 8%이다.
다. T시점 후의 기대인플레이션은 T시점 전에 비해 5%포인트 높다.

① 가 ② 나 ③ 가, 나
④ 나, 다 ⑤ 가, 나, 다

정답 및 해설

37 ② 1) 화폐수량설은 $MV = PY$이다.

2) 화폐시장의 균형일 때 $\frac{M}{P} = \frac{M^d}{P} = \frac{M^s}{P}$ ➜ $\frac{M}{P} = \frac{Y}{4i}$ ➜ $4iM = PY$이므로 화폐유통속도는 $4i$이다.

38 ③ 1) 화폐수량설은 통화량 증가율(8%) + 유통속도 증가율(0%) = 물가상승률 + 실질국내총생산 증가율(3%)이다. ➜ 따라서 물가상승률은 5%이다.

2) $(1+i) = (1+0.01)(1+0.05)$ ➜ 명목이자율(i)은 6.05%이므로 100달러를 빌리면 약 106달러를 갚아야 한다.

39 ② 1) 화폐시장 균형을 변화율의 공식으로 바꾸면 $\frac{\Delta M}{M} - \frac{\Delta P}{P} = \frac{\Delta Y}{Y} - \frac{\Delta V}{V}$가 성립한다. 유통속도의 변화율은 0%이므로 $\frac{\Delta M}{M} - \frac{\Delta P}{P} = \frac{\Delta Y}{Y}$이다.

2) 지문분석

나. T시점 이후에 통화공급량 증가율이 7%로 상승하였으므로 7% − 물가상승률 = 2% ➜ 물가상승률은 5%이다. 피셔방정식에 따라 명목이자율 = 3% + 5% = 8%이다.

[오답체크]

가. T시점 전에 문제의 조건을 대입하면 5% − 물가상승률 = 2%이므로 물가상승률은 3%이다.
다. T시점 전의 물가상승률은 3%이고, T시점 이후의 물가상승률은 5%이므로 2%포인트 높다.

40 상중하

다음과 같이 수익률곡선이 상승하는 모습을 보이고 있을 때 이에 대한 설명으로 옳은 것은?

[회계사 17]

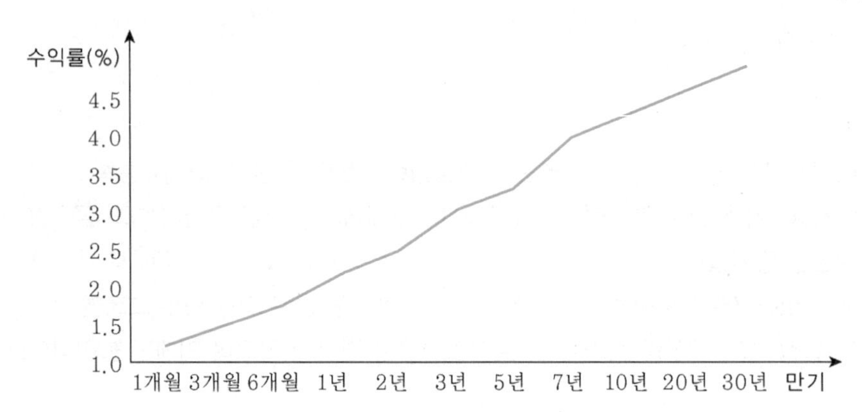

① 단기이자율이 미래에 급격히 하락할 것으로 기대된다.
② 단기이자율이 미래에 완만하게 하락할 것으로 기대된다.
③ 단기이자율이 미래에 변화가 없을 것으로 기대된다.
④ 단기이자율이 미래에 상승할 것으로 기대된다.
⑤ 장기이자율이 미래에 변화가 없을 것으로 기대된다.

41 상중하

통화수요함수가 다음과 같다.

$$(\frac{M}{P})^d = 2{,}200 - 200r$$

여기서 r은 %로 표현된 이자율(예를 들어 이자율이 10%라면, $r = 10$)이며, M은 통화량, P는 물가수준, 그리고 d는 수요를 나타내는 첨자이다. 물가수준이 2라고 하면 중앙은행이 이자율을 7% 수준으로 맞추고자 할 때 통화공급량은 얼마인가? [회계사 18]

① 1,600 ② 1,400 ③ 1,200
④ 1,000 ⑤ 800

42 상중하 어떤 실질이자율 수준에서 국민저축이 50, 국내총투자가 40, 그리고 순자본유출이 20이라고 하자. 개방경제의 대부자금시장모형에 따른 예측으로 맞는 것은? [회계사 14]

① 대부자금에 대한 초과수요가 존재하여 실질이자율이 상승할 것이다.
② 대부자금에 대한 초과수요가 존재하여 실질이자율이 하락할 것이다.
③ 대부자금의 초과공급이 존재하여 실질이자율이 상승할 것이다.
④ 대부자금의 초과공급이 존재하여 실질이자율이 하락할 것이다.
⑤ 대부자금시장이 균형상태에 있기 때문에 실질이자율이 변하지 않을 것이다.

정답 및 해설

40 ④ 1) 수익률곡선은 다른 조건이 일정할 때 만기만 다른 채권의 수익률 관계를 그림으로 나타낸 것이다.
2) 만기가 긴 채권일수록 수익률이 높은 것은 미래에 단기이자율이 점차 상승할 것임을 의미한다.

41 ① 1) 균형은 $(\frac{M}{P})^d = (\frac{M^S}{P})$이다.
2) $2,200 - 200 \times 7 = (\frac{M^S}{2})$ → $M^S = 1,600$이다.

42 ① 1) 대부자금의 수요는 국내총투자 + 순자본유출 = 70이다.
2) 대부자금의 공급은 국민저축 = 50이다.
3) 대부자금시장에서는 초과수요가 발생하고 있으므로 실질이자율이 상승할 것이다.

43 상중하

다음과 같은 대부부자금시장모형을 고려하자.

생산측면	지출측면
$Y = F(A, K, L)$ $A = \overline{A},\ K = \overline{K},\ L = \overline{L}$	$C = C(Y - T, r)$ $I = I(Y)$ $T = \overline{T},\ G = \overline{G}$

Y는 총생산이다. A, K, L은 총요소생산성, 자본 및 노동이며, 각각 $\overline{A}$, $\overline{K}$ 및 $\overline{L}$로 고정되어 있다. $F(\cdot)$는 총생산함수이고 각각의 독립변수에 대해 증가함수이다. C, I, T, G, r은 소비, 투자, 조세, 정부지출 및 실질이자율을 나타내며, 조세와 정부지출은 $\overline{T}$와 $\overline{G}$로 고정되어 있다. $C(\cdot)$는 가처분소득$(Y - T)$과 실질이자율에 대해 각각 증가함수 및 감소함수이고, $I(\cdot)$는 총생산에 대해 증가함수이다. 다음 중 옳지 않은 것은? (단, 저축곡선과 투자곡선의 세로축은 실질이자율을, 가로축은 저축 또는 투자를 나타낸다) [회계사 22]

① 저축곡선은 양(+)의 기울기를 갖는다.
② 투자곡선은 수직이다.
③ 정부지출이 증가하면 실질이자율은 상승한다.
④ 소비가 외생적으로 증가해도 소득은 불변이다.
⑤ 노동공급이 감소하면 실질이자율은 상승한다.

정답 및 해설

43 ⑤ 1) 세로축은 실질이자율, 가로축은 저축 또는 투자임을 인지해야 한다.

2) 지문분석

⑤ 노동공급이 감소하면 총생산 감소가 이루어진다. 투자는 소득의 증가함수이므로 투자가 감소하고 저축은 소득의 증가함수이므로 저축도 감소한다. 따라서 양자의 변화를 정확하게 알 수 없으므로 실질이자율은 알 수 없다.

[오답체크]

① 저축은 민간저축과 정부저축의 합으로 이루어진다. 소비는 이자율의 감소함수이므로 이자율이 상승하면 소비가 감소하고 민간저축이 증가한다. 따라서 저축곡선은 양(+)의 기울기를 갖는다.

② 투자는 국민소득의 증가함수이므로 이자율과 관련이 없다. 따라서 투자곡선은 수직이다.

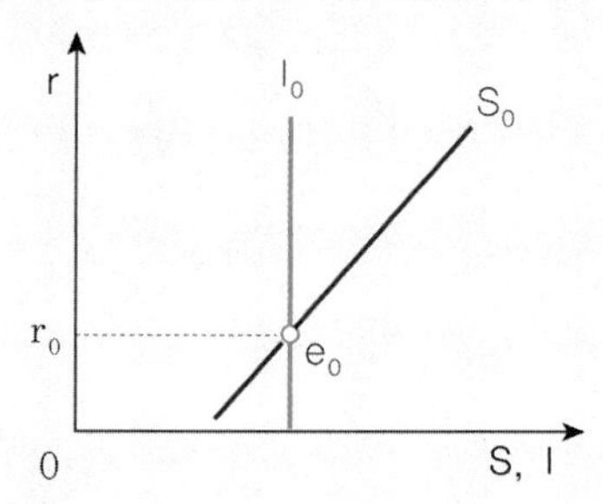

③ 정부지출이 증가하면 정부저축이 감소하여 대부자금의 공급이 감소한다. 따라서 실질이자율은 상승한다.

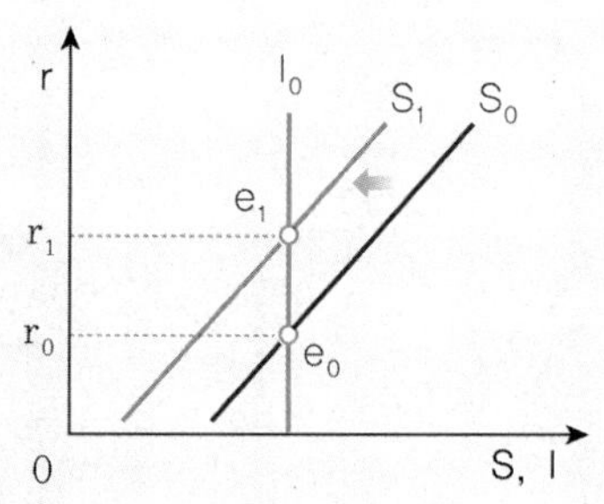

④ 문제에서 소득은 생산측면에 한해서만 관련이 되어 있으므로 소비가 외생적으로 증가해도 소득은 불변이다.

제10장

총수요와 총공급, 물가와 실업

Topic 19 IS-LM & 총수요-총공급
Topic 20 물가와 실업

Topic 19

IS-LM & 총수요-총공급

01 IS-LM모형

개념

(1) 생산물시장의 균형: IS곡선

① IS란 투자(Investment)와 저축(Saving)의 약자로 IS곡선은 ㉮ ________ 의 균형을 나타내는 이자율과 국민소득과의 관계곡선임

② $r = -\frac{1-c(1-t)+m}{b}Y + \frac{1}{b}(C_0 - cT_0 + I_0 + G_0 + X_0 - M_0)$

(2) 화폐시장의 균형: LM곡선

① LM이란 화폐수요(Liquidity Preference)와 화폐공급(Money Supply)의 약자로 LM곡선은 ㉯ ________ 의 균형을 나타내는 이자율과 국민소득과의 관계곡선임

② $\frac{M^D}{P} = kY - hr$

(k: 화폐수요의 ㉰ ________ 탄력성, h: 화폐수요의 ㉱ ________ 탄력성)

이동요인

(1) IS곡선의 이동요인

IS곡선은 국민소득 순환모형에서 주입에 해당되는 요인인 소비(C_0), 투자(I_0), 정부지출(G_0), 수출(X_0) 등이 증가하면 이자율이 불변인 상황에서 국민소득이 증가하므로 승수배 만큼 우측으로 이동함

(2) LM곡선의 이동요인

① 통화량

통화량(M_0^S ➜ M_1^S) 증가 ➜ 화폐의 초과공급 ➜ 이자율 하락 ➜ LM곡선 ㉲ ________ (하방)이동

② 물가 상승

물가 상승 ➜ 실질통화량 감소(화폐의 초과수요) ➜ 이자율 상승 ➜ LM곡선 ㉳ ________ (상방)이동

③ 화폐수요

화폐수요 증가(소득수준 불변) ➜ 화폐의 초과수요 ➜ 이자율 상승 ➜ LM곡선 좌측(상방)이동

불균형의 조정

r
LM
A
B
D
C
IS
0
Y

구분	생산물시장	화폐시장
A	초과공급	초과공급
B	초과수요	초과공급
C	초과수요	초과수요
D	초과공급	초과수요

핵심키워드

㉮ 생산물시장, ㉯ 화폐시장, ㉰ 소득, ㉱ 이자율, ㉲ 우측, ㉳ 좌측

IS곡선 기울기에 대한 두 견해	(1) 케인즈학파 ① 케인즈에 의하면 투자는 기업가의 직관력이 중요하므로 이자율과 관련이 없음 ② 이를 계승한 케인즈학파는 b(투자의 이자율 탄력성)값이 작으므로 IS곡선의 기울기의 절댓값이 커져서 IS곡선은 ㉮ ______를 이룸 (2) 통화주의(고전)학파 ① 투자는 이자율에 의해 크게 좌우된다고 주장함 ② b값이 크므로 IS곡선의 기울기의 절댓값이 작아서 IS곡선은 ㉯ ______함
LM곡선 기울기에 대한 학파별 견해	(1) 케인즈학파 h(화폐수요의 이자율 탄력성) 값이 크므로 LM곡선의 기울기의 절댓값이 작아서 LM곡선은 ㉯ ______함 (2) 통화주의학파 h값이 작으므로 LM곡선의 기울기의 절댓값이 커서 LM곡선은 ㉮ ______를 이룸 (3) 고전학파 화폐수요가 이자율에 전혀 영향을 받지 않기 때문에 h의 값이 0이므로 LM곡선은 수직선으로 도출됨

02 총수요와 총수요곡선

총수요	(1) 개념: 한 나라에서 일정 기간 동안 구입하고자 하는 재화와 용역의 총량 (2) 구성: 소비 + 투자 + 정부지출 + 순수출 (3) 총수요곡선: 각각의 물가 수준에서 총수요의 크기를 나타내는 곡선으로 물가와 총수요는 비례
총수요곡선이 우하향하는 이유	(1) 케인즈의 이자율효과: 물가가 상승하면 실질통화량이 감소(또는 거래적 · 예비적 명목통화수요 증가)하여 이자율이 상승함. 이자율이 오르면 투자 및 소비수요량이 감소함 (2) 피구의 실질잔고효과: 물가가 상승하면 경제주체들이 보유하고 있는 금융자산(주식, 채권, 현금 등)의 실질가치(실질잔고), 즉 부(富)가 감소하므로 소비수요량이 감소함 (3) 무역수지효과: 물가가 상승하면 수출이 감소하고 수입이 증가하여 순수출이 감소함

핵심키워드
㉮ 급경사, ㉯ 완만

03 총공급과 총공급곡선

총공급	(1) 개념: 한 나라 안에서 일정 기간 동안 판매하고자 하는 재화와 용역의 총량 (2) 총공급의 크기는 한 나라가 보유한 노동, 자본 등 생산 요소 부존 양과 ㉮ ______ 에 의하여 결정됨 (3) 총공급곡선: 각각의 물가 수준에서 기업 전체가 생산하는 총생산을 나타내는 곡선으로 물가와 총공급은 비례함
형태	(1) 고전학파: 노동시장에서의 수급 불일치는 매우 신속하게 조정되므로 물가 수준이 변하더라도 완전고용 및 완전고용 수준이 항상 그대로 유지됨. 완전고용 국민소득 수준에서 수직인 직선, 수직의 총공급곡선이 우측으로 이동하는 경우는 기술 혁신에 의한 생산성의 증가, 자본 축적, 노동력의 증가 등이 일어날 때임 (2) 케인즈: 1930년대의 경제 상황을 배경으로 주어진 물가 수준을 상승시킴 없이 얼마든지 총공급을 증가시킬 수 있다고 봄. 완전고용 국민소득 수준에 도달하기 전에는 유효수요의 크기가 전적으로 균형국민소득을 결정 (3) 케인즈학파, 통화주의자 ① 물가가 전혀 변하지 않는 기간을 단기라고 정의하는 대신에 물가가 어느 정도 변하는 것을 수용하면서 단기에 우상향의 총공급곡선을 도출함 ② 물가가 신축적으로 변하는 기간을 장기라고 정의하고 장기에 수직의 총공급곡선을 도출함
새고전학파의 총공급함수 (= 루카스 총공급함수)	(1) $Y = Y_N + \alpha(P - P^e)$ (Y_N: 자연생산량, P^e: 기업의 예상물가, $\alpha > 0$) (2) 물가를 정확히 예상한 경우 ($P = P^e$) P와 P^e가 정확하게 일치하면 Y도 Y_N과 일치하여 ㉯ ______ 의 AS곡선이 도출됨 (3) 물가를 정확히 예상지 못한 경우 ($P > P^e$) 합리적 기대를 하더라도 정보가 불완전한 경우나 예상치 못한 물가의 변화로 P가 P^e보다 크다면 Y도 Y_N보다 큰 값을 갖게 되어 ㉰ ______ 하는 AS곡선이 도출됨

04 경제 안정화정책과 균형국민소득의 변화

재정정책과 균형국민 소득	(1) 단기: 정부 재정지출 증가 ➜ 총수요곡선 우측 이동 ➜ 국민소득 증가, 물가 상승 ➜ 거래적 동기에 의한 화폐수요 증가 ➜ 이자율 상승 ➜ 투자지출 감소 ➜ 총수요곡선 좌측 이동(승수 효과와 구축 효과의 발생) (2) 장기: 단기에서의 균형 이동 ➜ 임금이나 다른 생산요소 가격 상승 ➜ 총수요곡선 좌측 이동

핵심키워드

㉮ 생산기술, ㉯ 수직, ㉰ 우상향

통화정책과 균형국민소득	(1) 단기: 화폐공급 증가, 이자율 하락 ➜ 투자지출 증가 ➜ 총수요곡선 우측 이동 ➜ 국민소득 증가, 물가 상승 (2) 장기: 단기에서의 균형 이동 ➜ 임금과 다른 생산요소의 가격 상승 ➜ 총수요곡선 좌측 이동 (3) 통화정책의 전달 경로 (4) 이자율탄력성: 금융정책이 효과를 나타내기 위해서는 이자율탄력성이 작아야 함 (유동성 함정이 없어야 함)
통화정책의 전달 경로에 대한 견해차	(1) 케인즈학파 ① 통화정책은 이자율 변화를 통해 투자에 영향을 주게 되는데 통화정책의 전달경로가 너무 길고 불확실해 믿을 수 없음 ➜ 금융 시장이 유동성 함정에 빠져 있는 상황에서는 통화량을 아무리 늘려도 이자율이 좀처럼 떨어지지 않음 ② ㉮ ＿＿＿＿의 효과는 한층 더 직접적이고 확실함 ➜ 정부지출의 증가는 곧바로 총수요의 증가로 이어지며 조세의 감면은 가처분소득을 늘려 소비지출 증가를 확실히 가져옴 (2) 통화주의자 ① 화폐는 교환의 매개 수단으로 사용되기 때문에 화폐 공급량의 변화는 이자율의 변화를 거치지 않고도 국민 경제의 총거래량을 직접적으로 변화시킴 ② 재정 지출을 늘리는 것은 ㉯ ＿＿＿＿ 때문에 경기를 활성화시키는 데 큰 효과를 거두지 못함
정책 시차에 대한 견해 차	(1) 정책 시차: 정책이 수립·집행되어 실제로 효과가 나타날 때까지는 어느 정도 시간이 흘러야 하는 것이 보통인데 이와 같은 시차를 가리켜 정책 시차라 함 ➜ 내부 시차 + 외부 시차 ① ㉰ ＿＿＿＿ 시차: 정책 당국이 경기 변동을 발생시킨 요인을 찾아내고 관련 정보를 수집해 정책을 수립·입법화하는데 걸리는 시간 ② ㉱ ＿＿＿＿ 시차: 시행된 정책이 실제로 효과를 내기 시작하는 데까지 걸리는 시간 (2) 케인즈학파: 금융 정책의 외부 시차가 길어 재정 정책이 더 유효한 정책이라 봄 (3) 통화주의자: 재정 정책의 내부 시차가 길어 금융 정책이 한층 더 효과적인 안정화 정책이라고 봄
배로(R. Barro)-리카도의 대등 정리	(1) 정부지출이 일정한 수준으로 결정되어 있다면 그것이 조세로 조달되든 국채를 통해 조달되든 총수요에 아무런 영향을 미치지 못함 (2) 국채는 기본적으로 ㉲ ＿＿＿＿의 조세 부담을 뜻하며 그 부담의 현재가치는 국채의 가치와 정확하게 일치함. 따라서 민간 부분의 경제활동에 아무런 영향을 미치지 못함 (3) 리카도의 대등 정리가 성립하게 되면 국채의 발행이 이자율을 상승시키는 결과는 나타나지 않고, 따라서 구축효과도 나타나지 않게 됨

핵심키워드

㉮ 재정정책, ㉯ 구축효과, ㉰ 내부, ㉱ 외부, ㉲ 미래

STEP 1 기본문제

01 상중하

물가 변동이 없는 단기 거시균형에서 다음의 재정정책과 통화정책의 조합 중 실질이자율을 높이는 것은? (단, 실질이자율에 미치는 각각의 정책적 효과의 크기는 동일하다고 가정한다) [국가직 21]

① 통화정책과 재정정책을 확장적으로 운영한다.
② 통화정책은 확장적으로, 재정정책은 긴축적으로 운영한다.
③ 통화정책은 긴축적으로, 재정정책은 확장적으로 운영한다.
④ 통화정책과 재정정책을 긴축적으로 운영한다.

02 상중하

甲국은 폐쇄경제로 IS-LM곡선이 만나는 균형상태에 있다. 甲국에서 이자율은 현 수준을 유지하면서 국민소득만 상승시키는 것이 가능한 정책 조합은? (단, IS곡선과 LM곡선은 각각 우하향, 우상향한다) [지방직 21]

① 정부지출을 늘리고, 통화량을 증가시킨다.
② 정부지출을 늘리고, 통화량을 감소시킨다.
③ 정부지출을 줄이고, 통화량을 증가시킨다.
④ 정부지출을 줄이고, 통화량을 감소시킨다.

03 상중하

재정정책에 대한 설명으로 옳지 않은 것은? [지방직 21]

① 고전학파에 따르면 구축효과가 정부지출 증가의 효과를 완전히 상쇄할 만큼 크다.
② 리카도 동등성 정리에 따르면 정부공채는 민간부문의 자산이 아닐 수 있다.
③ 공급중시 경제학자에 따르면 소득세율 인하가 조세수입의 증가를 낳을 수 있다.
④ 케인즈 단순모형에 따르면 정액세승수가 정부지출승수보다 절댓값이 더 크다.

04 상중하 폐쇄경제하 중앙은행이 통화량을 감소시킬 때 나타나는 변화를 IS-LM모형을 이용하여 설명한 것으로 옳은 것을 모두 고른 것은? (단, IS곡선은 우하향, LM곡선은 우상향한다)

[노무사 21]

ㄱ. LM곡선은 오른쪽 방향으로 이동한다.
ㄴ. 이자율은 상승한다.
ㄷ. IS곡선은 왼쪽 방향으로 이동한다.
ㄹ. 구축효과로 소득은 감소한다.

① ㄱ, ㄴ ② ㄱ, ㄷ ③ ㄱ, ㄹ
④ ㄴ, ㄹ ⑤ ㄴ, ㄷ, ㄹ

정답 및 해설

01 ③ 1) 재정정책과 통화정책이 이자율과 관련되어 있는 것은 IS-LM모형이다.
2) 실질이자율을 높이기 위해서는 LM곡선이 좌측으로 이동해야 하므로 긴축적 통화정책이다.
3) 실질이자율을 높이기 위해서는 IS곡선이 우측으로 이동해야 하므로 확장적 재정정책이다.

02 ① 1) 조건을 만족하려면 IS곡선이 우측, LM곡선이 우측으로 이동하여야 한다.
2) IS곡선이 우측으로 이동하려면 정부지출이 늘어나야 한다.
3) LM곡선이 우측으로 이동하려면 통화량이 증가해야 한다.

03 ④ 케인즈 단순모형에 따르면 정액세승수는 $\frac{-MPC}{1-MPC}$이고 정부지출승수는 $\frac{1}{1-MPC}$이다. 한계소비성향이 0.9라면 정액세승수는 -9이고 정부지출승수는 10이므로 정부지출승수가 더 크다.

04 ④ 1) 통화량을 감소시킨 것으로 LM곡선은 왼쪽으로 이동한다.
2) LM곡선이 왼쪽으로 이동하면 이자율은 상승하고 이로 인해 소비와 투자가 줄어들어(= 구축효과가 발생하여) 국민소득은 감소한다.

[오답체크]
ㄱ. LM곡선은 왼쪽 방향으로 이동한다.
ㄷ. IS곡선은 이동하지 않는다.

05 상중하

생산물시장의 균형을 나타내는 IS곡선과 화폐시장의 균형을 나타내는 LM곡선을 활용한 폐쇄경제하의 IS-LM모형에서 재정정책이 가장 효과적인 경우는? [지방직 7급 11]

① 투자적 화폐수요가 이자율에 탄력적이고, 투자가 이자율에 탄력적일 때
② 투자적 화폐수요가 이자율에 탄력적이고, 투자가 이자율에 비탄력적일 때
③ 투자적 화폐수요가 이자율에 비탄력적이고, 투자가 이자율에 탄력적일 때
④ 투자적 화폐수요가 이자율에 비탄력적이고, 투자가 이자율에 비탄력적일 때

06 상중하

IS-LM모형에서 확장적 통화정책에 대한 설명이다. ㉠, ㉡에 들어갈 내용으로 옳게 짝 지은 것은? (단, IS곡선은 우하향, LM곡선은 우상향한다) [국가직 7급 20]

- IS곡선의 기울기가 완만할수록 확장적 통화정책으로 인한 국민소득의 증가폭이 (㉠).
- LM곡선의 기울기가 완만할수록 확장적 통화정책으로 인한 국민소득의 증가폭이 (㉡).

	㉠	㉡
①	커진다	커진다
②	커진다	작아진다
③	작아진다	커진다
④	작아진다	작아진다

07 상중하

IS-LM모형하에서 재정지출 확대에 따른 구축효과(crowding out effect)에 대한 설명으로 옳지 않은 것은? [국가직 15]

① 다른 조건이 일정한 경우 LM곡선의 기울기가 커질수록 구축효과는 커진다.
② 다른 조건이 일정한 경우 투자의 이자율탄력성이 낮을수록 구축효과는 커진다.
③ 다른 조건이 일정한 경우 화폐수요의 이자율탄력성이 낮을수록 구축효과는 커진다.
④ 다른 조건이 일정한 경우 한계소비성향이 클수록 구축효과는 커진다.

08 상중하

다음과 같은 폐쇄경제의 IS-LM모형을 전제할 경우, ( ) 안에 들어갈 용어로 옳게 묶인 것은? [노무사 12]

> • IS곡선: $r = 5 - 0.1Y$ (단, r은 이자율, Y는 국민소득)
> • LM곡선: $r = 0.1Y$
> • 현재 경제상태가 국민소득은 30이고 이자율이 2.5라면, 상품시장은 (ㄱ)이고 화폐시장은 (ㄴ)이다.

	ㄱ	ㄴ
①	균형	균형
②	초과수요	초과수요
③	초과공급	초과공급
④	초과수요	초과공급
⑤	초과공급	초과수요

정답 및 해설

05 ② IS-LM모형에서 확대재정정책의 효과는 IS곡선이 가파를수록(투자가 이자율에 비탄력적일수록), LM곡선이 완만할수록(투자적 화폐수요가 이자율에 탄력적일수록) 커진다.

06 ② 1) 확장적 통화정책은 LM곡선을 우측으로 이동시키므로 IS곡선의 기울기가 완만할수록 국민소득의 증가폭이 커진다.
2) 확장적 통화정책은 LM곡선을 우측으로 이동시키므로 LM곡선의 기울기가 급할수록 효과가 크다. 따라서 LM곡선의 기울기가 완만할수록 국민소득의 증가폭이 작아진다.

07 ② 1) 구축효과(crowding out effect)란 확대적인 재정정책을 실시하면 이자율이 상승하고 그에 따라 민간투자가 감소하는 효과를 말한다. IS곡선이 완만하거나 LM곡선이 급경사인 경우 구축효과가 커진다.
2) 다른 조건이 일정할 때 투자의 이자율탄력성이 낮다면 확대적인 재정정책을 실시함에 따라 이자율이 상승하더라도 민간투자는 별로 감소하지 않는다. 그러므로 투자의 이자율 탄력성이 낮다면 구축효과는 작아진다.

08 ⑤ 1) 주어진 식에서 국민소득이 25이고 균형이자율은 2.5이다.
2) 현재 상태의 국민소득이 30이므로 IS곡선의 상방, LM곡선의 하방에 위치하게 된다. 따라서 상품시장은 초과공급이고 화폐시장은 초과수요이다.

09 상중하

폐쇄경제하에서 다음의 IS-LM모형을 기초로 할 때 균형이자율이 6이 되는($r^* = 6$) 화폐공급(K)은? [국가직 7급 10]

- $C = 200 + 0.8(Y - T)$
- $I = 1,600 - 100r$
- $G = T = 1,000$
- $M = K$
- $L = 0.5Y - 250r + 500$

(단, Y는 국민소득, C는 소비지출, T는 세금, I는 투자지출, r은 이자율, G는 정부지출, M은 화폐공급, L은 화폐수요이다. 이때 r의 균형값인 균형이자율은 r^*로 표시한다)

① 2,300
② 2,500
③ 2,700
④ 3,000

10 상중하

어떤 폐쇄경제 국가의 거시경제모형이 다음과 같을 때 균형이자율을 구하면? [국가직 21]

- $C = 130 + 0.5Y_D$
- $Y_D = Y - T$
- $T = 0.2Y$
- $I = 120 - 90r$
- $G = 200$
- $M_D = 25 + 0.5Y - 25r$
- $M_S = 200$

(단, C는 소비, Y_D는 가처분소득, Y는 국민소득, T는 조세, I는 투자, r은 이자율, G는 정부지출, M_D는 화폐수요, M_S는 화폐공급을 나타낸다)

① 1.5%
② 2.0%
③ 2.5%
④ 3.0%

11 상중하

다음과 같이 생산물시장과 화폐시장이 주어졌을 때, $G = 100$, $M^S = 500$, $P = 1$이고 균형재정일 경우, 균형국민소득(Y)과 균형이자율(r)은? [국가직 7급 14]

> • $Y = C + I + G$
> • $C = 100 + 0.8(Y - T)$
> • $I = 80 - 10r$
> • $\frac{M^d}{P} = Y - 50r$
>
> (단, C는 소비, I는 투자, G는 정부지출, T는 조세, M^S는 명목화폐공급, M^d는 명목화폐수요, P는 물가를 나타내고, 해외부문과 총공급부문은 고려하지 않는다)

① $Y = 750$, $r = 5$
② $Y = 750$, $r = 15$
③ $Y = 250$, $r = 5$
④ $Y = 250$, $r = 15$

정답 및 해설

09 ② 1) IS곡선: $Y = C + I + G$
$200 + 0.8(Y - 1{,}000) + 1{,}600 - 100r + 1{,}000$ ➜ $0.2Y = 2{,}000 - 100r$ ➜ $Y = 10{,}000 - 500r$
2) LM곡선: $L = M$
$0.5Y - 250r + 500 = K$ ➜ $0.5Y = (K - 500) + 250r$ ➜ $Y = (2K - 1{,}000) + 500r$
3) $10{,}000 - 500r = (2K - 1{,}000) + 500r$ ➜ 균형이자율 = 6이므로 $r = 6$을 IS곡선식에 대입하면 균형국민소득 $Y = 7{,}000$이다.
4) $r = 6$, $Y = 7{,}000$을 LM곡선식에 대입하면 $K = 2{,}500$이다.

10 ② 1) IS곡선은 $Y = C + I + G$이다.
2) $Y = 130 + 0.5(Y - 0.2Y) + 120 - 90r + 200$ ➜ $0.6Y = 450 - 90r$ ➜ $Y = 750 - 150r$
3) LM곡선은 $M_D = M_S$이다.
4) $25 + 0.5Y - 25r = 200$ ➜ $0.5Y = 175 + 25r$ ➜ $Y = 350 + 50r$
5) $750 - 150r = 350 + 50r$ ➜ $400 = 200r$ ➜ $r = 2$

11 ① 1) 정부지출 $G = 100$이고, 정부재정이 균형이므로 조세 $T = 100$임을 알 수 있다.
2) IS곡선을 도출하면 $Y = C + I + G = 100 + 0.8(Y - 100) + 80 - 10r + 100$ ➜ $0.2Y = 200 - 10r$이므로 ➜ $Y = 1{,}000 - 50r$로 도출된다.
3) LM곡선을 도출하면 $\frac{M^d}{P} = \frac{M^s}{P}$이므로 $Y - 50r = 500$이다. 따라서 $Y = 500 + 50r$이다.
4) IS곡선과 LM곡선이 일치하는 지점에서 균형가격과 균형이자율이 결정된다.
5) 두 식을 연립하면 $1{,}000 - 50r = 500 + 50r$, $100r = 500$이므로 균형이자율 $r = 5$이다.
6) $r = 5$를 IS곡선 혹은 LM곡선식에 대입하면 균형국민소득 $Y = 750$으로 계산된다.

12 상중하

IS-LM모형에서, IS곡선이 $Y = 1{,}200 - 60r$, 화폐수요곡선은 $\frac{M^d}{P} = Y - 60r$, 통화량은 800, 물가는 2이다. 통화량이 1,200으로 상승하면, Y는 얼마나 증가하는가? (단, Y는 국민소득, r은 실질이자율, P는 물가이다) [서울시 7급 18]

① 50 ② 100

③ 150 ④ 200

13 상중하

다음 중 총수요곡선을 우측으로 이동시키는 요인으로 옳은 것을 모두 고른 것은? [노무사 17]

ㄱ. 주택담보대출의 이자율 인하
ㄴ. 종합소득세율 인상
ㄷ. 기업에 대한 투자세액공제 확대
ㄹ. 물가수준 하락으로 가계의 실질자산가치 증대
ㅁ. 해외경기 호조로 순수출 증대

① ㄱ, ㄴ, ㄹ ② ㄱ, ㄷ, ㅁ ③ ㄱ, ㄹ, ㅁ

④ ㄴ, ㄷ, ㄹ ⑤ ㄴ, ㄷ, ㅁ

14 상중하

단기총공급곡선이 우상향하는 이유로 옳지 않은 것은? [노무사 20]

① 명목임금이 일반적인 물가 상승에 따라 변동하지 못한 경우
② 수요의 변화에 따라 수시로 가격을 변경하는 것이 어려운 경우
③ 화폐의 중립성이 성립하여, 통화량 증가에 따라 물가가 상승하는 경우
④ 일반적인 물가 상승을 자신이 생산하는 재화의 상대가격 상승으로 착각하는 경우
⑤ 메뉴비용이 발생하는 것과 같이 즉각적인 가격 조정을 저해하는 요인이 있는 경우

15 상중하

폐쇄경제하 총수요(AD)-총공급(AS)모형을 이용하여 정부지출증가로 인한 변화에 관한 설명으로 옳지 않은 것을 모두 고른 것은? (단, AD곡선은 우하향, 단기 AS곡선은 우상향, 장기 AS곡선은 수직선이다) [노무사 21]

ㄱ. 단기에 균형소득수준은 증가한다.
ㄴ. 장기에 균형소득수준은 증가한다.
ㄷ. 장기에 고전학파의 이분법이 적용되지 않는다.
ㄹ. 장기균형소득수준은 잠재 산출량 수준에서 결정된다.

① ㄱ, ㄴ ② ㄱ, ㄷ ③ ㄴ, ㄷ
④ ㄴ, ㄹ ⑤ ㄱ, ㄴ, ㄹ

정답 및 해설

12 ② 1) LM곡선을 구하기 위해 $\frac{M^d}{P} = \frac{M^S}{P}$로 두면 $Y-60r = \frac{M^S}{2}$, $Y = \frac{M^S}{2} + 60r$이다. 그러므로 통화량이 800일 때는 $Y = 400 + 60r$임을 알 수 있다.

2) IS곡선식 $Y = 1{,}200 - 60r$과 위에서 구한 LM곡선을 연립해서 풀면 $1{,}200 - 60r = 400 + 60r$, $120r = 800$, $r = \frac{20}{3}$이다.

3) $r = \frac{20}{3}$을 IS곡선(혹은 LM곡선)식에 대입하면 $Y = 800$이다.

4) 통화량이 1,200일 때는 LM곡선식이 $Y = 600 + 60r$이므로 IS곡선식 $Y = 1{,}200 - 60r$과 연립해서 풀면 $1{,}200 - 60r = 600 + 60r$, $120r = 600$, $r = 5$이고, $r = 5$를 IS곡선(혹은 LM곡선)식에 대입하면 $Y = 900$으로 계산된다.

5) 따라서 통화량이 800에서 1,200으로 증가하면 국민소득이 100만큼 증가함을 알 수 있다.

13 ② 주택담보대출 이자율 하락으로 주택투자가 증가하거나 투자세액공제로 기업의 투자가 증가하거나 순수출이 증가하면 총수요곡선이 오른쪽으로 이동한다. 종합소득세율이 인상되면 민간의 가처분소득 감소로 민간소비가 감소하므로 총수요곡선이 왼쪽으로 이동한다. 한편, 물가수준이 하락하면 총수요곡선이 이동하는 것이 아니라 총수요곡선상에서 우하방의 점으로 이동한다.

14 ③ 화폐의 중립성이 성립하면 실물부분에 영향을 주지 못하므로 총공급곡선은 수직이 된다.

15 ③ 1) 정부지출증가는 총수요 증가요인이므로 총수요곡선을 단기 우측으로 이동시킨다.

2) 지문분석

ㄴ. 장기에 균형소득수준은 불변이다.
ㄷ. 장기에 화폐는 물가만 올릴 뿐 실물부분에 영향을 주지 못하므로 고전학파의 이분법이 적용된다.

16 상중하

현재 총수요와 총공급이 자연산출량(완전고용산출량)에서 균형을 이루고 있을 때 총수요 증가의 결과로 옳지 않은 것은? [국가직 21]

① 단기에는 생산량은 증가하고 물가는 상승한다.
② 단기에는 실질임금이 하락하고 고용은 증가한다.
③ 장기에는 총공급이 감소하여 물가는 단기보다 더 상승한다.
④ 장기에는 기대인플레이션이 낮아지고 고용이 완전고용 수준으로 감소한다.

17 상중하

물가와 국민소득의 평면에 그린 단기 총공급곡선은 우상향한다. 이에 대한 설명으로 옳은 것만을 모두 고르면? [지방직 7급 20]

ㄱ. 소비수요와 투자수요가 이자율에 민감하지 않을수록, 물가와 국민소득의 평면에 그린 총수요곡선의 기울기는 작아진다.
ㄴ. 소비수요와 투자수요가 이자율에 민감하지 않을수록, 유가 상승에 따른 물가 상승효과는 크다.
ㄷ. 소비수요와 투자수요가 이자율에 민감하지 않을수록, 유가 상승으로 경기가 침체되면 경기 회복을 위해서는 재정정책이 통화정책보다 효과적이다.

① ㄱ, ㄴ
② ㄱ, ㄷ
③ ㄴ, ㄷ
④ ㄱ, ㄴ, ㄷ

18 장기 총공급곡선의 이동에 관한 설명으로 옳지 않은 것은? [노무사 16]
상중하

① 자연실업률이 증가하면, 왼쪽으로 이동한다.
② 인적자본이 증가하면, 오른쪽으로 이동한다.
③ 생산을 증가시키는 자원이 발견되면, 오른쪽으로 이동한다.
④ 기술지식이 진보하면, 오른쪽으로 이동한다.
⑤ 예상물가수준이 하락하면, 왼쪽으로 이동한다.

정답 및 해설

16 ④ 1) 총수요가 자연산출량을 벗어나 증가하면 단기적으로 물가와 국민소득이 증가한다.
2) 실제 생산량이 잠재 생산량을 초과하였으므로 생산요소의 가격이 상승한다.
3) 이로 인해 장기적으로는 총공급이 감소하여 자연산출량 수준으로 돌아와 최종적으로 물가는 상승하고 자연산출량 수준은 변함이 없게 된다.
4) 지문분석
④ 장기에는 기대인플레이션이 높아지고 고용이 완전고용 수준으로 감소한다.
[오답체크]
① 단기에는 총수요가 증가하여 생산량은 증가하고 물가는 상승한다.
② 단기에는 물가가 상승하므로 실질임금($\frac{W}{P}$)이 하락하고 이로 인해 고용은 증가한다.
③ 장기에는 생산요소가격의 상승으로 총공급이 감소하여 물가는 단기보다 더 상승한다.

17 ③ **[오답체크]**
ㄱ. 소비수요와 투자수요가 이자율에 민감하지 않다는 것은 IS-LM모형에서 IS곡선이 수직에 가깝게 가파른 상태이고, AD-AS모형에서는 AD곡선이 수직에 가깝게 가파른 상태이다.

18 ⑤ 장기 총공급곡선은 잠재GDP 수준에서 수직선이므로 예상물가 수준의 변화는 장기 총공급곡선에 아무런 영향을 미치지 않는다.

19 상중하

명목임금 w가 5로 고정된 다음의 케인지언 단기 폐쇄경제모형에서 총공급곡선의 방정식으로 옳은 것은? [지방직 7급 14]

- 소비함수: $C = 10 + 0.7(Y - 0.7)$
- 투자함수: $I = 7 - 0.5r$
- 정부지출: $G = 5$
- 생산함수: $Y = 2\sqrt{L}$

(단, C는 소비, Y는 산출, T는 조세, I는 투자, r은 이자율, G는 정부지출, L은 노동, P는 물가, W는 명목임금을 나타내며, 노동자들은 주어진 명목임금 수준에서 기업이 원하는 만큼의 노동을 공급한다)

① $Y = P$
② $Y = 22$에서 수직이다.
③ 조세 T를 알 수 없어 총공급곡선을 알 수 없다.
④ $P = \frac{5}{2}$Y

20 상중하

경제가 장기균형상태에 있다고 하자. 유가 충격으로 인해 석유가격이 크게 상승했다. 다음 설명 중 가장 옳지 않은 것은? [서울시 7급 19]

① 단기 총공급곡선의 이동으로 인해 단기에는 스태그플레이션이 발생한다.
② 단기균형상태에서 정부지출을 증가시키면 실질GDP가 증가하지만 물가수준의 상승을 피할 수 없다.
③ 단기균형상태에서 통화량을 감소시키면 물가수준이 하락하고 실질GDP는 감소한다.
④ 생산요소가격이 신축성을 가질 정도의 시간이 주어지면 장기 공급곡선이 이동하여 새로운 장기균형이 형성된다.

21 상중하

아래 그림은 총수요곡선, 총공급곡선 그리고 잠재GDP를 보여주고 있다. 그림에서 경제상태는 (㉠)갭을 보여주고 있고, 잠재GDP를 달성하기 위한 재정정책은 정부 투자를 (㉡)시키고 (또는) 조세를 (㉢)시켜야 한다. ㉠ ~ ㉢에 들어갈 말로 옳은 것은? [지방직 10]

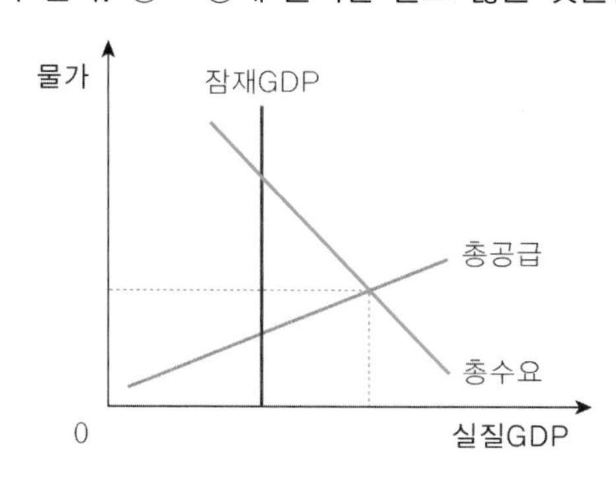

	㉠	㉡	㉢
①	디플레이션	증가	감소
②	인플레이션	증가	감소
③	인플레이션	감소	증가
④	디플레이션	감소	증가

정답 및 해설

19 ④ 1) 총공급곡선은 물가(P)와 경제전체 총생산량(Y)의 관계를 나타내는 곡선을 말한다. 총공급곡선식은 총생산함수와 노동시장을 결합하여 도출할 수 있다.

2) 총생산함수를 Y에 대해 미분하면 $MP_L = L^{-\frac{1}{2}} = \frac{1}{\sqrt{L}}$이고, $W=5$로 주어져 있으므로 이를 노동시장의 균형조건 $W = MP_L \times P$에 대입하면 $5 = \frac{P}{\sqrt{L}}$, $\sqrt{L} = \frac{1}{5}P$이므로 균형고용량 $L = \frac{1}{25}P^2$으로 계산된다.

3) $L = \frac{1}{25}P^2$을 총생산함수 $Y = 2\sqrt{L}$에 대입하면 물가와 총생산량의 관계를 나타내는 총공급곡선의 식은 $Y = \frac{2}{5}P$ ➔ $P = \frac{5}{2}Y$이 된다.

20 ④ 생산요소가격이 신축성을 가질 정도의 시간이 주어지면 단기 공급곡선이 이동하여 새로운 장기균형이 형성된다.

21 ③ 균형국민소득이 완전고용 국민소득보다 크기 때문에 실현 불가능하다. 따라서 물가상승으로 총수요가 줄면서 완전고용 국민소득으로 수렴한다. 물가 상승을 억제하려면 총수요를 줄이기 위해 정부투자를 줄이고, 조세를 증가시켜야 한다.

22 상중하

현 경제상황이 장기균형에 있다고 가정하자. 최근 현금자동입출금기를 설치하고 운영하는 비용이 더욱 낮아지면서 통화수요가 하락하는 상황이 발생하였다. 이 상황은 장단기 균형에 어떠한 영향을 미치는가? [서울시 7급 14]

① 단기에는 가격수준과 실질GDP가 증가하지만, 장기에는 영향이 없다.
② 단기에는 가격수준과 실질GDP가 증가하지만, 장기에는 가격수준만 상승할 뿐 실질GDP에 대한 영향은 없다.
③ 단기에는 가격수준과 실질GDP가 하락하지만, 장기에는 영향이 없다.
④ 단기에는 가격수준과 실질GDP가 하락하지만, 장기에는 가격수준만 하락할 뿐 실질GDP에 대한 영향은 없다.
⑤ 단기에는 가격수준과 실질GDP가 증가하고, 장기에도 가격수준과 실질GDP 모두 증가한다.

23 상중하

총수요-총공급모형에서 통화정책과 재정정책에 관한 설명으로 옳은 것은? (단, 폐쇄경제를 가정한다) [노무사 20]

① 통화정책은 이자율의 변화를 통해 국민소득에 영향을 미친다.
② 유동성 함정에 빠진 경우 확장적 통화정책은 총수요를 증가시킨다.
③ 화폐의 중립성에 따르면, 통화량을 늘려도 명목임금은 변하지 않는다.
④ 구축효과란 정부지출 증가가 소비지출 감소를 초래한다는 것을 의미한다.
⑤ 확장적 재정정책 및 통화정책은 모두 경기팽창효과가 있으며, 국민소득의 각 구성요소에 동일한 영향을 미친다.

24 물가수준과 국내총생산(GDP)의 관계를 보여주는 총수요곡선이 우하향하는 이유로 옳지 않은 것은? [지방직 7급 12]
상중하

① 물가수준이 낮아지면 실질임금이 상승하여 노동공급이 증가한다.
② 물가수준이 낮아지면 이자율이 하락하여 투자가 증가한다.
③ 물가수준이 낮아지면 자국통화의 가치가 하락하여 순수출이 증가한다.
④ 물가수준이 낮아지면 화폐의 실질가치가 상승하여 소비가 증가한다.

정답 및 해설

22 ② 1) 현금자동입출금기의 보급확대로 화폐수요가 감소하면 실질통화량이 증가하는 효과가 발생하므로 총수요곡선이 오른쪽으로 이동한다.
2) 총수요곡선이 오른쪽으로 이동하면 단기적으로 실질GDP가 증가하고 물가도 상승한다. 그러나 장기에는 물가만 상승하고 실질GDP는 잠재GDP 수준으로 돌아가게 된다.

23 ① 통화정책은 LM곡선을 이동시켜 이자율의 변화를 통해 국민소득에 영향을 미친다.

[오답체크]
② 유동성 함정에 빠진 경우 확장적 통화정책은 총수요를 증가시키지 못한다.
③ 화폐의 중립성에 따르면, 통화량을 늘려도 실질임금은 변하지 않는다.
④ 구축효과란 정부지출 증가로 인해 이자율을 상승시켜 소비와 투자를 감소시킨다는 것을 의미한다.
⑤ 확장적 재정정책 및 통화정책은 모두 경기팽창효과가 있으나 확장적 재정정책은 이자율을 상승시키고, 통화정책은 하락시킨다.

24 ① 물가수준이 낮아지면 실질임금이 상승하여 노동수요는 감소하고, 노동공급은 증가한다. 이는 총공급곡선과 관련된 내용이다.

[오답체크]
② 물가수준이 낮아지면 명목화폐수요가 감소하므로 이자율이 하락한다. 이자율이 하락하면 투자수요가 증가하여 총수요가 증가하게 되는데 이를 '이자율효과'라고 한다.
③ 물가수준이 낮아지면 수출이 증가하고 수입이 감소하여 순수출이 증가한다. 순수출의 증가로 인해 총수요가 증가하게 되는데 이를 '무역수지효과'라고 한다.
④ 물가수준이 낮아지면 화폐의 실질가치가 상승하여 소비가 증가한다. 이를 '피구효과(실질자산효과, 부의 효과)'라고 한다.

25 상중하

총수요곡선은 $Y = 550 + (\frac{2,500}{P})$, 총공급곡선은 $Y = 800 + (P - P^e)$, 기대물가는 $P^e = 10$일 때, 균형에서의 국민소득은? (단, Y는 국민소득, P는 물가수준을 나타낸다) [국가직 7급 15]

① 500 ② 600
③ 700 ④ 800

26 상중하

A국가의 총수요와 총공급곡선은 각각 $Y_d = -P + 5$, $Y_s = (P - P^e) + 6$이다. 여기서 P^e가 5일 때 (ㄱ) 균형국민소득과 (ㄴ) 균형물가수준은? (단, Y_d는 총수요, Y_s는 총공급, P는 실제 물가수준, P^e는 예상물가수준이다) [노무사 21]

	ㄱ	ㄴ
①	1	0
②	2	1
③	3	2
④	4	2
⑤	5	3

27 밑줄 친 ㉠에 대한 근거로 옳지 않은 것은? [국가직 7급 20]
상중하

> 경기침체가 지속되면서 정부는 소득세의 대폭 감면을 통해 경기회복을 꾀하고 있다. 하지만 정부가 정부지출을 일정하게 유지하면서, 세금감면에 따른 적자를 보전하기 위해 국채를 발행하게 되면 이러한 재정정책의 결과로 ㉠ 소비가 증가하지 않는다는 주장이 있다.

① 소비자들이 현재 저축을 증가시킬 것으로 예상된다.
② 소비자들은 현재소득과 미래소득 모두를 고려하여 소비를 결정한다.
③ 소비자들은 미래에 세금이 증가할 것이라고 예상한다.
④ 소비자들은 미래에 금리가 하락할 것이라고 예상한다.

정답 및 해설

25 ④ 1) 기대물가수준이 10으로 주어져 있으므로 총공급곡선식에 $P^e = 10$을 대입하고 총수요곡선과 총공급곡선을 연립해서 풀면 $550 + \frac{2,500}{P} = 800 + (P - 10)$ ➔ $550P + 2,500 = 790P + P^2$
➔ $P^2 + 240P - 2,500 = 0$ ➔ $(P + 250)(P - 10) = 0$ ➔ $P = -250$ 혹은 $P = 10$으로 계산된다.
2) 물가수준이 (−)가 될 수 없으므로 균형물가수준 $P = 10$임을 알 수 있다. $P = 10$을 총수요곡선 혹은 총공급곡선식에 대입하면 균형국민소득 $Y = 800$으로 계산된다.

26 ③ 1) 예상물가가 5이므로 이를 총공급곡선에 대입하면 $Y_s = P + 1$이다.
2) 균형에서는 $-P + 5 = P + 1$이므로 $P = 2$, $Y = 3$이다.

27 ④ 소비자들은 미래에 금리가 하락할 것이라고 생각하면 현재소비의 상대가격이 하락하여 현재소비가 증가한다. 따라서 소비가 증가하지 않는다는 것을 증명할 수 없다.

[오답체크]
①③ 리카도의 등가 정리에서 소비자들은 미래에 세금이 증가할 것이라고 예상하여 저축을 증가시킬 것으로 예상된다.

28 상중하

재정정책에 대한 설명으로 옳은 것은? [지방직 7급 20]

① 완전고용 재정적자(full-employment budget deficit) 또는 경기순환이 조정된 재정적자(cyclically adjusted budget deficit)는 자동안정화장치를 반영하므로 경기순환상에서의 현재 위치를 파악하게 한다.

② 조세의 사회적 비용이 조세 크기에 따라 체증적으로 증가할 때는 균형예산을 준칙으로 하고 법제화하여야 한다.

③ 리카도의 대등 정리(Ricardian equivalence theorem)에 따르면 정부의 지출 흐름이 일정할 때 민간보유 국공채는 민간부문의 순자산이 된다.

④ 소비자가 근시안적으로 소비수준을 설정하거나 자본시장이 불완전한 경우에는 리카도 대등 정리가 성립하지 않는다.

29 상중하

리카도의 대등 정리(Ricardian Equivalence Theorem)에 대한 설명으로 옳지 않은 것은? [지방직 15]

① 정부지출이 경제에 미치는 효과는 정액세로 조달되는 경우와 국채발행으로 조달되는 경우가 서로 다르다는 주장이다.

② 리카도의 대등 정리가 성립하기 위해서는 저축과 차입이 자유롭고 저축이자율과 차입이자율이 동일하다는 가정이 충족되어야 한다.

③ 정부지출의 변화 없이 조세감면이 이루어진다면 경제주체들은 증가된 가처분소득을 모두 저축하여 미래의 조세증가를 대비한다고 주장한다.

④ 현재의 조세감면에 따른 부담이 미래세대에게 전가될 경우 후손들의 후생에 관심 없는 경제주체들에게는 리카도의 대등 정리가 성립하지 않게 된다.

30 상중하 리카도의 대등 정리(Ricardian equivalence theorem)에 대한 설명으로 가장 옳지 않은 것은? [서울시 18]

① 정부지출의 규모가 동일하게 유지되면서 조세감면이 이루어지면 합리적 경제주체들은 가처분 소득의 증가분을 모두 저축하여 미래에 납부할 조세의 증가를 대비한다는 이론이다.

② 현실적으로 대부분의 소비자들이 유동성제약(liquidity constraint)에 직면하기 때문에 리카도의 대등 정리는 현실 설명력이 매우 큰 이론으로 평가된다.

③ 리카도의 대등 정리에 따르면 재정적자는 장기뿐만 아니라 단기에서조차 아무런 경기팽창 효과를 내지 못한다.

④ 정부지출의 재원조달 방식이 조세든 국채든 상관없이 경제에 미치는 영향에 아무런 차이가 없다는 이론이다.

정답 및 해설

28 ④ 리카도의 대등 정리는 정부지출수준이 일정할 때, 정부지출의 재원조달 방법(조세 또는 채권)의 변화는 민간의 경제활동에 아무 영향도 주지 못한다는 것을 보여주는 이론이다. 만약 소비자가 근시안적으로 소비수준을 설정하거나 자본시장이 불완전한 경우는 리카도의 대등 정리가 성립하지 않는다.

[오답체크]

① 완전고용 재정적자는 경제가 완전고용 상태에 있을 경우 나타났을 가상적인 재정적자 규모이며, 경기순환상에서의 현재 위치가 불황인지 회복인지, 호황인지 후퇴인지는 알려주지 못한다.

② 균형예산 준칙하에서는 정부가 지출행위를 많이 했다면 그만큼 세금을 많이 걷어서 균형을 맞춰야 한다. 그런데 조세 크기에 따라 조세의 사회적 비용(후생손실)이 체증적으로 증가한다면, 이러한 정책은 사회적으로 바람직하지 못한 것이 된다.

③ 민간이 국채를 통해 얻는 이자수익을 정부가 국채를 상환하기 위해 징수하는 세금으로 전부 뺏어가기 때문에 민간이 보유한 국채는 순자산이 될 수 없음을 지적하였다.

29 ① 리카도의 대등 정리에 의하면 정부지출 재원을 국채발행을 통해 조달하든 조세를 통해 조달하든 경제에 미치는 효과는 아무런 차이가 없다. 즉, 정부지출 재원조달 방식의 차이는 경제의 실질변수에 아무런 영향을 미치지 않는다.

30 ② 대부분의 소비자들이 유동성제약에 직면해 있다면 국채가 발행되고 조세가 감면되어 민간의 가처분소득이 증가하는데 이때 곧바로 소비가 증가하므로 리카도의 대등 정리가 성립하지 않는다.

STEP 2 심화문제

31 상중하

IS-LM모형에 대한 설명으로 옳은 것을 〈보기〉에서 모두 고르면? [국회직 8급 18]

〈보기〉

ㄱ. 투자의 이자율탄력성이 클수록 IS곡선과 총수요곡선은 완만한 기울기를 갖는다.
ㄴ. 소비자들의 저축성향 감소는 IS곡선을 왼쪽으로 이동시키며, 총수요곡선도 왼쪽으로 이동시킨다.
ㄷ. 화폐수요의 이자율탄력성이 클수록 LM곡선과 총수요곡선은 완만한 기울기를 갖는다.
ㄹ. 물가수준의 상승은 LM곡선을 왼쪽으로 이동시키지만 총수요곡선을 이동시키지는 못한다.
ㅁ. 통화량의 증가는 LM곡선을 오른쪽으로 이동시키며 총수요곡선도 오른쪽으로 이동시킨다.

① ㄱ, ㄷ, ㄹ ② ㄱ, ㄹ, ㅁ ③ ㄴ, ㄷ, ㅁ
④ ㄴ, ㄹ, ㅁ ⑤ ㄱ, ㄴ, ㄷ, ㅁ

32 상중하

폐쇄경제하에서 정부가 지출을 늘렸다. 이에 대응하여 중앙은행이 기존 이자율을 유지하려고 할 때 나타나는 현상으로 옳은 것을 모두 고른 것은? (단, IS곡선은 우하향하고 LM곡선은 우상향한다) [감정평가사 21]

ㄱ. 통화량이 증가한다.
ㄴ. 소득수준이 감소한다.
ㄷ. 소득수준은 불변이다.
ㄹ. LM곡선이 오른쪽으로 이동한다.

① ㄱ, ㄴ ② ㄱ, ㄷ ③ ㄱ, ㄹ
④ ㄴ, ㄹ ⑤ ㄷ, ㄹ

33 상중하

한국은행의 통화정책 수단과 제도에 관한 설명으로 옳지 않은 것은? [감정평가사 21]

① 국채 매입·매각을 통한 통화량 관리
② 금융통화위원회는 한국은행 통화정책에 관한 사항을 심의·의결
③ 재할인율 조정을 통한 통화량 관리
④ 법정지급준비율 변화를 통한 통화량의 관리
⑤ 고용증진 목표 달성을 위한 물가안정목표제 실시

34 상중하 케인즈학파 경제학자들이 경기침체기에 금융정책이 효과를 나타내지 못한다고 생각하는 이유로 가장 옳은 것은? [국회직 8급 14]

① 화폐수요와 투자수요가 모두 이자율에 대해 상당히 탄력적이다.
② 화폐수요는 이자율에 대해 상대적으로 탄력적이며 투자수요는 이자율에 대해 상대적으로 비탄력적이다.
③ 화폐수요, 투자수요 모두 이자율에 대해 완전 비탄력적이다.
④ 화폐수요는 이자율에 대해 상대적으로 비탄력적이며 투자수요는 이자율에 대해 상대적으로 탄력적이다
⑤ 화폐수요와 투자수요 모두 이자율에 대해 상당히 비탄력적이다.

정답 및 해설

31 ② **[오답체크]**
ㄴ. 저축성향 감소 ➜ 소비성향 증가 ➜ IS곡선 기울기 감소
ㄷ. 화폐수요의 이자율탄력성 증가 ➜ LM곡선 기울기 감소 ➜ 총수요곡선의 기울기 커짐

32 ③ 1) 정부지출을 늘리면 IS곡선이 우측으로 이동하여 이자율이 상승한다.
2) 기존 이자율을 유지하기 위해서는 이자율이 하락해야 하므로 통화공급을 늘려야 한다. 이로인해 LM곡선은 우측으로 이동한다.

[오답체크]
ㄴ, ㄷ. IS, LM곡선의 이동으로 국민소득이 증가한다.

33 ⑤ 고용증진 목표 달성을 위해서는 총수요가 증가해야 한다. 물가안정은 고용증진을 오히려 악화시킬 수 있다.

34 ② 1) 금융정책이 시행되면 이동하는 곡선은 LM곡선이다. 금융정책의 경우 LM곡선이 가파를수록 IS곡선이 완만할 때 국민소득(Y)이 크게 증가한다.
2) 화폐수요가 이자율에 탄력적이어서 LM곡선이 완만하고, 투자가 이자율에 비탄력적이어서 IS곡선이 가파르면, 금융정책을 시행하여도 국민소득(Y)은 거의 증가하지 않는다.

35 상중하

단기 총공급곡선에 관한 설명으로 옳은 것은? [감정평가사 17]

① 케인즈(J. M. Keynes)에 따르면 명목임금이 고정되어 있는 단기에서 물가가 상승하면 고용량이 증가하여 생산량이 증가한다.
② 가격경직성모형(sticky-price model)에서 물가수준이 기대 물가수준보다 낮다면 생산량은 자연산출량 수준보다 높다.
③ 가격경직성모형은 기업들이 가격수용자라고 전제한다.
④ 불완전정보모형(imperfect information model)은 가격에 대한 불완전한 정보로 인하여 시장은 불균형을 이룬다고 가정한다.
⑤ 불완전정보모형에서 기대 물가수준이 상승하면 단기 총공급곡선은 오른쪽으로 이동한다.

36 상중하

거시경제의 총수요·총공급모형에 대한 설명으로 옳은 것만을 〈보기〉에서 모두 고르면? [국회직 8급 19]

〈보기〉

ㄱ. 단기 총공급곡선이 우상향하는 이유는 임금과 가격이 경직적이기 때문이다.
ㄴ. 예상 물가수준이 상승하면 단기 총공급곡선이 오른쪽으로 이동한다.
ㄷ. 총수요곡선이 우하향하는 이유는 물가수준이 하락하면 이자율이 하락하고 자산의 실질가치가 상승하기 때문이다.
ㄹ. 자국화폐의 가치하락에 따른 순수출의 증가는 총수요곡선을 오른쪽으로 이동시킨다.

① ㄱ, ㄷ
② ㄴ, ㄷ
③ ㄱ, ㄴ, ㄹ
④ ㄱ, ㄷ, ㄹ
⑤ ㄴ, ㄷ, ㄹ

37 상중하

총수요-총공급모형의 단기 균형 분석에 관한 설명으로 옳은 것은? (단, 총수요곡선은 우하향하고, 총공급곡선은 우상향한다) [감정평가사 17]

① 물가수준이 하락하면 총수요곡선이 오른쪽으로 이동하여 총생산은 증가된다.
② 단기적인 경기변동이 총수요충격으로 발생되면 물가수준은 경기역행적(countercyclical)으로 변동한다.
③ 정부지출이 증가하면 총공급곡선이 오른쪽으로 이동하여 총생산은 증가한다.
④ 에너지가격의 상승과 같은 음(-)의 공급충격은 총공급곡선을 오른쪽으로 이동시켜 총생산은 감소된다.
⑤ 중앙은행이 민간 보유 국채를 대량 매입하면 총수요곡선이 오른쪽으로 이동하여 총생산은 증가한다.

38 상중하

적응적 기대(adaptive expectations)이론과 합리적 기대(rational expectations)이론에 대한 다음 설명 중 옳은 것을 〈보기〉에서 모두 고르면? [국회직 8급 13]

〈보기〉

ㄱ. 적응적기대 이론에서는 경제변수에 대한 예측에 있어 체계적 오류를 인정한다.
ㄴ. 적응적기대 이론에 따르면 통화량 증가는 장기균형에서의 실질 국민소득에는 영향을 미치지 않는다.
ㄷ. 합리적기대이론에 따르면 예측오차는 발생하지 않는다.
ㄹ. 합리적기대이론에 따르면 예측된 정부정책의 변화는 실질변수에 영향을 미치지 않는다.

① ㄱ, ㄴ ② ㄱ, ㄷ ③ ㄴ, ㄹ
④ ㄱ, ㄴ, ㄹ ⑤ ㄱ, ㄷ, ㄹ

정답 및 해설

35 ① 단기 총공급곡선식은 $Y = Y_N + \alpha(P - P^e)$이다. 따라서 물가가 상승하면 총공급이 증가한다.

[오답체크]
② 새케인즈학파의 가격경직성모형(sticky-price model)에서 물가수준이 기대 물가수준보다 낮다면 생산량은 자연산출량 수준보다 낮다.
③ 새케인즈학파의 가격경직성모형은 기업들이 가격설정자라고 전제한다.
④ 새고전학파의 불완전정보모형(imperfect information model)은 시장이 균형을 이룬다고 본다.
⑤ 불완전정보모형에서 기대 물가수준이 상승하면 단기 총공급곡선은 우상향의 형태가 된다.

36 ④ **[오답체크]**
ㄴ. 총공급곡선은 $Y = Y_N + \alpha(P - P^e)$이다. 따라서 예상 물가수준이 상승하면 단기 총공급곡선이 상방, 즉 왼쪽으로 이동한다.

37 ⑤ 중앙은행이 민간 보유 국채를 대량 매입하면 통화량이 증가하여 LM곡선이 우측으로 이동한다. 이로 인해 총수요곡선이 오른쪽으로 이동하여 총생산은 증가한다.

[오답체크]
① 물가수준이 하락하면 총수요곡선 내에서 우하향한다.
② 단기적인 경기변동이 총수요충격으로 발생되면 물가수준은 경기순응적이다.
③ 정부지출이 증가하면 총수요곡선이 오른쪽으로 이동하여 총생산은 증가한다.
④ 에너지가격의 상승과 같은 음(−)의 공급충격은 총공급곡선을 왼쪽으로 이동시켜 총생산은 감소된다.

38 ④ **[오답체크]**
ㄷ. 합리적 기대에서도 예측오차는 발생한다.

39 상중하

중앙은행이 실질이자율을 3%로 유지하는 실질이자율 타게팅(targeting) 규칙을 엄격하게 따른다. 이 실질이자율 수준에서 국민경제는 장기와 단기 균형상태에 있었다고 하자. 장기공급곡선을 제외하고는 수직이거나 수평이지 않은 일반적인 IS, LM, AS, AD곡선을 가진 국민경제를 가정하였을 때 다음 중 옳지 않은 것은? [국회직 8급 15]

① 화폐수요 증가 충격을 받는 경우, LM곡선은 변하지 않는다.
② 화폐수요 증가 충격을 받는 경우, 단기에서 산출은 변하지 않는다.
③ 소비 증가 충격을 받는 경우, LM곡선은 우측으로 이동한다.
④ 소비 증가 충격을 받는 경우, 단기에서 산출은 증가한다.
⑤ 단기 총공급 감소 충격을 받는 경우, LM곡선은 좌측으로 이동한다.

40 상중하

다음 거시경제모형에서 생산물시장과 화폐시장이 동시에 균형을 이루는 소득과 이자율은? (단, C는 소비, Y는 국민소득, I는 투자, G는 정부지출, T는 조세, r은 이자율, MD는 화폐수요, MS는 화폐공급이다. 물가는 고정되어 있고, 해외부문은 고려하지 않는다) [감정평가사 19]

- $C = 20 + 0.8(Y - T) - 0.5r$
- $I = 50 - 9.5r$
- $G = 50$
- $T = 50$
- $MD = 50 + Y - 50r$
- $MS = 250$

① 200, 1 ② 200, 2 ③ 250, 1
④ 300, 1 ⑤ 300, 2

정답 및 해설

39 ⑤ 단기 총공급이 감소하면 AS곡선이 좌측으로 이동한다. 물가(P)가 상승하므로 LM곡선은 좌측으로 이동한다. 이때 실질이자율(r)이 일정하려면 중앙은행이 통화량을 늘려서 LM곡선을 우측으로 이동시켜야 한다. 결국 단기 총공급 감소의 충격을 받는 경우 LM곡선은 변하지 않는다.

[오답체크]

① 화폐수요가 증가하면 LM곡선이 좌측으로 이동한다. 실질이자율(r)이 일정하려면 중앙은행이 통화량을 늘려서 다시 LM곡선을 우측으로 이동시켜야 한다. 결국 화폐수요 증가 충격을 받는 경우, LM곡선은 변하지 않는다.

② 화폐수요 증가 충격을 받는 경우 곡선이 변하지 않으므로 단기에서 산출은 변하지 않는다.

③ 소비가 증가하면 IS곡선이 우측으로 이동한다. 실질이자율(r)이 일정하려면 중앙은행이 통화량을 늘려서 LM곡선을 우측으로 이동시켜야 한다. 결국 소비증가 충격을 받는 경우 LM곡선은 우측으로 이동한다.

④ 소비증가 충격을 받는 경우 IS곡선과 LM곡선이 모두 우측으로 이동하므로 단기에서 산출은 증가한다.

40 ⑤ 1) IS곡선은 $Y = C + I + G$ ➜ $Y = 20 + 0.8(Y - 50) - 0.5r + 50 - 9.5r + 50$ ➜ $Y = 400 - 50r$

2) LM곡선은 $\frac{M^d}{P} = \frac{M^s}{P}$ ➜ 물가는 고정되어 있으므로 $50 + Y - 50r = 250$ ➜ $Y = 200 + 50r$

3) 균형을 구하면 $400 - 50r = 200 + 50r$ ➜ $r = 2$, $Y = 300$이다.

41 상중하

어느 경제의 거시경제모형이 아래와 같이 주어져 있다면 균형이자율과 균형국민소득은 각각 얼마인가? [국회직 8급 13]

- $Y = C + I + G$
- $C = 100 + 0.8(Y - T)$
- $I = 150 - 600r$
- $G = 200$
- $T = 0.5Y$
- $M^d = M^S$
- $\frac{M^S}{P} = 2Y - 8{,}000(r + \pi^e)$
- $M^S = 1{,}000$
- $P = 1$
- $\pi^e = 0$

(Y: 소득, C: 소비, I: 투자, r: 실질이자율, T: 세입, G: 정부지출, P: 물가, π^e: 기대물가상승률, M^d: 명목화폐수요, M^S: 명목화폐공급)

	균형이자율	균형국민소득
①	5%	700
②	5%	800
③	6%	700
④	6%	800
⑤	7%	1,000

42 상중하

다음 폐쇄경제 IS-LM모형에서 경제는 균형을 이루고 있고, 현재 명목화폐 공급량(M)은 2이다. 중앙은행은 확장적 통화정책을 실시하여 현재보다 균형이자율을 0.5만큼 낮추고, 균형국민소득을 증가시키고자 한다. 이를 위한 명목 화폐공급량의 증가분($\triangle M$)은? (단, Y는 국민소득, r은 이자율, M^d는 명목화폐 수요량, P는 물가이고 1로 불변이다) [감정평가사 17]

- IS곡선: $r = 4 - 0.05Y$
- 실질화폐수요함수: $\frac{M^d}{P} = 0.15Y - r$

① 0.5　② 2　③ 2.5
④ 3　⑤ 4

정답 및 해설

41 ① 1) IS곡선: $Y = C + I + G$

2) $100 + 0.8(Y - 0.5Y) + 150 - 600r + 200$ ➜ $0.6Y = 450 - 600r$ ➜ $Y = 750 - 1{,}000r$

3) LM곡선: $\frac{M^d}{P} = \frac{M^s}{P}$ ➜ $2Y - 8{,}000r = 1{,}000$ ➜ $2Y = 1{,}000 + 8{,}000r$ ➜ $Y = 500 + 4{,}000r$

4) 이를 연립해서 풀면 $750 - 1{,}000r = 500 + 4{,}000r$ ➜ $5{,}000r = 250$ ➜ $r = 0.05$이다.

5) 균형이자율이 5%이고 $r = 0.05$를 IS곡선 혹은 LM곡선식에 대입하면 균형국민소득 $Y = 700$이다.

42 ② 1) LM곡선은 화폐시장의 균형이므로 $\frac{2}{1} = 0.15Y - r$ ➜ $r = 0.15Y - 2$이다.

2) IS-LM의 균형을 구하면 $0.15Y - 2 = 4 - 0.05Y$ ➜ $0.2Y = 6$ $Y = 30$이고 $r = 2.5$이다.

3) 이자율이 0.5만큼 낮아진다면 $r = 2$이다.

4) $r = 2$이므로 IS곡선에 대입하면 $Y = 40$이다.

5) 이를 실질화폐함수에 대입하면 $\frac{M^d}{1} = 6 - 2 = 4$이다.

6) 따라서 실질화폐증가분은 2이다.

43 상중하

장기 총공급곡선이 $Y = 2,000$에서 수직이고, 단기 총공급곡선은 $P = 1$에서 수평이다. 총수요곡선은 $Y = \frac{2M}{P}$이고 $M = 1,000$이다. 최초에 장기균형 상태였던 국민경제가 일시적 공급충격을 받아 단기 총공급곡선이 $P = 2$로 이동하였을 때, 〈보기〉에서 옳은 것을 모두 고르면? (단, Y는 국민소득, P는 물가, M은 통화량을 나타냄) [국회직 8급 15]

〈보기〉

ㄱ. 국민경제의 최초 장기균형은 $(P : Y) = (1 : 2,000)$이다.
ㄴ. 공급충격으로 단기균형은 $(P : Y) = (2 : 1,000)$으로 이동한다.
ㄷ. 공급충격이 발생한 후 중앙은행이 새로운 단기균형에서의 국민소득을 장기균형수준으로 유지하려면 통화량은 $M = 1,000$이 되어야 한다.
ㄹ. 총수요곡선과 장기 총공급곡선이 변하지 않았다면 공급충격 후에 장기균형은 $(P : Y) = (1 : 2,000)$이다.

① ㄱ, ㄴ
② ㄱ, ㄷ
③ ㄴ, ㄷ
④ ㄱ, ㄴ, ㄹ
⑤ ㄴ, ㄷ, ㄹ

44 상중하

〈보기〉와 같은 상황에서 정부지출이 100만큼 증가하는 경우 IS-LM균형에 의해 변하는 GDP값 중 가능한 값은? (단, 승수효과 > 구축효과 > 0) [국회직 8급 16]

〈보기〉

- 폐쇄경제를 가정한다.
- IS곡선은 우하향하고 LM곡선은 우상향하는 일반적인 형태를 가진다.
- 가계의 한계소비성향이 0.5이고 소득세는 존재하지 않는다.

① 0
② 100
③ 200
④ 250
⑤ 300

정답 및 해설

43 ④ 조건을 그래프로 그리면 다음과 같다. 여기서 AS_1은 최초균형, AS_2은 일시적 공급충격 후 변동이다.

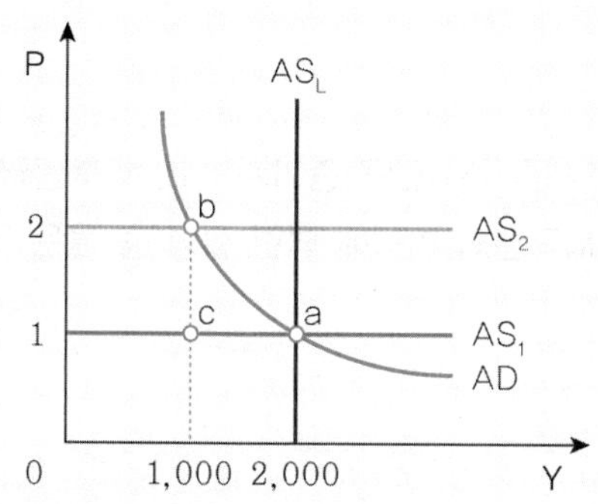

[오답체크]

ㄷ. 공급충격이 발생한 후 중앙은행이 새로운 단기균형에서의 국민소득을 장기균형수준으로 유지하기 위해 총수요함수에 대입하면 $Y=\frac{2M}{P}$ ➜ $1{,}000=\frac{2M}{1}$이므로 통화량은 $M=500$이 되어야 한다.

44 ② 1) 폐쇄경제의 승수효과는 $\frac{1}{1-c}$이다.

2) IS-LM모형의 재정정책의 효과의 크기는 승수효과 - 구축효과이다.

3) 승수효과 $\frac{1}{1-c}=\frac{1}{1-0.5}=2$이다. 따라서 0 < 승수효과 - 구축효과 < 2이다.

4) 따라서 정부지출을 100 늘리면 국민소득은 0보다 크고 200보다 작게 증가한다.

45 상중하

총수요(AD)-총공급(AS)모형에 대한 설명으로 옳은 것을 <보기>에서 모두 고르면?

[국회직 8급 16]

<보기>

ㄱ. AD-AS곡선은 모든 상품의 개별적인 수요-공급을 수평으로 합하여 얻어진다.
ㄴ. 실제물가와 예상물가 수준이 같으면 총공급곡선은 자연실업률 하의 국민소득수준에서 수직이다.
ㄷ. 물가수준이 상승하면 생산량이 늘어나므로 총공급곡선이 오른쪽으로 이동한다.
ㄹ. 노동공급의 결정에 있어 여가가 정상재인 경우에 임금 변화에 따른 소득효과와 대체효과가 항상 상쇄된다면 총공급곡선은 우상향한다.
ㅁ. 투자수요의 이자율탄력성이 클수록 IS곡선이 가파르고 총수요곡선이 가파르다.
ㅂ. 정부가 재정지출을 확대하는 경우 총수요곡선은 우측으로 이동한다.

① ㄱ, ㄴ ② ㄱ, ㄷ ③ ㄴ, ㄹ
④ ㄴ, ㅂ ⑤ ㅁ, ㅂ

46 상중하

정부가 재정지출을 ΔG만큼 늘리는 동시에 조세를 ΔG만큼 증가시키고, 화폐공급량을 ΔG만큼 줄인 경우 (ㄱ) IS 곡선의 이동과 (ㄴ) LM곡선의 이동에 대한 설명 중 옳은 것은? (단, 한계소비성향은 0.75 이다)

[국회직 8급 17]

	(ㄱ)	(ㄴ)
①	이동하지 않음	좌측 이동
②	우측 이동	우측 이동
③	우측 이동	좌측 이동
④	좌측 이동	좌측 이동
⑤	좌측 이동	우측 이동

47 상중하 A국 경제의 총수요곡선과 총공급곡선이 각각 $P = -Y_d + 4$, $P = P_e + (Y_s - 2)$이다. P_e가 3에서 5로 증가할 때, (ㄱ) 균형소득수준과 (ㄴ) 균형물가수준의 변화는? (단, P는 물가수준, Y_d는 총수요, Y_s는 총공급, P_e는 기대물가수준이다) [감정평가사 21]

	(ㄱ)	(ㄴ)
①	상승	상승
②	하락	상승
③	상승	하락
④	하락	하락
⑤	불변	불변

정답 및 해설

45 ④ **[오답체크]**

ㄱ. 총수요곡선이란 각각의 물가수준에서 총수요의 크기를 나타내는 곡선으로 IS-LM모형에서의 균형국민소득이 총수요를 의미하므로 IS-LM곡선에서 총수요곡선(AD)이 도출된다. 총공급곡선이란 각각의 물가수준에서 기업 전체가 팔고자하는 총생산의 크기를 나타내는 곡선으로 노동시장과 총생산함수로부터 도출된다.

ㄷ. 물가수준의 상승은 총공급곡선상의 이동이다.

ㄹ. 노동공급의 결정에 있어 여가가 정상재인 경우에 임금 변화에 따른 소득효과와 대체효과가 항상 상쇄된다면 총공급곡선은 수직선이다.

ㅁ. 투자수요의 이자율탄력성이 클수록 IS곡선은 완만하고 총수요곡선은 완만하다.

46 ③ 1) 정부지출승수는 $\frac{dY_E}{dG} = \frac{1}{1-c} = \frac{1}{1-0.75} = 4$, 조세승수는 $\frac{dY_E}{dT} = \frac{-c}{1-c} = \frac{-0.75}{1-0.75} = -3$이다.

2) 조세를 ΔG만큼 늘리면 $3\Delta G$만큼 좌측으로 이동하므로 IS곡선은 $4\Delta G - 3\Delta G$ 만큼 우측으로 이동하고 화폐공급량을 ΔG만큼 줄이면 LM곡선은 좌측으로 이동한다.

47 ② 1) 최초의 균형은 $-Y+4 = 3+Y-2$ ➜ $2Y=3$ ➜ $Y = \frac{3}{2}$, 물가 $P = \frac{5}{2}$이다.

2) 변화 후에는 $-Y+4 = 5+Y-2$ ➜ $2Y=1$ ➜ $Y = \frac{1}{2}$, 물가 $P = \frac{7}{2}$이다.

3) 따라서 균형국민소득은 하락하고 물가는 상승한다.

48 상중하

투자수요함수가 $I=\bar{I}-dr$, 실질화폐수요함수 $\frac{M}{P}=kY-hr$일 때 금융정책이 총수요에 미치는 영향으로 옳은 것은? [국회직 8급 17]

① d가 작을수록, h가 작을수록 금융정책이 상대적으로 강력해진다.
② d가 클수록, h가 작을수록 금융정책이 상대적으로 강력해진다.
③ d가 작을수록, h가 클수록 금융정책이 상대적으로 강력해진다.
④ d가 클수록, h가 클수록 금융정책이 상대적으로 강력해진다.
⑤ d와 h는 영향을 미치지 못한다.

49 상중하

다음 설명 중 옳은 것은? [국회직 8급 17]

① 화폐수요의 이자율탄력성이 음의 무한대(−∞)일 때 금융정책은 효과가 없다.
② 소비에 실질잔고효과(혹은 피구효과)가 도입되면 물가가 하락할 때 LM곡선이 우측으로 이동한다.
③ 고전학파의 화폐수량설이 성립할 때 LM곡선은 수평의 형태를 보인다.
④ 유동성 함정에서 사람들은 채권의 예상수익률이 정상적인 수준보다 높다고 생각한다.
⑤ 케인지안은 투자수요의 이자율탄력도가 크고 화폐수요의 이자율탄력도가 작다고 보는 반면, 통화주의자는 투자수요의 이자율탄력도는 작고 화폐수요의 이자율탄력도는 크다고 본다.

50 유동성 함정(liquidity trap)에 관한 설명으로 옳은 것을 모두 고른 것은? [감정평가사 20]
상중하

> ㄱ. IS곡선이 수직선이다.
> ㄴ. LM곡선이 수평선이다.
> ㄷ. 재정정책이 국민소득에 영향을 주지 않는다.
> ㄹ. 화폐수요의 이자율탄력성이 무한대일 때 나타난다.

① ㄱ, ㄷ ② ㄴ, ㄹ ③ ㄷ, ㄹ
④ ㄱ, ㄴ, ㄷ ⑤ ㄴ, ㄷ, ㄹ

정답 및 해설

48 ② 1) LM곡선이 급경사일수록(화폐의 이자율탄력성 h가 작을수록) 국민소득이 크게 증가하여 금융정책효과가 크다.
2) IS곡선이 완만할수록(투자의 이자율탄력성 d가 클수록) 국민소득이 크게 증가하여 금융정책효과가 크다.

49 ① 화폐의 이자율탄력성이 무한대이면 LM곡선이 수평선이 되어 금융정책은 효과가 전혀 없다.

[오답체크]

② 소비에 실질잔고효과(혹은 피구효과)가 도입되면 물가가 하락할 때 소비와 투자가 늘어나 IS 곡선이 우측으로 이동한다.
③ 고전학파의 화폐수량설이 성립할 때 LM곡선은 수직의 형태를 보인다.
④ 유동성 함정에서 사람들은 채권의 예상수익률이 정상적인 수준보다 낮다고 생각한다.
⑤ 케인지안은 투자수요의 이자율탄력도가 작고 화폐수요의 이자율탄력도가 크다고 보는 반면, 통화주의자는 투자수요의 이자율탄력도는 크고 화폐수요의 이자율탄력도는 작다고 본다.

50 ② 1) 유동성 함정이 성립하려면 LM곡선이 수평이어야 한다.
2) LM곡선이 수평이려면 LM곡선의 기울기 $\frac{k}{h}$가 수평이어야 하므로 화폐수요의 이자율탄력성(h)이 무한대여야 한다.

51 상중하

총수요곡선 및 총공급곡선에 대한 설명으로 옳은 것을 〈보기〉에서 모두 고르면?

[국회직 8급 17]

〈보기〉

ㄱ. IT 기술의 발전은 장기 총공급곡선을 우측으로 이동시킨다.
ㄴ. 기업들이 향후 물가가 하락하여 실질임금이 상승할 것으로 예상하는 경우 총공급곡선이 우측으로 이동한다.
ㄷ. 주식가격의 상승은 총수요곡선을 우측으로 이동시킨다.
ㄹ. 물가의 하락은 총수요곡선을 좌측으로 이동시킨다.

① ㄱ, ㄴ
② ㄷ, ㄹ
③ ㄱ, ㄴ, ㄷ
④ ㄱ, ㄴ, ㄹ
⑤ ㄴ, ㄷ, ㄹ

52 상중하

어떤 거시경제가 〈보기〉와 같은 조건을 만족하고, 최초에 장기균형 상태에 있다고 할 때, 다음 중 옳지 않은 것은? (단, Y는 생산량, P는 물가수준이다)

[국회직 8급 17]

〈보기〉

- 장기 총공급곡선은 $Y=1{,}000$에서 수직인 직선이다.
- 단기 총공급곡선은 $P=3$에서 수평인 직선이다.
- 총수요곡선은 수직이거나 수평이 아닌 우하향 곡선이다.

① 불리한 수요충격을 받을 경우 단기균형에서 $Y<1{,}000$, $P=3$이다.
② 불리한 수요충격을 받을 경우 장기균형에서 $Y=1{,}000$, $P<3$이다.
③ 불리한 공급충격을 받을 경우 단기균형에서 $Y<1{,}000$, $P>3$이다.
④ 불리한 공급충격을 받을 경우 장기균형에서 $Y=1{,}000$, $P=3$이다.
⑤ 불리한 공급충격을 중앙은행이 통화량을 증가시켜 전부 수용할 경우 단기균형에서 $Y=1{,}000$, $P>3$이며 장기균형에서 $Y=1{,}000$, $P=3$이다.

53 어느 국민경제의 단기 총공급곡선과 총수요곡선은 각각 $Y = \overline{Y} + a(P - P^e)$와 $Y = \frac{2M}{P}$이다.
상중하

경제주체들은 이용 가능한 모든 정보를 활용하여 합리적으로 기대를 형성한다. 이 국민경제에 대한 설명 중 옳지 않은 것은? (단, Y는 산출량, $\overline{Y}$는 자연산출량, P는 물가수준, P^e는 기대물가수준, M은 통화량이며 $a > 0$가 성립한다) [국회직 8급 15]

① 단기 총공급곡선의 기울기는 1/a이다.
② 예상된 물가수준의 상승은 산출량을 증가시키지 못한다.
③ 물가예상 착오(price misconception)가 커질수록 공급곡선의 기울기는 가팔라질 것이다.
④ 예상된 정부지출 증가는 물가수준을 높일 것이다.
⑤ 예상된 통화량 증가는 물가수준을 높일 것이다.

정답 및 해설

51 ③ ㄱ. 기술진보나 자본 증가 → 생산함수 상방으로 이동 → 노동수요곡선 우측으로 이동 → 동일 물가수준에서 생산 증가 → AS곡선이 우측으로 이동한다.
ㄴ. 기업은 실질임금이 상승할 것으로 예상하면 고용이 증가하여 총공급곡선이 우측으로 이동한다.
ㄷ. 주가 상승은 기업의 가치 증가시킴 → 노동수요 증가 → 노동수요곡선 우측으로 이동 → 동일 물가수준에서 생산증가 → AS곡선이 우측으로 이동한다.

[오답체크]

ㄹ. 물가 하락은 총수요곡선 위의 움직임이다.

52 ⑤ 불리한 공급충격을 중앙은행이 통화량을 증가시켜도 총공급곡선은 변하지 않고 총수요곡선만 이동하므로 단기균형에서 $Y < 1{,}000$이어야 한다.

53 ③ 단기 총공급함수 $Y = \overline{Y} + a(P - P^e)$에서 물가예상 착오가 커지면 실제 산출량 Y가 크게 증가하므로 총공급곡선의 기울기는 완만해진다.

54 상중하

어떤 경제의 총수요곡선과 총공급곡선이 각각 $P = -Y^D + 2$, $P = P^e + (Y^S - 1)$이다. P^e가 1.5일 때, 다음 설명 중 옳은 것을 모두 고른 것은? (단, P는 물가수준, Y^D는 총수요, Y^S는 총공급, P^e는 기대물가수준이다) [감정평가사 16]

ㄱ. 이 경제의 균형은 $P = 1.25$, $Y = 0.75$이다.
ㄴ. 이 경제는 장기 균형 상태이다.
ㄷ. 합리적 기대 가설하에서는 기대물가수준 P^e는 1.25이다.

① ㄱ ② ㄴ ③ ㄱ, ㄷ
④ ㄴ, ㄷ ⑤ ㄱ, ㄴ, ㄷ

55 상중하

어떤 경제의 총수요곡선은 $P_t = -Y_t + 2$, 총공급곡선은 $P_t^e + (Y_t - 1)$이다. 이 경제가 현재 $P = \frac{3}{2}$, $Y = \frac{1}{2}$에서 균형을 이루고 있다고 할 때, 다음 중 옳은 것은? (단, P_t^e는 예상물가이다)

[국회직 8급 18]

① 이 경제는 장기 균형 상태에 있다.
② 현재 상태에서 P_t^e는 $\frac{1}{2}$이다.
③ 현재 상태에서 P_t^e는 $\frac{3}{2}$이다.
④ 개인들이 합리적 기대를 한다면 P_t^e는 1이다.
⑤ 개인들이 합리적 기대를 한다면 P_t^e는 2이다.

56 상중하 총수요-총공급 분석에서 부정적 수요충격과 일시적인 부정적 공급충격이 발생할 경우 장기적인 현상에 대한 설명으로 옳은 것은? [국회직 8급 19]

① 물가수준과 총생산은 초기 균형수준으로 돌아간다.

② 물가수준은 영구적으로 상승하는 반면 총생산은 잠재생산량 수준으로 돌아간다.

③ 총생산은 잠재생산량 수준으로 돌아가나 물가수준은 초기대비 상승할 수도 있고 하락할 수도 있다.

④ 물가수준은 영구적으로 하락하는 반면 총생산은 잠재생산량 수준으로 돌아간다.

⑤ 물가수준은 영구적으로 하락하고 총생산도 감소한다.

정답 및 해설

54 ① ㄱ. 균형은 동일 물가, 생산량이므로 $-Y^D+2=1.5+(Y^S-1)$ ➜ $2Y=1.5$ ➜ $Y=0.75$이다. 이때 $P=1.25$이다.

[오답체크]

ㄴ. 장기균형에서는 $P^e=P$이므로 잠재GDP = 1이다. 따라서 불균형 상태이다.

ㄷ. 합리적 기대 가설하라고 하더라도 정보에 대한 가정이 없으므로 물가수준을 예측할 수 없다.

55 ④ 장기에서 $P=P^e$이므로 총공급곡선은 $Y=1$에서 수직이다. 이를 총수요곡선에 대입하면 $P=1$이다.

[오답체크]

① 장기균형이 아니다.

②③ 현재 P, Y를 총공급곡선에 대입하면 $P^e=2$이다.

⑤ 합리적 기대를 한다면 장기적으로는 물가가 장기균형수준으로 이동할 것을 예상하여 바로 예상을 조정할 것이므로 $P^e=1$이 될 것이다.

56 ④ 1) 부정적 수요 충격은 총수요곡선 좌측 이동, 부정적 공급 충격은 총공급곡선 좌측 이동을 가져온다.

2) 일시적 공급 충격은 장기 총공급곡선에 영향을 주지 않는다. 장기적으로는 정책을 하지 않는 한 총공급곡선의 이동으로 균형을 찾아간다.

3) 결국 새로운 총수요곡선과 장기 총공급곡선의 교점이 장기 균형이 되고 그 결과 물가는 하락, 총생산은 불변이다.

57 리카디언 등가(Ricardian equivalence) 정리에 관한 설명으로 옳지 않은 것은?
상중하

[감정평가사 20]

① 민간 경제주체는 합리적 기대를 한다.
② 소비자가 차입 제약에 직면하면 이 정리는 성립되지 않는다.
③ 소비자가 근시안적 견해를 가지면 이 정리는 성립되지 않는다.
④ 현재의 감세가 현재의 민간소비를 증가시킨다는 주장과는 상반된 것이다.
⑤ 정부가 미래의 정부지출을 축소한다는 조건에서 현재 조세를 줄이는 경우에 현재의 민간소비는 변하지 않는다.

58 리카도 대등 정리(Ricardian equivalence theorem)는 정부지출의 재원조달 방식에 나타나는 변화가 민간부문의 경제활동에 아무런 영향을 주지 못한다는 것이다. 이 정리가 성립하기 위한 가정으로 옳은 것을 모두 고른 것은?
상중하

[감정평가사 19]

ㄱ. 유동성 제약
ㄴ. 경제활동인구 증가율이 양(+)의 값
ㄷ. 일정한 정부지출수준과 균형재정
ㄹ. 합리적 기대에 따라 합리적으로 행동하는 경제주체

① ㄱ, ㄴ
② ㄴ, ㄷ
③ ㄷ, ㄹ
④ ㄱ, ㄷ, ㄹ
⑤ ㄴ, ㄷ, ㄹ

정답 및 해설

57 ⑤ 1) 리카도의 대등 정리는 현재와 미래의 정부지출이 일정하게 주어진 것으로 가정한다.
2) 정부가 미래의 정부지출을 축소한다는 조건하에 현재시점에서 국채를 발행하고 조세를 감면하는 정책이 실시되더라도 미래에는 조세가 증가하지 않을 것으로 볼 것이다.
3) 따라서 가계는 소득의 일부를 소비지출에 사용할 것이다.

58 ③ **[오답체크]**
ㄱ. 유동성 제약이 존재하면 정부지출로 인해 소비가 반드시 늘어난다.
ㄴ. 경제활동인구 증가율이 양(+)의 값이 되어도 미래의 인구가 증가하므로 미래의 조세부담이 반드시 증가하지는 않는다. 따라서 리카도의 대등 정리가 성립하지 않는다.

STEP 3 실전문제

59 상중하

어떤 폐쇄경제가 아래의 IS-LM모형에서 A점에 있다고 하자. 이 경제의 재화시장과 화폐시장에 관한 설명 중 옳은 것은? [회계사 15]

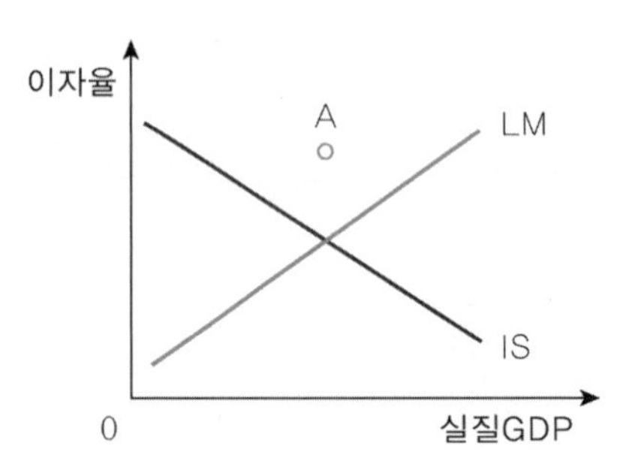

	재화시장	화폐시장
①	초과공급	초과공급
②	초과공급	초과수요
③	초과수요	초과공급
④	초과수요	초과수요
⑤	균형	균형

60 상중하

다음은 어느 폐쇄경제의 총수요부문을 나타낸 것이다. 실질이자율을 수직축으로, 총수요를 수평축으로 하여 IS-LM곡선을 나타내고자 한다. 기대 인플레이션이 0%에서 −1%로 변화할 경우 그 효과에 대한 설명으로 가장 적절한 것은? [회계사 17]

> • IS관계식: $0.25Y = 425 - 25r$
> • LM관계식: $500 = Y - 100i$
> • 피셔방정식: $i = r + \pi^e$
> (단, Y, r, i, π^e는 각각 총수요, 실질이자율, 명목이자율, 기대 인플레이션을 나타낸다)

① IS곡선이 하향 이동하며 실질이자율은 하락한다.
② IS곡선이 상향 이동하며 실질이자율은 상승한다.
③ LM곡선이 하향 이동하며 실질이자율은 하락한다.
④ LM곡선이 상향 이동하며 실질이자율은 상승한다.
⑤ IS곡선은 하향 이동하는 반면 LM곡선은 상향 이동하여 실질 이자율이 변하지 않는다.

61 상중하

다음과 같은 폐쇄경제 IS-LM모형을 가정하자.

상품시장	화폐시장
$C = 250 + 0.75(Y - T)$ $I = 160 - 15r$ $G = 235$ $T = 120$	$M = 2{,}400$ $P = 6$ $L(Y, r) = Y - 200r$

C, Y, T, I, G, M, P, $L(Y, r)$, r은 각각 소비, 총생산, 조세, 투자, 정부지출, 화폐공급, 물가수준, 실질화폐수요함수, 실질이자율(%)을 나타낸다. 이 경제의 균형 실질이자율과 균형 총생산은? [회계사 19]

	균형 실질이자율	균형 총생산
①	7.0	1,800
②	6.5	1,700
③	6.0	1,600
④	5.5	1,500
⑤	5.0	1,400

정답 및 해설

59 ① 1) IS곡선의 상방에 존재하므로 재화시장의 초과공급이다.
2) LM곡선의 상방에 존재하므로 화폐시장의 초과공급이다.

60 ④ 1) IS곡선을 정리하면 $r = 17 - 0.01Y$이므로 기대 인플레이션과 IS곡선은 관련이 없다.
2) I를 대입하며 LM곡선을 정리하면 $500 = Y - 100(r + \pi^e)$ ➜ $r = -\pi^e - 5 + 0.01Y$이다. 따라서 기대 인플레이션율이 하락하면 LM이 상방으로 이동한다.
3) 피셔방정식에 따라 기대 인플레이션이 상승하면 실질이자율은 상승한다.

61 ① 1) IS곡선 $Y = C + I + G$ ➜ $Y = 250 + 0.75Y - 90 + 160 - 15r + 235$ ➜ $0.25Y = 555 - 15r$ ➜ $Y = 2{,}220 - 60r$
2) LM곡선 ➜ $\frac{M}{P^s} = \frac{M^d}{P}$ ➜ $\frac{2{,}400}{6} = Y - 200r$ ➜ $Y = 400 + 200r$
3) 균형을 구하면 $2{,}220 - 60r = 400 + 200r$ ➜ $260r = 1{,}820$ ➜ $r = 7$, $Y = 1{,}800$이다.

62 다음은 단기 폐쇄경제모형을 나타낸 것이다.
상중하

상품 시장	화폐 시장
$C = 360 + 0.8(Y - T)$ $I = 400 - 20r$ $G = 180$ $T = 150$	$M = 2{,}640$ $P = 6$ $L = Y - 200r$

C, Y, T, I, G, M, P, L, r은 각각 소비, 총생산, 세금, 투자, 정부 지출, 화폐공급량, 물가수준, 실질화폐수요, 이자율(%)을 나타낸다. 정부가 정부지출은 60만큼 늘리고 세금은 60만큼 줄이는 정책을 시행한다. 중앙은행이 이자율을 고정시키고자 할 때 화폐공급량은?

[회계사 20]

① 2,640 ② 3,240 ③ 3,420
④ 5,160 ⑤ 5,880

63 다음과 같은 IS-LM모형에서 경제정책으로 인하여 IS곡선이 IS_1에서 IS_2로 움직였을 때, Y_1과 Y_2의 차이를 바르게 나타낸 것은? [회계사 17]
상중하

- IS곡선: $Y = 0.4 + 0.6(Y - T) + I + G$
(단, Y는 소득, T는 조세, G는 정부지출, I는 투자를 의미하고, 투자는 실질이자율(r)의 함수이다)

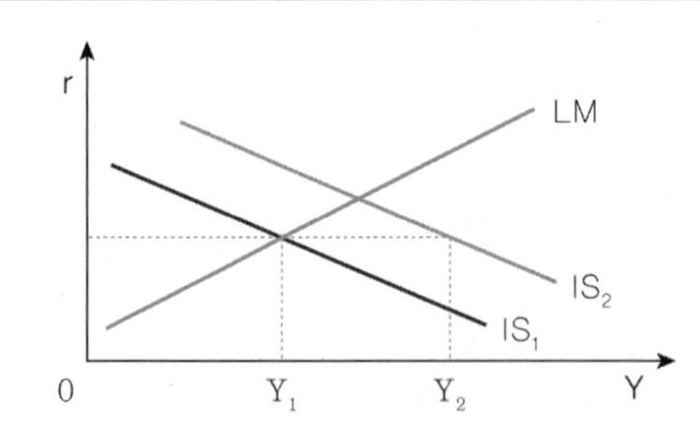

	G를 1만큼 늘렸을 때	T를 1만큼 줄였을 때
①	2.5	1.5
②	2.5	1.0
③	1.5	1.5
④	1.5	1.0
⑤	1.0	1.0

정답 및 해설

62 ⑤ 1) IS곡선은 $Y=C+I+G$이므로 $Y=360+0.8(Y-150)+400-20r+180$ ➜ $Y=4,100-100r$ 이다.

2) LM곡선은 $\frac{M^S}{P}=\frac{M^D}{P}$이므로 $\frac{2,640}{6}=Y-200r$ ➜ $Y=440+200r$이다.

3) 이를 연립하여 풀면 $r=12.2$이고 $Y=2,880$이다.

4) 정부지출을 60만큼 늘리면 $G=240$이 되고, 세금은 60만큼 줄이므로 $T=90$이 된다. 이를 대입하여 다시 IS곡선을 구하면 $Y=360+0.8(Y-90)+400-20r+240$ ➜ $Y=4,640-100r$이다.

5) 이자율은 유지시키고자 했으므로 $r=12.2$를 대입하면 $Y=4,640-100\times 12.2$ ➜ $Y=3,420$이다.

6) $Y=3,420$을 만족시키는 화폐시장의 균형은 $\frac{M}{6}=Y-200r$에 구한 Y와 r을 대입하면 찾을 수 있다.

7) $\frac{M}{6}=3,420-200\times 12.2$ ➜ $M=5,880$이다.

63 ① 1) 정부지출 증가 혹은 조세감면은 승수를 곱한 만큼 IS곡선이 이동한다.

2) 문제의 조건에서 정부지출승수는 $\frac{1}{1-c}$이고 조세승수는 $\frac{-c}{1-c}$이다.

3) 따라서 정부지출승수는 $\frac{1}{1-0.6}=2.5$, 조세승수는 $\frac{-0.6}{1-0.6}=1.5$이다.

4) G를 1만큼 늘렸을 때 2.5만큼 Y가 증가한다.

5) T를 1만큼 줄였을 때 1.5만큼 Y가 증가한다.

64 상중하 어느 경제의 IS곡선이 다음과 같이 주어져 있다.

$$Y = 20 + 0.75(Y - T) + I(r) + G$$

Y, T, I, r, G는 각각 총생산, 조세, 투자, 실질이자율, 정부지출을 나타낸다. 정부가 다음과 같은 정부지출 확대와 조세 감면의 조합으로 확장적 재정정책을 실시할 때, 그에 따른 투자감소가 가장 작은 경우는? (단, LM곡선은 우상향하고 투자는 실질이자율의 감소함수이다)

[회계사 19]

	정부지출	조세
①	4단위 증가	2단위 감소
②	3단위 증가	4단위 감소
③	2단위 증가	6단위 감소
④	1단위 증가	7단위 감소
⑤	변화 없음	9단위 감소

65 상중하

다음 그래프는 IS곡선과 물가수준 P와 통화 공급량 M에 따른 LM곡선이다. 물가수준과 통화 공급량의 관계가 가장 적절한 것은? (단, $LM(P=P_i,\ M=M_j)$은 물가수준이 P_i이고 통화 공급량이 M_j인 LM 곡선을 나타낸다. $i,\ j=1,\ 2$) [회계사 18]

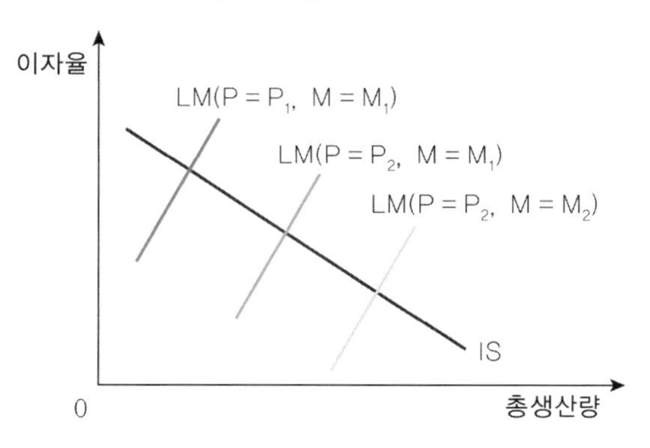

① $P_1 > P_2$, $M_1 > M_2$
② $P_1 < P_2$, $M_1 > M_2$
③ $P_1 > P_2$, $M_1 < M_2$
④ $P_1 < P_2$, $M_1 < M_2$
⑤ $P_1 = P_2$, $M_1 = M_2$

정답 및 해설

64 ① 1) 한계소비성향이 0.75이므로 정부지출승수 = $\frac{1}{1-0.75}=4$, 조세승수 = $\frac{-0.75}{1-0.75}=-3$이다.

2) 투자감소가 적어지려면 이자율이 적게 올라야 한다. LM곡선은 고정되어 있으므로 IS곡선이 가장 적게 오른쪽으로 가는 것을 구한다. 즉, 국민소득이 가장 적게 증가하는 것을 찾으면 된다.

3) 지문분석
① 4 × 4 + 2 × 3 = 22 ➜ 가장 적게 증가하므로 문제의 조건에 부합한다.
② 3 × 4 + 4 × 3 = 24
③ 2 × 4 + 6 × 3 = 26
④ 1 × 4 + 9 × 3 = 31
⑤ 0 × 4 + 9 × 3 = 37

65 ③ 1) 물가수준이 높을수록 LM곡선이 좌측으로 이동한다. 따라서 $P_1 > P_2$이다.

2) 통화량이 높을수록 LM곡선이 우측으로 이동하므로 $M_1 < M_2$이다.

66 상중하

다음 그림은 폐쇄경제의 IS-LM곡선을 나타낸다. 중앙은행은 다음 두 가지 방식 중 하나로 통화정책을 실시한다. 다음 설명 중 옳지 않은 것은? [회계사 18]

> • 방식 (가): 이자율이 현재 균형 수준에서 일정하게 유지되도록 통화량을 조절하는 방식
> • 방식 (나): 통화량을 현재 균형 수준에서 일정하게 유지하고 이자율이 변동할 수 있도록 허용하는 방식

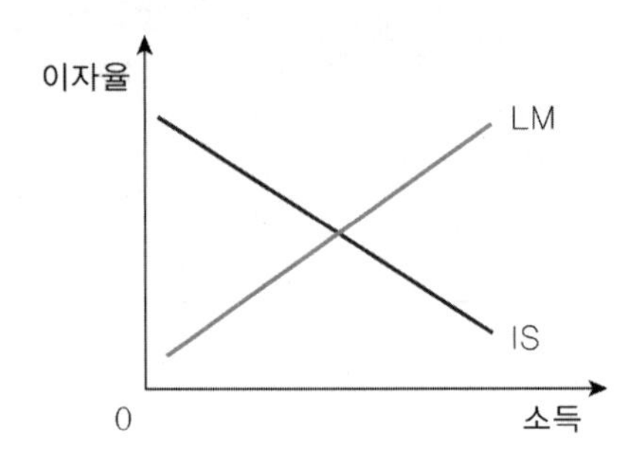

① 방식 (가)를 실시할 경우, 화폐수요가 외생적으로 증가하면 통화량이 감소한다.
② 방식 (가)를 실시할 경우, 화폐수요가 외생적으로 증가하더라도 소득이 변화하지 않는다.
③ 방식 (가)를 실시할 경우, 재정지출이 증가하면 통화량이 증가한다.
④ 방식 (나)를 실시할 경우, 재정지출이 증가하면 소득이 증가한다.
⑤ 방식 (나)를 실시할 경우, 재정지출이 증가하면 구축효과가 나타난다.

67 상중하

다음 그림은 어느 폐쇄경제의 IS-LM 균형과 완전고용생산량(Y^f)을 나타낸다. 현재의 이자율을 변경하지 않고 완전고용생산량을 달성하기 위한 중앙은행과 정부의 정책조합으로 가장 적절한 것은? [회계사 21]

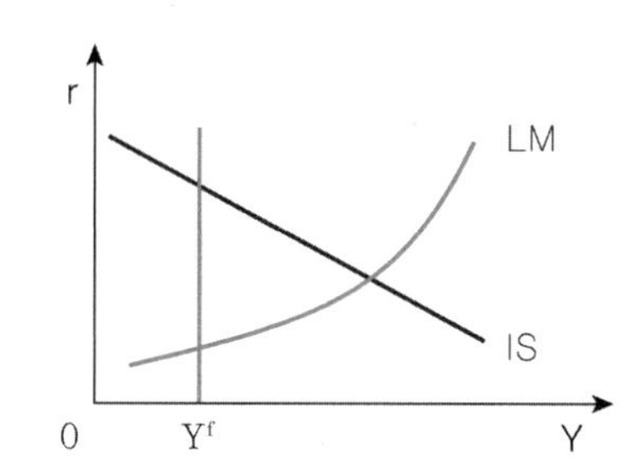

	중앙은행	정부
①	국공채 매입	재정지출 확대
②	국공채 매입	재정지출 축소
③	국공채 매각	재정지출 불변
④	국공채 매각	세금 인하
⑤	국공채 매각	세금 인상

정답 및 해설

66 ① 1) 외생적으로 화폐수요가 증가하면 LM곡선이 왼쪽으로 이동하게 된다.

2) 방식 (가): 이자율 유지

㉠ 중앙은행이 균형이자율을 유지하는 정책을 시행한다면 LM곡선을 다시 오른쪽으로 이동시킬 것이므로 국민소득은 변하지 않는다.

㉡ 재정지출이 증가하면 IS곡선이 오른쪽으로 이동하므로 중앙은행이 이자율을 일정하게 유지하고자 한다면 통화량을 증가시킬 것이므로 국민소득이 증가한다.

3) 방식 (나): 통화량 유지

㉠ 재정치출이 증가하는 경우 IS곡선이 오른쪽으로 이동하는데 중앙은행이 통화량을 그대로 유지한다면 국민소득은 증가하고 이자율은 상승한다.

㉡ 이자율이 상승하면 민간투자와 민간소비가 감소하는 구축효과가 발생한다.

67 ⑤ 1) 이자율을 변경하지 않고 완전고용생산량으로 가기 위해서는 IS곡선과 LM곡선 모두 좌측으로 이동해야 한다.

2) 따라서 중앙은행은 국공채를 매각해야 하고 중앙은행은 정부지출을 축소 또는 세금을 인상시켜야 한다.

68 상중하

그림은 폐쇄 경제인 A국의 화폐시장, 대부자금시장 및 IS-LM균형을 나타낸다. 화폐시장에서 실질화폐잔고 수요가 외생적으로 감소한 경우 이에 대한 설명 중 옳은 것은? (단, M/P, L, S, I, r, Y, C, G, T는 각각 실질화폐잔고 공급, 실질화폐잔고 수요, 저축, 투자, 이자율, 총생산, 소비, 정부지출, 조세를 나타낸다) [회계사 20]

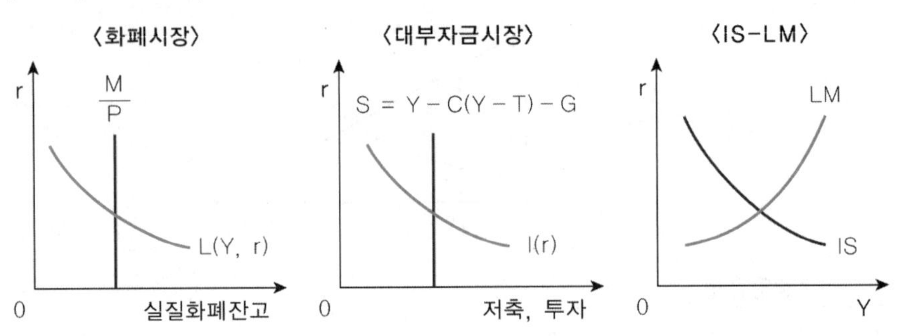

① 이자율이 상승한다.

② 대부자금시장에서 저축곡선이 우측 이동한다.

③ IS-LM에서 LM곡선이 상향 이동한다.

④ IS-LM에서 IS곡선이 좌측 이동한다.

⑤ 총생산이 감소한다.

정답 및 해설

68 ② 1) 실질화폐잔고 수요인 화폐수요가 감소하면 이자율이 하락한다.
2) 화폐수요가 감소하면 현금통화비율이 하락하여 통화공급이 증가한다. 이로 인해 LM곡선이 우측으로 이동하여 이자율 하락과 국민소득 증가가 이루어진다.
3) 소득이 증가하면 대부자금의 공급이 증가하여 이자율이 하락한다.
4) 지문분석
② 대부자금시장에서 소득증가로 인해 저축곡선이 우측 이동한다.

[오답체크]
① 이자율이 하락한다.
③ IS-LM에서 LM곡선이 하향 이동한다.
④ IS-LM에서 위의 조건에서 IS곡선이 이동은 없으며 이자율 하락으로 이동한다면 우측으로 이동한다.
⑤ 총생산이 증가한다.

69 상중하

다음 (가), (나) 경우의 실질화폐잔고 수요를 고려하자. 다음 설명 중 옳은 것은? (단, 실질화폐잔고 수요의 이자율탄력성과 소득탄력성은 유한하다. 폐쇄경제 IS-LM분석을 이용하며 IS 곡선은 우하향한다) [회계사 22]

(가) 실질화폐잔고 수요가 이자율에 의존하지 않고 소득의 증가함수이다. (나) 실질화폐잔고 수요가 소득에 의존하지 않고 이자율의 감소함수이다.

① (가)의 경우 실질화폐잔고 수요의 이자율탄력성이 0보다 크다.
② (나)의 경우 실질화폐잔고 수요의 소득탄력성이 0보다 크다.
③ (가)의 경우 LM곡선은 수평선의 형태를 갖는다.
④ (나)의 경우 통화량을 늘리더라도 총수요가 증가하지 않는다.
⑤ (가)의 경우 재정지출을 늘리더라도 총수요가 증가하지 않는다.

정답 및 해설

69 ⑤

1) 실질화폐잔고 수요는 케인즈의 화폐수요이론인 유동성 선호설이다. 즉, $r = \frac{k}{h}Y - \frac{1}{h} \cdot \frac{M}{P}$이다.

2) (가) 실질화폐잔고 수요가 이자율에 의존하지 않고 소득의 증가함수이면 화폐수요의 이자율탄력성이 0이므로 $r = kY$이다. 화폐수요와 화폐공급의 균형인 LM곡선 $\frac{M^s}{P} = kY$ ➜ $Y = \frac{1}{k} \cdot \frac{M}{P}$이다.

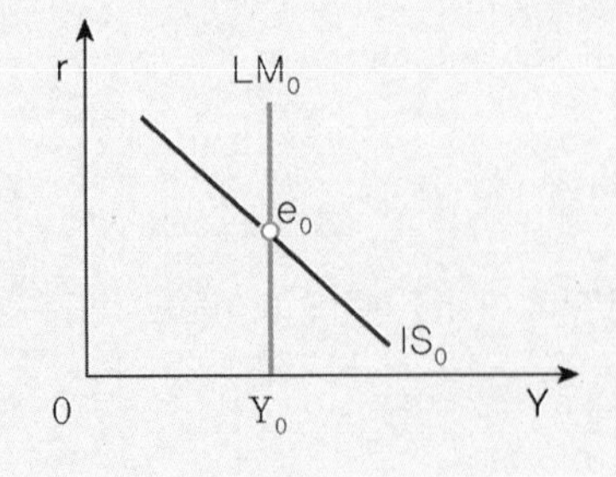

3) (나) 실질화폐잔고 수요가 소득에 의존하지 않고 이자율의 감소함수이면 화폐수요의 소득탄력성이 0이므로 $r = -\frac{1}{h} \cdot \frac{M}{P}$이다. 화폐수요와 화폐공급의 균형인 LM곡선도 $r = -\frac{1}{h} \cdot \frac{M}{P}$이다.

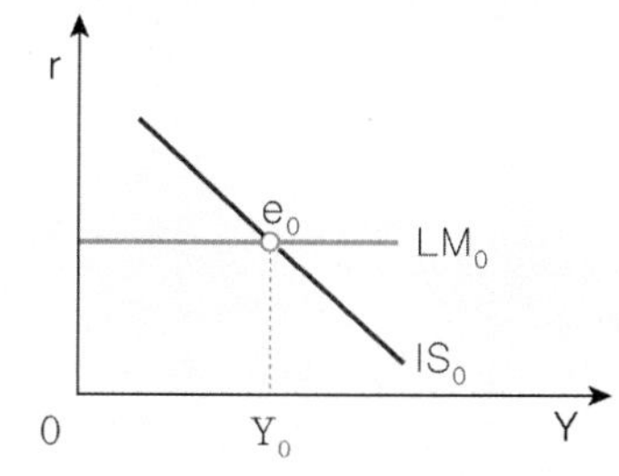

4) 지문분석

⑤ (가)의 경우 재정지출을 늘리더라도 총수요는 증가하지 않는다.

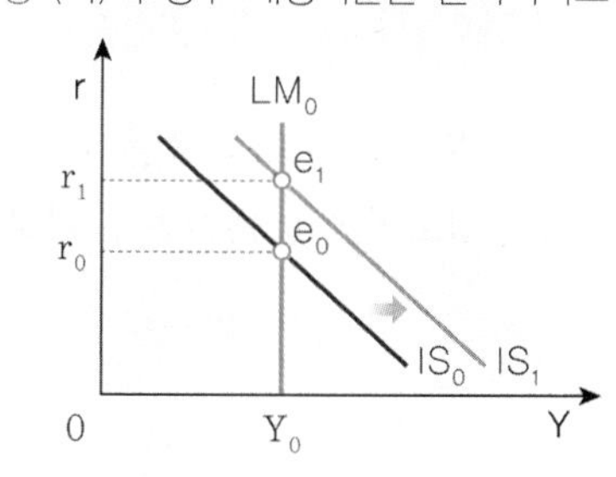

[오답체크]

① (가)의 경우 실질화폐잔고 수요의 이자율탄력성이 0이다.

② (나)의 경우 실질화폐잔고 수요의 소득탄력성이 0이다.

③ (가)의 경우 LM곡선은 수직선의 형태를 갖는다.

④ (나)의 경우 통화량을 늘리면 이자율이 하락하므로 총수요가 증가한다.

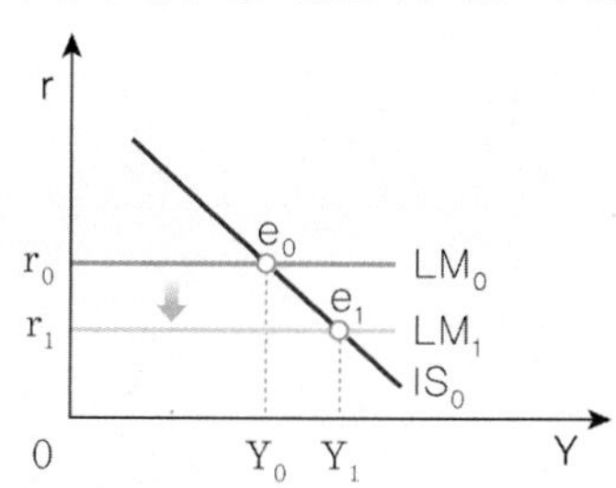

70 통화정책의 전달경로에 대한 설명으로 옳은 것은? [회계사 18]
상중하

① 통화정책의 이자율경로에 의하면, 통화량의 증가가 금융시장의 신용차입조건을 완화시켜 실물경제에 영향을 미친다.
② 통화정책의 이자율경로에 의하면, 주식이나 부동산과 같은 자산의 가격을 변화시킴으로써 실물경제에 영향을 미친다.
③ 통화정책의 신용경로에 의하면, 팽창적인 통화정책은 금융시장에 나타나는 역선택과 도덕적 해이 문제를 악화시킨다.
④ 통화정책의 신용경로는 은행대출에 영향을 미치는 것이 아니라, 금융시장의 가격변수에 영향을 미쳐서 실물경제에 영향을 미치는 것이다.
⑤ 고정환율제도하에서는 자본이동의 자유로운 정도에 관계없이 통화정책의 환율경로는 존재하지 않는다.

71 정부지출을 축소하는 한편, 국민소득이 일정하게 유지되도록 통화 정책을 실시할 경우 그 영향에 대한 설명 중 옳은 것은? (단, 폐쇄 경제 IS-LM모형을 이용하여 분석하되, IS곡선은 우하향하며 LM곡선은 우상향한다고 가정한다) [회계사 16]
상중하

① IS곡선이 우측 이동한다.
② LM곡선이 좌측 이동한다.
③ 이자율이 하락한다.
④ 재정적자가 증가한다.
⑤ 실질 화폐수요가 감소한다.

72 상중하

다음 중 중앙은행이 소득을 안정화하기 위해 확장적 통화정책을 실시해야 하는 경우만을 모두 고르면? [회계사 19]

> 가. 인공지능 시스템 도입을 위하여 기업들이 새로운 컴퓨터를 구입하였다.
> 나. 금융불안으로 금융기관의 초과지급준비금이 크게 증가하였다.
> 다. 지정학적 리스크 확대로 투자심리가 악화되어 기업의 투자가 감소되었다.

① 가 ② 나 ③ 다
④ 나, 다 ⑤ 가, 나, 다

정답 및 해설

70 ⑤ 환율경로는 통화량을 늘렸을 때 이자율이 하락하여 환율이 상승하기 때문에 발생한다. 고정환율제도 하에서는 환율이 고정이기 때문에 발생하지 않는다.

[오답체크]

① 통화정책의 신용경로에 대한 설명이다.
② 통화정책의 자산가격경로에 대한 설명이다.
③ 통화정책의 신용경로에 의하면, 팽창적인 통화정책은 가계와 기업의 순자산 증가로 금융시장에 나타나는 역선택과 도덕적 해이 문제를 완화시켜 은행의 대출이 늘어나 민간의 투자와 소비가 증가하게 된다.
④ 통화정책의 신용경로는 은행대출에 영향을 미치는 것이다. 금융시장의 가격변수에 영향을 미쳐서 실물경제에 영향을 미치지 않는다.

71 ③ 1) 정부지출의 축소는 IS곡선의 좌측 이동 요인으로, 이로 인해 이자율 하락과 국민소득 감소가 이루어진다.
2) 국민소득을 유지하기 위해서는 LM곡선을 우측 이동시켜야 한다. 이로 인해 이자율은 하락하고 국민소득이 증가한다.
3) 최종적으로 이자율 하락, 국민소득 불변이 일어난다.

[오답체크]

④ 정부지출을 감소시켰으므로 재정적자가 감소한다.
⑤ 이자율이 하락하면 화폐보유의 기회비용이 하락하므로 실질 화폐수요가 증가한다.

72 ④ 1) 소득을 안정화시키는 정책이라는 것은 소득 증가 시 일정 부분 소득 감소, 소득 감소 시 일정 부분 소득 증가를 유도해야 한다는 것이다.
2) 지문분석
나. 금융불안으로 금융기관의 초과지급준비금이 크게 증가하면 통화공급 감소로 인한 이자율 상승으로 국민소득이 감소한다. 따라서 확장적 통화정책이 필요하다.
다. 지정학적 리스크 확대로 투자심리가 악화되어 기업의 투자가 감소하면 국민소득이 감소한다. 국민소득을 증가시키기 위해서 확장적 통화정책이 필요하다.

[오답체크]

가. 인공지능 시스템 도입을 위하여 기업들이 새로운 컴퓨터를 구입하는 것은 민간투자가 증가한 것으로 국민소득이 증가한다. 소득안정화를 위해서는 긴축적 통화정책이 필요하다.

73 확장적 통화정책의 전달경로로써 가능한 것을 모두 고르면? [회계사 14]
상중하

> 가. 자산가격이 상승하여 소비가 증가한다.
> 나. 토빈(Tobin)의 q가 상승하여 투자가 증가한다.
> 다. 자금 수요자와 공급자 사이의 정보 비대칭성 문제가 심화되어 자금 공급이 증가한다.
> 라. 국내통화 가치가 하락하여 수출이 증가한다.

① 가, 나 ② 가, 나, 라 ③ 가, 다, 라
④ 나, 다, 라 ⑤ 가, 나, 다, 라

74 중앙은행의 통화정책 운용에 대한 다음 설명 중 옳은 것을 모두 고르면? [회계사 15]
상중하

> 가. 중앙은행이 물가안정, 완전고용 등의 최종 목표를 달성하기 위해 중점적으로 관리하는 명목기준지표(nominal anchor)에는 인플레이션율, 통화량, 환율, 실업률 등이 있다.
> 나. 물가안정목표제(inflation targeting)하에서는 중앙은행이 재량적 정책을 수행하기 쉽고 경기부양에 대한 정치적 압력도 늘어날 수 있기 때문에 통화정책의 신뢰 문제가 악화될 수 있다.
> 다. 물가안정목표제는 중앙은행이 명시적인 중간목표 없이 물가 안정을 직접 달성하는 방식으로써 통화량 이외의 많은 변수가 정책 결정에 사용된다.
> 라. 테일러 준칙(Taylor rule)에 따르면 중앙은행은 인플레이션갭(실제 인플레이션율 - 목표 인플레이션율)의 증가에 반응하여 정책금리를 상향조정한다.

① 가, 나 ② 나, 다 ③ 다, 라
④ 가, 다, 라 ⑤ 나, 다, 라

75 상중하

제로금리에 직면한 A국의 중앙은행 총재가 다음과 같은 기자회견을 하였다고 하자. 이 기자회견에 나타난 정책의 의도로 보기 어려운 것은? [회계사 17]

> "앞으로 디플레이션에 대한 염려가 불식될 때까지 양적 완화를 실시하고 제로금리를 계속 유지하겠습니다."

① 풍부한 유동성의 공급
② 기대 인플레이션의 상승
③ 자국 통화가치의 상승
④ 은행의 대출 증가
⑤ 장기금리의 하락

정답 및 해설

73 ② **[오답체크]**

다. 자금 수요자와 공급자 사이의 정보 비대칭성 문제가 심화되지는 않는다. 통화량이 많아지면 은행이 대출할 수 있는 자금이 많아진다.

74 ④ **[오답체크]**

나. 물가안정목표제는 물가만 조정하는 것으로 신뢰도가 높아지며, 중앙은행은 독립된 기관이므로 정치적 압력을 받지 않는다.

75 ③ 양적 완화정책은 중앙은행이 대규모로 채권을 매입하여 시중에 막대한 양의 유동성을 공급하는 정책이며 명목이자율이 거의 제로금리 수준에 있을 때 디플레이션에서 탈피하기 위해 시행하는 것이 일반적이다. 자국화폐가 많이 공급되는 것이므로 자국의 통화가치가 하락하는 것이 일반적이다.

76 상중하

IS-LM모형에서 확장적인 재정정책이 소득에 미치는 효과에 대한 설명 중 옳은 것을 모두 고르면? [회계사 14]

가. 화폐수요의 이자율 탄력성이 높을수록 소득증가 효과가 커진다.
나. 소득세율이 높을수록 소득증가 효과가 커진다.
다. 한계소비성향이 높을수록 소득증가 효과가 커진다.
라. 민간투자의 이자율탄력성이 높을수록 소득증가 효과가 커진다.

① 가, 나 ② 가, 다 ③ 가, 다, 라
④ 나, 다, 라 ⑤ 가, 나, 다, 라

77 상중하

현재 명목이자율이 0이다. 명목이자율의 하한이 0일 때, 다음 설명 중 옳은 것은? [회계사 16]

가. 명목이자율 하한이 존재하지 않는 경우에 비해 확장 재정정책은 안정화 정책으로서 유효성이 작아진다.
나. 명목이자율 하한이 존재하지 않는 경우에 비해 전통적인 확장 통화정책은 안정화 정책으로서 유효성이 작아진다.
다. 양적 완화정책(quantitative easing)을 실시하여 인플레이션 기대가 상승하면 실질이자율이 하락한다.
라. 양적 완화정책을 실시할 경우 전통적인 통화정책을 실시할 경우에 비하여 중앙은행이 보유하는 채권의 다양성이 줄어든다.

① 가, 나 ② 가, 다 ③ 나, 다
④ 나, 라 ⑤ 다, 라

78 상중하

IS-LM모형에서 구축효과에 대한 설명이다. (가), (나), (다)를 바르게 짝지은 것은? (단, IS곡선은 우하향하고, LM곡선은 우상향한다고 가정한다) [회계사 16]

> • 화폐수요의 소득탄력성이 (가) 구축효과가 커진다.
> • 화폐수요의 이자율탄력성이 (나) 구축효과가 커진다.
> • 투자의 이자율탄력성이 (다) 구축효과가 커진다.

	(가)	(나)	(다)
①	클수록	작을수록	클수록
②	클수록	작을수록	작을수록
③	작을수록	작을수록	클수록
④	작을수록	클수록	작을수록
⑤	작을수록	클수록	클수록

정답 및 해설

76 ② **[오답체크]**

나. 소득세율이 높을수록 소비가 감소하므로 소득증가 효과가 작아진다.

라. 민간투자의 이자율탄력성이 높을수록 IS곡선이 완경사이므로 소득증가 효과가 작아진다.

77 ③ 1) 명목이자율이 0이라는 것은 경기가 침체상태, 즉 디플레이션 상태라는 것이다.

2) 지문분석

나. 명목이자율이 0으로 하한이 존재하므로 통화정책의 목표인 이자율 하락이 일어나지 않는다. 따라서 명목이자율 하한이 존재하지 않는 경우에 비해 전통적인 확장 통화정책은 안정화 정책으로서 유효성이 작아진다.

다. 정부가 채권을 구입하여 돈을 푸는 양적 완화정책(quantitative easing)을 실시하면 시중에 화폐가 많이 유통되므로 인플레이션 기대가 상승하여 실질이자율이 하락한다.

[오답체크]

가. 명목이자율 하한이 존재하지 않는 경우에 비해 확장 재정정책은 안정화 정책으로서 유효성이 더 커진다.

라. 양적 완화정책을 실시할 경우 전통적인 통화정책을 실시할 경우에 비하여 중앙은행이 다양한 채권을 구입하여 시중에 유동성을 공급할 것이므로 보유하는 채권의 다양성이 늘어난다.

78 ① 1) 구축효과가 크려면 IS곡선이 완만하고, LM곡선이 급경사이어야 한다.

2) IS곡선의 기울기는 $-\frac{1-c(1-t)+m}{b}$이므로 투자의 이자율탄력성이 커야 한다.

3) LM곡선의 기울기는 $\frac{k}{h}$이므로 화폐수요의 이자율탄력성은 작고, 화폐수요의 소득탄력성은 커야 한다.

79 상중하

유동성 함정에 대한 다음 설명 중 옳은 것은? [회계사 18]

가. 실질이자율이 0일 경우 유동성 함정이 발생한다.
나. 유동성 함정에서 재정정책은 총수요에 영향을 미치지 못한다.
다. 유동성 함정에서 화폐 수요가 이자율에 대해 완전탄력적이다.
라. 유동성 함정에서 채권가격이 하락할 것이라고 예상된다.

① 가, 나 ② 가, 다 ③ 나, 다
④ 나, 라 ⑤ 다, 라

80 상중하

경기침체를 극복하기 위해 확장적인 통화정책을 시행했음에도 불구하고 경기회복 효과가 크지 않았다고 하자. IS-LM모형을 근거로 할 때 그 이유로 가장 옳지 않은 것은? [회계사 14]

① 화폐유통속도가 크게 하락하였다.
② 투자가 이자율에 대해 매우 비탄력적이다.
③ 화폐수요가 이자율에 대해 매우 탄력적이다.
④ 경제가 유동성함정(liquidity trap)에 빠져 있다.
⑤ 한계소비성향이 1에 가깝다.

81 상중하

단기에 총공급곡선이 우상향하는 이유, 즉 물가가 상승하면 생산이 증가하는 이유로 가능한 것을 모두 고르면? [회계사 14]

가. 물가가 상승하면 자기 상품의 상대가격이 상승하였다고 오인하여 기업들이 생산을 증가시킨다.
나. 노동자가 기업에 비해 물가상승을 과소 예측하면 노동공급이 증가한다.
다. 물가상승에도 불구하고 메뉴비용이 커서 가격을 올리지 않는 기업의 상품 판매량이 증가한다.
라. 명목임금이 경직적이면 물가 상승에 따라 고용이 증가한다.

① 나, 다 ② 가, 나, 라 ③ 가, 다, 라
④ 나, 다, 라 ⑤ 가, 나, 다, 라

82 상중하

다음은 단기 총공급곡선이 우상향하는 이유에 대한 여러 이론들에서 나오는 주장이다. (가), (나), (다)를 바르게 짝지은 것은? [회계사 16]

> • 임금이 (가)이면, 단기 총공급곡선이 우상향한다.
> • 가격이 (나)이면, 단기 총공급곡선이 우상향한다.
> • 정보가 (다)하면, 단기 총공급곡선이 우상향한다.

	(가)	(나)	(다)
①	신축적	신축적	불완전
②	신축적	신축적	완전
③	경직적	신축적	불완전
④	경직적	경직적	완전
⑤	경직적	경직적	불완전

정답 및 해설

79 ⑤ **[오답체크]**
가. 유동성 함정 상황에서는 명목이자율이 매우 낮지만 실질이자율이 0이라고 단정지을 수 없다.
나. 유동성 함정에서 재정정책은 총수요에 큰 영향을 미친다.

80 ⑤ 1) 유동성 함정의 상황이므로 IS곡선은 급경사, LM곡선은 수평이다.
2) IS곡선이 급경사이므로 투자가 이자율에 매우 비탄력적이고 LM곡선이 수평이므로 화폐수요가 이자율에 대해 매우 탄력적이다.
3) 중앙은행이 통화량을 증가시키더라도 유통속도가 하락하면 자동으로 통화량이 감소하는 효과를 가져온다.
4) 지문분석
⑤ 한계소비성향이 1에 가까우면 IS곡선이 수평에 가깝다.

81 ⑤ 모두 옳은 지문이다.
가. 불완전 정보모형
나. 노동자 오인모형
다. 비신축적 가격모형
라. 비신축적 임금모형

82 ⑤ 1) 총공급곡선은 $Y = Y_N + \alpha(P - P^e)$이다.
2) 물가가 완전예측 = 신축적이면 총공급곡선은 수직이다.
3) 물가와 예상물가가 동일하다는 것은 정보가 완전하다는 것이다. 정보가 완전하면 수직이다.
4) 물가가 정확히 임금에 반영되면 임금이 신축적이어야 한다. 따라서 임금이 신축적이면 수직이다.
5) 따라서 총공급곡선이 우상향 한다면 임금이 경직적, 가격이 경직적, 정보가 불완전해야 한다.

83 상중하

갑국에서는 최근 자연재해로 생산 설비가 파괴되어 생산 비용이 크게 증가하였다. 갑국 정부는 국채를 발행하여 자연재해로 인한 피해를 극복하기 위한 재정지출을 늘리는 한편, 중앙은행은 공개 시장 운영을 통하여 발행된 국채를 전량 매입하였다. 다음 설명 중 옳은 것은? (단, 폐쇄경제 IS-LM 및 AD-AS 분석을 이용하며 IS곡선과 AD곡선은 우하향하고, LM곡선과 AS곡선은 우상향한다) [회계사 22]

① 갑국에서 통화량이 증가하였다.
② 갑국에서 IS곡선이 좌측 이동하였다.
③ 갑국에서 물가가 하락하였다.
④ 갑국 정부의 재정적자가 감소하였다.
⑤ 갑국에서 AS곡선이 우측 이동하였다.

84 상중하

총수요(AD)와 총공급(AS)이 다음과 같다.

> • 총수요함수: $P = a - bY$
> • 총공급함수: $P = P_{-1} + d(Y - \overline{Y})$
> (P는 물가수준, P_{-1}은 전기의 물가수준, Y는 산출량, $\overline{Y}$는 잠재 산출량, a, b, d는 모두 양의 상수)

이 경제의 현재 균형점은 A이다. 정부나 중앙은행이 어떠한 정책대응도 하지 않는다고 가정할 때, 경제의 변화 방향으로 옳은 것은? [회계사 14]

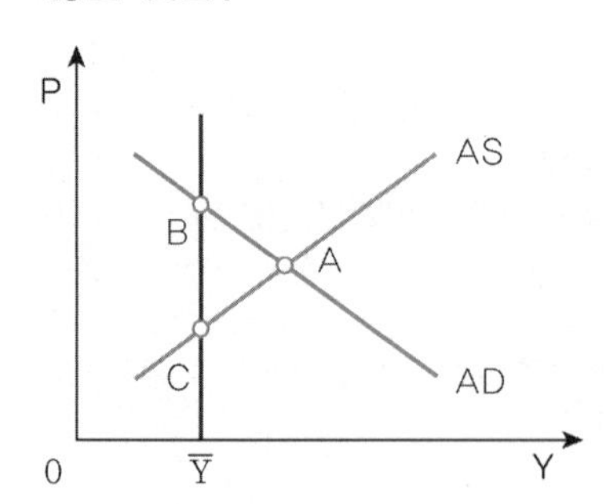

① 여러 기 후에 B점에 도달
② 여러 기 후에 C점에 도달
③ 다음 기에 B점에 도달
④ 다음 기에 C점에 도달
⑤ A점에 계속 머물러 있음

정답 및 해설

83 ① 1) 갑국에서 국공채 매입으로 본원통화가 증가하여 통화량이 증가하였다.
2) 재정지출증가는 확장재정, 국채매입은 통화량을 증가시키는 것이므로 확장적 통화정책이다.

[오답체크]
② 갑국에서 IS곡선이 우측 이동하였다.
③ 갑국에서 총수요가 증가하므로 물가가 상승하였다.
④ 갑국의 정부지출이 증가하였으므로 정부의 재정적자가 증가할 수 있다.
⑤ 갑국에서 AD곡선이 우측 이동하였다.

84 ① 1) 그래프

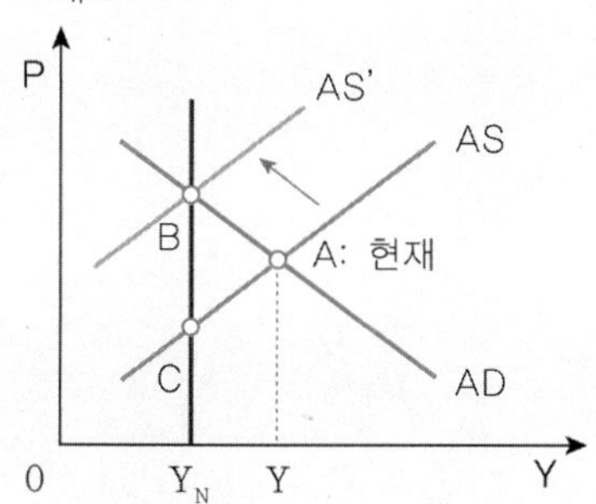

2) A점은 경기 호황이므로 임금이 상승한다. 장기적으로 고용이 감소하여 총공급이 감소하므로 B로 이동한다.

85 상중하

총수요(AD)와 총공급(AS)이 다음과 같은 경제의 현재 균형점은 아래 그래프에서 A이다. 잠재GDP가 $\overline{Y_1}$에서 $\overline{Y_2}$로 증가할 때, 이 경제의 단기 및 장기균형점으로 옳은 것은?

[회계사 15]

- AD: $P = a - bY$
- AS: $P = P_{-1} + d(Y - \overline{Y})$

(P는 물가수준, P_{-1}은 전기의 물가수준, Y는 실질GDP, $\overline{Y}$는 잠재GDP, a, b, d는 모두 양의 상수)

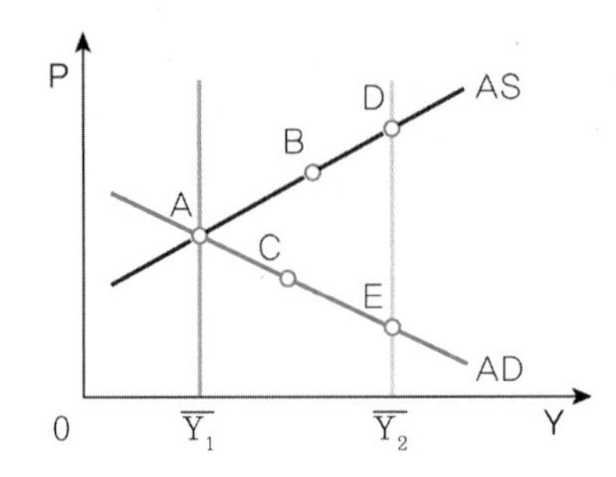

	단기균형점	장기균형점
①	B	D
②	C	D
③	B	E
④	C	E
⑤	E	E

정답 및 해설

85 ④ 1) 그래프

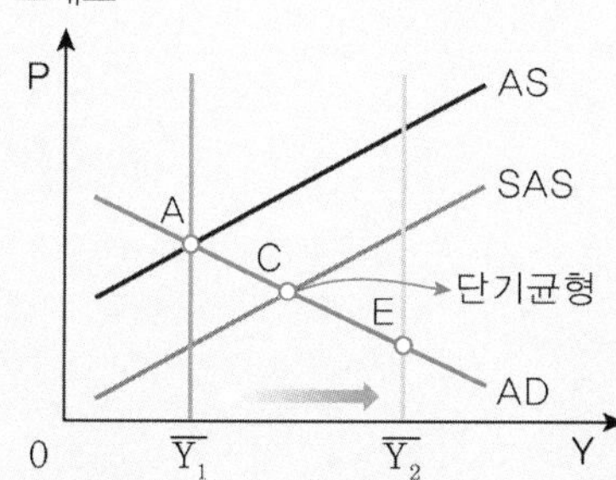

2) 최초의 A는 잠재GDP 증가 후에 경기불황이 된다. ➜ 노동자의 해고증가로 실질임금 감소 ➜ 장기적으로 고용량이 늘어나 생산이 증가하여 잠재GDP가 된다.

86 상중하

일시적으로 국제원유가격이 하락하였다고 하자. 이것이 장기균형상태에 있던 원유수입국에 미치는 영향을 총수요-총공급 모형을 이용하여 설명한 것 중 옳은 것은? (단, 총수요곡선은 우하향하고, 단기 총공급곡선은 우상향하며, 장기 총공급곡선은 수직이라고 가정) [회계사 15]

① 단기적으로 물가가 상승하고 국민소득은 불변이다.
② 장기적으로 물가는 원유가격 하락 충격 이전 수준으로 돌아가고 국민소득은 감소한다.
③ 단기적으로 물가는 하락하고 국민소득은 불변이다.
④ 장·단기 모두 물가는 상승하고 국민소득은 감소한다.
⑤ 장기적으로 물가와 국민소득 모두 원유가격 하락 충격 이전 수준으로 돌아간다.

87 상중하

어떤 경제가 장기균형상태(a)에 있다. 중앙은행이 통화량을 감축하는 정책을 시행할 때, IS-LM과 총수요(AD) - 총공급(AS) 곡선의 이동으로 인한 균형점의 변화를 나타낸 것으로 옳은 것은? (단, r은 이자율, Y는 총생산량, $\overline{Y}$는 장기균형 총생산량, P는 물가, $LRAS$는 장기 총공급곡선, $SRAS$는 단기 총공급곡선을 나타낸다) [회계사 17]

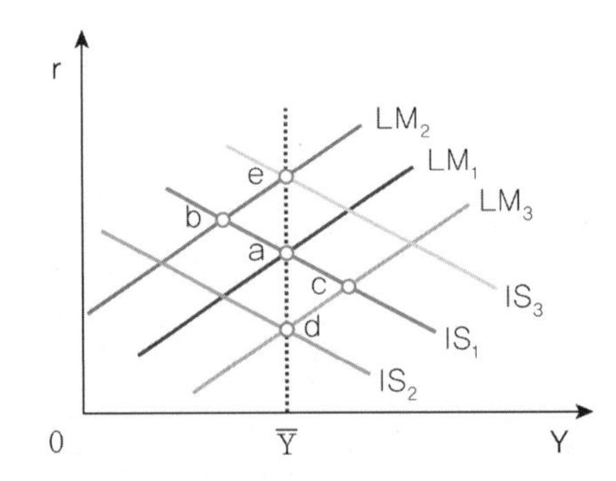

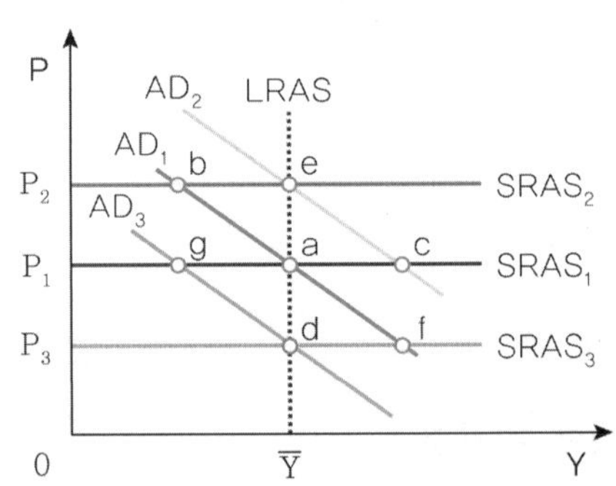

	IS-LM	AD-AS
①	a - b - a	a - b - e
②	a - b - e	a - b - e
③	a - b - e	a - c - e
④	a - b - a	a - g - d
⑤	a - c - a	a - b - e

정답 및 해설

86 ⑤ 1) 그래프

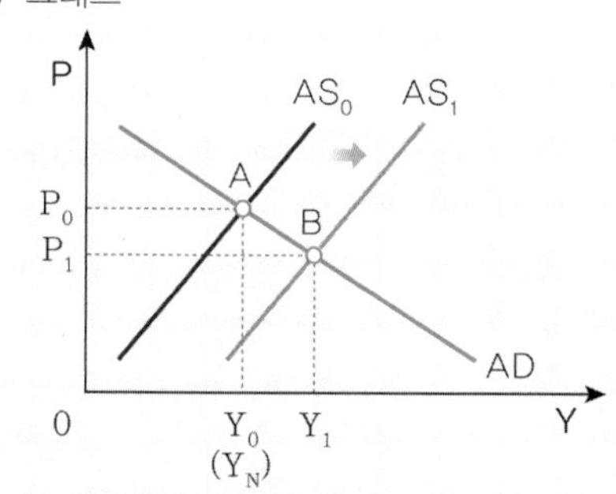

2) 원유가격 하락으로 단기 총공급 감소 ➜ 물가 상승, 국민소득 감소 ➜ 경기불황이므로 노동해고 증가 ➜ 장기적으로 임금이 하락하였으므로 총공급 증가로 최초 수준으로 돌아감

87 ④ 최초의 균형 a ➜ 정부의 통화량 감축 ➜ LM곡선 왼쪽 이동 b ➜ 이자율 상승으로 인해 총수요 감소로 a에서 g로 이동 ➜ 생산 감소로 실업 증가 ➜ 생산요소 가격 하락으로 단기 총공급 증가 d ➜ 물가 하락으로 실질통화량 증가 ➜ LM곡선 우측 이동 a

88 상중하

총수요와 총공급이 다음과 같은 경제의 현재 균형점은 A이다. 이 경제에서 기대 물가가 일시적으로 상승할 경우 단기 및 장기균형점으로 옳은 것은? [회계사 18]

> • 총수요: $P = a - bY$
> • 총공급: $P = P^e + d(Y - Y^n)$
> (단, P, Y, P^e, Y^n는 물가, 생산량, 기대 물가, 자연생산량을 나타내며, a, b, d는 양(+)의 상수이다)

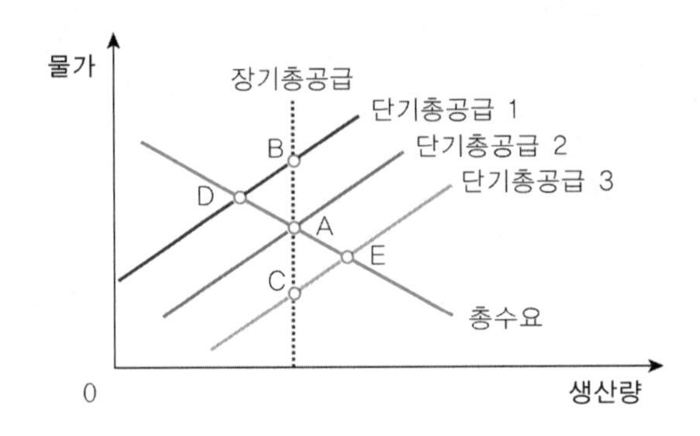

	단기균형점	장기균형점
①	E	C
②	E	A
③	D	B
④	D	A
⑤	B	A

89 상중하

다음 그림은 폐쇄경제인 A국의 화폐시장, 대부자금시장, IS-LM 및 AD-AS 균형을 나타낸다. 소비가 외생적으로 감소한 경우 다음 설명 중 옳은 것은? (단, M/P, L, S, I, r, Y, C, G, T, P는 각각 실질화폐잔고 공급, 실질화폐잔고 수요, 저축, 투자, 이자율, 총생산, 소비, 정부지출, 조세, 물가를 나타낸다)

[회계사 21]

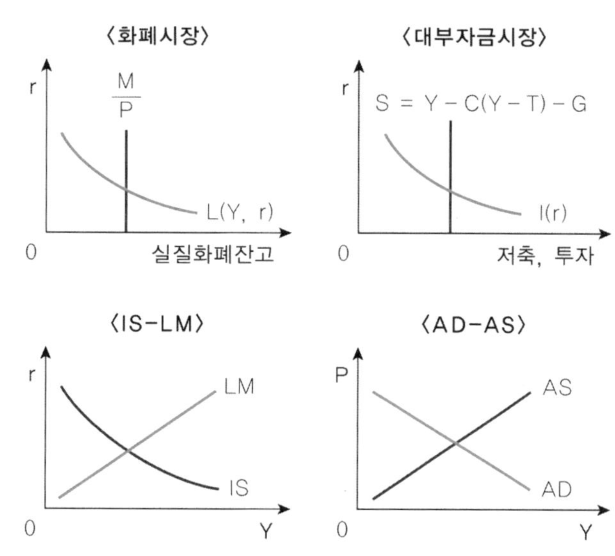

① 대부자금시장에서 저축곡선이 좌측 이동한다.
② IS-LM에서 IS곡선이 상향 이동한다.
③ AS-AD에서 AS곡선이 좌측 이동한다.
④ 화폐시장에서 실질화폐잔고 공급곡선이 좌측 이동한다.
⑤ 화폐시장에서 실질화폐잔고 수요곡선이 좌측 이동한다.

정답 및 해설

88 ④ 1) 기대물가가 상승하면 공식에 따라 단기 총공급곡선이 상방 이동하여 D로 이동 한다.
2) 생산이 줄어들어 실업이 존재하면 장기에는 임금 하락으로 단기 총공급곡선이 우측 이동하여 A로 이동한다.

89 ⑤ 소비가 감소하면 소득이 감소하여 화폐수요가 감소한다. 따라서 화폐시장에서 실질화폐잔고 수요곡선이 좌측 이동한다.

[오답체크]
① 소비가 감소하면 민간저축이 증가하므로 대부자금시장에서 저축곡선이 우측 이동한다.
② 소비가 감소하면 IS-LM에서 IS곡선이 하향 이동한다.
③ 소비가 감소하면 AS-AD에서 AD곡선이 좌측 이동한다.
④ 소비가 감소하면 물가가 하락하므로 화폐시장에서 실질화폐잔고 공급곡선이 우측 이동한다.

Topic 20 물가와 실업

01 물가지수

개념	기준 시점의 물가를 100으로 잡고 다른 시점의 물가를 이의 백분비로 표시한 지수. 어느 시점의 물가지수가 110이라면 이는 기준 시점보다 물가가 10% 오른 것을 의미함
종류	(1) **소비자물가지수(CPI; Consumer Price Index)**: 도시의 가계가 사용하는 대표적 소비재의 가격 동향을 보여주는 물가지수, ㉮ ________지수 (2) **생산자물가지수(PPI; Producer Price Index)**: 기업 사이에서 거래되는 원자재와 자본재의 가격 동향을 보여주는 물가지수, ㉮ ________지수 (3) **GDP 디플레이터**: 한 나라 안에서 생산되는 모든 상품의 가격을 고려 대상으로 삼아 산출한 물가지수, ㉯ ________ 지수
용도	(1) **화폐의 구매력을 측정하는 수단**: 물가가 상승하게 되면 화폐의 구매력은 떨어지게 됨 (2) **경기 동향의 판단 지표로 사용**: 일반적으로 경기가 좋아지면 수요가 증가하여 물가가 상승하고, 경기가 나빠지면 수요가 감소하여 물가가 하락함 (3) **전반적인 상품의 수급 동향을 판단하기 위한 자료**: 물가지수에는 상품 종류별로 작성된 부문별 지수도 있어 재화 및 서비스의 종류별 물가 동향을 파악할 수 있음 (4) **GDP 디플레이터**: 명목 국내총생산을 실질 국내총생산으로 환산하는 데 쓰임
물가 변동과 국민 경제	물가는 화폐의 구매력을 결정하므로 국민 경제에 큰 영향을 줌. 물가 안정은 국민 경제의 주요 정책 목표

핵심키워드

㉮ 라스파이레스, ㉯ 파셰

02 인플레이션

개념	일반물가수준이 지속적으로 상승하는 현상
㉮ ______ 인플레이션	(1) 고전학파와 통화주의자 ① 원인: 급격하고 과도한 통화공급의 증가 ② $MV = PY$에서 V는 지불습관에 의해 고정이고 Y는 완전고용산출량 수준으로 일정하여 결국 물가(P)의 지속적 상승 즉, 인플레이션이 통화량 (M)의 증가가 원인임 ③ 대책: 안정적 통화공급 (EC방식) ➜ 프리드만의 k% 준칙: 통화량 증가율을 매년 경제성장률에 맞추어 일정하게 유지하면, 인플레이션의 방지가 가능하다. 만약 7 ~ 8%의 경제성장률(실질 GDP 성장률)이 예측될 경우 통화량 증가율도 7 ~ 8%에 고정시켜놓으면 인플레이션 없는 적절한 통화공급이 가능하다고 봄 (2) 케인즈학파 ① 원인: 투자나 정부지출 증가 등 확대 재정정책으로 인한 총수요곡선의 우측 이동 ② 대책: 총수요억제 또는 긴축재정정책이 필요함
㉯ ______ 인플레이션	(1) 원인 ① 임금인상, 이윤인상, 석유파동 등 공급충격으로 생산비가 상승하여 AS곡선이 좌상방으로 이동 ② 임금인상 인플레이션, 이윤인상 인플레이션, 공급충격 인플레이션 ③ 인플레이션과 함께 산출량감소로 인한 실업률도 동시에 상승하게 되어 ㉰ ______이 나타남 (2) 대책 ① 총공급능력을 증가시키기 위한 정책(AS곡선의 우측 이동) ② 노동생산성을 증가시키기 위한 기술향상, 교육훈련 등이 필요

핵심키워드
㉮ 수요견인, ㉯ 비용인상, ㉰ 스태그플레이션

03 인플레이션의 사회적 비용

예상된 인플레이션	(1) 피셔가설: ㉮ ___ ① 예상된 인플레이션의 사회적 비용은 별로 크지 않고, 부의 재분배 효과도 미미함 ② 실질이자율이 1% 감소하고, 기대물가상승률이 2% 증가한다면, 피셔효과에 의해 명목이자율은 1% 상승함 (2) 피셔가설의 한계: 아무리 완벽하게 예상된 인플레이션이라도 어떤 형태의 사회적 비용이 발생할 수 있음 ① ㉯ ___: 인플레이션이 예상되고 있을 때 사람들은 가능한 현금보유를 줄이고 금융자산이나 실물자산으로 바꿔 보유하려는 태도를 보이는데, 이렇게 보유하게 된 금융자산이나 실물자산을 한꺼번에 현금화하지 않고 필요할 때마다 조금씩 현금화하기 위해 더욱 잦은 발걸음을 하게 됨으로 인한 거래비용을 말함 ② ㉰ ___: 물가변동으로 인해 가격이 인쇄된 카탈로그를 새것으로 바꾸는 데 비용이 들기고 하고, 가격을 변경한 결과 단골손님을 잃을 위험도 있음. 이러한 메뉴비용은 완벽하게 예상된 인플레이션의 경우에도 발생함
예상되지 못한 인플레이션	(1) 부와 소득의 재분배: ㉱ ___로부터 채무자에게 부가 재분배되고, 급여생활자·연금생활자의 소득이 재분배됨(불리해짐) (2) 경제의 불확실성 증대: 장기계약 회피, 단기성 위주의 자금 대출 등의 경향이 생기게 됨. 모두 단기계약만을 선호한다면, 때로는 기업이 긴 안목에서 장기 투자계획을 실행에 옮길 필요가 있음에도 장기대출이 불가능해 자금조달을 할 수 없어 기업들은 머지않아 경쟁력을 상실하게 됨 (3) 투기의 성행: 경험적으로 보면 인플레이션하에서 상품별 가격상승률 격차가 상당한 것을 알 수 있음. 가격이 더 많이 오를 것이라고 생각되는 부동산, 골동품, 금 등에 대한 투기가 성행하게 됨

핵심키워드

㉮ 명목이자율 = 실질이자율 + (예상)인플레이션율, ㉯ 구두창비용, ㉰ 메뉴비용, ㉱ 채권자

04 실업

개념	일할 능력과 의사가 있음에도 불구하고 일자리를 갖지 못한 상태
실업자	조사대상 주간 중 수입 있는 일에 전혀 종사하지 못한 자로써, 적극적으로 구직활동을 하고, 즉시 취업이 가능한 자
취업자	(1) 조사대상 주간 중 수입을 목적으로 1시간 이상 일한 자 (2) 자기에게 직접적으로는 이득이나 수입이 오지 않더라도 자기가구에서 경영하는 농장이나 사업체의 수입을 높이는 데 도움을 준 가족종사자로써 주당 ㉮ ______ 이상 일한 자(무급가족종사자) (3) 직장 또는 사업체를 가지고 있으나 조사대상 주간 중 일시적인 병, 일기불순, 휴가 또는 연가, 노동쟁의 등의 이유로 일하지 못한 일시휴직자
경제활동인구	15세 이상 인구(노동가능 인구) 중에서 취업자와 실업자 전체
비경제활동인구	(1) 비경제활동인구 = 생산가능인구수 - 경제활동인구수 (2) 일할 의사 또는 능력이 없는 경우 (3) 주부, 학생, 노인, 환자, 실망실업자 등
통계청이 고용상태를 조사하는 방법	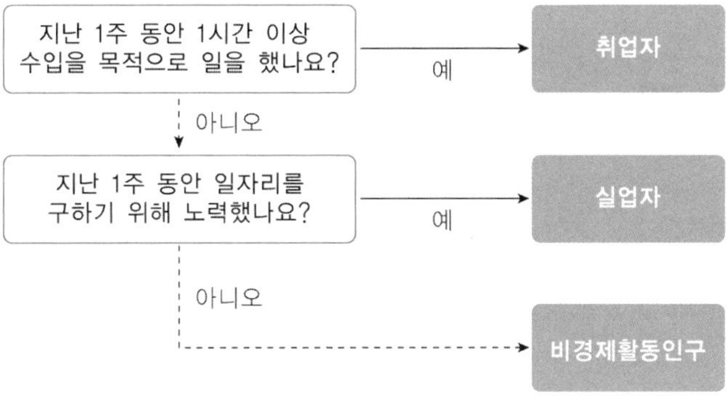 지난 1주 동안 1시간 이상 수입을 목적으로 일을 했나요? → 예 → 취업자 ↓ 아니오 지난 1주 동안 일자리를 구하기 위해 노력했나요? → 예 → 실업자 ↓ 아니오 → 비경제활동인구
실업과 관련한 표 분석	(아래 표)

전체 인구			
생산가능인구(노동가능인구)			비생산가능인구
경제활동인구		비경제활동인구	
취업자	실업자		

핵심키워드
㉮ 18시간

주요 공식	(1) 실업률 $= \frac{\text{실업자수}}{\text{경제활동인구(취업자수+실업자수)}} \times 100(\%)$ (2) 취업률 $= \frac{\text{취업자수}}{\text{경제활동인구수}} \times 100(\%)$ (3) 경제활동참가율 $= \frac{\text{경제활동인구(취업자수+실업자수)}}{\text{생산(노동)가능인구(15세 이상 인구)}} \times 100(\%)$ (4) 고용률 $= \frac{\text{취업자수}}{\text{생산(노동)가능인구(15세 이상 인구)}} \times 100(\%)$
자연실업률	(1) 의미 경기변동에 관계없이 발생하는 실업인 마찰적 실업과 구조적 실업만 존재할 때의 실업률 (2) 결정모형 매기 취업자 중 실직하는 사람의 비율인 실직률(job separation rate)을 s, 실업자 중 새로이 취업하는 사람의 비율(job finding rate)인 구직율을 f라고 할 때 실업률은 $\frac{U}{L}$이므로 변형하면 ㉮ ________________ (3) 결정요인 ① 불완전경쟁시장: 생산물시장과 생산요소시장의 불완전경쟁의 정도가 클수록 자연실업률은 상승함 ② 탐색비용과 이동비용: 직업을 구하는 비용과 이동하는 비용이 크면 자연실업률은 상승함 ③ 제도적인 요인: 실업보험제도가 강화될수록 근로의욕이 저하되어 자연실업률은 상승하며, 최저임금제도, 노동조합 등은 비자발적 실업을 발생시켜 자연실업률은 상승함 ④ 산업구조의 변화: 산업구조가 급격하게 변화하면 노동이동이 발생하여 자연실업률이 상승함 ⑤ 인구구성의 변화

핵심키워드

㉮ $\frac{U}{L} = \frac{s}{f+s}$

05 실업의 종류와 대책

종류		개념	대책
자발적 실업	㉮ ______ 실업	(1) 직장 이동 과정에서 일시적으로 생기는 실업 (2) 더 나은 일자리를 찾는 과정에서 생기는 실업	취업 정보 제공
비자발적 실업	㉯ ______ 실업	불경기로 노동 수요가 부족하여 생기는 실업	공공사업, 경기부양책, 정부지출확대
	㉰ ______ 실업	산업구조나 기술의 변동 속에서 생기는 실업	기술교육, 인력개발

06 필립스곡선과 스태그플레이션

필립스 곡선 	(1) 그래프 필립스곡선: $\pi = -a(u - u_N)$ 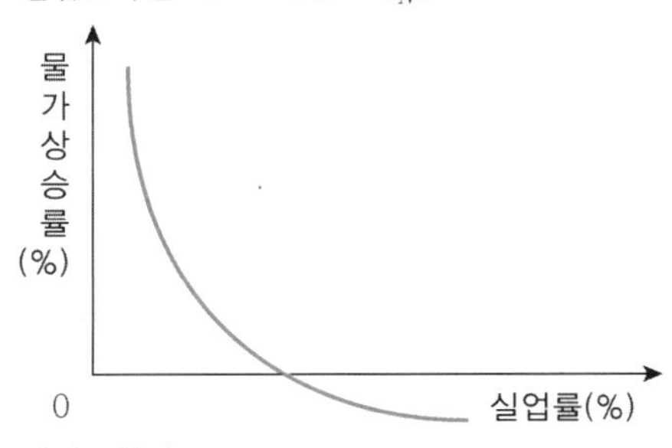 (2) 케인즈학파 ① 물가 안정과 완전 고용을 동시에 달성하는 것은 ㉱ ______ ② 필립스곡선이 우하향하므로 물가 안정과 완전 고용을 동시에 달성하는 것은 비록 불가능하나 재량적인 재정·금융 정책을 통하여 사회 후생이 극대화될 수 있다고 해석 ③ 우하향의 필립스곡선이 재량적인 안정화정책(미조정, fine-tuning)에 당위성을 부여하는 것으로 봄 (3) 미세조정(fine-tuning) ① 재정정책과 금융정책을 적절하게 사용함으로써 경제를 안정된 상태로 유지시키려는 정책 ② 기본적으로 케인즈학파는 ㉲ ______을 통해 경제를 안정시키는 것이 가능하다고 봄

핵심키워드

㉮ 마찰적, ㉯ 경기적, ㉰ 구조적, ㉱ 불가능, ㉲ 미조정

총수요곡선의 이동과 필립스곡선

(1) 우하향의 필립스곡선은 우상향의 총공급곡선과 밀접한 관계

① 총수요 증가로 산출량 증가 ➜ 실업률 하락

② 물가 상승 ➜ 물가 상승률 상승

(2) ㉮ ________곡선상에서의 이동은 필립스곡선상에서의 이동에 대응

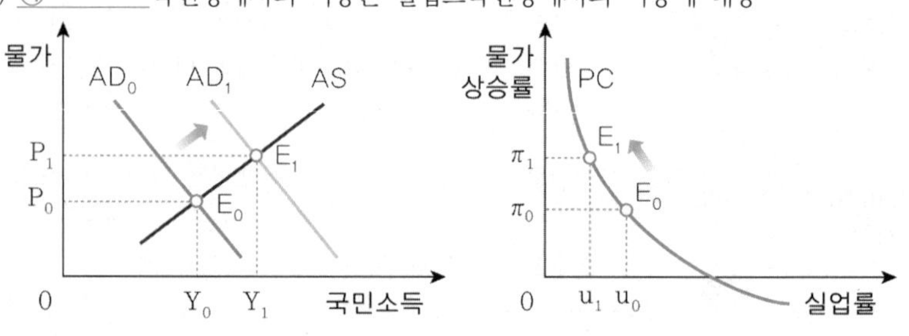

(3) 고전학파의 경우는 AS곡선이 수직선이므로 필립스곡선도 수직임

스태그플레이션과 필립스곡선

(1) 1970년대에 들어와 인플레이션율도 높아지고 경기도 침체하는 스태그플레이션 현상이 발생함에 따라 필립스곡선이 우상방으로 이동함. 이에 따라 필립스곡선이 안정적이라고 생각하던 기존의 견해가 붕괴됨

(2) 스태그플레이션과 자연실업률 가설

① 비용인상 인플레이션: 원유가격 상승 등으로 인해 ㉯ ________이 발생하면 AS곡선이 좌측으로 이동하므로 스태그플레이션 현상 발생

② 비용인상 인플레이션과 필립스곡선의 이동

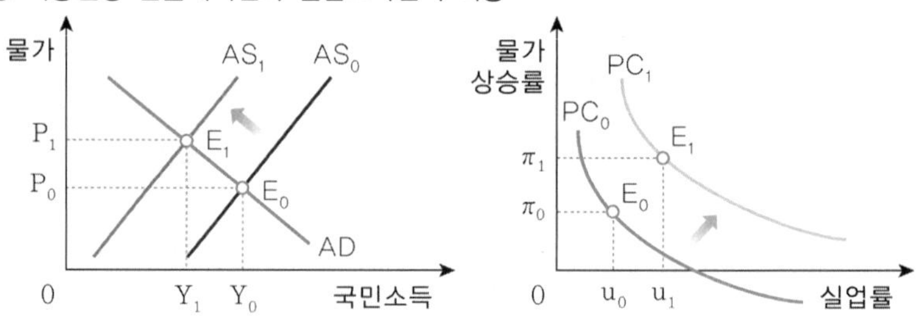

(3) 자연실업률 가설

① 자연실업률: 노동시장이 균형을 이루고 있어 취업자와 실업자의 수가 변하지 않는 상태에서의 실업률

② 자연실업률 가설: 프리드먼(Friedman)과 펠프스(Phelps)에 의해 제기

$\pi = \pi^e - a(u - u_N)$

③ 프리드먼과 펠프스: 장기적으로는 확대 재정정책을 실시하더라도 실업률을 자연실업률 이하로 낮추는 것은 불가능하며 결국 물가만 상승하게 된다는 것인 자연실업률 가설의 내용임

핵심키워드

㉮ 총공급, ㉯ 공급 충격

	(4) 장기 필립스곡선의 도출 ① 최초에 A점에서 실업을 줄이기 위해 확장 정책을 시행하면 단기적으로 B점으로 이동(물가 이동, 실업률 하락) ② 장기적으로는 노동자들이 물가가 3% 상승했다는 사실을 알게 되어 기대 물가가 3%로 상향 조정됨. 기대 물가가 상향 조정되면 임금의 상승으로 인해 공급곡선이 좌측으로 이동하고 실업률은 다시 상승하게 됨 ③ 따라서 장기 필립스곡선은 자연실업률 수준에서 ㉮ ______의 형태로 도출됨 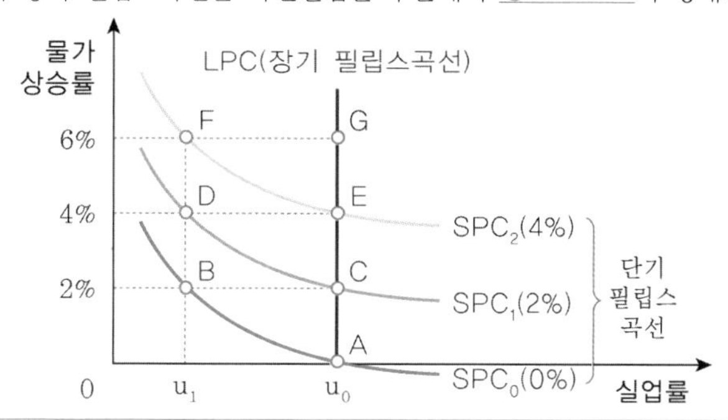
새고전학파의 필립스곡선	(1) 개념 ① $\pi = \pi^e - \alpha(u - u_N)$ (π^e: 기대 인플레이션율, u_N: 자연실업률) ② 합리적 기대하에서는 이용 가능한 모든 정보를 이용하여 다음 기의 인플레이션을 예상하므로 체계적 오차가 발생하지 않음 ③ 따라서 $\pi - \pi^e$가 평균적으로 0이므로 $u - u_N$도 0이 되며, 물가와 관계없이 자연실업률이 일정하므로 필립스곡선은 수직이 됨 (2) 단기와 장기 위의 결과처럼 ㉯ ______일 때는 단기와 장기 모두 ㉰ ______인 필립스곡선이 도출됨 (3) 정부의 신뢰성 ① 인플레이션 진정정책의 사회적 비용(실업률 증가)이 들지 않음 ② 민간이 정부의 발표를 신뢰하지 않는다면 기대 인플레이션이 낮아지지 않으므로 실업률이 대폭 상승하게 됨

핵심키워드

㉮ 수직선, ㉯ 합리적 기대, ㉰ 수직

STEP 1 기본문제

01 상중하

GDP 디플레이터(deflator)에 대한 설명으로 옳은 것은? [지방직 7급 16]

① GDP 디플레이터는 소비자물가지수(CPI)에 비해 국가의 총체적인 물가변동을 측정하는 데 불리한 지표이다.

② GDP 디플레이터는 명목GDP를 실질GDP로 나눈다는 점에서 명목GDP 1단위에 대한 실질GDP의 값을 확인하는 지표이다.

③ GDP 디플레이터는 생산량 변화효과는 제거하고 기준가격에 대한 경상가격의 변화분만 나타내는 지표이다.

④ 우리나라의 GDP 디플레이터는 장기간 증가하는 경향을 보이고 있는데 이는 국내 기업들의 생산량 증가에 기인한다.

02 상중하

물가지수에 관한 설명으로 옳지 않은 것은? [노무사 20]

① 소비자물가지수는 재화의 품질 변화를 반영하는 데 한계가 있다.

② GDP 디플레이터는 실질GDP를 명목GDP로 나눈 수치이다.

③ 소비자물가지수는 재화의 상대가격 변화에 따른 생계비의 변화를 과대평가한다.

④ 소비자물가지수는 재화 선택의 폭이 증가함에 따른 화폐가치의 상승효과를 측정할 수 없다.

⑤ 소비자물가지수는 GDP 디플레이터와 달리 해외에서 수입되는 재화의 가격 변화도 반영할 수 있다.

03 상중하

다음 표는 A국이 소비하는 빵과 의복의 구입량과 가격을 나타낸다. 물가지수가 라스파이레스 지수(Laspeyres index)인 경우, 2010년과 2011년 사이의 물가상승률은? (단, 기준연도는 2010년이다) [국가직 7급 17]

구분	빵		의복	
	구입량	가격	구입량	가격
2010년	10만개	1만원	5만벌	3만원
2011년	12만개	3만원	6만벌	6만원

① 140%
② 188%
③ 240%
④ 288%

04 인플레이션에 관한 설명으로 옳은 것은? [노무사 20]
상중하

① 예상치 못한 인플레이션이 발생하면 채권자가 이득을 보고 채무자가 손해를 보게 된다.
② 피셔(I. Fisher)가설에 따르면 예상된 인플레이션의 사회적 비용은 미미하다.
③ 예상치 못한 인플레이션은 금전거래에서 장기계약보다 단기계약을 더 회피하도록 만든다.
④ 경기호황 속에 물가가 상승하는 현상을 스태그플레이션이라고 한다.
⑤ 인플레이션 조세는 정부가 화폐공급량을 줄여 재정수입을 얻는 것을 의미한다.

정답 및 해설

01 ③ GDP 디플레이터는 물가지수로서 생산량 변화효과는 제거하고 기준가격에 대한 경상가격의 변화분만 나타내는 지표이다.

[오답체크]

① GDP 디플레이터는 소비자물가지수(CPI)에 비해 항목이 다양하므로 국가의 총체적인 물가변동을 측정하는 데 유리한 지표이다.
② GDP 디플레이터는 명목GDP를 실질GDP로 나눈다는 점에서 실질GDP 1단위에 대한 명목GDP의 값을 확인하는 지표이다.
④ 우리나라의 GDP 디플레이터는 장기간 증가하는 경향을 보이고 있는데 이는 물가가 상승하는 것을 보여준다.

02 ② GDP 디플레이터는 명목GDP를 실질GDP로 나눈 수치이다.

03 ① 1) 라스파이레스 물가지수는 기준연도 구입량을 가중치로 사용한다.

2) 2011년의 A국의 물가지수는 $L = \frac{P_t Q_0}{P_0 Q_0} \times 100 = \frac{(3 \times 10) + (6 \times 5)}{(1 \times 10) + (3 \times 5)} \times 100 = \frac{60}{25} \times 100 = 240$이다.

3) 물가지수의 변화율이 물가상승률이고 기준연도의 물가지수는 100이므로 물가상승률은 140%(= $\frac{240 - 100}{100}$)이다.

04 ① 예상치 못한 인플레이션이 발생하면 채권자가 손해를 보고 채무자가 이익을 보게 된다.

05 상중하

2021년 현재 우리나라 통계청의 고용통계 작성기준에 관한 설명으로 옳지 않은 것은? (단, 만 15세 이상 인구를 대상으로 한다) [노무사 21]

① 아버지가 수입을 위해 운영하는 편의점에서 조사대상주간에 무상으로 주당 20시간 근무한 자녀는 비경제활동인구로 분류된다.
② 다른 조건이 같을 때, 실업자가 구직활동을 포기하면 경제활동참가율은 하락한다.
③ 질병으로 입원하여 근로가 불가능한 상태에서 구직활동을 하는 경우에는 실업자로 분류되지 않는다.
④ 대학생이 수입을 목적으로 조사대상주간에 주당 1시간 이상 아르바이트를 하는 경우 취업자로 분류된다.
⑤ 실업률은 경제활동인구 대비 실업자의 비율이다.

06 상중하

실업에 관한 설명으로 옳지 않은 것은? [노무사 20]

① 실업보험은 마찰적 실업을 감소시켜 자연실업률을 하락시키는 경향이 있다.
② 경기변동 때문에 발생하는 실업을 경기적 실업이라 한다.
③ 효율성임금이론(efficiency wage theory)에 따르면 높은 임금 책정으로 생산성을 높이려는 사용자의 시도가 실업을 야기할 수 있다.
④ 내부자-외부자 가설(insider-outsider hypothesis)에 따르면 내부자가 임금을 높게 유지하려는 경우 실업이 발생할 수 있다.
⑤ 최저임금제도는 구조적 실업을 야기할 수 있다.

07 상중하 총인구 200명, 15세 이상 인구 100명, 비경제활동인구 20명, 실업자 40명인 A국이 있다. A국의 경제활동참가율(%), 고용률(%), 실업률(%)을 순서대로 옳게 나열한 것은? (단, 우리나라의 고용통계 작성 방식에 따른다) [노무사 20]

① 40, 20, 40
② 40, 50, 20
③ 80, 20, 20
④ 80, 40, 50
⑤ 80, 50, 20

정답 및 해설

05 ① 가족이 운영하는 사업체에서 주당 18시간 이상 일한 경우 취업자로 분류된다.

[오답체크]

② 다른 조건이 같을 때, 실업자가 구직활동을 포기하면 비경제활동인구가 되므로 경제활동참가율은 하락한다.
③ 일할 능력이 없으므로 비경제활동인구에 포함된다.
④ 수입이 있으므로 취업자이다.
⑤ 옳은 설명이다.

06 ① 실업보험은 마찰적 실업을 증가시켜 자연실업률을 증가시키는 경향이 있다.

07 ④ 1) 조건에서 생산가능인구 100명, 경제활동인구 80명, 취업자 40명을 유추할 수 있다.

2) 경제활동 참가율 = $\frac{80}{100} \times 100 = 80\%$이다.

3) 고용률 = $\frac{40}{100} \times 100 = 40\%$이다.

4) 실업률 = $\frac{40}{80} \times 100 = 50\%$이다.

08 상중하

어느 나라의 생산가능인구 중 취업자가 900만명, 실업자가 100만명, 비경제활동인구가 1,000만명이라고 가정하자. 이 나라의 경제활동참가율과 실업률을 바르게 연결한 것은? [국가직 21]

	경제활동참가율	실업률
①	50%	5%
②	50%	10%
③	55%	5%
④	55%	10%

09 상중하

A국가는 경제활동인구가 1,000만명이고, 매 기간 동안 실직률(취업자 중 실직하는 사람의 비율)과 구직률(실직자 중 취업하는 사람의 비율)은 각각 2%와 18%이다. 균제상태(steady state)의 실업자 수는? [노무사 21]

① 25만명
② 40만명
③ 50만명
④ 75만명
⑤ 100만명

10 노동시장에 대한 설명으로 옳지 않은 것은? [지방직 21]
상중하

① 고용률과 실업률은 동반 상승할 수 있다.
② 경제활동참가율과 실업률은 동반 상승할 수 있다.
③ 경제활동참가율과 고용률은 동반 상승할 수 있다.
④ 실업률은 일정한데 고용률이 상승했다면 경제활동참가율이 감소했기 때문이다.

정답 및 해설

08 ② 1) 경제활동인구 = 취업자 + 실업자 ➜ $1{,}000 = 900 + 100$
2) 생산가능인구 = 경제활동인구 + 비경제활동인구 ➜ $2{,}000 = 1{,}000 + 1{,}000$
3) 경제활동 참가율 = $\frac{\text{경제활동인구}}{\text{생산가능인구}} \times 100$ ➜ $\frac{1{,}000}{2{,}000} \times 100 = 50\%$
4) 실업률 = $\frac{\text{실업자}}{\text{경제활동인구}} \times 100$ ➜ $\frac{100}{1{,}000} \times 100 = 10\%$

09 ⑤ 1) 균제상태는 자연실업률이다.
2) 자연실업률의 공식은 $\frac{s}{s+f}$이다.
3) 공식에 조건을 대입하면 $\frac{0.02}{0.02+0.18} = 0.1$이다.
4) 따라서 실업자 수는 경제활동인구 × 실업자이므로 1,000만명 × 0.1 = 100만명이다.

10 ④ 1) 실업률 + 취업률 = 100%이므로 실업률이 일정하다면 취업률도 일정하다는 것이다.
2) 고용률이 상승했으므로 취업자 수가 증가하였다.
3) 취업률 = $\frac{\text{취업자}}{\text{경제활동인구}}$ × 100이므로 취업자 수가 증가했다면 경제활동인구도 증가해야 한다.
4) 따라서 경제활동참가율이 증가했다는 것을 알 수 있다.

11 상중하 통화량, 인플레이션과 고용에 대한 설명으로 옳은 것은? [국가직 7급 12]

① 구직을 포기한 자의 수가 증가하면 실업률은 증가한다.

② 총수요관리를 통한 경기안정화정책은 자연실업률을 낮추기 위한 것이다.

③ 통화의 중립성(the neutrality of money)은 통화량의 증가가 주요 명목변수에 영향을 미치지 못함을 말한다.

④ 이력현상이론(hysteresis theory)에 따르면 장기불황이 지속되는 경우 자연실업률이 증가한다.

12 상중하 다음 그림은 A국의 명목GDP와 실질GDP를 나타낸다. 이에 대한 설명으로 옳지 않은 것은? (단, A국의 명목GDP와 실질GDP는 우상향하는 직선이다) [국가직 7급 17]

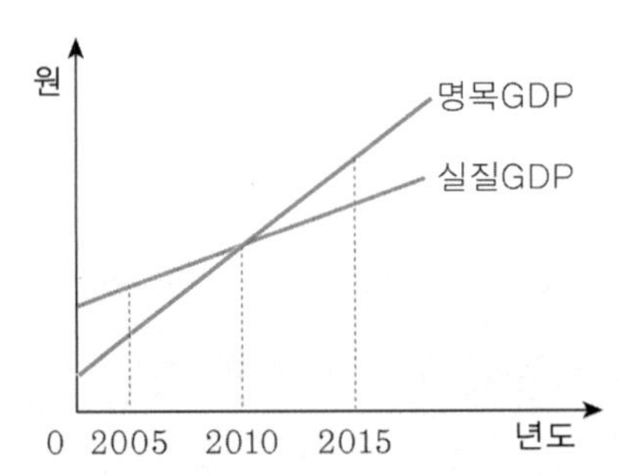

① 기준연도는 2010년이다.

② 2005년의 GDP 디플레이터는 100보다 큰 값을 가진다.

③ 2010년에서 2015년 사이에 물가는 상승하였다.

④ 2005년에서 2015년 사이에 경제성장률은 양(+)의 값을 가진다.

정답 및 해설

11 ④ 새케인즈학파가 주장한 실업의 이력현상이란 과거의 실업률이 현재의 실업률에 영향을 주는 현상으로 장기불황이 지속되면 자연실업률 자체가 증가한다.

[오답체크]

① 구직포기자는 실망실업자로서 비경제활동인구에 해당한다. 따라서 구직포기자가 증가하면 실업률은 하락하여 실업률이 과소평가되는 문제점을 야기한다.

② 확장적 총수요관리정책은 일시적으로 실제실업률을 자연실업률 이하로 낮출 수 있지만 장기적으로는 실제실업률이 자연실업률수준으로 복귀하기 때문에 자연실업률 자체를 변화시킬 수는 없다. 자연실업률을 감소시키기 위해서는 노동시장의 유연성 제고, 실업보험의 축소, 장기적인 인력정책 등이 이뤄져야 한다.

③ 통화의 중립성이란 통화량의 증가가 실질변수에는 아무런 영향을 주지 못하고 단지 명목변수만 비례적으로 증가시키는 현상을 말한다.

12 ② 2005년의 GDP 디플레이터는 실질GDP가 명목GDP보다 크므로 100보다 작은 값을 가진다.

[오답체크]

① 기준연도는 명목과 실질 GDP가 일치하는 2010년이다.

③ 2010년에서 2015년 사이에 GDP 디플레이터가 커졌으므로 물가는 상승하였다.

④ 2005년에서 2015년 사이에 실질GDP가 증가하였으므로 경제성장률은 양(+)의 값을 가진다.

13 상중하

실업에 대한 설명으로 옳은 것을 〈보기〉에서 모두 고르면? [서울시 7급 16]

〈보기〉

ㄱ. 마찰적 실업이란 직업을 바꾸는 과정에서 발생하는 일시적인 실업이다.
ㄴ. 구조적 실업은 기술의 변화 등으로 직장에서 요구하는 기술이 부족한 노동자들이 경험할 수 있다.
ㄷ. 경기적 실업은 경기가 침체되면서 이윤감소 혹은 매출감소 등으로 노동자를 고용할 수 없을 경우 발생한다.
ㄹ. 자연실업률은 마찰적, 구조적, 경기적 실업률의 합으로 정의된다.
ㅁ. 자연실업률은 완전고용상태에서의 실업률이라고도 한다.

① ㄱ, ㄴ, ㄷ
② ㄱ, ㄷ, ㅁ
③ ㄱ, ㄴ, ㄷ, ㅁ
④ ㄱ, ㄷ, ㄹ, ㅁ

14 상중하

우리나라 고용통계에서 고용률이 높아지는 경우로 가장 옳은 것은? [서울시 7급 18]

① 구직활동을 하던 실업자가 구직단념자가 되는 경우
② 부모님 농장에서 무급으로 주당 18시간 일하던 아들이 회사에 취직한 경우
③ 주당 10시간 일하던 비정규직 근로자가 정규직으로 전환된 경우
④ 전업 주부가 주당 10시간 마트에서 일하는 아르바이트를 시작한 경우

15 상중하

노동시장이 안정상태(실업률이 상승하지도 하락하지도 않는 상태)에 있다. 취업 인구의 1%가 매달 직업을 잃고 실업인구의 24%가 매달 새로운 직업을 얻는다면, 안정상태의 실업률은? (단, 경제활동인구는 고정이며, 노동자는 취업하거나 또는 실업 상태에 있다) [지방직 7급 11]

① 4%
② 4.5%
③ 5%
④ 5.5%

16 상중하 어떤 나라의 경제활동인구가 1,000만명으로 일정하다고 한다. 비경제활동인구는 존재하지 않으며 취업인구 중에서 매달 일자리를 잃는 노동자의 비율이 2%이고 실업인구 중에서 매달 취업이 되는 노동자의 비율이 14%라면, 이 나라의 자연실업률은? [서울시 7급 16]

① 12% ② 12.5%

③ 13% ④ 13.5%

정답 및 해설

13 ③ **[오답체크]**

ㄹ. 자연실업률은 마찰적 실업과 구조적 실업만 존재할 때의 실업률 혹은 마찰적 실업만 존재할 때의 실업률로 본다. 어떠한 경우로 보더라도 경기적 실업은 포함되지 않는다.

14 ④ 고용률은 생산가능인구(15세 이상의 인구) 중에서 취업자가 차지하는 비율이므로 고용률이 상승하려면 취업자의 수가 증가해야 한다. 따라서 전업 주부가 주당 10시간 마트에서 일하는 아르바이트를 시작한 경우가 이에 해당한다.

[오답체크]

① 구직활동을 하던 실업자가 구직단념자가 되는 경우는 실업자가 비경제활동인구가 되는 경우이다.
② 부모님 농장에서 무급으로 주당 18시간 일하던 아들이 회사에 취직한 경우는 둘 다 취업자였다.
③ 주당 10시간 일하던 비정규직 근로자가 정규직으로 전환된 경우는 둘 다 취업자였다.

15 ① 안정상태에서는 '$\frac{s}{s+f}$ = 자연실업률'이 성립한다. 따라서 $\frac{0.01}{0.01+0.24} = 0.04$이다. (단, s는 실직률, f는 구직률이다)

16 ② 1) 자연실업률 $u_N = \frac{s}{s+f}$이다.

2) $s = 0.02$, $f = 0.14$일 때 자연실업률 $u_N = \frac{0.02}{0.02+0.14} = 0.125$이다.

17 상중하

경제활동인구가 일정한 경제에서 안정상태(steady state)의 실업률이 10%이다. 매월 취업자 중 2%가 직장을 잃고 실업자가 되는 경우, 기존의 실업자 중 매월 취업을 하게 되는 비율은? [국가직 7급 20]

① 2%
② 8%
③ 10%
④ 18%

18 상중하

어느 경제에서 총생산함수는 $Y = 100\sqrt{N}$이고, 노동공급함수는 $N = 2{,}500(\frac{W}{P})$이며, 생산가능인구는 3,000명이다. 이 경제에서는 실질임금이 단기에는 경직적이지만 장기에는 신축적이라고 가정하자. 이 경제의 단기와 장기에서 일어나는 현상으로 옳지 않은 것은? (단, W는 명목임금, P는 물가수준을 나타낸다) [국가직 7급 18]

① 장기균형에서 취업자 수는 2,500명이다.
② 장기균형에서 명목임금이 10이라면 물가수준은 10이다.
③ 장기균형에서 실업자는 500명이다.
④ 기대치 않은 노동수요 감소가 발생할 경우 단기적으로 실업이 발생한다.

19 상중하

필립스곡선 및 자연실업률 가설에 대한 설명으로 옳은 것은? [국가직 7급 11]

① 필립스곡선은 명목임금상승률과 실업률 간의 관계를 나타내는 우상향의 곡선이다.
② 필립스곡선은 단기총공급곡선을 나타내며 기대 인플레이션율이 상승하면 아래쪽으로 이동한다.
③ 자연실업률 가설에 따르면 정부가 총수요확대정책을 실시한 경우에 단기적으로 기업과 노동자가 이를 정확하게 인식하지 못하기 때문에 실업률을 낮출 수 있다.
④ 자연실업률 가설에 따르면 장기적으로 필립스곡선은 수직이며, 이 경우 총수요확대정책은 자연실업률보다 낮은 실업률을 달성한다.

정답 및 해설

17 ④ 안정상태에서는 '$\frac{s}{s+f}$ = 자연실업률'이 성립한다. $\frac{0.02}{0.02+f}=0.1$이므로 $f=0.18$이다. (단, s는 실직률, f는 구직률이다)

18 ③ 실질임금이 신축적인 장기에는 노동시장의 초과공급이 발생하면 실질임금이 하락할 것이므로 장기균형에서 실업자 수는 0이 될 것이다. 생산가능인구가 3,000명이고, 실업자가 존재하지 않는 장기균형에서 고용량이 2,500명이므로 장기균형에서 500명은 비경제활동인구가 된다.

[오답체크]

① 총생산함수 $Y=100N^{\frac{1}{2}}$을 N에 대해 미분하면 $MP_L=50N^{-\frac{1}{2}}=\frac{50}{\sqrt{N}}$이므로 $w=MP_L\times P$로 두면 노동수요곡선은 $w=\frac{50P}{\sqrt{N}}$, $\frac{w}{p}=\frac{50}{\sqrt{N}}$이다. 노동공급곡선식 $N=2,500(\frac{w}{p})$를 $\frac{w}{p}$에 대해 정리하면 $\frac{w}{p}=\frac{N}{2,500}$이다.

노동수요곡선과 노동공급곡선식을 연립해서 풀면 $\frac{50}{\sqrt{N}}=\frac{N}{2,500}$, $N^{\frac{3}{2}}=50^3$, $N^{\frac{1}{2}}=50$, $N=2,500$으로 계산된다.

② 장기균형고용량 $N=2,500$을 노동수요곡선(혹은 노동공급곡선)식에 대입하면 균형실질임금 $\frac{w}{p}=1$로 계산된다. 그러므로 장기균형에서 명목임금 $w=10$이라면 물가수준 $P=10$이다.

④ 단기에는 노동수요가 감소하면 실업이 발생한다.

19 ③ 적응적 기대학파인 프리드만-펠프스의 자연실업률 가설에 의하면 정부가 총수요확대정책인 확장재정, 금융정책을 펼치면 단기에는 국민들의 화폐착각에 의해 실업률을 낮출 수 있으나, 장기에는 국민들의 기대행동에 의해 실업률은 원래의 자연실업률 수준으로 복귀하고 장기 필립스곡선은 자연실업률 수준에서 수직선이다.

[오답체크]

① 필립스곡선은 명목임금상승률과 실업률 간의 관계를 나타내는 우하향의 곡선이다.

② 필립스곡선은 단기총공급곡선을 나타내며 기대 인플레이션율이 상승하면 위쪽으로 이동한다.

④ 자연실업률 가설에 따르면 장기적으로 필립스곡선은 수직이며, 이 경우 총수요확대정책은 자연실업률로 회귀한다.

20 상중하

다음 그림은 필립스곡선을 나타낸다. 현재 균형점이 A인 경우, (가)와 (나)로 인한 새로운 단기 균형점은? [국가직 7급 17]

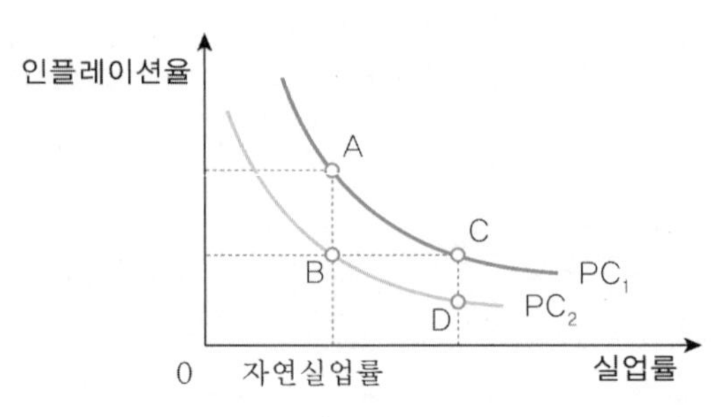

> (가) 경제주체들의 기대형성이 적응적 기대를 따르고 예상하지 못한 화폐공급의 감소가 일어났다.
> (나) 경제주체들의 기대형성이 합리적 기대를 따르고 화폐공급의 감소가 일어났다. (단, 경제주체들은 정부를 신뢰하며, 정부 정책을 미리 알 수 있다)

	(가)	(나)
①	B	C
②	B	D
③	C	B
④	C	D

21 상중하

기대 인플레이션과 자연실업률이 부가된 필립스(Phillips)곡선에 대한 설명으로 옳지 않은 것은? [국가직 7급 18]

① 실제실업률이 자연실업률과 같은 경우, 실제인플레이션은 기대 인플레이션과 같다.
② 실제실업률이 자연실업률보다 높은 경우, 실제인플레이션은 기대 인플레이션보다 낮다.
③ 실제실업률이 자연실업률과 같은 경우, 기대 인플레이션율은 0과 같다.
④ 사람들이 인플레이션을 완전히 예상할 수 있는 경우, 실제실업률은 자연실업률과 일치한다.

정답 및 해설

20 ③ (가) 경제주체들이 적응적으로 기대를 형성하는 경우 통화공급이 감소하면 총수요곡선이 왼쪽으로 이동하나 노동자들의 예상물가는 변하지 않으므로 단기총공급곡선은 이동하지 않는다. 총수요곡선만 왼쪽으로 이동하면 물가가 하락하고 실질GDP 감소로 실업률이 높아진다.

(나) 합리적 기대하에서 예상된 통화공급 감소가 이루어지면 필립스곡선 자체가 하방으로 이동하므로 경제의 단기균형점이 A점에서 B점으로 이동한다.

21 ③ 실제실업률이 자연실업률과 같은 경우, 기대부가 필립스곡선이 $\pi = \pi^e - \alpha(u - u_n)$이므로 $u - u_n = 0$이면 $\pi = \pi^e$가 성립하나 기대 인플레이션율 π^e가 0이라고 단정지어 말할 수 없다.

22 상중하

다음과 같은 단기 필립스곡선에 대한 설명으로 옳지 않은 것은? (단, π는 현재 인플레이션, π^e는 기대 인플레이션, u는 현재실업률, u_N은 자연실업률이다) [지방직 21]

$$\pi = \pi^e - \alpha(u - u_N), \ \alpha > 0$$

① 임금과 가격이 신축적일수록 α의 절댓값이 커진다.
② 기대 인플레이션의 상승은 실제 인플레이션의 상승을 낳는다.
③ 합리적 기대하에서 예상된 통화정책은 단기적으로 실업률에 영향을 미친다.
④ 합리적 기대하에서 예상되지 못한 통화정책은 단기적으로 실업률에 영향을 미친다.

23 상중하

어느 한 국가의 기대를 반영한 필립스곡선이 〈보기〉와 같을 때 가장 옳은 것은? (단, π는 실제인플레이션율, π^e는 기대 인플레이션율, u는 실업률이다) [서울시 7급 18]

〈보기〉

$$\pi = \pi^e - 0.5u + 2.2$$

① 기대 인플레이션율의 변화 없이 실제인플레이션율이 전기에 비하여 1%p 감소하면 실업률이 7.2%가 된다.
② 기대 인플레이션율이 상승하면 장기 필립스곡선이 오른쪽으로 이동한다.
③ 잠재GDP에 해당하는 실업률은 4.4%이다.
④ 실제실업률이 5%이면 실제인플레이션율은 기대 인플레이션율보다 높다.

정답 및 해설

22 ③ 합리적 기대하에서 예상된 통화정책은 단기적으로 실업률에 영향을 미치지 못한다.

23 ③ 필립스곡선식에서 $\pi = \pi^e$로 두면 $u = 4.4\%$이다. 그러므로 자연실업률은 4.4%임을 알 수 있다.

[오답체크]

① 필립스곡선식이 $\pi = \pi^e - 0.5u + 2.2$이므로 기대 인플레이션율의 변화 없이 실제인플레이션율이 전기에 비해 1%p 낮아지면 실업률이 전기에 비해 2%p 상승하나 구체적으로 실업률이 몇 퍼센트 포인트가 될지는 알 수 없다.

② 장기 필립스곡선은 자연실업률 수준에서 수직선이므로 기대 인플레이션율이 상승하더라도 장기 필립스곡선은 이동하지 않는다.

④ $u = 5\%$를 필립스곡선식에 대입하면 $\pi = \pi^e - 0.3$이므로 실제실업률이 5%이면 실제인플레이션율이 기대 인플레이션율보다 0.3%p 낮음을 알 수 있다.

STEP 2 심화문제

24 물가지수에 관한 설명으로 옳은 것은? [감정평가사 18]
상중하

① GDP 디플레이터에는 국내산 최종 소비재만이 포함된다.
② GDP 디플레이터 작성 시 재화와 서비스의 가격에 적용되는 가중치가 매년 달라진다.
③ 소비자물가지수 산정에는 국내에서 생산되는 재화만 포함된다.
④ 소비자물가지수에는 국민이 구매한 모든 재화와 서비스가 포함된다.
⑤ 생산자물가지수에는 기업이 구매하는 품목 중 원자재를 제외한 품목이 포함된다.

25 다음의 설명 중 옳지 않은 것은? [국회직 8급 16]
상중하

① 국민총소득(GNI: gross national income)은 한 나라 국민이 일정 기간 동안 벌어들인 임금·이자·지대 등의 요소소득을 모두 합한 것이다.
② 국내총생산(GDP: gross domestic product)이 한 나라의 생산활동을 나타내는 생산지표인 것에 비하여, 국민총소득(GNI: gross national income)은 국민의 생활수준을 측정하기 위한 소득지표이다.
③ 국민소득(NI: national income)은 국민순소득(NNI: net national income)에서 간접세를 빼고 정부의 기업보조금을 합한 것이다.
④ 소비자물가지수(CPI: consumer price index)는 가계소비지출에서 차지하는 비중이 높은 품목의 가격을 가중평균하여 작성한다.
⑤ 생산자물가지수(PPI: producer price index)는 파셰(Paasche) 방식을 이용하여 작성한다.

26 소비자물가지수에 관한 설명으로 옳지 않은 것은? [감정평가사 21]
상중하

① 기준연도에서 항상 100이다.
② 대체효과를 고려하지 못해 생계비 측정을 왜곡할 수 있다.
③ 가격변화 없이 품질이 개선될 경우, 생계비 측정을 왜곡할 수 있다.
④ GDP 디플레이터보다 소비자들의 생계비를 더 왜곡한다.
⑤ 소비자가 구매하는 대표적인 재화와 서비스에 대한 생계비용을 나타내는 지표이다.

정답 및 해설

24 ② GDP 디플레이터 작성 시 명목GDP를 구할 때 재화와 서비스의 가격에 적용되는 가중치가 매년 달라진다.

[오답체크]
① GDP 디플레이터에는 국내산 최종 소비재뿐만 아니라 생산재도 포함된다.
③ 소비자물가지수 산정에는 수입품이 포함된다.
④ 소비자물가지수에는 가중치를 고려한 특정 재화만이 포함된다.
⑤ 생산자물가지수에는 기업이 구매하는 품목 중 소비재와 원자재 모두 포함된다.

25 ⑤ 파셰방식을 이용하여 작성하는 물가지수는 GDP 디플레이터이다.

26 ④ 소비자물가지수는 소비자가 주로 구매하는 재화와 서비스 중심이다. GDP 디플레이터는 명목GDP와 실질GDP로 측정하는 것이므로 GDP 디플레이터가 소비자물가지수보다 소비자들의 생계비를 더 왜곡한다.

[오답체크]
① $\text{물가지수} = \frac{\text{비교연도의 물가수준}}{\text{기준연도의 물가수준}} \times 100$이므로 기준연도에서 항상 100이다.
②③ 소비자물가지수는 라스파이레스 지수이므로 기준연도의 소비량을 가격변화에 대응하지 않고 그대로 구매한다고 가정한다. 따라서 대체효과를 고려하지 못해 생계비 측정을 왜곡할 수 있다. 또한 가격변화 없이 품질이 개선될 경우, 생계비 측정을 왜곡할 수 있다.
⑤ 소비자물가지수는 소비자가 주로 구매하는 재화와 서비스를 이용하므로 소비자가 구매하는 대표적인 재화와 서비스에 대한 생계비용을 나타내는 지표이다.

27 상중하

소비자물가지수를 구성하는 소비지출 구성이 다음과 같다. 전년도에 비해 올해 식료품비가 10%, 교육비가 10%, 주거비가 5% 상승하였고 나머지 품목에는 변화가 없다면 소비자물가지수 상승률은? [감정평가사 17]

- 식료품비: 40%
- 교육비: 20%
- 교통비 및 통신비: 10%
- 주거비: 20%
- 기타: 10%

① 5% ② 7% ③ 9%
④ 10% ⑤ 12.5%

28 상중하

인플레이션의 비용에 대한 설명으로 옳지 않은 것은? [국회직 8급 13]

① 예상과 다른 인플레이션이 발생하면 채무자가 느끼는 부채에 대한 실질적 부담이 감소하여 효율성이 증가한다.
② 인플레이션으로 인해 현금 보유를 줄이고 은행 예금이 증가하는 현상으로 인해 거래비용이 증가한다.
③ 인플레이션으로 인한 명목비용 상승이 즉각적으로 가격에 반영되지 못함으로써 상대가격의 왜곡이 발생한다.
④ 누진소득세 체제에서는 인플레이션으로 인해 기존과 동일한 실질소득을 얻더라도 세후 실질소득이 하락할 수 있다.
⑤ 화폐의 중립성이 성립하면 인플레이션으로 인한 실질적인 구매력은 변화는 발생하지 않는다.

29 상중하 거시경제의 물가수준을 측정하기 위해 사용되는 물가지수에 대한 다음 〈보기〉 중 옳은 것을 모두 고르면? [국회직 8급 17]

〈보기〉

ㄱ. 소비자물가지수는 매년 변화하는 재화 바스켓에 기초하여 계산된 지수이다.
ㄴ. 소비자물가지수는 대용품 간의 대체성이 배제되어 생활비의 인상을 과대평가하는 경향이 있다.
ㄷ. GDP 디플레이터에 수입물품은 반영되지 않는다.
ㄹ. GDP 디플레이터는 새로운 상품의 도입에 따른 물가수준을 반영한다.
ㅁ. 소비자물가지수와 생산자물가지수는 라스파이레스방식이 아니라 파셰방식으로 계산한다.

① ㄱ, ㄴ, ㄷ ② ㄱ, ㄷ, ㄹ ③ ㄴ, ㄷ, ㄹ
④ ㄴ, ㄷ, ㅁ ⑤ ㄷ, ㄹ, ㅁ

정답 및 해설

27 ② 1) 가중치를 두어 계산했을 때 소비자물가지수 상승률은 다음과 같다.
2) $(0.4 \times 10\%) + (0.2 \times 10\%) + (0.2 \times 5\%) = 4\% + 2\% + 1\% = 7\%$

28 ① 인플레이션은 가격체계를 변화시키므로 행동의 교란이 나타난다. 이는 효율성을 감소시킨다.

29 ③

구분	수입품 가격	주택임대료	신규주택가격	기존주택가격
생산자물가지수(PPI)	X	X	X	X
소비자물가지수(CPI)	O	O	X	X
GDP 디플레이터	X	O	O	X

[오답체크]
ㄱ. 소비자물가지수는 라스파이레스 방식으로 기준연도의 재화 바스켓에 기초하여 계산된 지수이다.
ㅁ. 소비자물가지수와 생산자물가지수는 라스파이레스방식으로 계산된다.

30 상중하

A국은 콩과 쌀을 국내에서 생산하고, 밀은 수입한다. GDP 디플레이터의 관점에서 A국의 물가수준 변화로 옳은 것은? (단, A국에는 콩, 쌀, 밀 세 가지 상품만 존재한다)

[국회직 8급 19]

(단위: kg, 천원)

상품	기준연도		비교연도	
	수량	가격	수량	가격
콩	2	10	3	15
쌀	3	20	4	20
밀	4	30	5	20

① 비교년도의 물가가 13.6% 상승하였다.
② 비교년도의 물가가 12.5% 상승하였다.
③ 비교년도의 물가가 13.6% 하락하였다.
④ 비교년도의 물가가 12.5% 하락하였다.
⑤ 물가수준에 변동이 없다.

31 상중하

인플레이션에 대한 설명 중 옳지 않은 것은? [국회직 8급 15]

① 먼델-토빈(Mundell-Tobin) 효과에 따르면 기대인플레이션율이 상승하면 투자가 감소한다.
② 공급충격이 발생한 경우 인플레이션 타게팅(targeting) 정책은 산출을 불안정하게 한다.
③ 디스인플레이션(disinflation) 정책이 실업률에 미치는 영향은 해당 정책이 기대되었는가에 의존한다.
④ 합리적 기대 가설에 따르면 예상 인플레이션율이 상승하면 실제인플레이션율이 높아진다.
⑤ 명목임금이 하방경직적일 때, 디플레이션이 발생하면 실질임금은 상승한다.

정답 및 해설

30 ① 1) GDP 디플레이터 = $\frac{\text{명목GDP}}{\text{실질GDP}} \times 100$

2) GDP는 국내에서 생산된 것만 반영되므로 수입품(밀)은 제외한다.

3) 콩, 쌀의 명목GDP는 $3 \times 15 + 4 \times 20 = 125$이고 실질GDP는 $3 \times 10 + 4 \times 20 = 110$이다.

4) 따라서 GDP 디플레이터는 $125/110 \cdot 100 = 113.6$이다.

5) 물가상승률은 GDP 디플레이터의 변화율이므로 13.6% 상승하였음을 알 수 있다.

31 ① 먼델-토빈 효과에 따르면 기대 인플레이션의 증가는 명목이자율을 높이고 실질화폐의 잔고나 실질적인 부를 낮추어서 소비는 줄이고 저축은 늘려 실질이자율이 하락하는 효과가 있다. 따라서 기대 인플레이션율이 상승하면 실질이자율이 하락하므로 투자가 증가한다.

[오답체크]

② 인플레이션 타게팅 정책은 인플레이션을 일정하게 유지하는 정책이다. 음(-)의 공급충격(예를 들면 석유파동)이 발생하면 총공급곡선은 상방으로 이동한다. 이 때 인플레이션(물가)을 일정하게 유지하기 위해서는 긴축 총수요정책을 통해서 총수요곡선을 좌측으로 이동시켜야 한다. 결국 산출이 크게 감소하므로 인플레이션 타게팅 정책은 산출을 불안정하게 함을 알 수 있다.

③ 디스인플레이션 정책은 인플레이션을 줄이는 긴축 정책을 의미한다. 디스인플레이션 정책이 완전하게 기대되었거나 합리적 기대에서 이 정책을 예상하였다면 실업은 전혀 증가하지 않는다. 합리적 기대에서 디스인플레이션 정책을 예상하지 못하였거나 적응적 기대에서는 실업이 증가한다. 결국 디스인플레이션 정책이 실업률에 미치는 영향은 해당 정책이 기대되었는가에 의존한다.

④ 예상 인플레이션율이 상승하면 총공급곡선이 상방으로 이동하므로 실제 물가 또는 실제 인플레이션율이 높아진다.

⑤ 명목임금이 하방경직적일 때 디플레이션이 발생하여 물가가 하락하면 실질임금($\frac{W}{P}$)은 상승한다.

32 상중하

현재 경제상황은 아래와 같다. 이때 다음 두 가지 질문의 답으로 옳은 것은? [국회직 8급 13]

- $\frac{M^s}{P} = 1,000 - 1,000i$
- $M^S = 1,700$
- $P = 2$, $\pi^e = 0.05$

(M^d: 명목화폐수요, i: 명목이자율, M^S: 명목화폐공급, P: 물가, π^e: 기대물가상승률)

(Ⅰ) 현재 균형실질이자율은 얼마인가?
(Ⅱ) 다른 조건들이 모두 동일할 때 화폐공급이 50만큼 늘어나고 기대물가 상승률이 10%인 경우 새로운 균형실질이자율은 얼마인가?

	Ⅰ	Ⅱ
①	10%	2.5%
②	10%	5%
③	15%	2.5%
④	15%	5%
⑤	15%	7.5%

33 상중하

실업에 관한 설명으로 옳지 않은 것은? [감정평가사 18]

① 균형임금을 초과한 법정 최저임금의 인상은 비자발적 실업을 증가시킨다.
② 실업급여 인상과 기간 연장은 자발적 실업 기간을 증가시킨다.
③ 정부의 확장적 재정정책은 경기적 실업을 감소시킨다.
④ 인공지능 로봇의 도입은 경기적 실업을 증가시킨다.
⑤ 구직자와 구인자의 연결을 촉진하는 정책은 마찰적 실업을 감소시킨다.

34 고용 통계에 대한 설명으로 옳지 않은 것을 〈보기〉에서 모두 고르면? [국회직 8급 13]
상중하

〈보기〉

ㄱ. 구직 단념자가 많아지면 실업률이 하락한다.
ㄴ. 실업률은 경제활동인구에서 실업자가 차지하는 비율이다.
ㄷ. 경제활동참가율이 높아지면 실업률이 높아진다.
ㄹ. 구직 단념자가 많아져도 고용률은 변하지 않는다.
ㅁ. 고용률이 증가하면 실업률은 하락한다.

① ㄱ, ㄹ ② ㄱ, ㅁ ③ ㄴ, ㄷ
④ ㄴ, ㄹ ⑤ ㄷ, ㅁ

정답 및 해설

32 ① 1) 균형명목이자율을 구하기 위해 $\frac{M^d}{P} = \frac{M^s}{P}$로 두면 $1{,}000 - 1{,}000i = 850$, $i = 0.15$로 계산된다.
2) 명목이자율이 15%이고, 기대인플레이션율이 5%이므로 균형실질이자율은 10%이다.
3) 화폐공급이 50만큼 늘어난 이후의 균형명목이자율을 구해보면 $1{,}000 - 1{,}000i = 875$, $i = 0.125$이다.
4) 명목이자율이 12.5%이고 기대인플레이션율이 10%이면 균형실질이자율은 2.5%가 된다.

33 ④ 인공지능 로봇의 도입은 경기적 실업이 아닌 구조적 실업과 관련되어 있다.

34 ⑤ ㄷ. 경제활동참가율이 높아지려면 경제활동인구가 증가해야 하는데 이때 실업률은 취업자 변화폭과 실업자 변화폭에 따라 결정되므로 단순히 실업률이 증가한다고 단정지을 수 없다.
ㅁ. 고용률이 증가할 때 경제활동참가율이 동일하게 증가하면 실업률은 하락하지 않을 수 있다.

35 상중하

甲국은 경제활동인구가 1,000만명으로 고정되어 있으며 실업률은 변하지 않는다. 매 기간 동안, 실업자 중 새로운 일자리를 얻는 사람의 수가 47만명이고, 취업자 중 일자리를 잃는 사람의 비율(실직률)이 5%로 일정하다. 甲국의 실업률은? [감정평가사 19]

① 3% ② 4% ③ 4.7%
④ 5% ⑤ 6%

36 상중하

노동시장에서 현재 고용상태인 개인이 다음 기에도 고용될 확률을 P_{11}, 현재 실업상태인 개인이 다음 기에 고용될 확률을 P_{21}이라고 하자. 이 확률이 모든 기간에 항상 동일하다고 할 때, 이 노동시장에서의 균형실업률은? [국회직 8급 18]

① $P_{21}/(1-P_{21})$
② P_{21}/P_{11}
③ $(1-P_{11})/(1-P_{11}+P_{21})$
④ $(1-P_{11})/(P_{11}+P_{21})$
⑤ $(1-P_{11})/(1-P_{21})$

37 상중하

실업률과 총생산에 관한 설명 중 옳은 것을 〈보기〉에서 모두 고르면? [국회직 8급 13]

〈보기〉

ㄱ. 오쿤(Okun)의 법칙은 자연실업률과 잠재GDP의 관계를 실증분석한 경험법칙이다.
ㄴ. 고용의 유연성이 증가하면 경기변동에 따른 실업률의 변화가 심해진다.
ㄷ. 단기적으로 경기적 실업이 증가하면 실제GDP가 잠재GDP 이하로 하락한다.
ㄹ. 오쿤(Okun)에 따르면 경기적 실업이 증가하면 총생산갭(침체갭)은 증가한다.

① ㄱ, ㄷ ② ㄴ, ㄹ ③ ㄱ, ㄴ, ㄷ
④ ㄴ, ㄷ, ㄹ ⑤ ㄱ, ㄴ, ㄷ, ㄹ

38 다음 〈보기〉 중 실업과 인플레이션에 대한 설명으로 옳은 것은 모두 몇 개인가?
상중하

[국회직 8급 14]

〈보기〉

ㄱ. 정(+)의 실업률하에서 실질GDP는 잠재적GDP에 미치지 못한다.
ㄴ. 예상하지 못한 인플레이션이 발생할 경우 명목환율이 불변이면 실질순수출은 증가한다.
ㄷ. 장기필립스곡선은 자연실업률에서 수직이다.
ㄹ. 비경제활동인구에는 전업학생, 전업주부, 은퇴자 등이 포함된다.
ㅁ. 경제활동인구는 생산가능연령 인구 중 경제활동에 참가하고 있는 인구를 말한다.

① 1개 ② 2개 ③ 3개
④ 4개 ⑤ 5개

정답 및 해설

35 ⑤ 1) 자연실업률 상태에서는 실업자 중 일자리를 다시 얻는 사람 = 취업자 중 일자리를 잃는 사람이다.
2) 47 = 취업자 × 0.05(만명) ➜ 취업자는 940만명이다.
3) 경제활동인구가 1,000만명이므로 실업자는 60만명이다. 따라서 실업률은 6%이다.

36 ③ 1) 자연실업률 조건: $fU = sE-$ ➜ $u = \frac{s}{f+s}$
2) s = 고용상태였다가 다음 기에 고용되지 못할 확률 $= 1 - P_{11}$
3) f = 실업상태였다가 다음 기에 고용될 확률 $= P_{21}$
4) 따라서 자연실업률은 $(1-P_{11})/(1-P_{11}+P_{21})$이다.

37 ④ **[오답체크]**
ㄱ. 실업률과 GDP의 관계를 실증분석한 경험법칙이다.

38 ③ ㄷ. 장기에서는 실제인플레이션과 예상인플레이션이 일치하므로 장기 필립스곡선은 자연실업률 수준에서 수직이다.
ㄹ. 생산가능인구 중에서 일할 의사가 없거나 일할 능력이 없는 사람을 비경제활동인구라고 한다. 전업학생, 전업주부는 일할 의사가 없으므로 비경제활동인구에 포함된다. 은퇴자는 일할 의사는 있지만 노령으로 인해 일할 능력이 없으므로 비경제활동인구에 포함된다.
ㅁ. 생산가능인구 중에서 일할 능력과 일할 의사가 있어서 경제활동에 참가하는 인구를 경제활동인구라고 한다.

[오답체크]
ㄱ. 오쿤의 법칙 $\frac{Y^* - Y}{Y^*} = a(u - u_n)$은 실제생산량(GDP 갭)과 실제실업률(실업률갭)의 상충관계를 보여주고 있다. 오쿤의 법칙에 의하면 실제 실업률 u가 정(+)의 값을 갖더라도 자연실업률 u_n 보다 작다면 $(u - u_n)$은 음(−)의 값이므로 $\frac{Y^* - Y}{Y^*}$도 음(−)의 값을 갖는다. 따라서 정(+)의 실업률 하에서 실질GDP(Y)는 잠재적GDP(Y^*)를 초과할 수 있다.
ㄴ. 예상치 못한 인플레이션이 발생하고 명목환율이 불변이면 상대적으로 저렴해진 외국재화의 소비를 늘리므로 수출이 줄고 수입이 늘어서 실질순수출($X-M$)은 감소한다.

39 상중하

한국 경제가 현재 단기필립스곡선 SP_1상의 a점에 있다고 가정하자. 중동지역 정세의 불안정으로 인해 에너지가격이 폭등할 경우 단기에서 장기까지 한국 경제의 예상 이동 경로로 옳은 것은? (단, U_N은 자연실업률 수준을 나타낸다) [국회직 8급 14]

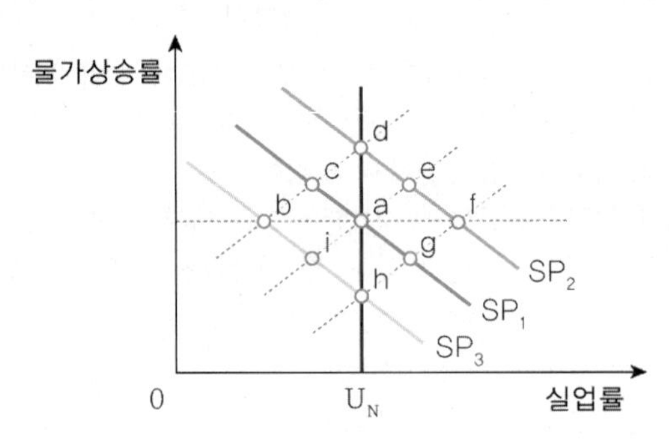

① a ➜ c ➜ d
② a ➜ e ➜ d
③ a ➜ g ➜ h
④ a ➜ i ➜ h
⑤ a ➜ e ➜ a

40 상중하

어떤 경제를 다음과 같은 필립스(Phillips)모형으로 표현할 수 있다고 할 때, 다음 설명 중 옳은 것은? [국회직 8급 18]

> • $\pi_t = \pi_t^e - a(u_t - \overline{u})$
> • $\pi_t^e = 0.7\pi_{t-1} + 0.2\pi_{t-2} + 0.1\pi_{t-3}$
> (단, π_t는 t기의 인플레이션율, π_t^e는 t기의 기대 인플레이션율, a는 양의 상수, u_t는 t기의 실업률, $\overline{u}$는 자연실업률이다)

① 기대 형성에 있어서 체계적 오류 가능성은 없다.
② 경제주체들은 기대를 형성하면서 모든 이용 가능한 정보를 활용한다.
③ 가격이 신축적일수록 a값이 커진다.
④ a값이 클수록 희생률(sacrifice ratio)이 커진다.
⑤ t기의 실업률이 높아질수록 t기의 기대 인플레이션율이 낮아진다.

41 상중하

단기 필립스곡선은 우하향하고 장기 필립스곡선은 수직일 때, 인플레이션율을 낮출 경우 발생하는 현상으로 옳은 것은? [감정평가사 21]

① 단기적으로 실업률이 증가한다.
② 장기적으로 실업률이 감소한다.
③ 장기적으로 인플레이션 저감비용은 증가한다.
④ 장기적으로 실업률은 자연실업률보다 높다.
⑤ 단기적으로 합리적 기대가설과 동일한 결과가 나타난다.

정답 및 해설

39 ⑤ 1) 단기에는 에너지가격이 폭등하면 비용이 상승하므로 총공급곡선이 상방으로 이동하여 실업이 증가하고 인플레이션도 상승한다. 필립스곡선이 상방으로 이동하므로 한국경제는 a점에서 e점으로 이동한다.
2) 장기에는 에너지 충격이 일시적인 경우 에너지 가격이 다시 하락하므로 총공급곡선이 하방으로 이동하고 필립스곡선도 하방으로 이동한다. 따라서 한국경제는 e점에서 다시 a점으로 이동한다.

40 ③ **[오답체크]**
① 적응적 기대는 체계적 오류 가능성이 있다.
② 합리적 기대에 대한 설명이다.
④ a값이 클수록 희생률이 작아진다.
⑤ t기의 기대 인플레이션율은 그 이전 기의 인플레이션에 의해서만 영향을 받는다.

41 ① 단기 인플레이션율을 낮추기 위해 총수요를 줄여야 하므로 실업이 증가한다.
[오답체크]
②④ 장기실업률은 변함이 없다.
③ 장기적으로는 실업과 연관이 없다.
⑤ 완전히 예측한 경우에만 단기적으로 합리적 기대가설과 동일한 결과가 나타난다.

42 상중하

A국의 단기 필립스곡선은 $\pi = \pi^e - 0.4(u - u_n)$이다. 현재 실제인플레이션율이 기대 인플레이션율과 동일하고 기대 인플레이션율이 변하지 않을 경우, 실제인플레이션율을 2%p 낮추기 위해 추가로 감수해야 하는 실업률의 크기는? (단, u는 실제실업률, u_n는 자연실업률, π는 실제인플레이션율, π^e는 기대 인플레이션율이고, 자연실업률은 6%이다) [감정평가사 16]

① 5.0%p
② 5.2%p
③ 5.4%p
④ 5.6%p
⑤ 5.8%p

43 상중하

실업률과 인플레이션율의 관계는 $u = u_n - 2(\pi - \pi_e)$이고 자연실업률이 3%이다. 〈보기〉를 고려하여 중앙은행이 0%의 인플레이션을 유지하는 준칙적 통화정책을 사용하였을 때 (ㄱ) 실업률과, 최적 인플레이션율로 통제했을 때의 (ㄴ) 실업률은? (단, u, u_n, π, π_e는 각각 실업률, 자연실업률, 인플레이션율, 기대 인플레이션율이다) [감정평가사 21]

〈보기〉

- 중앙은행은 물가를 완전하게 통제할 수 있다.
- 민간은 합리적 기대를 하며 중앙은행이 결정한 인플레이션율로 기대 인플레이션을 형성한다.
- 주어진 기대 인플레이션에서 중앙은행의 최적 인플레이션율은 1%이다.

① ㄱ: 0%, ㄴ: 0%
② ㄱ: 1%, ㄴ: 0%
③ ㄱ: 1%, ㄴ: 1%
④ ㄱ: 2%, ㄴ: 1%
⑤ ㄱ: 3%, ㄴ: 3%

정답 및 해설

42 ① 1) $\pi - \pi^e = -0.4(u - u_n)$ ➜ $2\% = 0.4u$

2) 따라서 $u = 5\%$이므로 물가 1%를 잡기 위해서는 실업률 5%p를 희생해야 한다.

43 ⑤ 1) 준칙적 통화정책시

㉠ 중앙은행이 0%의 인플레이션을 유지하는 준칙적 통화정책을 사용하므로 $\pi = 0\%$이다.

㉡ 조건에서 합리적 기대에 따라 중앙은행이 결정한 인플레이션율로 기대 인플레이션을 형성하므로 $\pi^e = 0\%$이다.

㉢ 주어진 조건을 대입하면 $u = 3\% - 2(0\% - 0\%) = 3\%$이다.

2) 최적 인플레이션으로 통제시

㉠ 중앙은행이 최적의 인플레이션율인 1%로 생각하므로 $\pi = 1\%$이다.

㉡ 조건에서 합리적 기대에 따라 중앙은행이 결정한 인플레이션율로 기대 인플레이션을 형성하므로 $\pi^e = 1\%$이다.

㉢ 조건을 대입하면 $u = 3\% - 2(1\% - 1\%) = 3\%$이다.

44 상중하 현재 인플레이션율을 8%에서 4%로 낮출 경우, 보기를 참고하여 계산된 희생률은? (단, Π_t, Π_{t-1}, U_t는 각각 t기의 인플레이션율, (t − 1)기의 인플레이션율, t기의 실업률이다)

[감정평가사 21]

〈보기〉

- $\Pi_t - \Pi_{t-1} = -0.8(U_t - 0.05)$
- 현재 실업률: 5%
- 실업률 1%p 증가할 때 GDP 2% 감소로 가정
- 희생률: 인플레이션율을 1%p 낮출 경우 감소되는 GDP 변화율(%)

① 1.5 ② 2 ③ 2.5
④ 3 ⑤ 3.5

45 상중하 甲국 통화당국의 손실함수와 필립스곡선이 다음과 같다. 인플레이션율에 대한 민간의 기대가 형성되었다. 이후, 통화당국이 손실을 최소화하기 위한 목표 인플레이션율은? (단, π, π^e, u, u_n은 각각 인플레이션율, 민간의 기대 인플레이션율, 실업률, 자연실업률이고, 단위는 %이다)

[감정평가사 18]

- 통화당국의 손실함수: $L(\pi, u) = u + \frac{1}{2}\pi^2$
- 필립스곡선: $\pi = \pi^e - \frac{1}{2}(u - u_n)$

① 0% ② 1% ③ 2%
④ 3% ⑤ 4%

정답 및 해설

44 ③ 1) $0.04 - 0.08 = -0.25(U_t - 0.04)$ ➜ $0.04 - 0.08 = -0.8U_t + 0.04$ ➜ $0.08 = 0.8U_t$ ➜ $U_t = 0.1$이다.
2) 따라서 실업률은 5%에서 10%로 증가하므로 5%p 증가한다.
3) 제시된 조건에 따라 GDP는 10%p 감소한다.
4) 희생비율 $= \frac{10\%p}{4\%p} = 2.5$이다.

45 ③ 1) 손실함수에서 손실은 실업률과 물가상승률에 비례한다.
2) 필립스곡선에서는 물가와 실업은 반비례관계가 성립한다.
3) 손실을 최소화하는 인플레이션율이므로 손실함수를 인플레이션에 대한 함수로 바꾸어 주면 된다.
4) 필립스곡선을 변형하면 $u = u_n - 2 + 2\pi^e$이다.
5) 이를 손실함수에 대입하면 $L(\pi,\ u) = u_n - 2\pi + 2\pi^e \cdot + \frac{1}{2}\pi^2$이다.
6) 손실함수는 우리가 구하고자 하는 인플레이션이 2차 함수의 형태이므로 손실함수를 π로 미분하면 $-2 + \pi = 0$이므로 $\pi = 2\%$이다.

STEP 3 실전문제

46 상중하

여러 거시 변수의 측정에 관한 다음 설명 중 가장 옳지 않은 것은? [회계사 14]

① 신종 플루의 유행으로 국내에서 백신 생산이 증가하면 GDP가 증가한다.
② 한국의 타이어회사가 중국에서 생산하여 한국으로 수입 판매한 타이어의 가치는 한국의 GDP에 포함된다.
③ 수입 농산물의 가격 상승은 GDP 디플레이터에는 영향을 미치지 않지만 소비자물가지수는 상승시킨다.
④ 파업에 참가하여 생산활동을 하지 않은 근로자도 취업자에 포함된다.
⑤ M2는 M1보다 반드시 크다.

47 상중하

거시경제지표에 대한 설명 중 옳은 것은? [회계사 16]

① 환전에 관한 제반 비용이 없다고 가정할 때, 거주자 외화예금을 원화로 환전하여 보통예금에 예금을 하면, M2는 줄어들고 M1은 늘어난다.
② 임대주택의 주거서비스는 GDP에 포함되지만, 자가주택의 주거서비스는 임대료를 측정할 수 없으므로 GDP에 포함되지 않는다.
③ 집에서 가족을 위해 전업주부가 음식을 만들 경우, 전업주부가 창출한 부가가치는 GDP에 포함되지 않는다.
④ 수입품 가격의 상승은 GDP 디플레이터와 소비자물가지수에 모두 반영된다.
⑤ 정부가 독거노인들에게 무료로 식사를 제공하는 것은 정부지출에 포함된다.

48 상중하

명목이자율을 상승시킬 수 있는 요인을 모두 고르면? [회계사 14]

가. 기대 인플레이션율 상승
나. 투자의 한계효율 하락
다. 시간선호율 상승
라. 국채발행 증가

① 가, 라　② 나, 다　③ 가, 다, 라
④ 나, 다, 라　⑤ 가, 나, 다, 라

49 상중하 현재 명목 이자율은 0%이며 그 이하로 하락할 수 없다. 인플레이션율이 2%에서 1%로 하락할 경우 실질이자율과 국민소득의 변화는? [회계사 20]

	실질이자율	국민소득
①	상승	증가
②	상승	감소
③	불변	불변
④	하락	증가
⑤	하락	감소

정답 및 해설

46 ② 중국에서 생산한 것이므로 중국의 GDP에 포함된다.

47 ③ 시장에서 거래되지 않은 것은 GDP에 포함되지 않는다.

[오답체크]

① 거주자 외화예금은 M2에 해당한다. 환전에 관한 제반 비용이 없다고 가정할 때, 거주자 외화예금을 원화로 환전하여 보통예금에 예금을 하면, M1은 줄어들고 M2는 M1을 포함하는 개념이므로 M2에는 변화가 없다.

② 자가주택의 임대료도 귀속임대료로 GDP에 포함된다.

④ 수입품 가격의 상승은 GDP 디플레이터에는 반영되지 않지만 소비자물가지수에 반영된다.

⑤ 정부가 독거노인들에게 무료로 식사를 제공하는 것은 이전지출이므로 정부지출에 포함되지 않는다.

48 ③ **[오답체크]**

나. 투자의 한계효율이 하락하면 투자가 감소하여 이자율이 하락한다.

49 ② 1) 명목이자율 − 물가상승률 = 실질이자율

2) 물가상승률이 1% 하락하였으므로 실질이자율도 1% 상승한다. 따라서 소비와 투자가 감소하여 국민소득이 감소한다.

50 상중하

A국의 2014년 명목GDP가 8조달러이고, 2014년 실질GDP가 10조달러이다. 이 경우 2014년 GDP 디플레이터는 기준 연도에 비하여 얼마나 변하였는가? [회계사 16]

① 불변
② 20% 하락
③ 20% 상승
④ 25% 하락
⑤ 25% 상승

51 상중하

표는 A국의 연도별 명목GDP와 실질GDP를 나타낸 것이다. 다음 설명 중 옳지 않은 것은? [회계사 20]

연도	명목GDP	실질GDP
2015	95	100
2016	99	102
2017	100	100
2018	103	98
2019	104	97

① 2016년 ~ 2019년 중 GDP 디플레이터 상승률이 가장 높은 해는 2017년이다.
② 2017년 이후 실질GDP 성장률은 음(-)이다.
③ 2016년 이후 명목GDP 성장률은 양(+)이다.
④ 2017년 GDP 디플레이터는 기준연도와 같다.
⑤ 2015년 이후 GDP 디플레이터는 지속적으로 상승하고 있다.

52 상중하 2008년도에 야구선수 갑은 A구단과 10년간 총액 265백만 달러의 계약을 맺었다. 다음은 갑이 2008년 이후에 받아야 할 연봉을 나타낸 표이다. 2016년 물가지수가 125라고 할 때, 2016년에 갑이 받을 연봉을 2010년의 실질가치로 환산하면 얼마인가? (단, 물가지수는 2010년을 100으로 한다) [회계사 17]

연도	금액(백만달러)	연도	금액(백만달러)
2008	27	2013	28
2009	32	2014	25
2010	32	2015	21
2011	31	2016	20
2012	29	2017	20

① 10백만달러
② 16백만달러
③ 18백만달러
④ 20백만달러
⑤ 24백만달러

정답 및 해설

50 ② 1) GDP 디플레이터 $= \frac{\text{명목 GDP}}{\text{실질 GDP}} \times 100$

2) 기준 연도의 GDP 디플레이터는 100이다.

3) 비교 연도의 GDP 디플레이터는 $\frac{8}{10} \times 100 = 80$으로 20% 하락하였다.

51 ① 1) 주어진 자료로 GDP 디플레이터를 표시하면 다음과 같다.

연도	명목GDP	실질GDP	GDP 디플레이터
2015	95	100	95
2016	99	102	약 97
2017	100	100	100
2018	103	98	약 105
2019	104	97	약 107

2) 변화율이 가장 높은 해는 2018년이다.

52 ② 1) 물가지수 $= \frac{\text{비교 연도 물가수준}}{\text{기준 연도 물가수준}} \times 100$

2) $125 = \frac{20}{\text{기준 연도}} \times 100$ → 16백만달러이다.

53 상중하

A국은 사과와 딸기 두 재화만을 생산하며, 각 재화의 생산량과 가격은 다음 표와 같다. A국이 2013년 가격을 기준으로 실질GDP를 계산한다고 할 때, 다음 중 옳지 않은 것은?

[회계사 15]

연도	사과		딸기	
	생산량	가격	생산량	가격
2013	10	1	5	2
2014	8	2	6	1

① 2013년의 명목GDP는 20이다.
② 2013년의 실질GDP는 20이다.
③ 2014년의 명목GDP는 22이다.
④ 2014년의 실질GDP 성장률은 전년대비 0%이다.
⑤ 2014년의 GDP 디플레이터 상승률은 전년대비 5%이다.

54 상중하

다음 표는 갑국과 을국의 명목GDP와 실질GDP를 나타낸다. 물가수준은 양국 모두 GDP 디플레이터로 측정한다. 다음 설명 중 옳은 것은? (단, 양국은 동일한 통화를 사용한다)

[회계사 22]

(단위: 달러)

구분	갑국		을국	
	명목GDP	실질GDP	명목GDP	실질GDP
2010년	4.0조	2.0조	1.0조	1.5조
2015년	6.0조	6.0조	2.0조	2.0조
2020년	8.0조	7.0조	5.0조	3.5조

① 갑국의 2010년 GDP 디플레이터는 50이다.
② 갑국의 2010년과 2015년 사이의 실질GDP 성장률은 2015년과 2020년 사이의 실질GDP 성장률에 비해 100%포인트 높다.
③ 을국은 2010년에 비해 2015년에 물가수준이 상승하였다.
④ 을국의 2015년 물가수준은 기준년도 물가수준보다 낮다.
⑤ 2015년 대비 2020년 물가상승률은 갑국이 을국보다 높다.

정답 및 해설

53 ⑤ 1) 표

구분	2013	2014
명목GDP	$10+10=20$	$16+6=22$
실질GDP	$10+10=20$	$8+12=20$

2) 2014년의 GDP 디플레이터 = $\frac{22}{20}\times 100=110$이므로 2014년의 GDP 디플레이터 상승률은 전년대비 10%이다.

54 ③ 을국의 2010년 GDP 디플레이터 = $\frac{1조}{1.5조}\times 100=$ 약 67, 2015년 GDP 디플레이터 = $\frac{2조}{2조}\times 100=100$이므로 을국은 2010년에 비해 2015년에 물가수준이 상승하였다.

[오답체크]

① 갑국의 2010년 GDP 디플레이터 $\frac{4조}{2조}\times 100=200$이다.

② 갑국의 2010년과 2015년 사이의 실질GDP 성장률 = $\frac{6조-2조}{2조}\times 100=200$이고 2015년과 2020년 사이의 실질GDP 성장률 = $\frac{7조-6조}{6조}\times 100=$ 약 16에 비해 약 184%포인트 높다.

④ 을국의 GDP 디플레이터가 100이므로 2015년 물가수준은 기준년도 물가수준과 동일하다.

⑤ 2015년 대비 2020년 물가지수의 변화율인 물가상승률은 갑국이 을국보다 낮다.

구분	갑국			을국		
	명목GDP	실질GDP	GDP 디플레이터	명목GDP	실질GDP	GDP 디플레이터
2015년	6.0조	6.0조	100	2.0조	2.0조	100
2020년	8.0조	7.0조	$\frac{8조}{7조}\times 10=$ 약 114	5.0조	3.5조	$\frac{5조}{3.5조}\times 10=$ 약 142

55 상중하

A국은 X재와 Y재 두 재화만을 생산한다. 2010년과 2011년에 A국에서 생산된 각 재화의 시장가격과 거래금액은 아래와 같다. 이때 2010년을 기준연도로 하여 2011년 GDP 디플레이터를 구하는 산식으로 옳은 것은? (단, 그 해 A국에서 생산된 재화는 그해에 모두 A국 시장에서 거래되어 소비되었다) [회계사 21]

연도	시장가격(원)		거래금액(원)	
	X재	Y재	X재	Y재
2010	P_0^x	P_0^y	M_0^x	M_0^y
2011	P_1^x	P_1^y	M_1^x	M_1^y

① $\dfrac{M_1^x + M_1^y}{P_0^x \dfrac{M_1^x}{P_1^x} + P_0^y \dfrac{M_1^y}{P_1^y}}$

② $\dfrac{M_1^x + M_1^y}{P_1^x \dfrac{M_1^x}{P_0^x} + P_1^y \dfrac{M_1^y}{P_0^y}}$

③ $\dfrac{P_0^x \dfrac{M_1^x}{P_1^x} + P_0^y \dfrac{M_1^y}{P_1^y}}{M_0^x + M_0^y}$

④ $\dfrac{P_1^x \dfrac{M_1^x}{P_0^x} + P_1^y \dfrac{M_1^y}{P_0^y}}{M_0^x + M_0^y}$

⑤ $\dfrac{P_1^x \dfrac{M_1^x}{P_0^x} + P_1^y \dfrac{M_1^y}{P_0^y}}{P_0^x \dfrac{M_1^x}{P_1^x} + P_0^y \dfrac{M_1^y}{P_1^y}}$

56 상중하

인플레이션에 대한 설명 중 옳은 것을 모두 고르면? [회계사 16]

가. 인플레이션은 현금 보유를 줄이기 위한 구두창 비용(shoeleather cost)을 발생시킨다.
나. 인플레이션이 예측되지 못할 경우, 채권자와 채무자의 부가 재분배된다.
다. 인플레이션이 안정적이고 예측 가능한 경우에는 메뉴비용(menu cost)이 발생하지 않는다.
라. 인플레이션은 자원배분의 왜곡을 가져오지만, 상대가격의 변화를 발생시키지는 않는다.

① 가, 나 ② 나, 라 ③ 가, 나, 다
④ 가, 다, 라 ⑤ 나, 다, 라

57 실질이자율과 명목이자율에 대한 설명으로 옳은 것은? [회계사 17]
상중하

① 실질이자율이 명목이자율보다 작다면, 기대인플레이션은 양(+)의 값을 가진다.
② 실질이자율이 명목이자율보다 작다면, 구매력은 채무자에서 채권자로 이전된다.
③ 실질이자율은 음수가 될 수 없다.
④ 실질이자율은 명목이자율에서 제반 비용 등을 뺀 이자율이다.
⑤ 실질이자율이 명목이자율보다 크다면, 지속적인 물가상승이 예상된다.

정답 및 해설

55 ① 1) GDP 디플레이터 $= \frac{\text{명목GDP}}{\text{실질GDP}} \times 100$이다.

2) 명목GDP $= M_1^x + M_1^y$

3) 실질GDP = 가격 × 거래량 = 거래금액이므로 거래량은 $\frac{M}{P}$이다. 따라서 2011년의 실질GDP는

$P_0^x \cdot \frac{M_1^x}{P_1^x} + P_0^y \cdot \frac{M_1^y}{P_1^y}$이고 GDP 디플레이터 $= \dfrac{M_1^x + M_1^y}{P_0^x \frac{M_1^x}{P_1^x} + P_0^y \frac{M_1^y}{P_1^y}}$이다.

56 ① **[오답체크]**

다. 인플레이션이 안정적이고 예측 가능한 경우에도 메뉴비용(menu cost)이 발생한다.
라. 인플레이션은 모든 재화의 가격을 동일하게 상승시키는 것은 아니므로 상대가격의 변동을 가져온다. 이러한 상대가격의 변동이 자원배분의 왜곡을 가져오는 것이다.

57 ① '명목이자율 − (예상)물가상승률 = 실질이자율'이므로 실질이자율이 명목이자율보다 작다면, 기대 인플레이션은 양(+)의 값을 가진다.

[오답체크]

② 실질이자율이 명목이자율보다 작다면, 인플레이션이 발생하였으므로 구매력은 채권자에서 채무자로 이전된다.
③ 실질이자율은 물가상승률이 높다면 음수가 될 수 있다.
④ 실질이자율은 명목이자율에서 물가상승률을 뺀 이자율이다.
⑤ 실질이자율이 명목이자율보다 크다면, 지속적인 물가하락이 예상된다.

58 물가안정목표제(inflation targeting)에 대한 설명으로 옳은 것만을 모두 고르면?
상중하

[회계사 20]

가. 물가안정목표제는 자유재량 정책에 비해 중앙은행 정책수행의 투명성을 높인다.
나. 물가안정목표제는 자유재량 정책에 비해 시간 불일치성(time inconsistency) 문제를 증가시킨다.
다. 물가안정목표제는 물가안정에 초점을 두기 때문에 자유재량정책에 비해 생산과 고용의 변동에 적절히 대응하지 못한다.
라. 우리나라 물가안정목표제의 기준 지표는 GDP 디플레이터이다.

① 가, 나　② 가, 다　③ 나, 라
④ 가, 다, 라　⑤ 나, 다, 라

59 현재 우리나라 중앙은행의 물가안정목표제에 대한 설명 중 옳은 것을 모두 고르면?
상중하

[회계사 16]

가. 매년 물가안정목표를 설정한다.
나. 중간목표를 명시적으로 설정한 물가안정목표제를 취하고 있다.
다. 물가안정목표의 기준이 되는 것은 소비자물가지수의 상승률이 아니라 근원인플레이션이다.
라. 예상치 못한 국내외 경제충격, 경제여건 변화 등으로 물가안정 목표의 변경이 필요할 경우 정부와 협의하여 물가목표를 재설정 할 수 있다.

① 가　② 다　③ 라
④ 가, 나　⑤ 다, 라

정답 및 해설

58 ② 물가안정목표제하에서 중앙은행은 물가상승률이 사전에 발표한 목표치를 넘어서면 기준금리를 인상하고, 물가상승률이 목표치에 미달하면 기준금리를 인하할 것이 분명하므로 정책의 투명성이 높다.

[오답체크]

나. 물가안정목표제는 준칙적인 정책에 해당하므로 자유재량 정책에 비해 시간 불일치성(time inconsistency) 문제를 감소시킨다.

라. 우리나라 물가안정목표제의 기준 지표는 소비자물가지수이다.

59 ③ **[오답체크]**

가. 예상치 못한 국내외 경제충격, 경제여건 변화 등으로 물가안정 목표의 변경이 필요할 경우 정부와 협의하여 물가목표를 재설정 할 수 있는 것이지 매년 물가안정목표를 설정하는 것은 아니다.

나. 통화량이나 이자율과 같은 중간목표를 두지 않고, 정책의 최종목표인 물가상승 자체를 목표로 설정하고 이를 직접 달성하려는 것이 물가안정목표제이다. 따라서 중간목표를 명시적으로 설정하지 않는다.

다. 물가안정목표의 기준이 되는 것은 2016년 이후 소비자물가지수의 상승률이다.

60 상중하

A국의 통화당국은 통화량 또는 이자율을 중간목표로 운영하여 소득변동을 최소화함으로써 경기를 안정시키는 정책목표를 달성하고자 한다. 통화량 중간목표제는 통화량을 현재 수준으로, 이자율 중간목표제는 이자율을 현재 수준으로 유지하는 것이다. 재화시장에 충격이 발생하여 IS곡선이 이동하였다고 하자. IS-LM곡선을 이용한 분석으로 옳은 것만을 모두 고르면? (단, IS곡선은 우하향하고 LM곡선은 우상향한다) [회계사 21]

> 가. 통화량 중간목표제가 이자율 중간목표제에 비해 정책목표 달성에 더 효과적이다.
> 나. 통화량 중간목표제의 경기안정 효과는 화폐수요의 이자율탄력성이 높을수록 작아진다.
> 다. 이자율 중간목표제의 경기안정 효과는 투자의 이자율탄력성이 높을수록 커진다.

① 가 ② 나 ③ 가, 나
④ 나, 다 ⑤ 가, 나, 다

정답 및 해설

60 ③ 1) 통화량 중간목표제

통화량을 중간목표로 잡으면 통화량은 고정이므로 LM곡선은 우상향하는 형태가 된다.

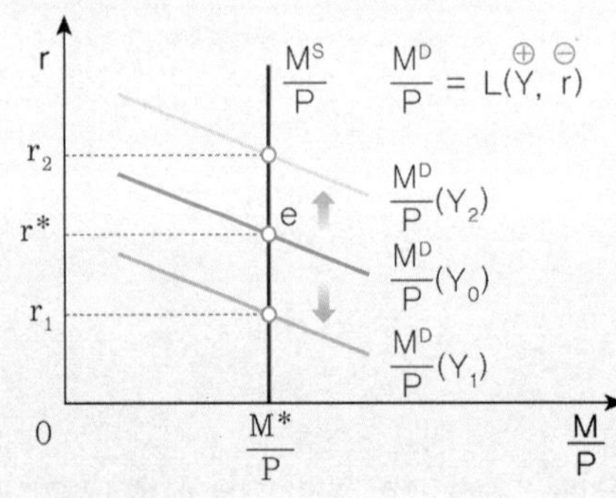

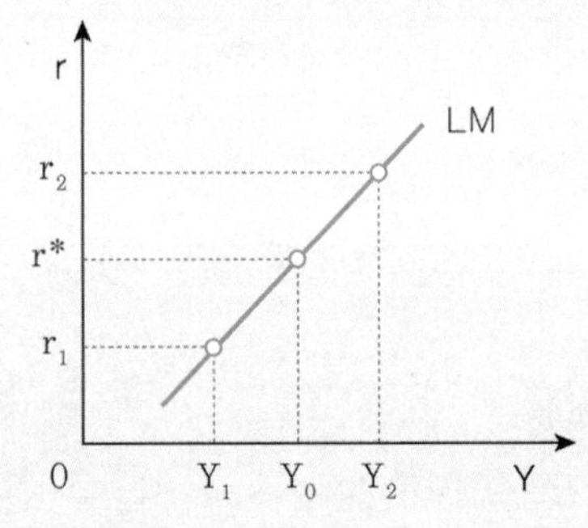

2) 이자율 중간목표제

이자율을 중간목표로 삼으면 이자율이 고정이므로 LM곡선은 수평이 된다.

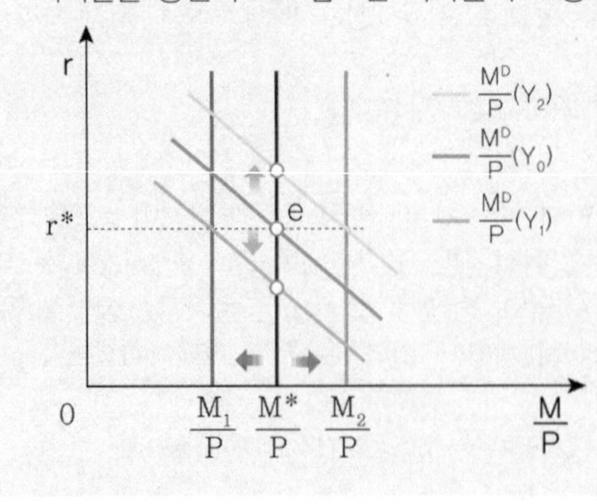

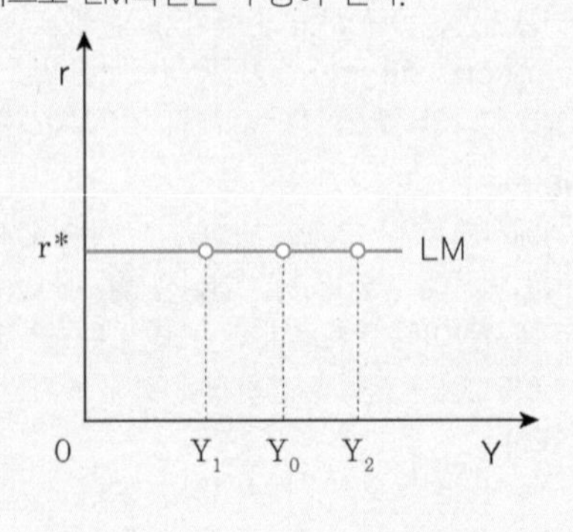

3) 지문분석

가. 경기안정이 목표이므로 국민소득의 변화가 작은 것을 추구한다. 따라서 통화량 중간목표제가 국민소득의 변화가 작아 정책목표 달성에 더 효과적이다.

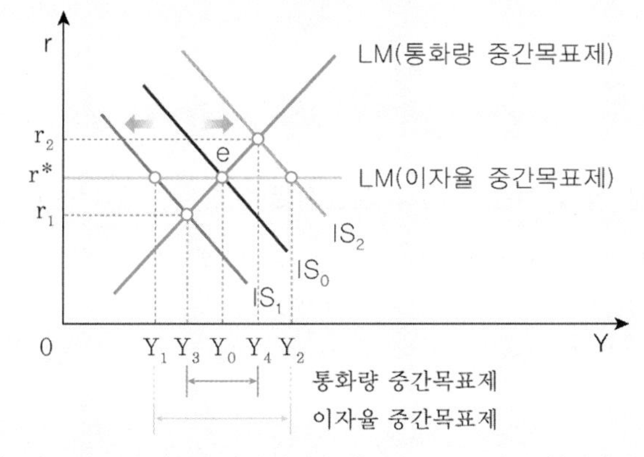

나. 화폐수요의 이자율탄력성이 높을수록 LM곡선이 완경사이기 때문에 국민소득의 변화가 크므로 통화량 중간목표제의 경기안정 효과는 화폐수요의 이자율탄력성이 높을수록 작아진다.

[오답체크]

다. 이자율 중간목표제의 경기안정 효과는 투자의 이자율탄력성과 관계없이 동일하다.

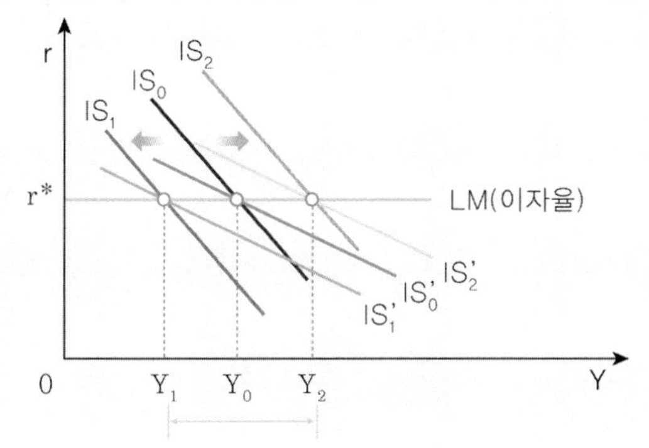

61 실업률, 경제활동참가율, 고용률에 대한 설명으로 가장 적절한 것은? [회계사 17]
상중하

① 고용률은 취업자 수를 경제활동인구로 나눈 값이다.
② 우리나라의 인구증가율이 하락하는 점을 감안하면 경제활동참가율 역시 줄어들 것으로 예상된다.
③ 실업자 중 일부가 구직행위를 포기하면 실업률은 감소하게 된다.
④ 경제활동인구 증가율이 실업자 수 증가율보다 크다면 실업률은 증가한다.
⑤ 경제활동인구 증가율이 생산가능인구 증가율보다 크다면 경제활동 참가율은 감소한다.

62 다음 중 우리나라의 실업률 통계 기준에 따라 실업자로 분류되는 경우는? [회계사 18]
상중하

① 정규직 일자리를 찾으며 주 40시간 근무하는 38세 슈퍼마켓 비정규직 직원
② 방과 후 아르바이트 자리를 찾고 있는 만 14세 중학생
③ 박사 취득 후 지난 1년 동안 구직활동을 하다가 육아에 전념하기 위해 구직활동을 포기한 34세 여성
④ 20년 동안 근속하던 직장에서 파업이 발생하자 사용자가 직장폐쇄를 하여 현재 집에서 쉬고 있는 42세 남성
⑤ 아버지가 운영 중인 식당에서 매일 2시간 무급으로 일하면서 구직활동을 하고 있는 28세 남성

63 상중하 다음 표는 갑국의 고용 관련 자료를 나타낸다. 경제활동인구와 비경제활동인구의 합계가 1,000만명으로 일정할 경우, t기에 비하여 t+1기에 취업자 수는 몇 명이나 증가하였는가?

[회계사 22]

구분	t기	t+1기
실업률	4%	5%
경제활동참가율	60%	70%

① 89만명　② 99만명　③ 109만명
④ 119만명　⑤ 129만명

정답 및 해설

61 ③ 실업자 중 일부가 구직행위를 포기하면 경제활동인구가 감소하여 실업률은 감소하게 된다.

[오답체크]
① 고용률은 취업자 수를 생산가능인구로 나눈 값이다.
② 우리나라의 인구증가율이 하락하는 점을 감안하면 생산가능인구는 줄어들 것이고 만약 경제활동인구가 동일하다면 경제활동참가율은 증가할 것으로 예상된다.
④ 경제활동인구 증가율이 실업자 수 증가율보다 크다면 실업률은 감소한다.
⑤ 경제활동인구 증가율이 생산가능인구 증가율보다 크다면 경제활동 참가율은 증가한다.

62 ⑤ 가족이 운영하는 사업체에서 주당 18시간 이상 일한 경우는 실업자가 아니다. 매일 2시간씩 일하면 주당 14시간이므로 실업자에 해당한다.

[오답체크]
① 취업자이다.
② 생산가능인구가 아니다.
③ 비경제활동인구이다.
④ 파업자는 취업자이다.

63 ① 생산가능인구가 1,000만명으로 일정하므로 변화는 아래와 같다.

구분	t기	t+1기
실업률	4%	5%
경제활동참가율	60%	70%
경제활동인구	600만명	700만명
실업자	24만명	35만명
취업자	576만명	665만명

64 상중하

한국의 고용통계가 다음 표와 같이 주어졌다고 가정하자. 2000년과 2010년의 노동시장 지표를 비교한 다음 설명 중 옳지 않은 것은? [회계사 15]

구분	2000년	2010년
생산가능인구	1000만명	1200만명
경제활동인구	800만명	1000만명
취업자	600만명	750만명

① 실업자의 수가 증가했다.
② 실업률은 변하지 않았다.
③ 경제활동참가율은 증가했다.
④ 비경제활동인구는 변하지 않았다.
⑤ 고용률은 변하지 않았다.

65 상중하

표는 A국의 고용 관련 자료를 나타낸다. 고용률(= 취업자 수/생산가능인구)은? [회계사 20]

취업자	1,000만명
실업률	20%
경제활동참가율	80%

① 48% ② 52% ③ 56%
④ 60% ⑤ 64%

66 상중하

A국 경제의 생산가능인구는 1,000만명이며, 경제활동참가율은 100%이다. 올해 실업자가 일자리를 구할 확률은 0.8이며, 취업자가 일자리를 잃을 확률은 0.1이다. 올해 초의 실업자 수가 100만명이면 내년 초의 실업률은? (단, A국 생산가능인구와 경제활동참가율은 불변이다) [회계사 16]

① 10% ② 11% ③ 12%
④ 13% ⑤ 14%

정답 및 해설

64 ⑤ 1) 표

구분	2000년	2010년
생산가능인구	1000만명	1200만명
경제활동인구	800만명	1000만명
취업자	600만명	750만명
실업률	$\frac{200}{800} \times 100 = 25\%$	$\frac{250}{1,000} \times 100 = 25\%$
취업률	75%	75%
고용률	$\frac{600}{1,000} \times 100 = 60\%$	$\frac{750}{1,200} \times 100 = 62.5\%$
경제활동참가율	$\frac{800}{1,000} \times 100 = 80\%$	$\frac{1,000}{1,200} \times 100 =$ 약 83.3%

2) 따라서 고용률은 증가하였다.

65 ⑤ 1) 실업률이 20%이므로 취업률은 80%이다.

2) 취업률 = $\frac{1,000\text{만명}}{\text{경제활동인구}} \times 100 = 80\%$ ➜ 경제활동인구는 1,250만명이다.

3) 경제활동참가율 = $\frac{1,250\text{만명}}{\text{생산가능인구}} \times 100 = 80\%$ ➜ 생산가능인구는 1,562.5만명이다.

4) 고용률 = $\frac{\text{취업자}}{\text{생산가능인구}} = \frac{1,000\text{만명}}{1,562.5\text{만명}} \times 100 = 64\%$이다.

66 ② 1) 경제활동참가율이 100%이므로 생산가능인구인 1,000만명이 경제활동인구이다.

2) 1,000만명 중 100만명이 실업자이면 취업자는 900만명이다.

3) 실업자의 변동 ➜ 10만명 증가하였다.

㉠ 실업자의 증가 900 × 0.1 = 90만명

㉡ 실업자의 감소 100 × 0.8 = 80만명

4) 실업률 = $\frac{\text{실업자}}{\text{경제활동인구}} \times 100 = \frac{110}{1,000} \times 100 = 11\%$이다.

67 상중하

다음은 어느 경제의 2017년 노동시장 관련 자료이다. 이 경제의 2018년 초 취업자 수는 얼마인가? [회계사 18]

- 비경제활동인구의 15%가 경제활동인구가 되었다.
- 경제활동인구의 10%가 비경제활동인구가 되었다.
- 실업자의 20%가 취업자가 되었다.
- 취업자의 5%가 실업자가 되었다.
- 경제활동인구와 비경제활동인구를 합한 수는 1,000만명으로 변함이 없다.
- 경제활동참가율은 변함이 없다.
- 실업률은 변함이 없다.

① 420만명 ② 480만명 ③ 540만명
④ 600만명 ⑤ 660만명

68 상중하

다음 그림과 같은 노동시장에서 노동 공급곡선이 우측으로 평행하게 이동할 경우 취업자 수와 실업률의 변화로 옳은 것은? [회계사 17]

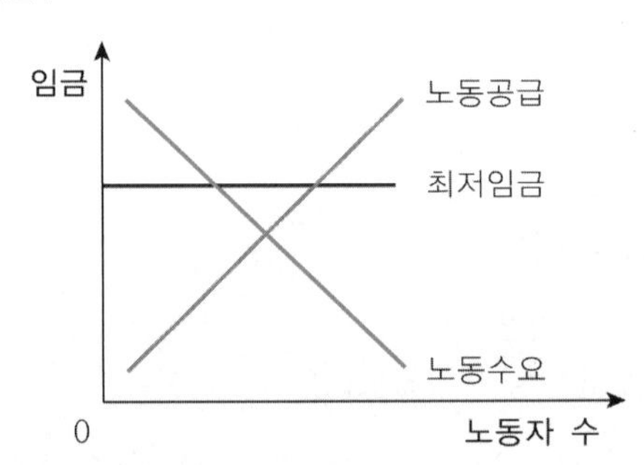

	취업자 수	실업률
①	증가	감소
②	감소	증가
③	불변	감소
④	불변	증가
⑤	불변	불변

69 상중하 실업자가 일자리를 구할 확률은 0.8이며, 취업자가 일자리를 잃을 확률은 0.2라고 하자. 실업률이 변하지 않는 장기균형 상태에서의 실업률은? (단, 경제활동참가율은 100%이고 생산가능인구는 일정하다고 가정) [회계사 14]

① 5% ② 10% ③ 15%
④ 20% ⑤ 25%

정답 및 해설

67 ② 1) 생산가능인구는 1,000만명으로 변화가 없다.
2) 경제활동인구의 10%가 비경제활동인구가 되었다면 경제활동인구를 A라고 할 때 0.1A이다.
3) 비경제활동인구의 15%가 경제활동인구가 되었다면 비경제활동인구를 B라고 할 때 0.15B이다.
4) 경제활동참가율이 변화가 없다면 0.1A = 0.15B이므로 A = 1.5B이다.
5) A + B = 1,000만명이므로 2.5B = 1,000만명 ➜ B는 400만명, A는 600만명이다.
6) 실업률의 변화가 없으므로 자연실업률이다. 자연실업률은 $\frac{s}{s+f} = \frac{0.05}{0.05+0.5}$ = 0.2이다.
7) 실업률과 취업률을 더하면 1이므로 취업률은 0.8이다.
8) 취업자 = 경제활동인구 × 취업률이므로 600만명 × 0.8 = 480만명이다.

68 ④ 1) 노동수요가 변함없는 상태에서 노동공급곡선이 평행하게 이동한다고 해서 취업자 수가 변화하지는 않는다.
2) 노동의 초과공급은 높아지므로 실업률은 높아질 것이다.

69 ④ 자연실업률 = $\frac{s}{s+f} = \frac{0.2}{0.2+0.8} = 0.2$이다.

70 상중하

다음 표는 어느 경제의 노동시장 관련 자료이다. 이 경제의 모든 생산가능인구는 경제활동인구이며, 현재 실업률은 자연실업률과 같다. 취업자 수와 실업률로 가장 가까운 것은? (단, 실업자가 일자리를 찾을 확률과 취업자가 일자리를 잃을 확률은 일정하다) [회계사 22]

실업자 수	50만명
신규취업자 수	4만명
취업자가 일자리를 잃을 확률	1.6%

	취업자 수	실업률
①	250만명	16.67%
②	250만명	17.84%
③	250만명	18.32%
④	300만명	16.67%
⑤	300만명	17.84%

71 상중하

비경제활동인구가 존재하지 않는 경제의 노동시장에서 이번 기(t)의 실업자(U_t) 중에서 다음 기($t+1$)에 고용되는 비율은 e, 이번 기의 취업자 중에서 다음 기에 실업자로 전환되는 비율은 b이다. 즉, 이번 기의 경제활동인구를 L_t라고 하면 다음 기의 실업자는 아래 식과 같이 결정된다.

$$U_{t+1} = (1-e)U_t + b(L_t - U_t)$$

이 경제의 인구 증가율이 n이다. 즉, $L_{t+1} = (1+n)L_t$이다. 장기균형에서의 실업률은?

[회계사 21]

① $\frac{e+b}{n+b}$　② $\frac{n+e}{n+b}$　③ $\frac{n+e}{n+e+b}$　④ $\frac{b}{n+e+b}$　⑤ $\frac{e}{n+e+b}$

72 다음은 어떤 나라의 고용 관련 자료를 정리한 표이다.
상중하

생산가능인구	1,000만명
경제활동참가율	70%
실업자	35만명
실업자가 일자리를 구할 확률	0.24
취업자가 일자리를 잃을 확률	0.01

실업률갭을 실제실업률에서 자연실업률을 차감한 값으로 정의할 때, 이 나라의 실업률갭은? (단, 생산가능인구, 실업자가 일자리를 구할 확률, 취업자가 일자리를 잃을 확률은 일정하고, 경제활동인구와 비경제활동인구 사이의 이동은 없다) [회계사 19]

① −0.5% ② 0.0% ③ 0.5%
④ 1.0% ⑤ 1.5%

정답 및 해설

70 ① 1) 취업자가 일자리를 잃을 확률 × 취업자 = 신규취업자수 ➜ 0.016 × 취업자 = 4만명 ➜ 취업자는 250만명이다.

2) 현재 실업률이 자연실업률이므로 실업률 = $\frac{50만명}{300만명} \times 100 =$ 약 16.67%이다.

71 ④ 1) 장기균형의 실업률은 자연실업률이다. 자연실업률이 성립하면 매년 실업률이 동일하다. 이를 표현하면 $\frac{U_t}{L_t} = \frac{U_{t+1}}{L_{t+1}}$ 이다.

2) 다음 기의 실업자 $U_{t+1} = \frac{U_t}{L_t} \cdot L_{t+1} = (1+n) \cdot U_t$이다.

3) 조건에서 $U_{t+1} = (1-e)U_t + b(L_t - U_t) = (1+n)U_t$ ➜ $(1-e)U_t + b(L_t - U_t) = (1+n)U_t$ ➜ $bL_t = (n+e+b)U_t$이다.

4) 따라서 자연실업률은 $\frac{U_t}{L_t} = \frac{b}{n+e+b}$이다.

72 ④ 1) 실제실업률 = $\frac{35만명}{700만명} \times 100 = 5\%$

2) 자연실업률 = $\frac{실직률}{실직률 + 구직률} = \frac{0.01}{0.01+0.24} \times 100 = 4\%$

3) 실업률갭 = 실제실업률 − 자연실업률 = 5% − 4% = 1%

73 상중하

아래 표에는 세 나라의 실제 실업률, 자연실업률, 실질GDP가 기록되어 있다. 다음 설명 중 옳은 것은? [회계사 15]

국가	실제실업률(%)	자연실업률(%)	실질GDP(조원)
A	4	4	900
B	3	5	1,300
C	6	5	1,200

① A국은 GDP갭(gap)이 발생하지 않고 잠재GDP는 900조원보다 작다.
② B국은 확장갭(expansionary gap)이 발생하고 잠재GDP는 1,300조원보다 작다.
③ B국은 침체갭(recessionary gap)이 발생하고 잠재GDP는 1,300조원보다 작다.
④ C국은 확장갭이 발생하고 잠재GDP는 1,200조원보다 작다.
⑤ C국은 침체갭이 발생하고 잠재GDP는 1,200조원보다 작다.

74 상중하

기대가 부가된 필립스곡선(expectation-augmented Phillips curve)과 관련된 다음 설명 중 가장 옳지 않은 것은? [회계사 14]

① 중동전쟁으로 원유가격이 급등하면 필립스곡선이 이동한다.
② 오쿤의 법칙(Okun's law)과 결합하여 총공급곡선을 도출할 수 있다.
③ 1970년대 스태그플레이션(stagflation)을 설명하는 데 유용하다.
④ 기대 물가상승률이 합리적 기대에 따라 결정되면 예상된 통화 정책은 실업률에 영향을 미치지 않는다.
⑤ 다른 조건이 같다면 필립스곡선이 가파를수록 희생률(sacrifice ratio)이 크다.

75 상중하 다음과 같은 관계식이 성립하는 경제가 있다.

- $\pi_t = \pi_{t-1} - 2(u_t - u^N)$
- $\dfrac{Y_t - Y^*}{Y^*} = -2(u_t - u^N)$

π_t, u_t, Y_t는 각각 t기의 인플레이션율, 실업률, 총생산을 나타내고, u^N, Y^*는 각각 자연실업률, 잠재총생산을 나타낸다. 현재 실업률이 자연실업률과 같을 때, 인플레이션율을 1% 포인트 낮추려는 정책이 실업률과 총생산에 미치는 효과는? [회계사 19]

	실업률	총생산
①	0.5% 포인트 상승	0.5% 감소
②	0.5% 포인트 상승	1% 감소
③	1% 포인트 상승	1% 감소
④	1% 포인트 하락	2% 증가
⑤	2% 포인트 하락	4% 증가

정답 및 해설

73 ② B국은 확장갭(expansionary gap)이 발생하고 경기가 좋으며 실제GDP가 잠재GDP보다 크므로 잠재GDP는 1,300조원보다 작다.

[오답체크]
① 잠재GDP는 900조원이다.
③ B국은 확장갭(expansionary gap)이 발생한다.
④⑤ C국은 침체갭이 발생하고 경기가 불황이므로 실제GDP가 잠재GDP보다 작으므로 잠재GDP는 1,200조원보다 크다.

74 ⑤ 다른 조건이 같다면 필립스곡선이 가파를수록 물가하락 시 실업률이 적게 감소하므로 희생률(sacrifice ratio)이 작다.

75 ② 1) 주어진 필립스곡선식에 의하면 인플레이션이 1% 포인트 낮아지려면 실업률이 0.5% 포인트 상승해야 한다.
2) 오쿤의 법칙을 나타내는 식에서 실업률이 1% 포인트 상승하면 총생산은 1% 포인트 하락한다.

76 상중하

A국의 중앙은행은 다음과 같이 주어진 손실함수를 최소화하도록 통화정책을 운용한다.

$$L(\pi) = (\pi - 0.03)^2$$

이 국가의 필립스곡선은 다음과 같다.

$$\pi = \pi^e - (u - 0.05)$$

π, π^e, u는 각각 인플레이션율, 기대 인플레이션율, 실업률을 나타낸다. A국의 민간 경제주체가 인플레이션에 대한 기대를 합리적으로 형성한다고 가정할 때, 기대 인플레이션율과 실업률은? (단, 민간 경제주체는 중앙은행의 손실함수를 정확하게 알고 있으며, 실업률은 항상 양(+)이다) [회계사 19]

	기대 인플레이션율	실업률
①	0.03	0.06
②	0.03	0.05
③	0.04	0.05
④	0.04	0.04
⑤	0.05	0.04

77 상중하

어떤 경제의 총공급곡선으로부터 도출한 필립스곡선(Phillips curve)은 $\pi = \pi^e - a(u - \bar{u})$이며 장단기 필립스곡선을 그래프로 나타내면 아래와 같다. 현재 실업률이 3%, 물가상승률이 3%이다. 이 경우 정부가 재정 지출을 축소할 때 나타날 수 있는 단기 실업률과 단기 물가상승률은? (단, u는 실업률, π는 물가상승률, π^e는 기대 물가상승률, $\bar{u}$는 자연실업률, a는 유한한 양의 상수이다) [회계사 16]

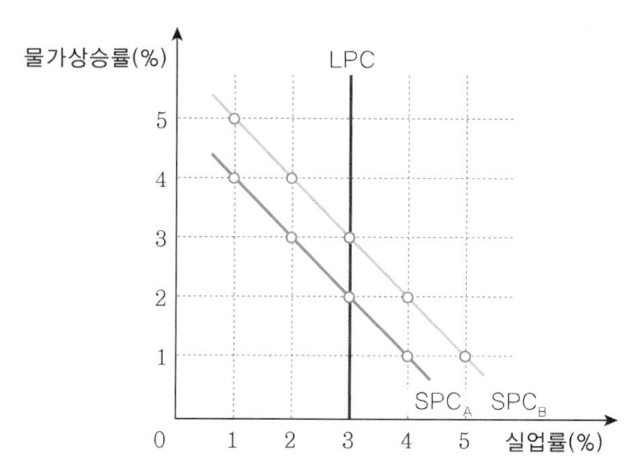

* 단, LPC는 장기 필립스곡선, SPC_A와 SPC_B는 단기 필립스곡선이다.

	단기 실업률	단기 물가상승률
①	2%	3%
②	2%	4%
③	3%	2%
④	4%	1%
⑤	5%	1%

정답 및 해설

76 ② 1) 손실함수를 최소화하도록 하는 인플레이션율은 0.03이다.
2) 인플레이션에 대한 합리적 기대를 형성한다면 물가상승률과 예상 물가상승률이 동일하다.
3) $\pi - \pi^e = -(u - 0.05)$ ➜ $0 = -(u - 0.05)$ ➜ 따라서 실업률은 0.05이다.

77 ⑤ 1) 현재 실업률이 3%이고 물가상승률이 3%이므로 SPC_B에 존재한다.
2) 정부지출을 축소하면 총수요가 감소하므로 물가는 하락하고 실업은 증가하여야 한다.
3) 이 조합을 (실업률, 물가상승률)로 쓰면 SPC_B위의 (4%, 2%) 또는 (5%, 1%)이어야 한다.

78 필립스곡선과 고통 없는 디스인플레이션(disinflation)에 대한 설명으로 가장 적절한 것은?
상중하

[회계사 17]

① 적응적 기대(adaptive expectation)하에서는 고통 없는 디스인플레이션이 가능하다.

② 필립스곡선이 원점에 대해서 볼록하면, 필립스곡선상의 어느 점에서 측정해도 희생률은 일정하다.

③ 고통 없는 디스인플레이션이란 단기 필립스곡선상의 움직임을 말한다.

④ 고통 없는 디스인플레이션이 가능하려면 정부의 디스인플레이션 정책이 미리 경제주체들에게 알려져야 한다.

⑤ 필립스곡선이 우상향하는 스태그플레이션 현상이 나타날 때에 희생률은 더 크다.

79 상중하

어떤 경제의 실업률(u)과 물가상승률(π) 사이에 다음과 같은 필립스곡선(Phillips curve)이 성립한다고 하자. 주어진 필립스곡선과 관련된 다음 설명 중 옳지 않은 것은? [회계사 15]

> • $\pi = \pi^e - a(u - \bar{u})$
> • $\pi^e = \pi_{-1}$
> (π^e는 기대 물가상승률, π_{-1}은 전기의 물가상승률, $\bar{u}$는 자연실업률, a는 유한한 양의 상수)

① π^e는 적응적 기대에 따라 형성된다.
② 가격이 신축적일수록 a가 큰 경향이 있다.
③ 물가상승률을 낮추기 위해 감수해야 할 실업률의 증가폭은 a에 비례한다.
④ 물가상승률이 예상보다 높으면 실업률은 자연실업률보다 낮다.
⑤ 단기에 실업률은 물가상승률의 전기 대비 변화에 의해 결정된다.

정답 및 해설

78 ④ 정부의 디스인플레이션 정책이 미리 경제주체들에게 알려져야 경제주체들이 예상된 행동을 하기 때문에 고통 없는 디스인플레이션이 가능하다.

[오답체크]
① 합리적 기대(adaptive expectation)하에서는 고통 없는 디스인플레이션이 가능하다.
② 필립스곡선이 원점에 대해서 볼록하면, 필립스곡선상에서 원점에 가까워질수록(= 기울기가 완만한 지점에 갈수록) 희생률(sacrifice ratio)이 커진다.
③ 고통 없는 디스인플레이션이란 장기 필립스곡선상의 움직임을 말한다.
⑤ 필립스곡선이 우상향하는 스태그플레이션 현상이 나타날 때에는 물가를 줄이면 실업도 감소하므로 희생률은 더 크다고 볼 수 없다.

79 ③ 1) 그래프

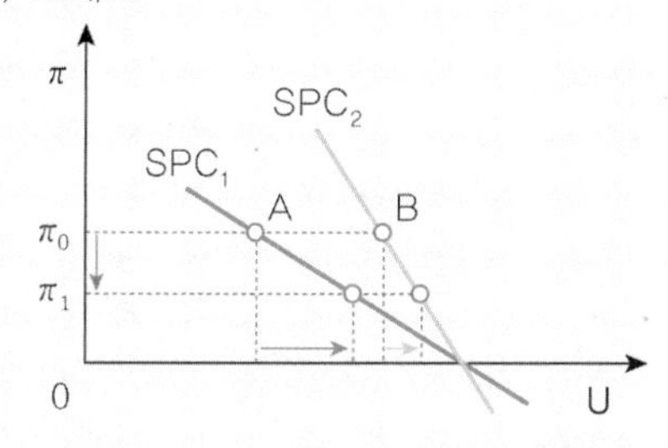

2) 기울기(= a)가 큰 경우 실업의 증가가 작으므로 실업률의 증가폭은 a에 반비례한다.

80 상중하 어느 경제의 필립스곡선이 다음과 같다.

$$\pi = \pi^e - 0.5(u - 0.05)$$

이 경제에서 장기 필립스곡선(LPC)과 단기 필립스곡선(SPC)을 따라 인플레이션율을 각각 1% 포인트 낮출 때 실업률의 변화는? (단, π, π^e, u는 각각 인플레이션율, 기대 인플레이션율, 실업률을 나타낸다) [회계사 21]

	LPC	SPC
①	변화 없음	2% 포인트 증가
②	변화 없음	2% 포인트 감소
③	2% 포인트 증가	2% 포인트 증가
④	2% 포인트 감소	2% 포인트 감소
⑤	2% 포인트 증가	변화 없음

81 갑국의 필립스곡선은 다음과 같다.
상중하

$$\pi_t = \pi_{t-1} - 0.5(u_t - u_t^n)$$

여기서 π_t, π_{t-1}, u_t, u_t^n은 각각 t기 인플레이션, $t-1$기 인플레이션, t기 실업률, t기 자연실업률을 나타낸다. t기 자연실업률은 이력현상(hysteresis)의 존재로 $t-1$기 실업률과 같아 $u_t^n = u_{t-1}$이 성립한다. 중앙은행의 손실함수(LF)는 다음과 같다.

$$LF = 50(\pi_L)^2 + (u_L - 0.05)$$

여기서 π_L, u_L은 각각 장기 인플레이션, 장기 실업률을 나타낸다. 현시점은 1기이고 장기 균형 상태이며, 1기 및 0기 인플레이션은 모두 3%이고, 0기 실업률은 5%이다. 중앙은행이 손실함수가 최소화되도록 2기 이후 인플레이션을 동일하게 설정할 경우 장기 인플레이션은?

[회계사 22]

① 0% ② 1% ③ 2%
④ 3% ⑤ 4%

정답 및 해설

80 ① 1) 장기에 실업률과 물가는 관련이 없이 자연실업률 수준이므로 LPC는 변화가 없다.
2) $\pi = \pi^e - 0.5(u - 0.05)$ ➜ $0.5u = -\pi + \pi^e + 0.025$ ➜ $u = -2(\pi - \pi^e) + 0.05$이므로 인플레이션을 1% 포인트 낮추려면 실업률을 2% 포인트 증가시켜야 한다.

81 ③ 1) 이력현상은 경제에 충격이 왔을 때 그 효과가 사라지지 않고 남아서 지속되는 현상을 의미한다.
2) 제시된 조건을 통해 변형하면 $\pi_1 = \pi_0 - 0.5(u_1 - u_0)$ ➜ $3\% = 3\% - 0.5(u_1 - 5\%)$이므로 $u_1 = 5\%$이다.
3) 2기 이후에 인플레이션율을 동일하게 설정하므로 $\pi_2 = \pi_1 - 0.5(u_2 - u_1)$ ➜ $\pi_2 = 0.03 - 0.5(u_2 - 0.05)$ ➜ $\pi_L = 0.03 - 0.5(u_L - 0.05)$이다.
4) 손실함수를 최소화 하는 인플레이션을 찾으려면 인플레이션율의 u_L변수를 제거해야 한다.
$\pi_L = 0.03 - 0.5(u_L - 0.05)$ ➜ $-2(\pi_L - 0.03) = (u_L - 0.05)$이다.
5) 이를 손실함수에 넣으면 $LF = 50(\pi_L)^2 + (u_L - 0.05)$ ➜ $LF = 50(\pi_L)^2 - 2\pi_L + 0.06$이고, 장기 인플레이션율로 미분하고 0으로 놓으면 $100\pi_L - 2 = 0$ ➜ $\pi_L = 2\%$이다.

82 상중하

다음은 어느 경제의 AD-AS곡선과 필립스곡선을 나타낸다. AD-AS 균형이 A ➔ B ➔ C로 이동할 경우 필립스곡선에서 해당하는 균형 이동으로 적절한 것은? [회계사 21]

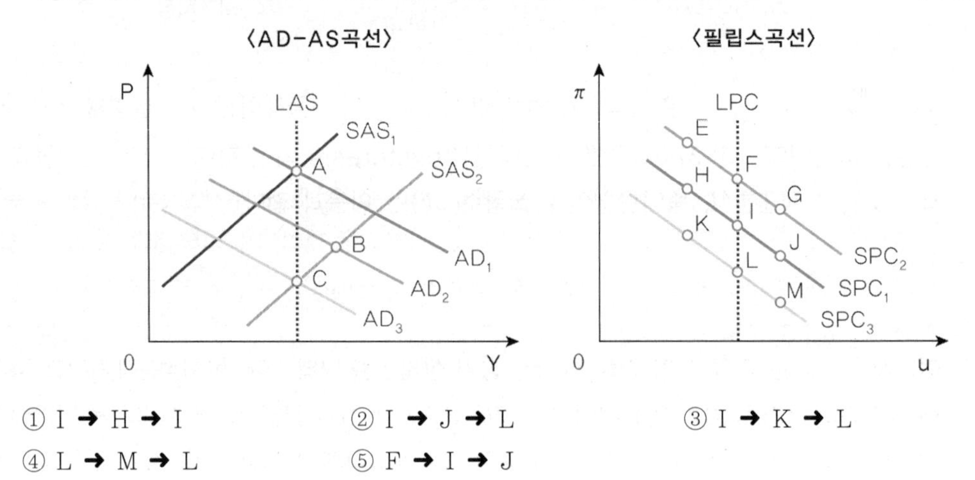

① I ➔ H ➔ I ② I ➔ J ➔ L ③ I ➔ K ➔ L

④ L ➔ M ➔ L ⑤ F ➔ I ➔ J

83 다음과 같은 폐쇄경제 IS-LM모형을 가정하자.
상중하

상품시장	화폐시장
$C = 170 + 0.5(Y - T)$ $I = 100 - 10(i - \pi^e)$ $G = \overline{G},\ T = 60,\ \pi^e = 0$	$L(Y, i) = Y - 40i$ $P = 2$ $M = 300$

C, Y, T, I, i, G, M, P, $L(Y, i)$, π^e은 각각 소비, 소득, 조세, 투자, 명목이자율, 정부지출, 명목화폐공급, 물가수준, 실질화폐수요함수 및 기대 인플레이션을 나타낸다. 또한 오쿤의 법칙이 다음과 같이 성립한다.

$$u - 4 = -\frac{1}{50}(Y - 500)$$

u는 실업률이다. 정부가 정부지출을 이용한 재정정책을 통해 실업률을 5%로 유지하고자 할 때 정부지출은? (단, 명목이자율과 실업률은 % 단위로 표시된다) [회계사 22]

① 50 ② 60 ③ 70
④ 80 ⑤ 90

정답 및 해설

82 ③ 1) A ➜ B로 이동한 경우 총수요 감소에 총공급 증가가 이루어져야 한다.
2) 자연실업률 상태의 점에서 필립스곡선이 하방 이동한 후에 필립스곡선상의 하방이면서 자연실업률보다 실업률이 낮은 쪽으로 이동해야 한다.
3) B ➜ C로 이동한 경우 총수요가 감소해야 한다. 필립스곡선상의 하방 이동이 이루어져야 하며 자연실업률상으로 돌아와야 한다.
4) 따라서 이를 만족하는 것은 I ➜ K ➜ L이다.

83 ② 1) 실업률을 5%로 유지하고자 하므로 $5 - 4 = -\frac{1}{50}(Y - 500)$ ➜ $50 = -Y + 500$ ➜ $Y = 450$이다.
2) IS곡선은 $Y = C + I + G$이므로 문제의 조건을 대입하면 $450 = 170 + 0.5(450 - 60) + 100 - 10(i - 0) + G$이다.
3) LM곡선은 $\frac{M^s}{P} = \frac{M^d}{P}$가 성립하므로 문제의 조건을 대입하면 $\frac{300}{2} = 450 - 40i$ ➜ $i = 7.5$이다.
4) $i = 7.5$를 IS곡선식에 대입하면 $450 = 170 + 0.5(450 - 60) + 100 - 10(7.5 - 0) + G$ ➜ $450 = 170 + 195 + 100 - 75 + G$이므로 $G = 60$이다.

제11장

경기변동과 경제성장

Topic 21 경기변동
Topic 22 경제성장론

Topic 21 경기변동

01 경기와 경기변동

경기	국민 경제의 총체적 활동 수준을 말함 (생산, 투자, 고용, 소비가 얼마나 활발한가?)
경기 순환	호경기, 후퇴기, 불경기, 회복기의 네 국면이 일정한 주기로 반복되는 현상

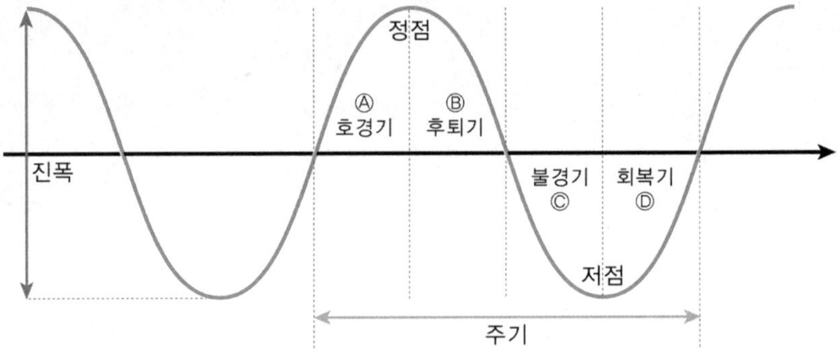

정점
Ⓐ 호경기
Ⓑ 후퇴기
진폭
불경기 Ⓒ
회복기 Ⓓ
저점
주기

구분	생산	투자	물가	고용(실업)	소비	재고
Ⓐ	최고	최고	최고	최고(최저)	최고	최저
Ⓑ	↓	↓	↓	↓(↑)	↓	↑
Ⓒ	최저	최저	최저	최저(최고)	최저	최고
Ⓓ	↑	↑	↑	↑(↓)	↑	↓

경기변동 원인	(1) 총수요의 변동(가계 소비, 기업 투자, 정부 지출, 수출 등의 변동) ① 총수요 증가 ➜ GDP 증가(고용 증가, 실업 감소), 물가 상승 ➜ 경기 활성화 ② 총수요 감소 ➜ GDP 감소(고용 감소, 실업 증가), 물가 하락 ➜ 경기 침체 (2) 총공급의 변동(원자재 가격, 임금 등 생산비 변동이 원인) ① 총공급 증가 ➜ GDP 증가(고용 증가, 실업 감소), 물가 하락 ➜ 경기 활성화 ② 총공급 감소 ➜ GDP 감소(고용 감소, 실업 증가), 물가 상승 ➜ 경기 침체
경기 예측 방법	(1) 개별경제 지표에 의한 방법: 국내 총생산의 분기별 변화 또는 수출입 관련 지표 등 단일 지표로 파악하는 방법 (2) 종합경제 지표에 의한 방법: 경기종합지수나 경기동향지수 등 여러 개의 개별경제 지표를 종합한 것 (3) ㉮ ______에 의한 방법: 기업경기실사지수나 소비자태도지수 등 개별경제 주체들의 심리적 변화 측정에 유용

핵심키워드
㉮ 설문 조사

경기 지수	㉮ 종합지수	구인구직비율, 재고순환지표, 기계수주액, 자본재수입액, 종합주가지수, 소비자기대지수, 금융기관유동성 등
	㉯ 종합지수	비농가 취업자수, 산업생산지수, 건설기성액, 제조업가동률지수 등
	㉰ 종합지수	이직자수, 상용근로자수, 가계소비지출, 소비재 수입액 등
경기변동의 종류	(1) **장기 파동**: 50 ~ 60년 주기의 경기변동. 기술 혁신, 전쟁, 신자원의 개발 등이 원인. 콘트라티에프(Kontratiev)파동이라고도 함 (2) **중기 파동**: 8 ~ 10년을 주기로 하는 경기변동. 기업의 설비 투자의 변동으로 발생. 주글라(Juglar)파동이라고도 함 (3) **단기 파동**: 3 ~ 5년을 주기로 하는 경기변동. 통화 공급이나 이자율의 변동, 기업의 재고 변동 등이 원인으로 작용. 키친 (Kitchen)파동이라고도 함	

02 경제 안정화 정책

자동 안정화	자동 안정 장치: 경기변동에 따라 자동적으로 경기 안정 효과를 발휘하는 제도적 장치 (1) ㉱ ______ 제도, 실업 보험 제도 등 (2) 경기 과열 시 세금과 보험료를 많이 내게 되어 경기를 진정시키는 효과가 있음 (3) 경기 침체 시 소득 감소로 세금은 적게 내고, 실업자가 된 경우에는 보험금을 받게 되어 경기를 부양시키는 효과가 있음
재정정책	정부가 조세(세율)와 정부 지출(세출)을 통해 경제의 성장과 성장을 도모하는 정책 (1) **경기 과열 시 재정 정책**: 세율 인상, 정부 지출 축소(긴축 재정) (2) **경기 침체 시 재정 정책**: 세율 인하, 정부 지출 확대(확장 재정)

핵심키워드
㉮ 선행, ㉯ 동행, ㉰ 후행, ㉱ 누진세

<table>
<tr><td rowspan="9">금융정책</td><td colspan="3">중앙은행이 통화량이나 이자율(금리)을 조절하여 경제의 안정적 성장을 도모하는 정책
(1) 통화량 증가 ➜ 이자율 하락 ➜ 소비 증가, 투자 증가 ➜ 생산 확대, 고용 증대 ➜ 물가 상승
(2) 통화량 감소 ➜ 이자율 상승 ➜ 소비 감소, 투자 위축 ➜ 생산 위축, 실업 증가 ➜ 물가 하락(안정)</td></tr>
<tr><td rowspan="2">㉮ ______ 정책</td><td>개념</td><td>중앙은행이 일반 은행에 대출 이자율(재할인율)과 대출 규모를 조정하여 통화량을 조절</td></tr>
<tr><td>영향</td><td>재할인율 인상(인하) ➜ 은행 대출 감소(증가) ➜ 통화량 감소(증가)</td></tr>
<tr><td rowspan="2">㉯ ______ 정책</td><td>개념</td><td>시중은행의 고객 인출을 대비하는 법정지급준비금 비율을 조절하는 정책</td></tr>
<tr><td>영향</td><td>지급준비율 인상(인하) ➜ 대출 감소(증가) ➜ 통화량 감소(증가)</td></tr>
<tr><td rowspan="2">㉰ ______
______</td><td>개념</td><td>중앙은행이 국공채 또는 통화 안정 증권을 매입 또는 매각하여 통화량을 조절하는 정책</td></tr>
<tr><td>영향</td><td>매각(매입) ➜ 통화량 감소(증가)</td></tr>
<tr><td>일반적 금융정책</td><td colspan="2">재할인율 정책, 지급준비율 정책, 공개시장 정책</td></tr>
<tr><td>선별적 금융정책</td><td colspan="2">대출 한도제, 이자율 규제, 특정 분야에 대한 저리(낮은 이자) 정책 등</td></tr>
</table>

03 새고전학파의 경기변동이론

균형경기변동이론	(1) 시장은 항상 균형 새고전학파는 경기변동현상을 개별경제주체들이 합리적 기대하에 최적화 행동을 추구하는 과정에서 외부적 충격이 발생하면 최적화 행동에 교란이 발생하는 현상으로 보므로 시장은 항상 균형상태에 있는 것으로 파악하고 있음 (2) 구분 충격을 주는 요인에 의해 ㉱ ______ 균형경기변동이론과 ㉲ ______ 균형경기변동이론으로 나눔

핵심키워드
㉮ 재할인율, ㉯ 지급준비율, ㉰ 공개시장조작, ㉱ 화폐적, ㉲ 실물적

화폐적 균형경기변동이론	(1) 경기변동의 원인 주요인을 예상치 못한 ㉮ ______ 충격으로 봄 (2) 경기변동 과정 ① 불완전정보 상황에서 예상치 못한 통화량 변화는 기업들로 하여금 상대가격 변화와 일반물가수준의 변화를 구별하지 못함 ② 예상치 못한 통화량 증가가 발생하면 루카스 공급함수 $Y = Y_N + \alpha(P - P^e)$에서 P^e는 변하지 않은 반면 P는 증가하므로 $P - P^e > 0$이 되어 생산과 소득이 증가하여 경기호황이 발생함 ③ 예상치 못한 통화량 증가가 있더라도 합리적 기대를 통하여 예상물가상승률을 조정하면 다시 완전고용산출량으로 회복하게 됨 ④ 중앙은행은 예측 가능한 정책운용을 통해 물가예상 착오에 따른 사회적 비용을 최소화해야 함
실물적 균형경기변동이론	(1) 경기변동의 원인 실물적 균형경기변동이론에서는 경기변동의 주요인을 생산성충격, 기술혁신, 경영혁신, 천연자원 발견 및 석유 파동, 기후변화, 노동시장의 변화 등 생산물의 ㉯ ______ 측면이라 보고 있음 (2) 긍정적 공급충격(기술혁신)에 의한 경기변동 ① 기술혁신은 총요소생산성을 향상시키므로 생산함수 상방이동을 가져와 노동의 한계생산물을 증가시킴 ② 노동의 기간 간 대체, 건설기간 등의 개념을 사용하여 경기변동의 지속성을 설명함 (3) 실물적 균형경기변동이론의 특징 ① 경기변동이 발생하더라도 완전고용산출량 자체가 변하므로 경제는 항상 균형상태에 있다고 봄 ② 초기에는 주로 생산성 충격(기술진보)에 주목했으나 이후 IS곡선에 영향을 미치는 충격도 인정함 ③ 화폐의 ㉰ ______을 가정하기에 LM곡선에 영향을 미치는 충격은 경기변동의 요인이 되기 어렵다고 봄

핵심키워드

㉮ 화폐적, ㉯ 총공급, ㉰ 중립성

04 새케인즈학파의 경기변동이론

개념	(1) 불균형 성장이론 경기변동의 주된 요인을 ㉮ ________ 측면으로 보고 경제주체들이 합리적 기대하에 최적화 행위를 하여도 가격의 경직성 때문에 균형국민소득에서 이탈하는 것으로 보는 이론 (2) 총수요 충격 중시 가격변수가 경직적이고 IS곡선이나 LM곡선에 영향을 미치는 총수요 충격이 발생하면 산출량 변화가 초래된다는 것이 새케인즈학파의 경기변동론임
내용	(1) 가정 ① 새고전학파와 마찬가지로 경제주체들이 합리적 기대하에 최적화 행동을 한다고 가정함 ② 가격·임금의 경직성은 경제주체들의 최적화 행위의 결과임 (2) 정부의 개입강조 ① 최초의 균형점에서 외부의 충격으로 총수요가 감소 ➜ IS곡선이 ㉯ ________ 으로 이동 ➜ 새로운 균형점에서 산출량이 감소하여 경기침체가 발생함 ② 정부의 개입필요: 가격경직성 때문에 가격조정이 즉각적으로 이루어지지 않아 상당기간 침체상태 유지되므로 정부가 총수요를 높여주어야 함 ③ ㉰ ________, 조정실패 등으로 경기침체를 설명함

핵심키워드

㉮ 총수요, ㉯ 좌측, ㉰ 메뉴비용

STEP 1 기본문제

01 상중하

경제성장 및 경기변동에 관한 설명으로 옳지 않은 것은? [국가직 21]

① 국내총생산이 장기추세치보다 더 큰 값을 가질 때 경제는 호황기에 있다.
② 국내총생산의 단기적 동향을 경기변동이라 하고 장기적 추세를 경제성장이라고 한다.
③ 국내총생산이 늘어나는 시기에 실업률이 줄어들고 국내총생산이 줄어드는 시기에 실업률이 늘어나는 양상을 공행성의 예라 할 수 있다.
④ 어떤 변수가 일정한 시차를 갖고 다른 변수보다 선행(leading)하거나 후행(lagging)하는 경우 두 변수 사이에 공행성이 없다고 말한다.

02 상중하

다음 중 경기변동 국면에서 나타나는 정형화된 사실(stylized facts)과 부합하지 않는 것은? [보험계리사 18]

① 소비와 투자는 경기순응적(procyclical)이다.
② 투자의 변동성은 소비의 변동성보다 크다.
③ 내구재 소비지출의 변동성은 비내구재 및 서비스 소비지출 변동성보다 크다.
④ 재고투자의 변동성은 설비투자의 변동성보다 작다.

정답 및 해설

01 ④ 공행성은 어떠한 상황이 연결되어 있다는 것이다. 따라서 어떤 변수가 일정한 시차를 갖고 다른 변수보다 선행(leading)하거나 후행(lagging)하는 경우와 관계없이 공행성이 있다고 말한다.

02 ④ 경기변동과정에서 투자의 변동성은 소비의 변동성보다 크며 재고투자가 설비투자보다 경기의 영향을 크게 받으므로 재고투자의 변동성이 더 크다.

03 상중하 경기동향을 나타내는 기업경기실사지수(BSI; Business Survey Index)와 소비자동향지수 (CSI; Consumer Survey Index)에 대한 설명으로 옳지 않은 것은? [지방직 7급 10]

① BSI는 기업 활동의 실적, 계획, 경기동향 등에 대한 기업가들의 의견을 직접 조사하여 이를 지수화 한 지표이다.

② BSI는 다른 경기지표와는 달리 기업가의 주관적이고 심리적인 요소까지 조사가 가능하고, 정부 정책의 파급 효과를 분석하는 데 활용되기도 한다.

③ CSI는 50을 기준치로 하며, 50을 초과할 경우는 앞으로 생활형편이 좋아질 것이라고 응답한 가구가 나빠질 것으로 응답한 가구보다 많다는 것을 의미한다.

④ BSI는 비교적 쉽게 조사되고 작성될 수 있지만 조사 응답자의 주관적인 판단이 개입될 가능성이 있다.

04 상중하 2010년 9월 현재 미국의 3개월 만기 단기국채금리는 5.11%이며 10년 만기 장기국채금리는 4.76%라고 할 때, 향후 미국경기에 대한 시사점으로 가장 적절한 것은? [지방직 7급 10]

① 미국경기는 침체될 가능성이 높다.

② 미국경기는 호전될 가능성이 높다.

③ 미국경기는 호전되다가 다시 침체할 가능성이 높다.

④ 미국경기는 침체되다가 다시 호전될 가능성이 높다.

05 상중하 중앙은행이 공개시장조작정책을 시행하여 국채를 매입하는 경우, 예상되는 경제현상으로 옳은 것만을 모두 고르면? (단, 총수요곡선은 우하향한다) [국가직 7급 20]

ㄱ. 유동성선호이론에 의하면, 국채매입은 화폐시장에 초과공급을 유발하여 이자율을 상승시킨다. ㄴ. 단기적으로 총수요 증가를 통해 산출량은 증가하고 물가도 상승한다. ㄷ. 장기적으로 경제는 자연산출량 수준으로 회귀한다. ㄹ. 새고전학파에 따르면, 경제주체의 정책 예상이 완벽한 경우 단기에도 산출량은 불변이고 물가만 상승한다.

① ㄱ, ㄴ　　② ㄴ, ㄷ

③ ㄷ, ㄹ　　④ ㄴ, ㄷ, ㄹ

06 통화정책에 대한 설명으로 옳지 않은 것은? [지방직 7급 20]
상중하

① 중앙은행이 법정지급준비율을 인하하면 총지급준비율이 작아져 통화승수는 커지고 통화량은 증가한다.

② 중앙은행이 재할인율을 콜금리보다 낮게 인하하면 통화량이 증가한다.

③ 중앙은행이 양적완화를 실시하면 본원통화가 증가하여 단기이자율은 상승한다.

④ 중앙은행이 공개시장조작으로 국채를 매입하면 통화량이 증가한다.

정답 및 해설

03 ③ CSI나 BSI는 100보다 크면 경기에 대한 긍정적 평가가 큰 것이고, 100보다 작으면 경기에 대한 부정적 평가가 큰 것이다.

04 ① 1) 장기금리는 주로 장기경기전망에 좌우되고, 단기금리는 주로 현재경기상황과 금융정책에 좌우된다.
2) 자금거래기간에 비례해 위험이 커지기 때문에 일반적으로 장기이자율은 단기이자율보다 높다.
3) 문제는 현재 미국의 자금시장에서 장기이자율이 단기이자율보다 낮은 금리역전현상을 보여준다. 이러한 현상은 거의 제로금리정책에도 불구하고 단기에 비해 장기로 갈수록 이자율이 영향을 거의 받지 않고 있다는 이야기다. 이것은 장기적인 경기전망이 비관적임을 시사한다.

05 ④ **[오답체크]**
ㄱ. 유동성 선호이론에 의하면, 국채매입은 채권시장에 초과수요를 유발하고 이에 따라 화폐시장에 초과공급을 유발하여 이자율을 하락시킨다.

06 ③ 양적완화란 중앙은행이 통화량을 늘려 경기부양책을 쓰는 것을 말한다. 따라서 이자율은 하락한다.

07 상중하

재정정책 및 금융정책의 효과에 대한 설명으로 옳은 것은? [국가직 7급 12]

① 단기 IS-LM 분석 시 화폐수요가 이자율에 탄력적일수록 재정정책의 효과는 약해진다.
② 단기 IS-LM 분석 시 투자가 이자율에 비탄력적일수록 통화정책의 효과는 강해진다.
③ 통화주의자들은 재량적 통화정책을 주장한다.
④ 풀(W. Poole)에 따르면 실물 부문보다 금융 부문의 불확실성이 클 때는 금융정책의 지표로 이자율이 통화량보다 바람직하다.

08 상중하

경기부양을 위해 재정정책과 통화정책의 사용을 고려한다고 하자. 이와 관련한 서술로 가장 옳지 않은 것은? [서울시 7급 19]

① 두 정책의 상대적 효과는 소비와 투자 등 민간지출의 이자율탄력성 크기와 관련이 있다.
② 두 정책이 이자율에 미치는 영향은 동일하다.
③ 이자율에 미치는 영향을 줄이고자 한다면 두 정책을 함께 사용할 수 있다.
④ 두 정책 간의 선택에는 재정적자의 누적이나 인플레이션 중 상대적으로 어느 것이 더 심각한 문제일지에 대한 고려가 필요하다.

09 상중하

통화정책의 테일러준칙(Taylor rule)과 인플레이션목표제(inflation targeting)에 대한 설명으로 옳지 않은 것은? [지방직 7급 20]

① 테일러준칙을 따르는 정책당국은 경기가 호황일 때 이자율을 상승시키고, 경기가 불황일 때 이자율을 하락시켜 경기를 안정화시킨다.

② 테일러준칙에서 다른 변수들은 불변일 때 정책당국이 목표인플레이션율을 높이면 정책금리도 높여야 한다.

③ 인플레이션목표제는 미래 인플레이션의 예측치에 근거하며, 테일러준칙은 후향적이어서 과거 인플레이션을 따른다.

④ 인플레이션목표제는 중앙은행의 목표를 구체적인 수치로 제시하므로 중앙은행의 책임감을 높일 수 있다.

정답 및 해설

07 ④ 풀(W. Poole)에 따르면 실물 부문의 불확실성이 클 때 통화량을 금융정책의 중간목표로 삼아야 하고, 금융 부문의 불확실성이 클 때는 이자율을 금융정책의 중간목표로 하는 것이 바람직하다.

[오답체크]

① 화폐수요의 이자율탄력성이 클수록 IS-LM곡선이 완만해져 재정정책의 효과는 강해지고 금융정책의 효과는 약해진다.

② 투자수요의 이자율탄력성이 작을수록 IS-LM곡선이 가팔라져 재정정책의 효과는 강해지고 금융정책의 효과는 약해진다.

③ 통화주의자들은 준칙적 통화정책을 주장한다.

08 ② 확대적인 재정정책을 실시하면 IS곡선이 오른쪽으로 이동하므로 이자율이 상승하는 반면 확대적인 금융정책을 시행하면 LM곡선이 오른쪽으로 이동하므로 이자율이 하락한다. 그러므로 두 정책이 이자율에 미치는 영향은 정반대이다.

09 ② 1) 테일러 준칙은 중앙은행이 기준 금리를 결정할 때 경제성장률과 물가상승률(인플레이션율)에 맞춰서 기준 금리를 결정하는 것을 의미한다.

2) 실제물가상승률보다 목표물가상승률이 높은 상태에서 중앙은행이 목표물가수준을 달성하기 위해서는 금리를 인하해서 실제 물가상승률을 높이는 통화정책을 사용해야 한다.

10 상중하

다음은 A국 중앙은행이 따르는 테일러 준칙이다. 현재 인플레이션율이 4%이고 GDP갭이 1%일 때, A국의 통화정책에 대한 설명으로 옳지 않은 것은? (단, r은 중앙은행의 목표 이자율, π는 인플레이션율, Y^*는 잠재GDP, Y는 실제GDP이다) [국가직 18]

$$r = 0.03 + \frac{1}{4}(\pi - 0.02) - \frac{3}{4}\left(\frac{Y - Y^*}{Y^*}\right)$$

① 목표이자율은 균형이자율보다 높다.
② 목표인플레이션율은 2%이다.
③ 균형이자율은 3%이다.
④ 다른 조건이 일정할 때, 인플레이션갭 1%p 증가에 대해 목표이자율은 0.25%p 증가한다.

11 상중하

고전학파와 케인즈학파의 거시경제관에 대한 설명으로 옳지 않은 것은? [지방직 7급 11]

① 고전학파는 공급이 수요를 창출한다고 보는 반면 케인즈학파는 수요가 공급을 창출한다고 본다.
② 고전학파는 화폐가 베일(veil)에 불과하다고 보는 반면 케인즈학파는 화폐가 실물경제에 영향을 미친다고 본다.
③ 고전학파는 저축과 투자가 같아지는 과정에서 이자율이 중심적인 역할을 한다고 본 반면 케인즈학파는 국민소득이 중심적인 역할을 한다고 본다.
④ 고전학파는 실업문제 해소에 대해 케인즈학파와 동일하게 재정정책이 금융정책보다 더 효과적이라고 본다.

12 거시경제에 대한 설명으로 옳지 않은 것은? [국가직 7급 12]
상중하

① 공급 측면에서 부정적인 충격(negative supply shock)이 있을 때, 총수요관리정책은 물가안정과 고용증대에 유용하다.

② 고전학파이론은 가격과 임금의 신축성을 가정하기 때문에 장기적인 이슈 분석에 유용하다.

③ 합리적기대가설에 따르면 예견된 일회성 통화량의 증가는 실물경제에 큰 영향을 미치지 못한다.

④ 상대가격과 물가수준에 대한 착각이 있는 경우 단기 총공급곡선은 우상향할 수 있다.

정답 및 해설

10 ① $\pi = 0.04$, $\frac{Y^* - Y}{Y^*} = 0.01$을 주어진 식에 대입하면 $r = 0.03 + (\frac{1}{4} \times 0.02) - (\frac{3}{4} \times 0.01) = 0.0275$이므로 중앙은행의 목표이자율은 2.75%이다. 균형이자율은 3%로 주어져 있으나 실제인플레이션율이 4%, GDP갭이 1%일 때 중앙은행의 목표이자율은 2.75%이므로 이 경우 목표이자율은 균형이자율보다 낮음을 알 수 있다.

[오답체크]

② 목표인플레이션율은 인플레이션 갭이 0일 때의 인플레이션율이므로 2%이다.

③ 테일러 준칙에서 균형이자율은 인플레이션갭과 GDP갭이 모두 0일 때의 이자율을 의미하므로 주어진 테일러 준칙식에서 균형이자율은 3%이다.

④ 주어진 테일러 준칙식에서 포함되어 있는 $\frac{1}{4}(\pi - 0.02)$은 실제인플레이션율이 1% 포인트 상승하면 목표이자율이 0.25%p 증가함을 보여준다.

11 ④ 고전학파는 케인즈학파와 달리 노동시장에 초과공급이 발생하면 명목임금이 하락하여 결국 완전고용이 되므로 시장에 정부가 개입할 필요가 없다고 본다. 반면 케인즈학파는 기본적으로 실업의 발생원인이 경기침체로 인한 유효수요의 부족이므로 실업문제를 해소하기 위해 정부의 확대적인 정책이 필요하다고 본다.

12 ① 공급 측면에서 부정적인 충격이 있으면 AS곡선이 좌측 이동하여 경기침체 속에서도 물가가 상승하는 스태그플레이션이 발생한다. 이 때 경기회복을 위해 AD곡선을 우측 이동시키면 물가상승은 더욱 가속화되고, 물가안정을 위해 AD곡선을 좌측 이동시키면 경기침체는 더욱 가속화된다. 이를 총수요관리정책의 정책적 딜레마라고 한다.

13 상중하 재정의 자동안정장치(automatic stabilizer)에 대한 설명으로 옳은 것만을 모두 고르면? [국가직 7급 20]

ㄱ. 경제정책의 내부시차를 줄여주는 역할을 한다.
ㄴ. 경기회복기에는 경기회복을 더디게 만들 수 있다.
ㄷ. 누진적 소득세제와 실업보험제도는 자동안정장치이다.

① ㄱ, ㄴ
② ㄱ, ㄷ
③ ㄴ, ㄷ
④ ㄱ, ㄴ, ㄷ

14 상중하 경제주체의 기대형성에 관한 설명으로 옳은 것은? [노무사 15]

① 합리적 기대이론에서는 과거의 정보만을 이용하여 미래에 대한 기대를 형성한다.
② 적응적 기대이론에서는 예측된 값과 미래의 실제 실현된 값이 같아진다고 주장한다.
③ 새고전학파(New Classical School)는 적응적 기대를 토대로 정책무력성 정리(policy ineffectiveness proposition)를 주장했다.
④ 경제주체가 이용 가능한 모든 정보를 이용하여 미래에 대한 기대를 형성하는 것을 합리적 기대이론이라고 한다.
⑤ 케인즈(J. M. Keynes)는 합리적 기대이론을 제시하였다.

15 경기변동에 대한 설명으로 옳은 것은? [지방직 7급 20]
상중하

① 케인즈는 경기변동의 원인으로 총수요의 변화를 가장 중요하게 생각하였다.
② IS-LM모형에 의하면 통화정책은 총수요에 영향을 미칠 수 없다.
③ 케인즈에 의하면 불황에 대한 대책으로 재정정책은 효과를 갖지 않는다.
④ 재정정책은 내부시차보다 외부시차가 길어서 효과가 나타날 때까지 시간이 오래 걸린다.

정답 및 해설

13 ④ ㄱ. 자동안정화장치는 자동실행 되므로 경제정책의 내부시차를 줄여주는 역할을 한다.
ㄴ. 경기회복기에는 소득증가에 따른 누진세율 적용으로 경기회복을 더디게 만들 수 있다.
ㄷ. 누진적 소득세제는 호경기의, 실업보험제도는 불경기의 자동안정장치이다.

14 ④ **[오답체크]**
① 과거의 정보만을 이용하여 미래에 대한 기대를 형성하는 것은 합리적 기대가 아니라 적응적 기대이다.
② 적응적 기대하에서는 체계적인 오차가 있으므로 예측된 값과 미래에 실제 실현된 값이 동일하지 않은 것이 일반적이다.
③ 합리적 기대는 케인즈가 아니라 새고전학파에 의해 도입된 것으로, 새고전학파는 합리적 기대를 토대로 정책무력성 정리를 주장하였다.
⑤ 새고전학파는 합리적 기대이론을 제시하였다.

15 ① 케인즈는 경기의 침체가 총수요 감소 때문이라고 본다.

[오답체크]
② 확대적 통화정책으로 인해 LM곡선이 우측으로 이동하게 되면, 우하향하는 IS곡선일 경우 이자율 하락과 소득 증가의 효과를 가져온다.
③ 케인즈는 불황에 대한 대책으로 재정정책을 중시한다.
④ 재정정책은 내부시차가 크고, 통화정책은 외부시차가 크다.

16 상중하

실물경기변동(real business cycle)이론에 대한 설명으로 옳지 않은 것은? [국가직 7급 20]

① 일시적으로 이자율이 하락하는 경우 노동자들은 노동공급량을 증가시킨다.
② 화폐의 중립성이 장기뿐만 아니라 단기에도 성립한다고 가정하여 통화량 변화는 경기에 아무런 영향을 미치지 못한다.
③ 경기변동을 유발하는 주요 요인은 기술충격(technical shock)이다.
④ 임금 및 가격이 신속히 조정되어 시장이 청산된다.

17 상중하

실물경기변동론의 주장으로 옳은 것만을 묶은 것은? [지방직 7급 10]

ㄱ. 경기변동은 외부 충격에 대한 시장의 자연스러운 반응이다.
ㄴ. 경기변동의 주요인은 기술의 변화이다.
ㄷ. 이자율이 상승하면 현재의 노동공급이 감소한다.
ㄹ. 통화량의 변화가 경기변동을 초래하는 원인이다.

① ㄱ, ㄴ
② ㄷ, ㄹ
③ ㄱ, ㄴ, ㄷ
④ ㄱ, ㄴ, ㄹ

18 실물적 경기변동이론(real business cycle theory)에 대한 설명으로 옳지 않은 것은?
상중하

[지방직 7급 11]

① 실물적 경기변동이론에 따르면 장기에서는 고전학파적 이분성이 성립하지만 단기에서는 성립하지 않는다.

② 실물적 경기변동이론에 따르면 현재 이자율의 일시적 상승에도 사람들은 노동공급을 증가시킨다.

③ 실물적 경기변동이론에 따르면 경기변동은 변화하는 경제상황에 대한 경제의 자연적이며 효율적인 반응이다.

④ 실물적 경기변동이론에 따르면 경기후퇴는 기술의 퇴보에 의해 설명할 수 있다.

정답 및 해설

16 ① 일시적으로 이자율이 하락하는 경우 노동의 기간 간 대체에 의해 여가의 상대가격이 감소하므로 여가의 소비를 늘려 노동공급량을 감소시킨다.

[오답체크]

② 실물적 경기변동이론에서는 화폐가 경기에 영향을 주지 않으므로 화폐가 중립적이라고 주장한다.
③ 경기변동을 유발하는 주요 요인은 실물부분의 기술충격(technical shock)이다.
④ 새고전학파의 이론은 균형경기이론이므로 임금 및 가격이 신속히 조정되어 시장이 청산된다.

17 ① ㄱ. 생산성에 직접적인 영향을 미치는 모든 충격은 경기변동을 초래할 수 있다.
ㄴ. 실물적 균형경기변동이론의 원인은 기술변화 등의 공급측 변동이다.

[오답체크]

ㄷ. 보통의 기간간 대체에 따라 이자율이 상승하면 노동공급이 증가한다.
ㄹ. 화폐의 중립성이 성립하므로 통화량의 변화는 경기변동을 초래할 수 없다.

18 ① 실물적 균형경기변동이론에 의하면 단기와 장기 모두 화폐의 중립성이 성립한다. 비록 현실에서는 통화량이 증가하면 생산이 증가하는 현상이 관찰되기는 하지만 이는 통화공급이 실물부문의 변화에 내생적으로 반응하기 때문으로, 즉 생산량의 변화에 의해 통화량이 변하는 것이므로 통화공급이 내생적이고 화폐중립성이 성립한다.

19 상중하

실물적 경기변동이론(real business cycle theory)에 대한 설명으로 옳은 것만을 모두 고른 것은? [국가직 7급 14]

ㄱ. 메뉴비용(menu cost)은 경기변동의 주요 요인이다.
ㄴ. 비자발적 실업이 존재하지 않아도 경기가 변동한다.
ㄷ. 경기변동이 발생하는 과정에서 가격은 비신축적이다.
ㄹ. 정책결정자들은 경기침체를 완화시키는 재정정책을 자제해야 한다.

① ㄱ, ㄷ
② ㄴ, ㄷ
③ ㄴ, ㄹ
④ ㄷ, ㄹ

20 상중하

효율성 임금 가설(Efficiency Wage Hypothesis)에 대한 설명으로 옳은 것을 모두 고른 것은? [국가직 7급 10]

ㄱ. 효율성 임금 가설에 의하면 기업의 노동수요는 노동의 한계생산성과 명목임금이 같아지는 수준에서 결정된다.
ㄴ. 효율성 임금 가설은 비자발적 실업을 설명하고자 한다.
ㄷ. 효율성 임금 가설에 의하면 노동자의 근로의욕은 명목임금의 크기에 의해 결정된다.
ㄹ. 효율성 임금 가설에 의하면 노동자의 생산성은 실질임금에 의하여 좌우된다.

① ㄱ, ㄴ
② ㄴ, ㄹ
③ ㄱ, ㄴ, ㄷ
④ ㄴ, ㄷ, ㄹ

21 상중하 효율 임금이론(efficiency wage theory)에 대한 설명으로 옳지 않은 것은? [국가직 21]

① 효율 임금이론은 임금의 하방경직성을 설명할 수 있다.

② 효율 임금은 근로자의 도덕적 해이를 완화시킬 수 있다.

③ 효율 임금은 근로자의 이직을 감소시킬 수 있다.

④ 효율 임금은 노동의 공급과잉을 해소시킬 수 있다.

정답 및 해설

19 ③ 실물적 경기변동을 주장하는 학자들은 경기변동이 외부적인 충격에 대한 가계와 기업의 최적화 행동의 결과로 나타나는 현상이므로 경기진폭을 줄이기 위한 정책당국의 개입은 바람직하지 않다고 주장한다.

[오답체크]

ㄱ. 메뉴비용(menu cost)은 새케인즈학파와 관련 있다.

ㄷ. 경기변동이 발생하는 과정에서 가격은 신축적이다.

20 ② **[오답체크]**

ㄱ. 효율성 임금 가설에 의하면 노동의 한계생산성보다 실질임금이 크다.

ㄷ. 실질임금의 크기에 의해 결정된다.

21 ④ 효율 임금은 생산성 이상의 임금, 즉 균형임금보다 더 높은 임금을 지급하는 것이므로 노동의 공급과잉인 실업이 발생할 수 있다.

STEP 2 심화문제

22 상중하

경제정책에 관한 설명으로 옳은 것을 모두 고른 것은? [감정평가사 18]

> ㄱ. 외부시차는 경제에 충격이 발생한 시점과 이에 대한 정책 시행 시점 사이의 기간이다.
> ㄴ. 자동안정화장치는 내부시차를 줄여준다.
> ㄷ. 루카스(R. Lucas)는 정책이 변하면 경제주체의 기대도 바뀌게 되는 것을 고려해야 한다고 주장하였다.
> ㄹ. 시간적 불일치성 문제가 있는 경우 자유재량적 정책이 바람직하다.

① ㄱ, ㄴ ② ㄱ, ㄷ ③ ㄱ, ㄹ
④ ㄴ, ㄷ ⑤ ㄴ, ㄹ

23 상중하

다음 설명 중 옳지 않은 것은? [국회직 8급 13]

① 확장적 통화정책을 쓰게 되면 이자율이 하락하고 투자가 증가하여 총수요곡선은 우측으로 이동하므로 경기침체의 해결 방안으로 고려될 수 있다.
② 물가가 하락하게 되면 자국화폐로 표시된 실질환율이 상승하여 총수요곡선이 우측으로 이동하므로 경기침체의 해결 방안으로 고려될 수 있다.
③ 투자세액공제를 확대하게 되면 총수요를 증가시키게 되므로 경기침체의 해결 방안으로 고려될 수 있다.
④ 향후 물가가 상승할 것이라고 예상하게 되면 총수요 증가가 나타나므로 경기침체의 해결 방안으로 고려될 수 있다.
⑤ 기술진보는 장기총공급곡선을 우측으로 이동시키므로 경제성장에 도움이 되는 방안이라 할 수 있다.

24 상중하 총수요 충격 및 총공급 충격에 관한 설명으로 옳지 않은 것은? (단, 총수요곡선은 우하향, 총공급곡선은 우상향한다) [감정평가사 20]

① 총수요 충격으로 인한 경기변동에서 물가는 경기순행적이다.
② 총공급 충격으로 인한 경기변동에서 물가는 경기역행적이다.
③ 총공급 충격에 의한 스태그플레이션은 합리적 기대 가설이 주장하는 정책무력성의 근거가 될 수 있다.
④ 명목임금이 하방 경직적일 경우 음(-)의 총공급 충격이 발생하면 거시경제의 불균형이 지속될 수 있다.
⑤ 기술진보로 인한 양(+)의 총공급 충격은 자연실업률 수준을 하락시킬 수 있다.

정답 및 해설

22 ④ ㄴ. 자동안정화장치는 특별한 정책결정을 할 필요가 없으므로 정책결정시간인 내부시차를 줄여준다.
ㄷ. 루카스(R. Lucas)는 합리적 기대 가설을 통해 정책이 변하면 경제주체의 기대도 바뀌게 되는 것을 고려해야 한다고 주장하였다.

[오답체크]
ㄱ. 외부시차는 정부의 정책이 정책을 실시한 시점과 효과가 나타날 때까지 걸리는 시간을 의미한다. 지문은 내부시차에 대한 설명이다.
ㄹ. 시간적 불일치성을 동태적 비일관성이라고 하는데 이는 정부정책의 무력성을 의미한다. 따라서 문제가 있는 경우 재량적인 정책보다는 준칙적인 정책이 바람직하다.

23 ② 물가가 하락하면 총수요곡선상에서의 이동이 나타난다.

24 ③ 정책무력성 정리는 합리적 기대하에서는 예상된 정부정책의 효과가 없다는 것이다. 공급충격에 의한 스태그플레이션과는 관계가 없다.

[오답체크]
① 총수요 증가의 총수요 충격은 물가를 상승시키고 국민소득을 증가시키므로 경기변동에서 물가는 경기순행적이다.
② 총공급 감소의 총공급 충격은 물가를 상승시키고 국민소득은 감소시키므로 경기변동에서 물가는 경기역행적이다.
④ 명목임금이 하방 경직적일 경우 균형으로 이동하지 않기 때문에 음(-)의 총공급 충격이 발생하면 거시경제의 불균형이 지속될 수 있다.
⑤ 기술진보로 인한 양(+)의 총공급 충격은 노동의 한계생산물이 커지므로 노동수요가 증가한다. 노동수요곡선이 영구적으로 오른쪽으로 이동하면 자연실업률이 하락할 가능성이 높다.

25 상중하

경기안정화 정책에 관한 설명으로 옳은 것은? [감정평가사 18]

① 재정지출 증가로 이자율이 상승하지 않으면 구축효과는 크게 나타난다.
② 투자가 이자율에 비탄력적일수록 구축효과는 크게 나타난다.
③ 한계소비성향이 클수록 정부지출의 국민소득 증대효과는 작게 나타난다.
④ 소득이 증가할 때 수입재 수요가 크게 증가할수록 정부지출의 국민소득 증대효과는 크게 나타난다.
⑤ 소득세가 비례세보다는 정액세일 경우에 정부지출의 국민소득 증대효과는 크게 나타난다.

26 상중하

A국에서 인플레이션갭과 산출량갭이 모두 확대될 때, 테일러 준칙(Taylor's rule)에 따른 중앙은행의 정책은? [감정평가사 20]

① 정책금리를 인상한다.
② 정책금리를 인하한다.
③ 정책금리를 조정하지 않는다.
④ 지급준비율을 인하한다.
⑤ 지급준비율을 변경하지 않는다.

27 상중하

케인즈학파의 입장을 〈보기〉에서 모두 고르면? [국회직 8급 16]

〈보기〉

ㄱ. 세이의 법칙(Say's law)이 성립한다.
ㄴ. 생산된 것이 모두 판매되기 때문에 수요부족 상태가 장기적으로 지속될 가능성은 없다.
ㄷ. 가격이 경직적이고 충분한 정도의 유휴설비가 존재하는 경우 경제 전체 생산량은 유효수요에 의해 결정된다.
ㄹ. 모든 개인이 절약을 하여 저축을 증가시키면 총수요가 감소하여 국민소득이 감소하게 된다.
ㅁ. 정부는 시장에 개입하지 않는 것이 바람직하다.
ㅂ. 이자율은 화폐시장에서 결정된다.
ㅅ. 임금의 하방경직성, 화폐환상(money illusion)의 부재를 주장한다.

① ㄱ, ㄴ, ㄷ
② ㄴ, ㅁ, ㅂ
③ ㄷ, ㄹ, ㅁ
④ ㄷ, ㄹ, ㅂ
⑤ ㄹ, ㅂ, ㅅ

정답 및 해설

25 ⑤ 비례세의 승수는 $\frac{1}{1-c(1-t)+m}$ 이고 정액세의 승수는 $\frac{1}{1-c+m}$ 이므로 소득세가 정액세일 경우에 비례세보다 정부지출의 국민소득 증대효과가 크게 나타난다.

[오답체크]

① 재정지출 증가로 이자율이 상승해야 구축효과가 나타난다.

② 구축효과가 크게 나타나려면 IS곡선이 완만한 기울기를 가져야 한다. 따라서 투자의 이자율탄력성이 탄력적일수록(= 클수록) 구축효과는 크게 나타난다.

③ 일반적 승수는 $\frac{1}{1-c(1-t)+m}$ 이므로 한계소비성향이 클수록 정부지출의 국민소득 증대효과는 크게 나타난다.

④ 일반적 승수는 $\frac{1}{1-c(1-t)+m}$ 이므로 한계소비성향이 클수록 승수는 작아진다. 따라서 소득이 증가할 때 수입재 수요가 크게 증가할수록 정부지출의 국민소득 증대효과는 작게 나타난다.

26 ① 테일러 준칙에 의하면 실제 인플레이션이 중앙은행의 목표치를 상회하거나 실제GDP가 잠재GDP를 초과할 경우 정책금리를 인상해야 한다.

27 ④ **[오답체크]**

ㄱ, ㄴ, ㅁ, ㅅ. 고전학파의 입장이다.

28 상중하

균형경기변동이론(Equilibrium Business Cycle Theory)에 대한 설명으로 옳은 것을 〈보기〉에서 모두 고르면? [국회직 8급 18]

〈보기〉

ㄱ. 흉작이나 획기적 발명품의 개발은 영구적 기술충격이다.
ㄴ. 기술충격이 일시적일 때 소비의 기간 간 대체효과는 크다.
ㄷ. 기술충격이 일시적일 때 실질이자율은 경기순행적이다.
ㄹ. 실질임금은 경기역행적이다.
ㅁ. 노동생산성은 경기와 무관하다.

① ㄱ, ㄴ ② ㄱ, ㄹ ③ ㄴ, ㄷ
④ ㄷ, ㄹ ⑤ ㄹ, ㅁ

29 상중하

경기변동이론에 관한 설명으로 옳은 것은? [감정평가사 20]

① 실물경기변동(real business cycle)이론에서 가계는 기간별로 최적의 소비 선택을 한다.
② 실물경기변동이론은 가격의 경직성을 전제한다.
③ 실물경기변동이론은 화폐의 중립성을 가정하지 않는다.
④ 가격의 비동조성(staggering pricing)이론은 새고전학파(New Classical) 경기변동이론에 속한다.
⑤ 새케인즈학파(New Keynesian)는 공급충격이 경기변동의 원인이라고 주장한다.

30 상중하

경기변동이론에 관한 설명으로 옳은 것은? [감정평가사 17]

① 실물경기변동이론(real business cycle theory)은 통화량 변동 정책이 장기적으로 실질 국민소득에 영향을 준다고 주장한다.
② 실물경기변동이론은 단기에 임금이 경직적이라고 전제한다.
③ 가격의 비동조성(staggered pricing)이론은 새고전학파(New Classical)의 경기변동이론에 포함된다.
④ 새케인즈학파(New Keynesian) 경기변동이론은 기술충격과 같은 공급충격이 경기변동의 근본 원인이라고 주장한다.
⑤ 실물경기변동이론에 따르면 불경기에도 가계는 기간별 소비선택의 최적조건에 따라 소비를 결정한다.

31 상중하 실물경기변동이론(real business cycle theory)에 관한 설명으로 옳은 것을 모두 고른 것은? [감정평가사 16]

ㄱ. 임금 및 가격이 경직적이다. ㄴ. 불경기에는 생산의 효율성이 달성되지 않는다. ㄷ. 화폐의 중립성(neutrality of money)이 성립된다. ㄹ. 경기변동은 시간에 따른 균형의 변화로 나타난다.

① ㄱ, ㄴ　　② ㄱ, ㄷ　　③ ㄴ, ㄷ
④ ㄴ, ㄹ　　⑤ ㄷ, ㄹ

정답 및 해설

28 ③ 균형경기변동이론은 화폐적 균형경기변동이론과 실물적 균형경기변동으로 나누어진다.
ㄴ. 기술충격이 일시적일 때 현재소비가 늘어나므로 소비의 기간 간 대체효과는 크다.
ㄷ. 기술충격이 일시적일 때 투자가 늘어나 실질이자율은 경기순행적이다.

[오답체크]
ㄱ. 일시적 기술충격이다.
ㄹ. 실질임금은 경기순행적이다.
ㅁ. 노동생산성은 경기순행적이다.

29 ① 실물경기변동이론에서 가계는 기간별로 최적의 소비 선택을 한다. 따라서 이자율 상승 시 노동을 늘린다.

[오답체크]
② 실물경기변동이론은 균형경기변동이론이므로 가격의 신축성을 전제한다.
③ 실물경기변동이론은 화폐의 중립성을 가정한다.
④ 가격의 비동조성이론은 새케인즈학파 경기변동이론에 속한다.
⑤ 새케인즈학파는 수요충격이 경기변동의 원인이라고 주장한다.

30 ⑤ **[오답체크]**
① 화폐경기변동이론은 통화량 변동 정책이 장기적으로 실질 국민소득에 영향을 준다고 주장한다.
② 실물경기변동이론은 균형경기변동이론이므로 단기에는 임금이 신축적이라고 전제한다.
③ 가격의 비동조성이론은 가격의 경직성을 의미하므로 새케인즈학파의 경기변동이론에 포함된다.
④ 새케인즈학파 경기변동이론은 수요 충격의 근본 원인이라고 주장한다.

31 ⑤ ㄷ. 실물부분만을 강조하므로 화폐의 중립성(neutrality of money)이 성립된다.
ㄹ. 균형경기변동이론이므로 경기변동은 시간에 따른 균형의 변화로 나타난다.

[오답체크]
ㄱ. 균형경기변동이므로 임금 및 가격이 신축적이다.
ㄴ. 불경기와 관계없이 생산의 효율성이 달성된다.

STEP 3 실전문제

32 상중하

중앙은행이 다음의 정책준칙(policy rule)에 따라 명목이자율을 정한다고 하자. 이에 대한 설명 중 가장 옳지 않은 것은? [회계사 14]

> • 목표 물가상승률: $\bar{\pi} = 0.03$
>
> • 정책준칙: $i = 0.05 + 1.5(\pi - \bar{\pi}) + 0.5(\frac{Y - \bar{Y}}{\bar{Y}})$
>
> (i는 명목이자율, π는 물가상승률, Y는 산출량, $\bar{Y}$는 잠재산출량)

① $\pi = \bar{\pi}$이고 산출량갭이 0이면, 명목이자율은 5%로 정해진다.

② $\pi = \bar{\pi}$이고 호황이면, 명목이자율이 5%보다 높게 정해진다.

③ 디플레이션을 동반한 불황에는 명목이자율이 5%보다 낮게 정해진다.

④ $\pi > \bar{\pi}$이고 산출량갭이 0이면, 실질이자율이 2%보다 낮아진다.

⑤ 스태그플레이션(stagflation)일 때에는 $\pi > \bar{\pi}$라 해도 실질이자율이 2%보다 낮아질 수 있다.

33 상중하

중앙은행이 다음과 같은 준칙에 따라 정책금리를 설정하여 통화정책을 운용한다.

$$i = 0.02 + \pi + 0.5(\pi - \pi^*) + 0.5(\frac{Y - Y^*}{Y^*})$$

i, π, π^*, Y, Y^*는 각각 정책금리, 인플레이션율, 목표인플레이션율, 실제총생산, 잠재총생산을 나타내며, $(\frac{Y - Y^*}{Y^*})$는 총생산갭이다. 이에 대한 설명으로 옳은 것을 모두 고르면? [회계사 19]

> 가. 정부지출의 외생적 증가로 총생산이 증가하면 정책금리가 인상된다.
>
> 나. 총생산갭의 변화 없이 인플레이션율이 1% 포인트 높아지면 정책금리도 1% 포인트 높아진다.
>
> 다. 소비심리가 악화되어 총생산이 감소하면 정책금리가 인하된다.
>
> 라. π^*의 인상은 총수요를 감소시킨다.

① 가, 나 ② 가, 다 ③ 나, 다

④ 나, 라 ⑤ 다, 라

34 고전학파와 비교한 케인즈이론의 특징과 관련한 설명으로 옳은 것을 모두 고르면?
상중하

[회계사 20]

가. 장기적 경제성장 문제보다는 단기적 경기불안 문제를 중요시 한다.
나. 총공급보다는 총수요 측면을 중요시한다.
다. 물가는 통화량에 비례하여 결정된다고 본다.
라. 가격이 신축적으로 조정된다고 가정한다.

① 가, 나 ② 가, 다 ③ 나, 다
④ 나, 라 ⑤ 다, 라

정답 및 해설

32 ④ 1) $\pi = \bar{\pi}$이고 산출량갭이 0이면, 명목이자율이 5%이다. 따라서 $\pi > \bar{\pi}$이고 산출량 갭이 0이면, 명목이자율이 5%보다 높다.
2) 물가상승률을 0.04로 잡으면 명목이자율은 0.065이다. 이때 실질이자율은 2.5%로 2%보다 크다.

33 ② 가. 정부지출의 외생적 증가로 총생산이 증가하면 총생산갭이 (+)가 되므로 정책금리가 인상된다.
다. 소비심리가 악화되어 총생산이 감소하면 총생산갭이 (-)가 되므로 정책금리가 인하된다.

[오답체크]
나. 총생산갭의 변화 없이 인플레이션율이 1% 포인트 높아지면 인플레이션율과(인플레이션 - 목표인플레이션) 앞에 붙어있는 숫자인 0.5가 곱해진 후 양자가 더해져야 한다. 따라서 정책금리는 1.5% 포인트 높아진다.
라. π^*의 인상은 정책금리의 (-)적 요소이므로 정책금리를 감소시켜 총수요를 증가시키는 정책이 된다.

34 ① **[오답체크]**
다. 물가는 통화량에 비례하여 결정된다고 보는 것은 화폐의 중립성으로 고전학파의 견해이다.
라. 가격은 하방경직성을 가지므로 신축적으로 조정이 잘 안 됨을 강조하고 있다.

35 상중하

케인즈학파와 비교한 고전학파이론의 특징과 관련한 설명으로 옳은 것만을 모두 고르면?

[회계사 21]

가. 가격이 신축적이다.
나. 총공급곡선이 수평이다.
다. 화폐공급의 증가는 총생산에 영향을 미치지 못한다.
라. 재정정책의 변화가 총생산에 미치는 영향을 강조한다.

① 가, 나　② 가, 다　③ 나, 다
④ 나, 라　⑤ 다, 라

36 상중하

고전학파와 케인즈학파에 관한 다음 설명 중 옳은 것만을 모두 고르면? [회계사 19]

가. 케인즈학파는 동일한 규모라면 정부지출 확대가 조세 감면보다 총수요 증대 효과가 크다고 보았다.
나. 고전학파는 정부의 확장적 재정정책이 민간투자를 감소시킬 수 있다고 보았다.
다. 고전학파는 재량적인 총수요 관리 정책이 경기안정화에 효과적이라고 보았다.
라. 케인즈학파는 수요측 요인보다는 공급측 요인에 의해 경기변동이 발생한다고 보았다.

① 가, 나　② 가, 다　③ 다, 라
④ 가, 나, 라　⑤ 나, 다, 라

37 케인즈학파와 통화주의자에 대한 설명 중 옳은 것은? [회계사 16]
상중하

가. 케인즈학파는 경제가 내재적으로 불안정하므로 정부가 장기적으로는 경기변동을 완화하는 안정화정책을 실시하고, 단기적으로는 총공급 능력을 확충해야 한다고 주장하였다.
나. 통화주의자들은 장기적으로 화폐가 중립적일 때 인플레이션과 실업률 간에 역의 관계가 성립한다고 주장하였다.
다. 케인즈학파는 낮은 총수요가 낮은 소득과 높은 실업의 원인이라고 주장하였다.
라. 통화주의자들은 중앙은행이 통화를 공급할 때에 사전에 명시되고 공표된 준칙을 따라야 한다고 주장하였다.

① 가, 나　② 가, 다　③ 나, 다
④ 나, 라　⑤ 다, 라

정답 및 해설

35 ② **[오답체크]**
나. 고전학파는 노동시장의 완전고용이 이루어지므로 총공급곡선이 수직이다.
라. 재정정책의 변화가 총생산에 미치는 영향을 강조하는 것은 케인즈학파이다.

36 ① 가. 케인즈학파는 정부지출승수가 조세승수보다 크다고 주장한다.
나. 고전학파는 정부의 확장적 재정정책이 이자율을 상승시키는 구축효과를 발생시킨다고 본다.
[오답체크]
다. 케인즈학파는 재량적인 총수요 관리 정책이 경기안정화에 효과적이라고 보았다.
라. 케인즈학파는 수요측 요인을 중시한다.

37 ⑤ **[오답체크]**
가. 케인즈학파는 경제가 내재적으로 불안정하므로 정부가 단기적으로는 경기변동을 완화하는 안정화정책을 실시하고, 장기적으로는 총공급 능력을 확충해야 한다고 주장하였다.
나. 통화주의자들은 장기적으로 화폐가 중립적일 때 인플레이션과 실업률 간에 아무런 관계가 없으므로 수직이라고 보았다.

38 상중하

디플레이션에 대처하기 위한 경제정책에 대한 입장과 학파를 바르게 짝지은 것은?

[회계사 21]

가. 정부정책에 대해 민간이 충분히 신뢰하는 상황이라면 통화량을 늘릴 계획을 발표하는 것으로 충분하다.
나. 디플레이션의 원인은 통화에 있으므로 통화량을 늘리고 준칙에 따른 통화정책을 수행하면 된다.
다. 디플레이션의 원인은 유효수요 부족에 기인하므로 재정정책을 통해 소득을 확대시켜야 한다.

	가	나	다
①	새고전학파	통화주의학파	케인즈학파
②	새고전학파	케인즈학파	통화주의학파
③	케인즈학파	새고전학파	통화주의학파
④	케인즈학파	통화주의학파	새고전학파
⑤	통화주의학파	새고전학파	케인즈학파

39 상중하

새케인즈학파(new Keynesian)의 경직적 가격모형(sticky-price model)과 관련한 설명으로 옳지 않은 것은?

[회계사 17]

① 팽창적 통화정책은 단기적으로 생산량을 증가시킨다.
② 가격을 신축적으로 조정하는 기업은 한계비용이 상승하면 가격을 인상한다.
③ 물가가 기대 물가보다 높을 경우 생산량은 잠재 생산량보다 커진다.
④ 가격을 신축적으로 조정하는 기업이 많아질수록 총공급곡선의 기울기가 커진다.
⑤ 가격을 신축적으로 조정하지 않는 기업은 미래의 경제상황보다는 과거의 경제상황에 근거하여 가격을 설정한다.

정답 및 해설

38 ① 가. 민간의 신뢰성을 강조하므로 합리적 기대가설에 입각한 새고전학파의 입장이다.
나. 통화정책을 중시하므로 통화주의학파의 입장이다.
다. 유효수요를 강요하므로 케인즈학파의 입장이다.

39 ⑤ 가격을 신축적으로 조정하지 않는 기업은 과거의 경제상황에 근거한 적응적 기대를 반영한 것이 아니다. 이는 메뉴비용으로 인해 가격을 조정하지 않는 것이 합리적이거나 장기계약 등으로 인해 가격조정이 불가능하기 때문이다.

Topic 22 경제성장론

01 해로드-도마의 경제성장이론

<table>
<tr><td>가정</td><td>(1) 생산량 1단위당 필요한 노동 및 자본의 양은 일정(불변)
① $v = \frac{K}{Y}$(= 자본계수로 일정)이 성립
② 이는 자본과 노동의 대체성이 없으므로 등량곡선이 L자형인 ㉮ ______ 생산함수($Y = Min[\frac{K}{v}, \frac{L}{\alpha}]$)임
③ 이때 효율적인 생산이 이루어지면(K와 L이 완전고용이 되기 위한 조건) $Y = \frac{K}{v} = \frac{L}{\alpha}$이 성립함
(2) 저축은 소득의 일정 비율(s = 한계저축성향)로 저축과 투자는 항상 일치
$S = sY(0 < s < 1)$이고 S(저축) = I(투자)임
(3) 나머지 가정
① 재화가 하나밖에 없는 경제를 상정함
② 인구증가율(노동력)은 n으로 일정함
③ 생산함수는 규모에 대한 수익불변을 가정함</td></tr>
<tr><td>특징</td><td>(1) ㉯ ______ 이 떨어짐
① 인구증가율, 저축률, 자본계수 등이 모두 일정한 상수이므로 기본방정식은 우연이 아니면 성립하지 않음
② 일반적으로 불완전고용 하의 성장이 이루어짐
(2) ㉰ ______ 한 모형
실제성장율(G_A)이 적정성장율(G_w)에서 한번 벗어나면 균형을 다시 회복할 수 없을 뿐 아니라 균형에서 점점 멀어지므로 불안정한 모형</td></tr>
</table>

핵심키워드

㉮ 레온티에프, ㉯ 현실성, ㉰ 불안정

02 솔로우모형

가정	(1) 노동과 자본을 생산요소로 하는 생산함수는 요소대체가 가능한 1차 동차함수 ① $Y=f(K,\ L)$ ➜ $\frac{Y}{L}=f(\frac{K}{L})$ ➜ $Y=L\cdot f(k)$(단, $k=\frac{K}{L}$) ② 즉, 1인당 산출량(y)은 1인당 자본(k)에 대한 (증가)함수 (2) 저축은 소득의 일정비율(s = 한계저축성향)로 저축과 투자는 항상 일치 $S=sY(0<s<1)$이고 $S=I(=\Delta K)$이다. (3) 나머지 가정 ① 재화가 하나밖에 없는 경제를 상정함 ② 인구증가율(노동력)은 n으로 일정함 ③ 생산함수는 규모에 대한 ㉮ _____이며 수확 ㉯ _____의 법칙을 가정함
균제상태	(1) 개념 ① 균제상태에서는 1인당 자본량과 1인당 생산량이 일정하게 유지됨 ② 그러나 매년 인구가 n의 비율로 증가하므로 경제 전체의 총생산량도 n의 비율로 증가함 ③ 균제상태에서는 경제성장률이 ㉰ _____과 일치함 ④ 생산함수의 접선의 기울기로 측정되는 MP_K가 일정하게 유지되므로 실질이자율도 일정하게 유지됨 (2) 기본공식 1인당 자본량 증가율($\frac{\Delta k}{k}$) = 자본증가율($\frac{sf(k)}{k}$) − 인구증가율(n) ($\Delta k=sf(k)-nk$에서 양변을 k로 나누어 구한 것) (3) 감가상각이 있는 경우 ① ㉱ _____은 1인당 자본량을 감소시키는 요인이므로 인구증가율과 성격이 같음 ② 1인당 자본량의 변화로 표현하면 $\Delta k=sf(k)-(n+d)k=0$(단, d는 감가상각률) ③ 1인당 자본량의 변화율로 표현하면 양변을 k로 나누어주면 되므로 $\frac{\Delta k}{k}=\frac{sf(k)}{k}-(n+d)=0$로도 표현할 수 있음 ④ ㉲ _____까지 있는 균제상태는 $\Delta k=sf(k)-(n+d+g)k$ (단, g는 기술진보율)

핵심키워드

㉮ 수익불변, ㉯ 체감, ㉰ 인구증가율, ㉱ 감가상각, ㉲ 기술진보

경제성장의 결정요인	(1) 인구 증가 1인당 성장률은 감소하나 인구가 증가하므로 총생산량은 증가함 (2) 저축률 증가 ① 1인당 산출량증가율은 단기적으로는 증가하나 장기적으로는 균제상태에 도달하기 때문에 0이 됨 ② ㉮ ________(level effect)만 있고 성장효과(growth effect)는 없음 (3) 기술진보 지속적인 기술진보에 의해서만 ㉯ ________인 경제성장(1인당 소득 증가)이 가능함
자본축적의 황금률	(1) 개념 ① 1인당 소비가 극대화되는 상태 ② 감가상각만 존재하는 경우 $f'(k) = n + d$에서 달성됨($f'(k) = MP_K$) (2) 황금률에서의 상황 ① 1인당 소비가 ㉰ ________ ② ㉱ ________소득 = 소비 ③ ㉲ ________소득 = 저축 = 투자 ④ 저축률 = 자본소득분배율
한계	(1) 기술진보의 외생성 지속적인 기술진보가 경제성장의 주요인이라는 결론만 제시 할 뿐 지속적인 기술진보의 요인을 모형 안(내생적)에서 설명하지 못하고 있음 (2) 수렴 가설(따라잡기 효과) ① 수확체감의 법칙으로 인하여 자본이 풍부한 국가는 자본의 ㉳ ________이 낮은 반면 자본이 적은 국가는 자본의 한계생산성이 높음 ② 가난한 나라의 자본축적의 속도가 빠르게 되어 결국 두 나라는 균제상태에서의 1인당 산출량은 수렴하게 됨 ③ 수렴가설과는 반대로 지속적으로 확대되는 국가별 소득격차를 설명하지 못하는 문제점을 갖고 있음
성장회계	(1) 총요소생산성 ① 성장회계는 경제성장률에서 총요소(자본 + 노동)투입 성장률을 뺀 나머지 부분을 잔여항(residuals)이라 부르고, 이를 ㉴ ________ 또는 총요소 생산성(TFP; Total Factor Productivity)으로 해석함 ② $\frac{\Delta A}{A} = \frac{\Delta Y}{Y} - \alpha\frac{\Delta L}{L} - \beta\frac{\Delta K}{K}$ (2) 솔로우 잔차 이러한 분석을 솔로우(Solow)가 최초로 제시하였기 때문에 솔로우 잔차(Solow residual)라고도 함

핵심키워드

㉮ 수준효과, ㉯ 지속적, ㉰ 극대화, ㉱ 노동, ㉲ 자본, ㉳ 한계생산성, ㉴ 생산성 증가율

03 내생적 성장모형

개념	(1) 기술진보 중시 기술진보는 물적자본 축적, 인적자본에 대한 투자, 연구·개발(R&D)투자 등 내생적 요인에 의해 결정됨 (2) 종류 ① 연구개발모형(R&D모형)과 같이 기술진보가 내생적·지속적으로 유도되는 모형 ② AK모형이나 인적자본모형과 같이 지식자본이나 인적자본을 포함시키어 자본의 한계생산성이 체감하지 않는 것을 보는 방법이나, 축적된 실물자본이 외부성을 갖는 것으로 가정하는 방법이 있음
AK모형	(1) 개념 ① AK모형에서는 생산함수를 $Y = AK$로 하여 ㉮ ________ 이 적용되지 않는다면 경제는 지속적으로 성장이 가능해지는 것 ② 이 모형에서의 K는 물적자본, 인적자본까지 포함하는 자본재로 가정함 (2) 성장률 ① 생산함수: $Y = AK$(자본에 대한 수확이 일정) ➜ 1인당 생산함수: $y = Ak$ ② 총자본증가분: $\Delta K = sAK - (n+d)K$(단, s는 저축률, n은 인구증가율, d는 감가상각률) ③ 총자본 증가율: $\frac{\Delta K}{K} = sA - (n+d)$이다 ④ 저축률이 성장률을 결정하는 중요한 요소: $sA > (n+d)$이면 외생적 기술진보를 가정하지 않고도 해당 경제의 소득은 지속적으로 성장하며 그때의 성장률은 $sA - (n+d)$ ⑤ 정부정책의 방향: ㉯ ________ 을 증가시키는 정부정책은 지속적인 경제성장을 가져올 수 있음
장점	생산의 효율성 향상, 규모의 경제 실현, 소비자의 다양한 선택 기회, 부존 자원과 기술 취약 해결, 기술과 정보의 축적
단점	경쟁력 없는 유치산업의 도태, 국내 경제 정책의 자율성 침해, 실업의 발생

핵심키워드

㉮ 수확체감의 법칙, ㉯ 저축률

04 경제발전론

경제발전 단계설	(1) 로스토우(W. Rostow): 경제발전과정을 중심으로 분석 '전통사회단계 ➜ 도약준비단계 ➜ 도약(take-off stage)단계 ➜ 성숙단계 ➜ 대중적 소비단계'로 이행 (2) 호프만(W. Hoffman): 공업화단계를 중심으로 실증분석(공업구조이행과정) '소비재산업이 압도적인 단계 ➜ 생산재산업비중이 커지는 단계 ➜ 소비재산업과 생산재산업의 비중이 같아지는 단계'로 이행 (3) 클라크(C. Clark): 19C 이후 각국의 산업구조 및 소비구조이행과정을 분석. 경제발전과정은 '1차 산업 ➜ 2차 산업 ➜ 3차 산업'으로 이행
경제발전이론	(1) 균형성장 전략 ① 국내시장확대, 수요중시전략(상호보완수요효과) ② 모든 산업에 고르게 투자하여 각 산업제품을 연쇄구매 하도록 하여 국내시장을 확대함 ③ 국내시장 각 부문의 고른 성장을 통해 상호보완적 수요를 창출함 (2) 불균형성장 전략 ① 집중투자, 공급중시전략(상호보완공급효과) ② 후진국은 자본이 빈약하므로 후방연관효과가 큰 산업(공업부문)에 우선 투자하여 상호보완적 공급을 창출함 ③ 투자부문 생산물의 판로확보, 산업 및 지역 간 불균형, 근대적 부문과 전근대적 부문이 동시에 존재하는 2중경제(dual economy) 등의 문제가 발생함

STEP 1 기본문제

01 경제성장에 대한 설명으로 옳은 것은? [국가직 7급 17]
상중하

① 솔로우 성장모형에서는 1인당 소득이 높은 나라일수록 경제가 빠르게 성장한다.
② 성장회계는 현실에서 이룩된 경제성장을 각 요인별로 분해해 보는 작업을 말한다.
③ 쿠즈네츠 가설에 따르면 경제성장의 초기 단계에서 발생한 소득불평등은 처음에 개선되다가 점차 악화된다.
④ 내생적 성장이론은 일반적으로 자본에 대한 수확체감을 가정한다.

02 다음 중 솔로우(R. Solow)의 경제성장모형에 대한 설명으로 옳지 않은 것은?
상중하
[국회직 8급 20]

① 인구증가율이 상승하면 1인당 자본축적량이 감소한다.
② 기술진보는 균제상태에서의 경제성장률을 증가시킨다.
③ 저축률이 증가하면 균제상태에서의 1인당 소비가 감소한다.
④ 저축률이 증가하면 균제상태에서의 1인당 자본축적량이 상승한다.
⑤ 인구증가율이 상승하면 균제상태에서의 1인당 소득증가율은 변화하지 않는다.

정답 및 해설

01 ② **[오답체크]**
① 솔로우모형에서는 자본에 대해 수확체감 현상이 나타나므로 1인당 소득수준이 낮은 나라일수록 경제성장률이 높다.
③ 쿠즈네츠 가설에 따르면 경제성장의 초기 단계에서 발생한 소득불평등은 점차 개선된다.
④ 대표적인 내생적 성장이론인 AK모형에서는 자본에 대해 수확체감이 나타나지 않는 것으로 가정한다.

02 ③ 저축률이 증가하면 황금률 수준의 균제상태에서 1인당 소비가 극대화된다.

03 기술진보가 없는 단순한 솔로우모형(Solow model)에 대한 설명으로 옳지 않은 것은?
상중하
[국가직 21]

① 노동과 자본에 대한 생산함수가 규모에 대한 수익불변(constant returns to scale)이라고 가정한다.
② 균제상태(steady state)에서 1인당 자본량과 1인당 생산량은 시간이 지남에 따라 변하지 않고 안정적으로 유지된다.
③ 균제상태에서 총자본의 성장률은 인구증가율과 같고 총생산량의 성장률은 0이 된다.
④ 1인당 소비를 극대화하는 1인당 자본량의 균제상태 값을 자본의 황금률 수준이라 한다.

04 솔로우(Solow)의 성장모형에 대한 설명으로 옳은 것만을 모두 고른 것은? [국가직 14]
상중하

ㄱ. 생산요소 간의 비대체성을 전제로 한다.
ㄴ. 기술진보는 균형성장경로의 변화 요인이다.
ㄷ. 저축률 변화는 1인당 자본량의 변화 요인이다.
ㄹ. 인구증가율이 상승할 경우 새로운 정상상태(steady-state)의 1인당 산출량은 증가한다.

① ㄱ, ㄴ
② ㄴ, ㄷ
③ ㄷ, ㄹ
④ ㄱ, ㄹ

05 경제성장에 관한 솔로우(Solow)모형의 내용으로 옳지 않은 것은? [국가직 7급 10]
상중하

① 노동과 자본의 상대가격이 조정되어 생산요소의 과잉상태는 해소된다.
② 노동과 자본의 완전고용이 달성되는 성장의 상태를 균제상태(steady state)라고 한다.
③ 지속적인 성장은 지속적 기술진보에 의해서 가능하다.
④ 기술진보는 경험을 통한 학습효과 등 경제 내에서 내생적으로 결정된다.

06 상중하

솔로우(R. Solow) 경제성장모형에서 균제상태(steady state)의 1인당 산출량을 증가시키는 요인으로 옳은 것을 모두 고른 것은? (단, 다른 조건이 일정하다고 가정한다) [노무사 15]

ㄱ. 저축률의 증가
ㄴ. 인구증가율의 증가
ㄷ. 감가상각률의 하락

① ㄱ ② ㄱ, ㄴ ③ ㄱ, ㄷ
④ ㄴ, ㄷ ⑤ ㄱ, ㄴ, ㄷ

정답 및 해설

03 ③ 균제상태에서 1인당 자본량의 증가율이 0%이고 이로 인해 1인당 증가율이 0%이다. 총자본의 성장률은 인구증가율과 같고 총생산량의 성장률은 인구증가율이 된다.

04 ② **[오답체크]**
ㄱ. 솔로우의 성장모형은 생산요소 간 대체가 가능한 콥-더글라스 생산함수를 가정한다.
ㄹ. 인구증가율이 높아지면 1인당 자본량이 감소하므로 새로운 정상상태에서 1인당 산출량이 감소한다.

05 ④ 솔로우모형에서 지속적인 성장은 지속적인 기술진보에 의해 결정되나, 기술진보는 외생적으로 주어진 것으로 가정할 뿐 모형 내에서 기술진보의 원인을 설명하지는 못한다.

06 ③ 저축률의 상승으로 저축이 증가하거나 감가상각률이 낮아지면 1인당 자본량이 증가하므로 균제상태에서의 1인당 소득이 증가한다.

[오답체크]
ㄴ. 인구증가율이 높아지면 1인당 자본량이 감소하므로 균제상태에서의 1인당 소득이 감소한다.

07 상중하

솔로우 성장모형에서 A국의 저축률이 B국의 저축률보다 높을 때 균제상태(steady state)에서의 A국과 B국에 대한 설명으로 옳은 것은? (단, 두 나라의 생산기술, 기술진보율, 인구증가율 등 다른 여건은 동일하다) [지방직 7급 12]

① A국의 경제성장률이 B국보다 높다.
② A국의 1인당 국민소득이 B국보다 많다.
③ A국의 1인당 국민소득 증가율이 B국보다 높다.
④ A국의 1인당 자본량이 B국보다 적다.

08 상중하

어떤 국가의 인구가 매년 1%씩 증가하고 있고, 국민들의 연평균 저축률은 20%로 유지되고 있으며, 자본의 감가상각률은 10%로 일정할 경우, 솔로우(Solow)모형에 따른 이 경제의 장기균형의 변화에 대한 설명으로 옳은 것은? [국회직 8급 18]

① 기술이 매년 진보하는 상황에서 이 국가의 1인당 자본량은 일정하게 유지된다.
② 이 국가의 기술이 매년 2%씩 진보한다면, 이 국가의 전체 자본량은 매년 2%씩 증가한다.
③ 인구증가율의 상승은 1인당 산출량의 증가율에 영향을 미치지 못한다.
④ 저축률이 높아지면 1인당 자본량의 증가율이 상승한다.
⑤ 감가상각률이 높아지면 1인당 자본량의 증가율이 상승한다.

09 상중하 솔로우(Solow) 성장모형이 〈보기〉와 같이 주어져 있을 때 균제상태(steady state)에서 1인당 자본량은? (단, 기술 진보는 없다) [서울시 7급 18]

〈보기〉

- 생산함수: $y = 2k^{\frac{1}{2}}$
  (단, y는 1인당 생산량, k는 1인당 자본량이다)
- 감가상각률 5%, 인구증가율 5%, 저축률 20%

① 2 ② 4
③ 8 ④ 16

경기변동과 경제성장 제11장 해커스 서호성 객관식 경제학

정답 및 해설

07 ② 1) 저축률이 상승하면 일시적으로 경제성장률이 상승하지만 새로운 균제상태에 도달하면 경제성장률은 이전의 수준으로 복귀하게 된다. 따라서 저축률이 상승하면 1인당 국민소득과 1인당 자본은 증가하지만 경제성장률 자체는 불변이 된다. 저축률의 변화는 향상효과(수준효과, level-effect)만을 갖고, 성장효과(growth effect)를 유발하지는 못한다.

2) A국의 저축률이 B국의 저축률보다 높다면 A국의 1인당 국민소득과 1인당 자본량이 B국보다 높겠지만, 경제성장률은 균제상태에서 인구증가율과 동일하게 나타날 것이다.

08 ③ **[오답체크]**

① 1인당 자본량 증가분은 $\Delta k = sf(k) - (n+d+g)k$이다. 따라서 매년 증가한다.
② 총자본량은 '기술진보율 + 인구증가율'의 비율로 증가하므로 3%씩 늘어난다.
④⑤ 저축률과 감가상각률은 성장률에 영향을 미치지 못한다.

09 ④ 1) 균제상태의 1인당 자본량은 $sf(k) = (n+d)k$이다.

2) 따라서 $0.2 \times 2\sqrt{k} = (0.05 + 0.05)k$ ➜ $\sqrt{k} = 4$ ➜ $k = 16$이다.

10 상중하

솔로우(R. Solow) 경제성장모형에서 1인당 생산함수는 $y = f(k) = 4k^{1/2}$이고, 저축률은 5%, 감가상각률은 2%, 그리고 인구증가율은 2%이다. 균제상태(steady state)에서 1인당 자본량은? (단, y는 1인당 산출량, k는 1인당 자본량이다) [노무사 21]

① 21 ② 22 ③ 23
④ 24 ⑤ 25

11 상중하

기술진보가 없으며 1인당 생산(y)과 1인당 자본량(k)이 $y = 2\sqrt{k}$의 함수 관계를 갖는 솔로우 모형이 있다. 자본의 감가상각률(δ)은 20%, 저축률(s)은 30%, 인구증가율(n)은 10%일 때, 이 경제의 균제상태(steady state)에 대한 설명으로 옳은 것은? [국가직 7급 19]

① 균제상태의 1인당 생산은 4이다.
② 균제상태의 1인당 자본량은 2이다.
③ 균제상태의 1인당 생산 증가율은 양(+)으로 일정하다.
④ 균제상태의 1인당 자본량 증가율은 양(+)으로 일정하다.

12 상중하

갑국의 생산함수는 $Y = [K(1-u)L]^{1/2}$이다. 자연실업률이 4%, 저축률, 인구성장률, 자본의 감가상각률이 모두 10%일 때, 솔로우(Solow) 모형의 균제상태(steady state)에서 1인당 생산량은? (단, Y는 총생산량, L은 노동량, K는 자본량, u는 자연실업률이다) [지방직 7급 20]

① 0.24
② 0.48
③ 0.72
④ 0.96

13 상중하

솔로우(Solow)의 경제성장모형하에서 A국의 생산함수는 $Y = 10\sqrt{LK}$, 저축률은 30%, 자본감가상각률은 연 5%, 인구증가율은 연 1%, 2015년 초 A국의 1인당 자본량은 100일 경우 2015년 한 해 동안 A국의 1인당 자본의 증가량은? (단, L은 노동, K는 자본을 나타낸다)

[국가직 7급 15]

① 24　　② 25
③ 26　　④ 27

정답 및 해설

10 ⑤ 1) 솔로우모형의 균제상태는 $s \cdot f(k) = (n + d + g)k$이다.
2) 조건을 대입하면 $0.05 \times 4\sqrt{k} = (0.02 + 0.02)k$ ➔ $5\sqrt{k} = k$ ➔ $k = 25$이다.

11 ① 균제상태의 1인당 자본량을 구하기 위해 $sf(k) = (n + d)k$로 두고 조건을 대입하면 $0.3 \times 2\sqrt{k} = (0.1 + 0.2)k$, $\sqrt{k} = 2$, $k = 4$이다. 균제상태에서의 1인당 자본량 $k = 4$를 생산함수에 대입하면 1인당 생산량 $y = 4$이다.

[오답체크]
② 균제상태의 1인당 자본량은 4이다.
③ 균제상태의 1인당 생산 증가율은 0이다.
④ 균제상태의 1인당 자본량 증가율은 0이다.

12 ② 1) 1인당 생산량으로 바꾸기 위해 주어진 수식을 L로 나누면 $\frac{Y}{L} = \frac{[K(1-u)L]^{\frac{1}{2}}}{L} = \sqrt{1-u}(\frac{K}{L})^{\frac{1}{2}}$, 즉 $y = f(k) = \sqrt{(1-u)k}$으로 나타낼 수 있다.
2) 솔로우의 균제상태에서는 $sf(k) = (n + d)k$가 성립하므로 주어진 값들을 대입하면 $0.1y = (0.1 + 0.1)k$ ➔ $0.1\sqrt{(1-0.04)k} = 0.2k$ ➔ $\sqrt{0.96k} = 2k$, 즉 $\sqrt{k} = \sqrt{0.24}$ ➔ $k = 0.24$이다. 따라서 1인당 생산량 $y = \sqrt{0.96k} = \sqrt{0.96 \times 0.24} = 0.48$이다.

13 ① 1) 1인당 자본량 증가분은 $\Delta k = sf(k) - (n + d)k$이다.
2) 1인당 생산함수가 $y = 10\sqrt{k}$이므로 솔로우 경제성장모형에 저축률 $s = 0.3$, 인구증가율 $n = 0.01$, 감가상각률 $d = 0.05$이고, 2015년 초 1인당 자본량 $k = 100$을 대입하면 다음과 같다.
3) $\Delta k = sf(k) - (n + d)k = (0.3 \times 10\sqrt{100}) - (0.01 + 0.05) \times 100 = 24$

14 상중하

A국 경제의 인구와 기술 수준은 고정되어 있다. 안정상태(steady state)에서 자본의 한계생산물은 0.125, 감가상각률은 0.1이다. 현재 안정상태의 자본량에 대한 설명으로 옳은 것은? (단, 표준적인 솔로우 모형이다) [국가직 7급 20]

① 황금률수준(golden rule level)의 자본량보다 많다.
② 황금률수준의 자본량보다 적다.
③ 황금률수준의 자본량과 동일하다.
④ 황금률수준의 자본량보다 많을 수도 적을 수도 있다.

15 상중하

甲국 경제는 기술 진보가 없는 솔로우 경제성장모형의 균제상태(steady state)에 있다. 현재의 1인당 자본량 k^*는 황금률(golden rule) 수준의 자본량 k_G보다 크다. 甲국은 저축률을 변화시켜 황금률 수준의 자본량을 달성하는 균제상태로 이동하고자 한다. 이에 대한 설명으로 옳은 것은? [지방직 21]

① 저축률이 하락하면 황금률 수준의 자본량이 달성될 수 있다.
② 황금률 수준의 자본량을 달성하면 자본의 한계생산은 감소한다.
③ 황금률 수준의 자본량을 달성하면 1인당 소득이 상승한다.
④ k^* 수준에서의 자본의 한계생산은 감가상각률과 인구증가율의 합보다 크다.

16 상중하

황금률의 균제상태(steady state)를 A, 이보다 적은 자본을 갖고 있는 균제상태를 B라고 할 때, B에서 A로 가기 위해 저축률을 높일 경우 나타나는 변화에 대한 설명으로 옳지 않은 것은? [지방직 14]

① 저축률을 높인 직후의 소비수준은 B에서의 소비수준보다 낮다.
② B에서 A로 가는 과정에서 자본량과 투자는 증가한다.
③ A에 도달했을 때의 소비수준은 B에서의 소비수준보다 낮다.
④ 미래 세대보다 현재 세대를 중시하는 정책당국은 B에서 A로 가는 정책을 추구하지 않을 수 있다.

17 상중하

어느 폐쇄경제에서 총생산함수가 $y = k^{\frac{1}{2}}$, 자본 축적식이 $\Delta k = sy - \delta k$, 국민소득계정 항등식이 $y = c + i$인 솔로우모형에 대한 설명으로 옳지 않은 것은? (단, y는 1인당 산출, k는 1인당 자본량, c는 1인당 소비, i는 1인당 투자, δ는 감가상각률이다. 이 경제는 현재 정상상태(steady state)에 놓여 있으며, 저축률 s는 40%로 가정한다) [지방직 7급 17]

① 저축률이 50%로 상승하면 새로운 정상상태에서의 1인당 산출은 현재보다 크다.
② 저축률이 50%로 상승하면 새로운 정상상태에서의 1인당 소비는 현재보다 크다.
③ 저축률이 60%로 상승하면 새로운 정상상태에서의 1인당 산출은 현재보다 크다.
④ 저축률이 60%로 상승하면 새로운 정상상태에서의 1인당 소비는 현재보다 크다.

정답 및 해설

14 ② 한계생산물이 감가상각률보다 높으므로 황금률 수준의 자본량보다 적음을 알 수 있다. 자본을 더 추가하면 한계생산물이 작아질 것이고 이 수치가 감가상각률과 같아져야 황금률이 달성된다.

15 ① 황금률 수준보다 자본량이 많으므로 과다 저축되고 있다는 의미이다. 따라서 저축률이 하락하면 황금률 수준의 자본량이 달성될 수 있다.

[오답체크]
② 황금률 수준의 자본량을 달성하면 최초의 자본량보다 감소하므로 자본의 한계생산은 증가한다.
③ 황금률 수준의 자본량을 달성하면 1인당 자본량이 감소하므로 1인당 소득은 하락한다.
④ k^* 수준에서의 자본의 한계생산은 감가상각률과 인구증가율의 합보다 작다.

16 ③ 1) 황금률보다 적은 자본량을 갖고 있는 B점에서 황금률의 자본량에 해당하는 A점으로 이동하기 위해 저축률을 높이면 현재 세대의 1인당 소비는 감소하지만 장기에는 증가한다.
2) 따라서 정책당국이 미래 세대보다 현재세대를 중시한다면 저축률을 높이는 정책을 시행하지 않을 수도 있다.

17 ④ 저축률이 50%를 넘어서면 저축 및 투자증가로 1인당 자본량과 1인당 생산량은 증가하지만 1인당 소비는 황금률 균제상태보다 작아진다.

[오답체크]
①② 1인당 생산함수 $y = k^{\frac{1}{2}}$을 경제전체의 총생산함수로 바꾸어 나타내면 $Y = K^{\frac{1}{2}}L^{\frac{1}{2}}$이므로 노동소득분배율과 자본소득분배율이 모두 50%임을 알 수 있다. 1인당 소비가 극대가 되는 자본축적의 황금률에서는 노동소득이 모두 소비되고, 자본소득은 모두 저축(=투자)된다. 황금률 균제상태의 저축률이 50%이고, 현재의 저축률이 40%이므로 저축률이 50%로 상승하면 균제상태에서의 1인당 생산과 1인당 소비가 모두 증가한다.

18 상중하

A국의 생산함수는 $Y=K^{\alpha}(EL)^{1-\alpha}$이다. 효율적 노동당 자본($K/EL$)의 한계생산은 0.14이고, 자본의 감가상각률은 0.04이며, 인구증가율은 0.02이다. 만약 이 경제가 황금률 균제상태(golden-rule steady state)라면 노동효율성(E) 증가율은? (단, Y는 총생산, K는 총자본, E는 노동효율성, L은 총노동을 나타내며 $0<\alpha<1$이다) [보험계리사 20]

① 0.08
② 0.10
③ 0.12
④ 0.14

19 상중하

솔로우(Solow)모형에서 생산함수는 $Y=K^{0.5}(E\times L)^{0.5}$이다($K$는 자본, L은 노동, E는 노동의 효율성, Y는 생산량). 이 경제에서 저축률은 20%, 노동 증가율은 5%, 노동 효율성 증가율은 5%, 감가상각률은 10%일 때, 현재 균제상태(steady state)에 있는 이 경제에 대한 설명으로 옳은 것은? [보험계리사 18]

① 이 경제는 황금률(golden rule) 자본수준에 있다.
② 황금률 자본수준으로 가기 위해서는 저축률을 높여야 한다.
③ 황금률 자본수준으로 가기 위해서는 현재 효율노동단위당 소비를 증가시켜야 한다.
④ 황금률 자본수준에 도달하면 효율노동단위당 소비가 현재 균제상태보다 낮아진다.

20 상중하

어느 경제의 총생산함수는 $Y = AL^{\frac{1}{3}}K^{\frac{2}{3}}$이다. 실질GDP 증가율이 5%, 노동증가율이 3%, 자본증가율이 3%라면 솔로우 잔차(Solow residual)는? (단, Y는 실질GDP, A는 기술수준, L은 노동, K는 자본이다) [지방직 18]

① 2%
② 5%
③ 6%
④ 12%

정답 및 해설

18 ① 1) 황금률의 조건은 $MP_K = n + d + g$이다.
2) 문제의 조건을 이용하면 $0.14 = 0.02 + 0.04 + g$이다.
3) 노동효율성 증가율 = 기술진보율이므로 $g = 0.08$이 된다.

19 ② 1) 균제상태는 $s \cdot f(k) = (n+d+g)k$가 성립해야 한다. 노동효율성 증가율은 기술진보와 동일하다.
2) 노동효율성이 주어져 있으므로 주어진 생산함수를 노동효율 EL로 나누면 $\frac{Y}{EL} = (\frac{K}{EL})^{0.5}$ ➜ 효율노동 1단위당 생산은 $y = \sqrt{k}$이다.
3) 균제상태 조건에 대입하면 $0.2k^{0.5} = (0.05 + 0.1 + 0.05)k$ ➜ $k = 1$이다.
4) 황금률이 달성되는 조건은 $MP_K = n + d + g$이다.
5) $\frac{1}{2\sqrt{k}} = 0.05 + 0.1 + 0.05$ ➜ $1 = 0.4\sqrt{k}$ ➜ $\frac{5}{2} = \sqrt{k}$ ➜ $k = \frac{25}{4}$
6) 균제상태의 자본량 $k = 1$이고 황금률에서 1인당 자본량 = $\frac{25}{4}$이므로 과소자본상태이다. 따라서 소비를 줄이고 저축률을 높여야 한다.
7) 황금률은 소비가 극대화되는 상태이므로 황금률 자본에 도달하면 효율노동단위당 소비가 현재 균제상태보다 높아진다.

20 ① 1) 솔로우 잔차는 $\frac{\Delta A}{A}$이다.
2) 위의 수식을 증가율 형태로 변형한 후 계산하면 $\frac{\Delta Y}{A} = \frac{\Delta A}{A} + (\frac{1}{3} \times \frac{\Delta L}{L}) + (\frac{2}{3} \times \frac{\Delta K}{K})$
➜ $5\% = \frac{\Delta A}{A} + (\frac{1}{3} \times 3\%) + (\frac{2}{3} \times 3\%)$ ➜ $\frac{\Delta A}{A} = 2\%$이다.

21 상중하

다음 성장회계(growth accounting)식에서 노동자 1인당 GDP 증가율이 4%, 노동자 1인당 자본 증가율이 6%일 때, 총요소생산성 증가율은? [국가직 7급 20]

> • 성장회계식: $\frac{\Delta Y}{Y} = \frac{\Delta A}{A} + \frac{1}{3}\frac{\Delta K}{K} + \frac{2}{3}\frac{\Delta L}{L}$
>
> (단, $\frac{\Delta Y}{Y}$, $\frac{\Delta A}{A}$, $\frac{\Delta K}{K}$, $\frac{\Delta L}{L}$은 각각 GDP 증가율, 총요소 생산성 증가율, 자본 증가율, 노동자 증가율이다)

① 1%
② 2%
③ 3%
④ 4%

22 상중하

갑국의 생산함수는 $Y_{갑} = A_{갑}L_{갑}^{0.5}K_{갑}^{0.5}$, 을국의 생산함수는 $Y_{을} = A_{을}L_{을}^{0.3}K_{을}^{0.7}$이다. 두 국가 모두 노동증가율이 10%, 자본증가율이 20%일 때, 두 국가의 총생산증가율을 같게 하기 위한 설명으로 옳은 것은? (단, Y는 각국의 총생산량, A는 각국의 총요소생산성, L은 각국의 노동량, K는 각국의 자본량이다) [지방직 7급 20]

① 갑국의 총요소생산성 증가율은 을국의 총요소생산성 증가율보다 2% 포인트 더 높아야 한다.
② 갑국의 총요소생산성 증가율은 을국의 총요소생산성 증가율보다 2% 포인트 더 낮아야 한다.
③ 갑국의 총요소생산성 증가율은 을국의 총요소생산성 증가율보다 4% 포인트 더 높아야 한다.
④ 갑국의 총요소생산성 증가율은 을국의 총요소생산성 증가율보다 4% 포인트 더 낮아야 한다.

23 상중하

다음 표는 생산함수가 $y = z\sqrt{k}\sqrt{h}$로 동일한 두 국가(A국과 B국)의 1인당 GDP(y), 1인당 물적자본스톡(k), 1인당 인적자본 스톡(h)을 나타내고 있다. B국의 1인당 GDP가 A국의 1인당 GDP의 2.4배라고 할 때, B국의 생산성은 A국 생산성의 몇 배인가? (단, z는 생산성을 나타낸다) [지방직 7급 15]

구분	A국	B국
1인당 GDP(y)	100	(　　)
1인당 물적자본스톡(k)	100	100
1인당 인적자본스톡(h)	25	64

① 1.2
② 1.5
③ 2.0
④ 2.4

24 신성장이론에서 가정하는 AK모형에 대한 설명으로 옳지 않은 것은? [국가직 7급 10]
상중하

① 부국과 빈국 사이의 성장률 수렴현상이 강해진다.

② 저축률의 상승이 영구적으로 경제성장률을 높일 수 있다.

③ 수확체감의 법칙이 성립하지 않는다.

④ 자본(K)에는 물적자본 외에 인적자본도 포함한다.

정답 및 해설

21 ② 1) 성장회계 공식으로 생산함수를 도출하면 $Y = AK^{\frac{1}{3}}L^{\frac{2}{3}}$이다.

2) 이를 노동자 1인당으로 바꾸면 $\frac{Y}{L} = AK^{\frac{1}{3}}L^{-\frac{1}{3}} = A(\frac{K}{L})^{\frac{1}{3}}$이 성립한다.

3) 변화율 공식으로 바꾸면 노동자 1인당 GDP변화율 = 총요소 생산성 변화율 + 노동자 1인당 자본증가율이므로 4% = A의 변화율 + $\frac{1}{3}$ × 6%이므로 총요소생산성 증가율은 2%이다.

22 ① 1) 성장회계 공식은 '경제성장률 = 총요소생산성 변화율 + 노동증가율 + 자본증가율'이다.

2) 갑국: 노동증가율(10%) × 0.5 + 자본증가율(20%) × 0.5 = 15%이다.

3) 을국: 노동증가율(10%) × 0.3 + 자본증가율(20%) × 0.7 = 17%이다.

4) 즉, 총요소생산성 변화율은 갑국이 을국에 비해 2%가 더 커야 양국의 경제성장률이 동일하게 된다.

23 ② 1) A국의 생산함수에 $k = 100$, $h = 25$, $y = 100$을 대입하면 $100 = z\sqrt{100}\sqrt{25}$, $50z = 100$, $z = 2$이다.

2) B국의 1인당 GDP가 A국 1인당 GDP의 2.4배이므로 B국 생산함수에 $k = 100$, $h = 64$, $y = 240$을 대입하면 $240 = z\sqrt{100}\sqrt{64}$ ➜ $80z = 240$ ➜ $z = 3$이다. A국의 생산성이 2, B국의 생산성이 3이므로 B국의 생산성은 A국 생산성의 1.5배이다.

24 ① 경제성장률은 소득수준이나 자본량의 규모에 관계없이 결정되므로 부국과 빈국 간에 소득수렴현상이 나타나지 않는다.

[오답체크]

② AK모형의 경제성장률은 sA이므로 저축률(s)이 상승하거나 총요소생산성(A)이 상승하면 경제성장률이 높아진다.

③④ AK모형의 생산함수는 $Y = AK$이므로 K에 인적자본과 물적자본이 모두 포함되며 자본에 대해 수확체감의 법칙이 성립하지 않는다.

25 상중하

개발도상국의 경제발전 전략에서 수출주도(export-led)발전 전략에 대한 설명으로 옳은 것을 모두 고른 것은? [지방직 7급 11]

ㄱ. 해외시장의 개발에 역점을 둔다.
ㄴ. 내수시장의 발전에 주안점을 둔다.
ㄷ. 경제자립도를 한층 더 떨어뜨리는 부작용을 초래할 수 있다.
ㄹ. 단기적인 수출성과에 치중함으로써 장기적 성장 가능성을 경시할 가능성이 있다.

① ㄱ
② ㄱ, ㄷ
③ ㄱ, ㄷ, ㄹ
④ ㄱ, ㄴ, ㄷ, ㄹ

26 상중하

신성장이론(New Growth Theory)에 대한 설명으로 옳지 않은 것은? [국가직 19]

① 기술혁신은 우연한 과학적 발견 등에 의해 외생적으로 주어진다고 간주한다.
② 기업이 연구개발에 참여하거나 기술변화에 기여할 때 경제의 지식자본스톡이 증가한다.
③ 개별 기업이 아닌 경제 전체 수준에서 보면 지식자본의 축적을 통해 수확체증(increasing returns)이 나타날 수 있다.
④ 지식 공유에 따른 무임승차 문제를 완화하기 위해 지적재산권에 대한 정부의 보호가 필요하다고 강조한다.

27 상중하

내생적 성장이론에 대한 다음 설명 중 가장 옳지 않은 것은? [서울시 17]

① R&D모형에서 기술진보는 지식의 축적을 의미하며, 지식은 비경합성과 비배제성을 갖는다고 본다.
② R&D모형과 솔로우(Solow)모형은 한계수확체감의 법칙과 경제성장의 원동력으로서의 기술진보를 인정한다는 점에서는 동일하다.
③ 솔로우(Solow)모형과 달리 AK모형에서의 저축률 변화는 균제상태에서 수준효과뿐만 아니라 성장효과도 갖게 된다.
④ AK모형에서 인적자본은 경합성과 배제가능성을 모두 가지고 있다.

28 상중하 총생산함수 $Y=AK$를 가정하는 경제성장이론에 대한 설명으로 옳지 않은 것은? (단, Y는 총산출량, A는 상수, K는 자본이다) [지방직 21]

① 경제성장률이 저축률에 의존하지 않는다.
② 자본은 인적자본과 지식자본을 포함하는 포괄적 개념이다.
③ 개별 기업 차원에서는 자본의 한계생산이 체감할 수 있다.
④ 외생적 기술진보가 없어도 지속적 성장이 가능하다.

정답 및 해설

25 ③ 수출주도형 공업화 전략이란 비교우위가 있는 산업을 적극적으로 육성함으로써 공업화를 추진하는 전략이다.
ㄱ. 해외시장개발에 역점을 두면서 초기단계에서 수출산업을 육성하기 어려운 단점이 있고 국내산업의 해외의존도가 높아진다.
ㄷ, ㄹ. 경제자립도가 낮아질 가능성이 있고, 단기적인 수출성과에 치중함으로써 장기적 성장 가능성을 경시할 가능성이 있다.

[오답체크]
ㄴ. 내수시장의 발전에 중점을 두는 경제발전 전략은 수입대체형 공업화 전략의 특징이다.

26 ① 신성장이론은 내생적 성장이론을 의미한다. 솔로우모형과 달리 신성장이론(내생적 성장이론)에서는 모형 내에서 기술혁신, 지식축적 등을 통해 경제성장이 이루어지는 과정을 설명한다. 기술수준이 외생적으로 주어지는 것은 솔로우모형이다.

27 ① R&D모형에서는 기업들이 연구개발을 통해 축적한 지식 중 일부는 특허권 획득을 통해 일정 기간 동안 배제가 가능하다고 본다.

28 ① AK모형은 수확불변의 법칙을 가정한다. 따라서 솔로우모형과 달리 저축만으로도 지속적인 경제성장이 가능하다고 주장한다.

29 상중하

내생적 성장이론에 대한 설명으로 옳지 않은 것만을 모두 고른 것은? [국가직 14]

ㄱ. 기술진보 없이는 성장할 수 없다.
ㄴ. 자본의 한계생산성 체감을 가정한다.
ㄷ. 경제개방, 정부의 경제발전 정책 등의 요인을 고려한다.
ㄹ. AK모형의 K는 물적 자본과 인적 자본을 모두 포함한다.

① ㄱ, ㄴ
② ㄱ, ㄹ
③ ㄴ, ㄷ
④ ㄷ, ㄹ

30 상중하

경제성장모형에 관한 설명으로 옳은 것을 모두 고른 것은? (단, Y는 총생산, A는 생산성수준을 나타내는 양(+)의 상수이고, K는 자본을 나타냄) [노무사 12]

ㄱ. 다른 조건이 일정할 때 솔로우(Solow)모형에서 일회적인 기술진보는 장기적으로 1인당 산출량의 성장률을 증가시킨다.
ㄴ. 솔로우모형에서 국가 간 1인당 소득수준이 수렴한다는 주장은 기본적으로 한계수확체감의 법칙에 기인한다.
ㄷ. 로머(P. Romer)는 기술진보를 내생화한 성장모형을 제시하였다.
ㄹ. 총생산함수가 $Q = AL^{\alpha}K^{1-\alpha}(A > 0)$인 경우 규모에 대한 수익불변이 발생한다.

① ㄱ, ㄴ
② ㄱ, ㄴ, ㄷ
③ ㄱ, ㄴ, ㄷ, ㄹ
④ ㄴ, ㄷ, ㄹ
⑤ ㄷ, ㄹ

정답 및 해설

29 ① ㄱ. AK모형에서의 경제성장률은 sA이므로 저축률(s)이 상승하면 경제성장률이 높아진다. 즉, 기술진보가 이루어지지 않더라도 저축률이 높아지면 경제성장이 이루어질 수 있다.

ㄴ. 내생적 성장이론의 대표적인 모형의 하나인 AK모형에서는 생산함수가 $Y = AK$이므로 자본투입량이 증가하면 생산량이 비례적으로 증가한다. 즉, 자본에 대해 수확체감이 나타나지 않는다.

30 ④ ㄴ. 솔로우모형에서 국가 간 1인당 소득수준이 수렴한다는 주장은 기본적으로 한계수확체감의 법칙에 기인한다. 이를 수렴 가설이라고 한다.

ㄷ. 로머(P. Romer)는 연구개발(R&D)모형에서 기술진보를 내생화한 성장모형을 제시하였다.

ㄹ. 총생산함수가 $Q = AL^{\alpha}K^{1-\alpha}(A>0)$인 경우 지수의 합이 1이므로 규모에 대한 수익불변이 발생한다.

[오답체크]

ㄱ. 다른 조건이 일정할 때 솔로우(Solow)모형에서 일회적인 기술진보가 아닌 지속적인 기술진보는 장기적으로 1인당 산출량의 성장률을 증가시킨다.

STEP 2 심화문제

31 상중하

기술진보가 없는 솔로우(Solow)의 경제성장모형에서 1인당 생산함수는 $y = k^{0.2}$, 저축률은 0.4, 자본의 감가상각률은 0.15, 인구증가율은 0.05이다. 현재 경제가 균제상태(steady state)일 때 다음 중 옳은 것을 모두 고른 것은? (단, y는 1인당 생산량, k는 1인당 자본량이다)

[감정평가사 17]

ㄱ. 현재 균제상태의 1인당 자본량은 황금률 수준(golden rule level)의 1인당 자본량보다 작다.
ㄴ. 황금률을 달성시키는 저축률은 0.2이다.
ㄷ. 인구증가율이 증가하면 황금률 수준의 1인당 자본량도 증가한다.
ㄹ. 감가상각률이 증가하면 황금률 수준의 1인당 자본량은 감소한다.

① ㄱ, ㄴ　② ㄱ, ㄷ　③ ㄴ, ㄹ
④ ㄱ, ㄴ, ㄹ　⑤ ㄴ, ㄷ, ㄹ

32 상중하

솔로우(R. Solow)의 경제성장모형에서 1인당 생산함수는 $y = 2k^{0.5}$, 저축률은 30%, 자본의 감가상각률은 25%, 인구증가율은 5%라고 가정한다. 균제상태(steady state)에서의 1인당 생산량 및 자본량은? (단, y는 1인당 생산량, k는 1인당 자본량이다) [감정평가사 21]

① $y = 1,\ k = 1$
② $y = 2,\ k = 2$
③ $y = 3,\ k = 3$
④ $y = 4,\ k = 4$
⑤ $y = 5,\ k = 5$

정답 및 해설

31 ③ 1) 문제에서 주어진 총생산함수의 형태를 바꾸면 $Y = L^{0.8}K^{0.2}$이다.

2) 황금률에서는 노동소득 분배율이 소비율과 같고 자본소득 분배율이 저축률과 일치하므로 황금률에서의 저축률은 0.2이다.

[오답체크]

ㄱ. 황금률 수준의 저축률은 0.2, 현재 균제상태의 자본량은 0.4이므로 황금률 수준보다 크다.

ㄷ. 인구증가율이 증가하면 황금률 수준의 1인당 자본량은 감소한다.

32 ④ 1) 균제조건 $s \cdot f(k) = (n + d + g)k$

2) $0.3 \times 2\sqrt{k} = (0.05 + 0.25)k$

3) $2\sqrt{k} = k$ ➜ $k = 4$

4) 이를 생산함수에 대입하면 $y = 2\sqrt{4}$ ➜ $y = 4$이다.

33 상중하

완전경쟁경제하에 있는 A국의 생산함수는 $Y = AL^{0.6}K^{0.4}$이다. 자본(K)의 감가상각률이 1%, 인구(L)의 증가율이 3%, 기술진보율이 4%이다. 이 국가의 경제가 황금률(Golden Rule)의 자본 수준에 있다고 할 때 〈보기〉에서 옳은 것을 모두 고르면? [국회직 8급 14]

〈보기〉

ㄱ. 총소득(Y)의 성장률은 8%이다.
ㄴ. 자본은 소득의 5배이다.
ㄷ. 저축률은 40%이다.
ㄹ. 1인당 소득($\frac{Y}{L}$)의 성장률은 4%이다.
ㅁ. 자본의 실질임대가격의 성장률은 1%이다.

① ㄱ, ㄴ, ㄷ ② ㄴ, ㄷ, ㄹ ③ ㄴ, ㄷ, ㅁ
④ ㄴ, ㄹ, ㅁ ⑤ ㄷ, ㄹ, ㅁ

34 상중하

현재의 균제상태(steady state)에서 자본의 한계생산성이 0.05이고, 인구증가율이 0.01, 감가상각률이 0.01, 기술진보율은 0.02,저축률은 0.1이라고 하자. 솔로우(Solow)모형을 이용한 분석에 대한 설명 중 옳지 않은 것은? [국회직 8급 15]

① 황금률(Golden Rule)이 성립하지 않는다.
② 1인당 자본량을 증가시키면 1인당 소비를 증가시킬 수 있다.
③ 저축률을 높이면 장기적으로 1인당 소비를 증가시킬 수 있다.
④ 1인당 소득 증가율은 0이다.
⑤ 총소득 증가율은 0.03이다.

정답 및 해설

33 ② 1) 1인당 자본량 증가분은 $\Delta k = sf(k) - (n+d+g)k$이다.

2) 황금률 조건은 $MP_K = (n+d+g)$이다. (g = 기술진보율)

3) 지문분석

ㄴ. 오일러 정리에 의하면 생산함수가 1차 동차인 경우 $MP_L \cdot L + MP_K \cdot K = Y$가 성립한다. 생산함수를 L로 미분하면 $MP_L = 0.6AL^{-0.4}K^{0.4}$이다.

㉠ 황금률 조건 $MP_K = (n+d+g)$에 의하면 $3\% + 1\% + 4\% = 8\% = 0.08$이다.

㉡ 오일러 정리에 대입하면 $0.6AL^{-0.4}K^{0.4} \cdot L + 0.08K = Y$이고 이를 정리하면 $0.6AL^{0.6}K^{0.4} + 0.08K = Y$이다.

㉢ $AL^{0.6}K^{0.4}$ 대신에 Y를 대입하여 정리하면 $0.08K = 0.4Y$이고 $K = 5Y$이다. 따라서 자본은 소득의 5배이다.

ㄷ. 기술진보가 있는 경우 균제상태의 $sAf(k) = (n+d+g)k$를 정리하면 $sy = 0.08k$이다.

㉠ 양변을 인구(L)로 곱하면 $sy = 0.08K$이고 이를 정리하면 $s = 0.08\frac{K}{Y}$이다.

㉡ $K = 5Y$를 대입하면 저축률은 $s = 0.4 = 40\%$가 도출된다.

ㄹ. 기술진보가 있는 경우 1인당 소득(y)의 증가율은 기술진보율과 동일($\frac{\Delta y}{y} = g$)하다. 기술진보율은 $g = 4\%$이므로 1인당 소득 증가율도 4%이다.

[오답체크]

ㄱ. 기술진보가 있는 경우 1인당 소득(y)의 증가율은 기술진보율과 동일($\frac{\Delta y}{y} = g$)하다. 총소득 성장률은 1인당 소득의 증가율에 항상 인구증가율만 더하면 구할 수 있다($\frac{\Delta Y}{Y} = n+g$). 인구증가율은 3%이고 기술진보율은 4%이므로 총소득의 증가율은 $\frac{\Delta Y}{Y} = 7\%$이다.

ㅁ. 자본을 고용할 때 기업의 이윤극대화 조건은 $P \cdot MP_K = R$(명목 임대가격)이다.

㉠ 양변을 가격 P로 나누면 $MP_K = \frac{R}{P}$(실질임대가격)이므로 실질임대가격은 자본의 한계생산 MP_K을 의미한다.

㉡ 황금률 조건은 $MP_K = (n+d+g) = 0.08$이고 일정한 상수이므로 자본의 실질임대가격의 성장률은 0%이다.

34 ④ 기술진보가 있을 경우 1인당 소득 증가율은 기술진보율과 동일하다. 따라서 1인당 소득증가율은 2%이다.

[오답체크]

① 기술진보가 있는 황금률의 조건은 $MP_K = (n+d+g)$이다(d = 감가상각률, g = 기술진보율). 위의 수치를 대입하면 $0.05 > 0.01 + 0.01 + 0.02 = 0.04$이므로 황금률이 성립하지 않는다.

② 현재 황금률이 성립하지 않으며 현재의 균제상태가 황금률 균제상태의 좌측에 있음을 알 수 있다. 따라서 1인당 자본량이 증가하면 황금률이 성립하여 1인당 소비가 증가한다.

③ 저축률을 높이면 자본량이 늘어나므로 위의 내용에서 1인당 소비가 증가할 것임을 예측할 수 있다.

⑤ 총소득 증가율 = 인구증가율 + 기술진보율 = 0.03이다.

35 상중하

솔로우(Solow) 경제성장모형에서 1인당 생산함수는 $y = 2k^{1/2}$이다. 감가상각률이 0.2, 인구증가율과 기술진보율이 모두 0이라면, 이 경제의 1인당 소비의 황금률 수준(golden rule level)은? (단, y는 1인당 생산, k는 1인당 자본량이다) [감정평가사 16]

① 2 ② 5 ③ 10
④ 25 ⑤ 100

36 상중하

甲국의 총생산함수가 $Y = AK^{0.4}L^{0.6}$이다. 甲국 경제에 관한 설명으로 옳은 것을 모두 고른 것은? (단, Y는 생산량, A는 총요소생산성, K는 자본량, L은 노동량으로 인구와 같다)

[감정평가사 19]

ㄱ. 생산량의 변화율을 노동량의 변화율로 나눈 값은 0.6으로 일정하다.
ㄴ. A가 3% 증가하면, 노동의 한계생산도 3% 증가한다.
ㄷ. 1인당 자본량이 2% 증가하면, 노동의 한계생산은 1.2% 증가한다.
ㄹ. A는 2% 증가하고 인구가 2% 감소하면, 1인당 생산량은 2.8% 증가한다.

① ㄱ, ㄹ ② ㄴ, ㄷ ③ ㄷ, ㄹ
④ ㄱ, ㄴ, ㄹ ⑤ ㄱ, ㄷ, ㄹ

정답 및 해설

35 ② 1) 황금률의 조건은 $f'(k) = n + d$이다.

2) $MP_K = \frac{1}{\sqrt{k}}$이며 인구증가율과 기술진보율이 0이므로 $\frac{1}{\sqrt{k}} = 0.2$이므로 $k = 25$이다. 이 때 $y = 10$이다.

3) 생산함수를 총생산 함수의 형태로 바꾸면 $y = 2l^{\frac{1}{2}}k^{\frac{1}{2}}$이므로 황금률 수준에서의 소비는 0.5이다. 따라서 $10 \times 0.5 = 5$이다.

36 ④ ㄱ. 생산량의 변화율을 노동량의 변화율로 나눈 값은 생산의 노동탄력성이다. 콥-더글러스 생산함수에서는 노동의 지수와 동일하므로 0.6으로 일정하다.

ㄴ. 노동의 한계생산은 $0.6A(\frac{K}{L})^{0.4}$이다. A가 3% 증가하면, 노동의 한계생산도 3% 증가한다.

ㄹ. 1인당 생산량은 $\frac{Y}{L} = A(\frac{K}{L})^{0.4}$이므로 A는 2% 증가하고 인구가 2% 감소하면, 1인당 생산량은 $2\% + 0.4 \times 2 = 2.8\%$ 증가한다.

[오답체크]

ㄷ. 노동의 한계생산은 $0.6A(\frac{K}{L})^{0.4}$이다. 1인당 자본량이 2% 증가하면, 노동의 한계생산은 $0.4 \times 2 = 0.8\%$ 증가한다.

37 내생적 성장이론에 대한 다음의 설명 중 옳지 않은 것은? [국회직 8급 17]
상중하

① R&D모형에 따르면 연구인력의 고용이 늘어나면 장기 경제성장률을 높일 수 있다.
② AK모형은 자본을 폭넓게 정의하여 물적자본 뿐만 아니라 인적자본도 자본에 포함한다.
③ AK모형에서는 기술진보가 이루어지지 않으면 성장할 수 없다.
④ R&D모형에 따르면, 지식은 비경합적이므로 지식자본의 축적이 지속적인 성장을 가능하게 한다.
⑤ AK모형에서는 자본에 대해 수확체감이 나타나지 않는다.

38 경제성장이론에 관한 설명으로 옳은 것은? [감정평가사 18]
상중하

① 내생적 성장이론(endogenous growth theory)에 따르면 저소득국가는 고소득국가보다 빨리 성장하여 수렴현상이 발생한다.
② 내생적 성장이론에 따르면 균제상태의 경제성장률은 외생적 기술진보 증가율이다.
③ 솔로우 경제성장모형에서 황금률은 경제성장률을 극대화하는 조건이다.
④ 솔로우 경제성장모형에서 인구증가율이 감소하면, 균제상태에서의 1인당 소득은 감소한다.
⑤ 솔로우 경제성장모형에서 균제상태에 있으면, 총자본스톡증가율과 인구증가율이 같다.

정답 및 해설

37 ③ AK모형에서는 수확체감이 아닌 불변이므로 저축률을 증가시키는 정부정책은 지속적인 경제성장을 가져올 수 있다.

38 ⑤ 솔로우 경제성장모형에서 균제상태에 있으면, 1인당 자본량이 동일하므로 인구증가율만큼 자본량이 증가한다. 따라서 총자본스톡증가율(= 자본량증가율)과 인구증가율이 같다.

[오답체크]

① 솔로우이론에서 저소득국가는 고소득국가보다 빨리 성장하여 수렴현상이 발생한다. 내생적 성장이론은 고소득국가와 저소득국가가 격차가 벌어지는 것을 설명한다.

② 솔로우이론에 따르면 균제상태의 경제성장률은 외생적 기술진보 증가율이다. 내생적 성장이론에서는 기술개발을 내생적 변수로 본다.

③ 솔로우 경제성장모형에서 황금률은 1인당 소비가 극대화되는 조건이다.

④ 솔로우 경제성장모형에서 인구증가율이 감소하면, 균제상태에서의 1인당 소득은 증가한다.

STEP 3 실전문제

39 상중하

솔로우(R. Solow) 성장모형에 대한 설명으로 옳지 않은 것은? [회계사 15]

① 생산함수는 자본의 한계생산이 체감하는 특징을 갖는다.
② 균제상태에서 지속적 기술진보가 1인당 자본량의 지속적 증가를 가져온다.
③ 자본 감가상각률의 증가는 균제상태에서 1인당 자본량의 증가율에 영향을 미치지 못한다.
④ 생산함수는 자본과 노동에 대해 규모수익불변의 특징을 갖는다.
⑤ 균제상태에서 저축률이 내생적으로 결정된다.

40 상중하

솔로우(Solow) 성장모형에서 경제가 균제상태(steady state)에 있었다. 그런데 외국인 노동자의 유입에 대한 규제가 완화되어 인구 증가율이 높아졌다고 하자. 초기 균제상태와 비교할 때 새로운 균제상태에 대한 설명 중 가장 옳지 않은 것은? (단, 기술 변화는 없다고 가정) [회계사 14]

① 1인당 소득 증가율의 하락
② 1인당 소득수준의 하락
③ 총소득 증가율의 상승
④ 1인당 자본의 감소
⑤ 자본 한계생산성의 증가

41 상중하

솔로우(Solow)모형에 대한 설명 중 옳지 않은 것은? [회계사 16]

① 가계가 저축률을 최적으로 조정하여 항상 황금률이 달성된다.
② 1인당 소득이 지속적으로 성장하는 유일한 이유는 지속적인 기술진보이다.
③ 한 국가의 인구증가율의 상승은 균제상태에서 1인당 자본량과 1인당 소득을 감소시킨다.
④ 저축률이 황금률 수준의 저축률보다 낮은 경우에 저축률을 황금률 수준으로 높이면, 현재 투자와 미래 투자 모두 저축률을 높이기 이전보다 늘어난다.
⑤ 저축률이 황금률 수준의 저축률보다 높은 경우에 저축률을 황금률 수준으로 낮추면, 현재 소비와 미래 소비 모두 저축률을 낮추기 이전보다 늘어난다.

42 상중하

솔로우(R. Solow) 성장모형에서 생산함수가 $Y = K^{1/2}L^{1/2}$이고, 인구 증가율이 0%, 감가상각률이 10%, 저축률이 30%일 경우 다음 설명 중 옳은 것은? (단, Y는 실질GDP, K는 자본량, L은 노동량이다) [회계사 17]

① 정상상태(steady state)에서 자본량(K)의 증가율은 10%이다.
② 정상상태에서 1인당 실질GDP(Y/L)는 9이다.
③ 1인당 자본량(K/L)이 4보다 작을 경우 1인당 실질GDP(Y/L)는 감소한다.
④ 감가상각률이 20%로 증가할 경우 정상상태에서 1인당 자본량(K/L)은 증가한다.
⑤ 정상상태에서 황금률 수준의 1인당 자본량(K/L)을 달성하려면 저축률을 증가시켜야 한다.

정답 및 해설

39 ⑤ 솔로우모형에서 저축률은 외생적으로 주어진 것으로 본다.

40 ① 균제상태에서 1인당 소득 증가율은 0%이다.

41 ① 솔로우모형은 저축률이 외생적으로 주어진 것으로 가정하므로 항상 황금률이 달성되는 것은 아니다.

42 ⑤ 1) 문제의 함수를 1인당 함수로 바꾸면 $y = \sqrt{k}$이다.
2) 정상상태는 $s \cdot f(k) = (n+d+g)k$가 성립해야 하므로 $0.3\sqrt{k} = 0.1k$ → $k = 9$이다.
3) 1인당 자본량이 9이므로 1인당 생산량은 3이다.
4) 지문분석
⑤ 콥-더글러스 생산함수에서 각각의 지수는 소득분배율을 나타낸다. 즉, 노동소득분배율이 0.5, 자본소득분배율이 0.5이다. 황금률에서는 노동소득분배율이 소비율과 일치하고 자본소득분배율이 저축률과 일치하므로 황금률 수준의 1인당 자본량을 달성하려면 저축률을 50%로 증가시켜야 한다.

[오답체크]
① 정상상태(steady state)에서 인구 증가율이 0%이므로 자본량(K)의 증가율은 0%이다.
② 정상상태에서 1인당 실질GDP(Y/L)는 3이다.
③ 1인당 자본량(K/L)이 4보다 작을 경우 균제상태의 자본량보다 적으므로 1인당 자본량은 증가할 것이다. 이로 인해 1인당 실질GDP(Y/L)는 증가한다.
④ 감가상각률이 20%로 증가할 경우 정상상태에서 1인당 자본량(K/L)은 감소한다.

43 상중하

솔로우 성장모형을 따르는 어느 경제에서 생산함수가 $Y=AK^{1/2}L^{1/2}$이고, 인구증가율이 0%, 감가상각률이 10%, 저축률이 10%, 총요소생산성 수준이 0.5이다. 총요소생산성 수준이 1로 변할 경우 정상상태(steady state)에서 1인당 소비의 증가량은? (단, Y는 생산량, A는 총요소생산성 수준, K는 자본량, L은 노동량이다) [회계사 20]

① 0.325 ② 0.500 ③ 0.675
④ 0.850 ⑤ 1.025

44 상중하

다음은 인구증가와 노동부가형(labor-augmenting) 기술진보를 고려한 솔로우모형을 나타낸 그래프이다. L, E는 노동량과 노동의 효율성을 나타내고 각각의 연간 증가율은 n과 g이며 모두 양(+)이다. K는 총자본량이며 효율노동($= L \times E$) 1단위당 자본량은 $k = K/(L \times E)$로 정의된다. 총생산(Y)에 대한 생산함수는 $Y = F(K,\ L \times E)$로 1차 동차이며, 효율노동 1단위당 생산량으로 표시된 생산함수는 $y = f(k)$이다. s, δ는 각각 저축률, 감가상각률을 나타내며, 노동량은 인구와 같다.

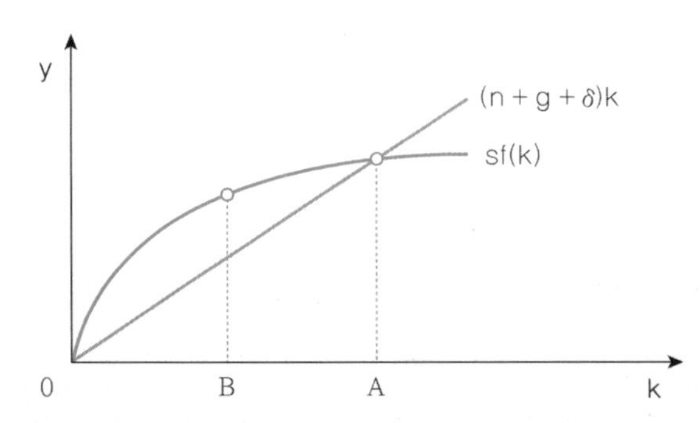

x, y, z를 각각 '$k=A$일 때 1인당 생산(Y/L)의 증가율', '$k=A$일 때 총생산(Y)의 증가율', '$k=B$일 때 총생산(Y)의 증가율'이라고 할 때, 이들 사이의 대소를 비교한 결과로 옳은 것은? [회계사 19]

① $x > y > z$ ② $y = z > x$ ③ $z > y = x$
④ $z > x > y$ ⑤ $z > y > x$

45 상중하

인구가 일정하고 기술진보가 없는 솔로우모형을 고려하자. 1인당 생산(y)과 1인당 자본(k)으로 표시된 생산함수는 다음과 같다.

$$y = \sqrt{k}$$

감가상각률이 0.25일 때, 황금률 균제상태(steady state)의 1인당 자본량은? [회계사 19]

① 4 ② 5 ③ 6
④ 7 ⑤ 8

정답 및 해설

43 ③ 1) 1인당 생산으로 바꾸면 요소생산성이 0.5이므로 $y = 0.5\sqrt{k}$이다.
2) 균제상태는 $s \cdot f(k) = (n + d)k$이므로 $0.1 \times 0.5\sqrt{k} = 0.1k$이다. ➜ $k = 0.25$이다.
3) $k = 0.25$를 생산함수에 대입하면 $y = 0.25$이고 균제상태에서 저축률이 10%이므로 저축은 0.025, 소비는 0.225가 된다.
4) 총요소생산성이 1로 변하면 생산함수는 $y = \sqrt{k}$이 된다.
5) 균제상태는 $0.1 \times \sqrt{k} = 0.1k$ ➜ $k = 1$이고 $y = 1$이다.
6) 따라서 저축은 0.1이고 소비는 0.9이므로 최초보다 0.675가 증가했음을 알 수 있다.

44 ⑤ 1) 균제상태의 1인당 생산의 증가율은 0%이므로 $x = 0\%$이다.
2) 균제상태의 총생산 증가율은 인구증가율 + 기술진보율이므로 $y = n + g$이다.
3) 균제상태에 미달한 상태에서는 1인당 생산의 증가율이 (+)이므로 $z > n + g$이다.
4) 따라서 $z > y > x$가 성립한다.

45 ① 1) 황금률은 $MP_K = n + d + g$이다.
2) 조건을 대입하면 $\frac{1}{2\sqrt{k}} = 0.25$ ➜ $k = 4$이다.

46 상중하

다음 그림은 생산함수가 $y = k^{1/4}$, 자본의 축적식이 $\triangle k = sy - \delta k$, 국민소득계정 항등식이 $y = c + i$인 솔로우모형에서 황금률 수준의 k에 도달하기 위하여 저축률을 변화시켰을 때 시간에 따른 c의 움직임을 나타낸 것이다. 이러한 움직임을 만들어낸 저축률의 변화로 가장 적절한 것은? (단, y는 1인당 생산량, k는 1인당 자본량, c는 1인당 소비, i는 1인당 투자, s는 저축률, δ는 감가상각률을 의미하고, 저축률을 변화시키기 직전까지 k가 황금률 수준보다 작은 정상상태(steady state)에 있었다) [회계사 18]

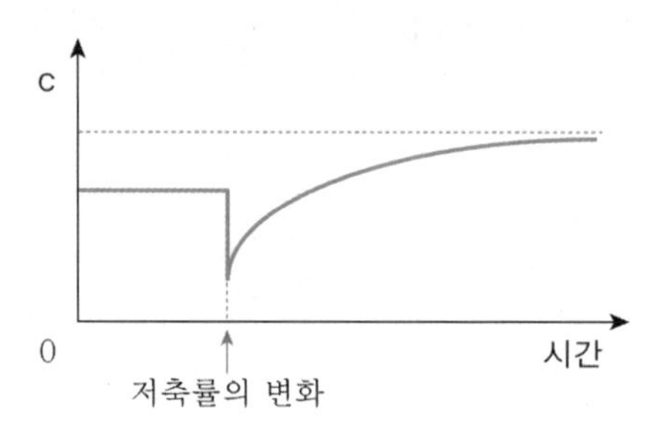

① 저축률을 현재의 20%에서 25%로 5%p 올렸을 때
② 저축률을 현재의 25%에서 20%로 5%p 내렸을 때
③ 저축률을 현재의 30%에서 25%로 5%p 내렸을 때
④ 저축률을 현재의 25%에서 30%로 5%p 올렸을 때
⑤ 저축률을 현재의 30%에서 35%로 5%p 올렸을 때

47 상중하

기술진보가 없는 솔로우모형을 고려하자. 총생산함수는 다음과 같다.

$$Y_t = K_t^{1/2} L_t^{1/2}$$

감가상각률과 저축률은 각각 10%, 30%이다. 노동(인구)증가율이 0%일 때의 정상상태(steady state)와 비교하여 −2%일 때의 정상상태에 대한 다음 설명 중 옳은 것은? (단, Y_t, K_t, L_t는 각각 t기 경제 전체의 생산, 자본, 노동을 나타낸다) [회계사 21]

① 1인당 자본이 감소한다.
② 1인당 생산이 감소한다.
③ 1인당 소비가 감소한다.
④ 1인당 생산 대비 1인당 소비 비율은 변하지 않는다.
⑤ 1인당 생산 대비 1인당 자본 비율은 변하지 않는다.

정답 및 해설

46 ① 1) 생산함수를 변형하면 $Y = L^{0.75}K^{0.25}$이므로 황금률의 저축률은 25%이다.

2) 그래프는 저축률에 변화를 주면서 소비가 황금률 수준으로 가는 것으로 파악할 수 있다.

3) 따라서 황금률보다 낮은 수준에서 황금률 수준으로 변화할 것이다.

47 ④ 1) 인구증가율이 정상상태보다 −2% 낮으므로 1인당 자본량이 증가한다.

2) 그래프

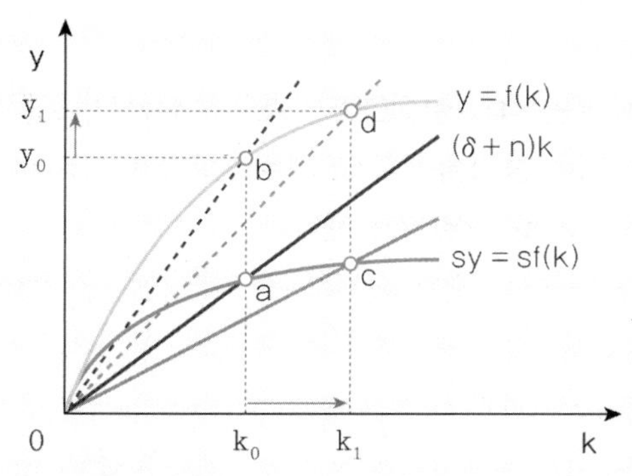

3) 지문분석

④ 저축과 소비는 소득의 일정 비율이므로 1인당 생산 대비 1인당 소비 비율은 변하지 않는다.

[오답체크]

① 1인당 자본이 증가한다.

② 1인당 생산이 증가한다.

③ 1인당 소비가 증가한다.

⑤ 1인당 생산은 생산함수상의 한 점으로부터 원점에서 그은 기울기이고 1인당 자본비율은 저축함수상의 한 점으로부터 원점에서 그은 기울기이다. 양자가 변하므로 변동한다.

48 상중하

인구 증가를 고려한 솔로우모형에서 1인당 생산(y), 자본(k), 투자(i)로 표시된 생산함수와 1인당 자본축적방정식이 각각 다음과 같다.

- $y = \sqrt{k}$
- $\Delta k = i - (n + \delta)k$

인구성장률(n)과 감가상각률(δ)은 각각 0.15와 0.05이고, 저축률은 0.6이다. 현재 이 경제는 균제상태이다. 다음 중 이 경제의 황금률 균제상태와 황금률 균제상태로의 이행 과정에 대한 설명으로 옳지 않은 것은? [회계사 22]

① 황금률 균제상태에 부합하는 저축률은 0.5이다.
② 황금률 균제상태에서 1인당 생산은 2.5이다.
③ 황금률 균제상태에서 1인당 소비는 현재의 균제상태에서 보다 크다.
④ 황금률 균제상태에 도달하기 전까지 1인당 자본의 증가율은 0보다 작다.
⑤ 황금률 균제상태에 도달하기 전까지 1인당 자본과 1인당 생산의 증가율은 같다.

49 상중하

총생산함수가 $Y = AN^{0.7}K^{0.3}$(Y, A, N, K는 각각 실질GDP, 총요소 생산성, 노동투입량, 자본투입량)인 국가의 경제성장률은 4%, 노동 증가율은 3%, 자본 증가율은 2%이다. 이 국가의 경제성장 요인을 성장기여도가 높은 순서로 나열한 것은? [회계사 14]

① 자본 > 노동 > 총요소생산성
② 노동 > 자본 > 총요소생산성
③ 자본 > 총요소생산성 > 노동
④ 노동 > 총요소생산성 > 자본
⑤ 총요소생산성 > 자본 > 노동

정답 및 해설

48 ⑤ 두 곡선의 접선의 기울기가 다르므로 증가율이 다르다.

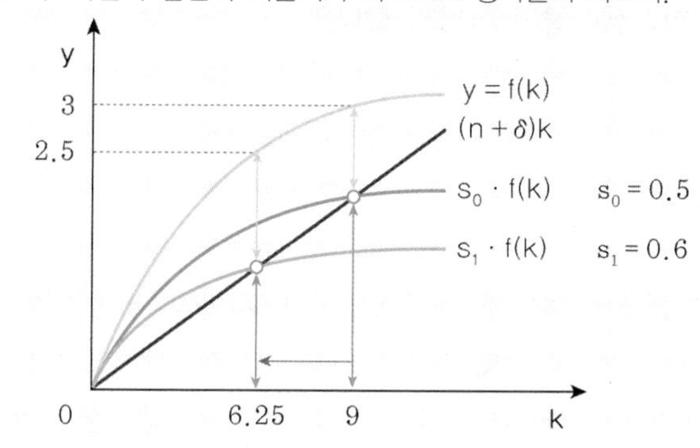

[오답체크]

① $y = \sqrt{k}$ ➜ $Y = L^{0.5}K^{0.5}$ 자본소득분배율인 0.5가 황금률의 저축률이므로 0.5이다.

② 황금률의 저축률이 0.5이므로 균제상태의 조건인 $s \cdot f(k) = (n+\delta)k$가 성립해야 한다.

$0.5\sqrt{k} = (0.15 + 0.05)k$이므로 $\frac{5}{2}\sqrt{k} = k$ ➜ $k = \frac{25}{4}$이고 이를 생산함수에 대입하면 2.5이다.

③ 황금률은 소비의 극대화 지점이므로 황금률의 소비가 더 크다.

④ 현재 저축률이 높으므로 저축을 감소시켜야 한다. '저축의 감소 = 투자의 감소 = 자본의 감소'이므로 1인당 자본의 증가율은 0보다 작다.

49 ④ 1) $\frac{\Delta Y}{Y} = \frac{\Delta A}{A} + 0.7 \times \frac{\Delta N}{N} + 0.3 \times \frac{\Delta K}{K}$

2) $\frac{\Delta A}{A} = 4\% - 2.1\% - 0.6\% = 1.3\%$

3) 성장기여도: 노동(2.1%) > 총요소생산성(1.3%) > 자본(0.6%)

50 상중하

A국의 실질GDP를 Y, 노동투입량을 N, 자본투입량을 K라고 하자. 1인당 실질GDP(Y/N)와 1인당 자본투입량(K/N)을 각각 y, k로 표시하면, A국의 1인당 생산함수는 $y = k^{1/3}$이다. 실질 GDP 증가율이 4%, 노동투입량 증가율이 3%인 경우 성장회계에 따른 자본투입량 증가율은?

[회계사 16]

① 6% ② 7% ③ 8%
④ 9% ⑤ 10%

51 상중하

갑국 경제의 성장회계와 자본의 한계생산물이 다음과 같다.

- 성장회계: $\dot{Y} = \dot{A} + \alpha\dot{K} + (1-\alpha)\dot{L}$
- 자본의 한계생산물: $MPK = \alpha\frac{Y}{K}$

여기서 $\dot{Y}$, $\dot{A}$, $\dot{K}$, $\dot{L}$은 각각 경제 전체의 생산량, 총요소생산성, 자본량, 노동량의 변화율을 나타낸다. 이 경제에서 $\dot{Y}$, $\dot{K}$, $\dot{L}$은 각각 3%, 3%, −1%, Y/K는 25%, 자본의 실질임대료는 10%로 일정하다. 이 경제에 고전학파 분배이론이 적용될 경우 총요소생산성 변화율은?

[회계사 22]

① 1.4% ② 2.4% ③ 3.4%
④ 4.4% ⑤ 5.4%

52 상중하 어떤 거시경제의 생산함수가 $Y = AN^{0.7}K^{0.3}$(Y는 실질GDP, A는 총요소생산성, N은 노동투입량, K는 자본투입량)이다. 실질GDP 성장률이 4%, 총요소생산성의 증가율이 1%, 노동투입량의 증가율이 3%인 경우 성장회계에 따른 자본투입량의 증가율은? [회계사 15]

① 1.0% ② 1.5% ③ 2.0%
④ 2.5% ⑤ 3.0%

정답 및 해설

50 ① 1) 성장회계 공식은 $\frac{\Delta Y}{Y} = \frac{\Delta A}{A} + \alpha \times \frac{\Delta L}{L} + (1-\alpha) \times \frac{\Delta K}{K}$이다.

2) $y = k^{1/3}$을 총생산함수로 고치면 $Y = L^{\frac{2}{3}}K^{\frac{1}{3}}$이다.

3) 공식에 대입하면 $4\% = \frac{2}{3} \times 3\% + \frac{1}{3} \times$ 자본량 투입증가율 ➜ 자본량 투입증가율 = 6%이다.

51 ② 1) 성장회계 공식에 조건을 대입하면 3% = 총요소생산성 변화율 $+ \alpha \cdot 3\% + (1-\alpha) \cdot -1\%$이다.

2) 자본의 실질 임대료는 자본의 한계생산물과 동일하므로 $10\% = \alpha \cdot 25\%$ ➜ $\alpha = 0.4$이다.

3) 이를 다시 첫 번째 식에 대입하면 3% = 총요소생산성 변화율 $+ 0.4 \times 3\% + 0.6 \cdot -1\%$이다. 따라서 총요소생산성 변화율은 2.4%이다.

52 ⑤ 1) $\frac{\Delta Y}{Y} = \frac{\Delta A}{A} + 0.7 \times \frac{\Delta N}{N} + 0.3 \times \frac{\Delta K}{K}$

2) $4\% = 1\% + 0.7 \times 3\% + 0.3 \times \frac{\Delta K}{K}$ ➜ $\frac{\Delta K}{K} = 3\%$

53 다음 중 내생적 성장이론에 대한 설명으로 옳은 것은? [회계사 15]
상중하

① 로머(P. Romer)의 R&D모형에 따르면 연구인력 증가만으로도 장기 경제성장률을 높일 수 있다.
② 가난한 나라와 부유한 나라의 1인당 소득수준이 장기적으로 수렴한다고 예측한다.
③ AK모형에 따르면 저축률의 상승은 장기 경제성장률을 높일 수 없다.
④ 로머의 R&D모형에 따르면 지식이 경합성을 가지므로 지식자본의 축적을 통해 지속적인 성장이 가능하다.
⑤ 루카스(R. Lucas)의 인적자본모형에 따르면 교육 또는 기술습득의 효율성이 장기 경제성장률에는 영향을 미치지 못한다.

54 다음 중 내생적 성장이론의 주장이 아닌 것은? [회계사 14]
상중하

① 저축률의 상승이 성장률을 장기적으로 높일 수 있다.
② 지식의 축적이 성장에 중요한 역할을 한다.
③ 자본의 한계생산이 체감하지 않으므로 국가 간 소득수준의 수렴(convergence)이 빠르게 발생한다.
④ 연구부문의 고용비율이 높아지면 성장률이 장기적으로 높아질 수 있다.
⑤ 연구보조금 정책이 성장을 촉진할 수 있다.

정답 및 해설

53 ① **[오답체크]**

② 솔로우모형에 대한 설명이다.
③ AK모형에 따르면 저축률의 상승은 장기 경제성장률을 높일 수 있다.
④ 로머의 R&D모형에 따르면 지식은 비경합성을 가진다.
⑤ 루카스(R. Lucas)의 인적자본모형에 따르면 교육 또는 기술습득의 효율성이 장기 경제성장률에 영향을 미친다.

54 ③ 자본의 한계생산이 체감하지 않으므로 국가 간 소득수준의 수렴(convergence)이 발생하지 않는다.

제12장

국제무역론

Topic 23 무역이론
Topic 24 자유무역과 보호무역

Topic 23

무역이론

01 국제거래

의미	국가 간의 모든 경제적 거래
발생 원인	재화 생산에 유리한 자연 환경, 부존자원, 기술 수준의 차이 ➜ 생산비의 차이 또는 생산물 수요 차이
장점	생산의 효율성 향상, 규모의 경제 실현, 소비자의 다양한 선택 기회, 부존자원과 기술 취약 해결, 기술과 정보의 축적
단점	경쟁력 없는 유치산업의 도태, 국내 경제 정책의 자율성 침해, 실업의 발생

02 국제무역이론

<table>
<tr><td>구분</td><td>절대 우위론(국가 간 비교분석)</td><td>비교 우위론(상품 간 비교분석)</td></tr>
<tr><td>학자</td><td>아담 스미스</td><td>리카르도</td></tr>
<tr><td>차이점</td><td colspan="2">두 국가 간에 생산비의 절대적 차이가 발생함을 전제로 절대 우위의 상품만을 특화, 생산하여 교환</td></tr>
<tr><td>공통점</td><td colspan="2">국제분업, 자유무역의 이점을 강조</td></tr>
<tr><td>무역이론의 비교</td><td colspan="2">
<table>
<tr><th>구분</th><th>산업 내 무역</th><th>산업 간 무역</th></tr>
<tr><td>개념</td><td>동일한 산업 내의 수출·수입</td><td>서로 다른 산업 간에 생산되는 재화의 수출·수입</td></tr>
<tr><td>발생원인</td><td>㉮ ________, 독점적 경쟁(제품의 차별화)</td><td>비교우위, 자원부존의 차이</td></tr>
<tr><td>발생국가</td><td>경제발전 정도가 비슷한 국가</td><td>경제발전 정도가 상이한 국가</td></tr>
<tr><td>사례</td><td>일본이 미국에 소형자동차를 수출하고 대형 자동차를 수입하는 경우</td><td>우리나라가 중국에 휴대폰을 수출하고 마늘을 수입하는 경우</td></tr>
<tr><td>비고</td><td>• 주로 제조업 분야에서 발생
• 국제 간 분쟁소지 작음
• 시장 확대로 규모가 커지면 재화 가격 하락하여 무역이익 발생</td><td>• 소득 재분배 발생
• 국제간 분쟁소지 많음
• 상대가격이 변화하여 무역이익 발생</td></tr>
</table>
</td></tr>
</table>

핵심키워드

㉮ 규모의 경제

03 교역조건

개념	(1) 수출상품 1단위와 교환되는 수입상품의 수량 ➜ 수입상품으로 표시한 수출상품의 교환가치 (2) ㉮ ________ 교역조건 = $\frac{\text{수출단가지수}}{\text{수입단가지수}} \times 100$
오퍼곡선	(1) 의미 여러 국제가격 수준에서 수출하고자 하는 재화의 양과 수입하고자 하는 재화의 양의 조합 (2) 교역 조건과 교역량의 결정 양국의 오퍼곡선이 교차하는 점에서 교역 조건과 교역량이 결정됨

04 헥셔-오린 정리

의미와 가정	(1) 의미 각국의 비교우위가 발생하는 원인을 요소부존의 차이로 설명하는 이론 (2) 가정 ① 2국 - 2재화 - 2요소의 무역모형 ② 두 국가의 생산함수가 ㉯ ________ (생산함수는 수확체감의 법칙이 작용하고 규모에 대한 수익이 불변임) ③ 기회비용이 체증하여 생산가능곡선이 원점에 대하여 오목함 ④ 두 국가(A국, B국) 사이의 부존자원비율이 서로 다름 ⑤ 두 재화(X재, Y재) 생산의 요소집약도($\frac{K}{L}$)가 서로 다름 ⑥ 두 국가의 수요에 대한 사회무차별곡선(선호)이 동일함 ⑦ 두 국가 간 생산요소의 이동은 ㉰ ________함 ⑧ 두 국가 간 상품의 무역은 자유롭게 이루어지며 운송비는 없음 ⑨ 생산물시장과 생산요소시장이 완전경쟁시장임

핵심키워드

㉮ 순상품, ㉯ 동일함, ㉰ 불가능

요소가격 균등화 정리	(1) 무역 이전 ① 갑국은 노동풍부국이고, 을국은 자본풍부국임 ② X재는 노동집약재이고, Y재는 자본집약재임 ③ 갑국은 노동풍부국이므로 노동집약재인 X를 많이 생산할 수 있고, 을국은 자본풍부국이므로 자본집약재인 Y재를 더 많이 생산할 수 있음 (2) 무역 이후 ① 노동풍부국인 갑국은 노동집약재인 X재 생산에, 그리고 자본풍부국인 을국은 자본집약재인 Y재 생산에 특화함 ② 노동풍부국(갑국) ㉠ 노동풍부국은 자본풍부국에 비하여 상대적으로 임금이 낮음 $(\frac{w}{r})^{갑국} < (\frac{w}{r})^{을국}$ ㉡ 노동풍부국이 노동집약적 산업에 부분특화하게 되면 노동수요가 증가하여 임금이 상승함. 따라서 $(\frac{w}{r})^{갑국}$ 상승 ③ 자본풍부국(을국) ㉠ 자본풍부국은 노동풍부국에 비하여 상대적으로 자본임대료가 낮음 $(\frac{w}{r})^{갑국} < (\frac{w}{r})^{을국}$ ㉢ 자본풍부국이 자본집약적 산업에 부분특화하게 되면 자본수요가 증가하여 자본임대료가 상승함. $(\frac{w}{r})^{을국}$ 하락 ④ 무역을 통해 결국 $(\frac{w}{r})^{갑국} = (\frac{w}{r})^{을국}$ 이 성립하게 됨 (3) ㉮ ________ 정리(헥셔-오린-사무엘슨 정리) 궁극적으로 교역당사국의 상품가격뿐 아니라 생산요소의 가격도 상대적으로 같아짐
립진스키 정리	재화의 상대가격이 변하지 않을 때 한 생산요소(노동)의 부존량이 증가하면 그 생산요소(노동)를 집약적으로 사용하는 재화의 생산량은 ㉯ ______하고 다른 요소(자본)를 집약적으로 사용하는 재화의 생산은 감소한다는 정리
스톨퍼-사무엘슨 정리	무역을 통하여 이루어진 한 재화의 상대가격인상은 그 재화 생산에 ㉰ ______으로 사용된 생산요소의 가격을 재화가격인상에 비해 더 높게 인상시키며 다른 생산요소의 가격은 절대적으로 하락하게 됨. 무역과 소득분배의 관련성을 설명하는 이론
레온티에프(Leontief)의 역설	레온티에프가 미국의 1947년 투입-산출표를 이용하여 분석한 결과, 그 당시 미국은 다른 나라에 비하여 상대적으로 ㉱ ______임에도 불구하고 자본집약재를 수입하고 노동집약재를 수출하는 것으로 나타남

핵심키워드

㉮ 요소가격균등화, ㉯ 증가, ㉰ 집약적, ㉱ 자본풍부국

STEP 1 기본문제

01 상중하

A국과 B국은 노동만을 사용하여 X재와 Y재만을 생산한다. 재화 한 단위를 생산하기 위한 노동시간이 다음 표와 같을 때 옳은 것은? (단, 양국은 비교우위에 따라 교역을 하고, 교역에 따른 비용은 없다) [국가직 7급 20]

(단위: 시간)

재화 / 국가	X	Y
A	3	6
B	3	7

① X재 1단위가 Y재 1/3단위와 교환되는 교역조건이면 두 나라 사이에 무역이 일어나지 않는다.
② A국은 X재 생산에, B국은 Y재 생산에 비교우위가 있다.
③ A국은 X재와 Y재의 생산에 절대우위가 있다.
④ X재 생산의 기회비용은 A국이 작다.

정답 및 해설

01 ① 1) A국의 X재 1단위 생산의 기회비용은 1/2Y, Y재 1단위 생산의 기회비용은 2X이다.
2) B국의 X재 1단위 생산의 기회비용은 3/7Y, Y재 1단위 생산의 기회비용은 7/3X이다.
3) 기회비용이 작은 것을 특화하므로 따라서 A국은 Y재를 B국은 X재를 특화한다.
4) 지문분석
① 1/2Y < X재 1단위 < 3/7Y가 양국에 이익이 발생하는 교역조건이므로 X재 1단위가 Y재 1/3단위와 교환되는 교역 조건이면 두 나라 사이에 무역이 일어나지 않는다.

[오답체크]
② A국은 Y재 생산에, B국은 X재 생산에 비교우위가 있다.
③ A국은 Y재에만 절대우위가 있다.
④ X재 생산의 기회비용은 B국이 작다.

02 상중하

甲국과 乙국 두 나라만 존재하며 재화는 TV와 쇠고기, 생산요소는 노동뿐이며, 두 나라에서 재화 1단위 생산에 필요한 노동량은 다음과 같다. 이 때 리카도(D.Ricardo)의 비교우위론에 입각한 설명으로 옳은 것은? [노무사 13]

구분	甲국	乙국
TV	3	2
쇠고기	10	4

① 乙국이 두 재화 모두 甲국에 수출한다.
② 甲국은 쇠고기를, 乙국은 TV를 상대국에 수출한다.
③ 국제거래가격이 TV 1단위당 쇠고기 0.2단위면, 甲국은 TV를 수출한다.
④ 국제거래가격은 쇠고기 1단위당 TV 0.3단위와 0.5단위 사이에서 결정된다.
⑤ 자유무역이 이루어질 경우, 甲국은 TV만 생산할 때 이익이 가장 크다.

03 상중하

갑국과 을국 두 나라는 각각 A재와 B재를 생산하고 있다. 갑국은 1시간에 A재 16개 또는 B재 64개를 생산할 수 있다. 을국은 1시간에 A재 24개 또는 B재 48개를 생산할 수 있다. 두 나라 사이에서 교역이 이루어질 경우에 대한 설명으로 가장 옳은 것은? [서울시 7급 19]

① 갑국은 A재 생산에 절대우위가 있다.
② 을국은 B재 생산에 절대우위가 있다.
③ 갑국은 A재 생산에 비교우위가 있다.
④ 양국 간 교역에서 교환비율이 A재 1개당 B재 3개일 경우, 갑국은 B재 수출국이 된다.

04 상중하

한국과 중국은 TV와 의류를 모두 생산하고 있다. 한국이 중국보다 두 재화 모두 더 싼 값으로 생산하고 있지만 특히 TV생산에서 상대적인 생산성이 더 높다. 두 나라가 생산하는 재화의 품질이 동일하다고 할 때, 리카도의 비교우위설을 적용한다면 다음 중 옳게 설명하고 있는 것은? [서울시 7급 13]

① 한국이 TV와 의류 모두 수출하는 것이 유리하다.
② 한국은 의류, 중국은 TV를 수출하는 것이 유리하다.
③ 두 나라 간의 자발적 교역은 이루어질 수 없다.
④ 교역이 일어나더라도 협상능력이 약한 국가는 교역으로 인해 손실을 본다.
⑤ 두 재화 간의 일정한 교환비율을 벗어날 경우 두 나라 간의 교역은 이루어지지 않는다.

정답 및 해설

02 ⑤ 양국의 기회비용을 표로 나타내면 다음과 같다.

구분	甲국	乙국
TV	쇠고기 $\frac{3}{10}$	쇠고기 $\frac{2}{4}$
쇠고기	TV $\frac{10}{3}$	TV 2

따라서 甲국은 TV를, 乙국은 쇠고기를 특화한다. 따라서 甲국은 TV만 특화할 때 이익이 가장 크다.

[오답체크]

① 乙국이 쇠고기만 甲국에 수출한다.

② 甲국은 TV를 乙국은 쇠고기를 상대국에 수출한다.

③ 국제거래가격이 TV 1단위당 쇠고기 0.3 ~ 0.5사이에 있어야 하므로 0.2단위면, 甲국은 TV를 수출하지 않는다.

④ 국제거래가격은 쇠고기 1단위당 TV 2단위와 $\frac{10}{3}$단위 사이에서 결정된다.

03 ④ 생산물과 기회비용을 표로 나타내면 다음과 같다.

구분	갑국	을국
A재	16(4B)	24(2B)
B재	64(1/4A)	48(1/2A)

양국 간 교역에서 교환비율이 $2B < 1A < 4B$이면 양국이 이익을 보므로 A재 1개당 B재 3개일 경우, 갑국은 B재 수출국이 된다.

[오답체크]

① 갑국은 B재 생산에 절대우위가 있다.

② 을국은 A재 생산에 절대우위가 있다.

③ 갑국은 B재 생산에 비교우위가 있다.

04 ⑤ 무역은 둘 다 이익을 볼 때만 이루어지므로 두 재화 간의 일정한 교환비율을 벗어날 경우 두 나라 간의 교역은 이루어지지 않는다.

[오답체크]

① 한국이 TV와 의류 모두 수출하는 것보다 하나에 특화하는 것이 좋다.

② 한국은 TV, 중국은 의류를 수출하는 것이 유리하다.

③ 두 나라 간의 자발적 교역은 이루어질 수 있다.

④ 교역이 일어나려면 손해보는 국가가 없어야 한다.

05 상중하

갑국과 을국은 X, Y재만을 생산하며, 교역 시 비교우위가 있는 재화 생산에 완전특화한다. 양국의 생산가능곡선이 다음과 같을 때 이에 대한 설명으로 옳은 것은? (단, 양국의 생산요소양은 같고 교역은 양국 간에만 이루어진다) [국가직 7급 19]

- 갑국: $4X+Y=40$
- 을국: $2X+3Y=60$

① 갑국이 X재 생산을 1단위 늘리려면 Y재 생산을 2단위 줄여야 한다.
② 갑국은 X재 생산에 절대우위를 갖는다.
③ 을국은 X재 생산에 비교우위를 갖는다.
④ X재와 Y재의 교역비율이 1 : 1이라면 갑국만 교역에 응할 것이다.

06 상중하

A는 하루에 6시간, B는 하루에 10시간 일해서 물고기와 커피를 생산할 수 있다. 다음 표는 각 사람이 하루에 생산할 수 있는 물고기와 커피의 양이다. 다음 설명 중 가장 옳은 것은? (단, 생산가능곡선은 가로축에 물고기, 세로축에 커피를 표시한다) [서울시 7급 18]

구분	물고기(kg)	커피(kg)
A	12	12
B	15	30

① B가 물고기와 커피 모두 절대우위를 가지고 있다.
② A의 생산가능곡선의 기울기가 B의 생산가능곡선의 기울기보다 더 가파르다.
③ A와 B가 같이 생산할 때의 생산가능곡선은 원점에 대해서 볼록하다.
④ 물고기 1kg당 커피 1.5kg과 교환하면 A, B 모두에게 이익이다.

07 상중하

A국에서는 쌀 1톤을 생산하기 위하여 노동 50단위가 필요하고 공작기계 1대를 생산하기 위하여 노동 80단위가 필요하다. B국에서는 쌀 1톤을 생산하기 위하여 노동 100단위가 필요하고 공작기계 1대를 생산하기 위하여 노동 120단위가 필요하다. 비교우위론적 관점에서 옳은 설명은? [국가직 12]

① A국은 쌀 생산 및 공작기계 생산에서 비교우위를 가진다.
② A국에서 공작기계 1대를 생산하는데 발생하는 기회비용은 쌀 $\frac{5}{3}$톤이다.
③ B국은 쌀 생산 및 공작기계 생산에서 비교우위를 가진다.
④ B국에서 공작기계 1대 생산하는 데 발생하는 기회비용은 쌀 1.2톤이다.

정답 및 해설

05 ③ ①③ Y에 대해 정리하면 갑국의 생산가능곡선이 $Y=-4X+40$, 을국의 생산가능곡선이 $Y=-\frac{2}{3}X+20$이다. 생산가능곡선 기울기(절댓값)가 X재 생산의 기회비용이므로 갑국의 X재 생산의 기회비용은 Y재 4단위, 을국의 X재 생산의 기회비용은 Y재 $\frac{2}{3}$단위이다. 따라서 X재 생산은 을국이, Y재 생산은 갑국이 비교우위를 가지게 된다.

[오답체크]

② 갑국의 생산가능곡선식에 $Y=0$을 대입하면 $X=10$, 을국의 생산가능곡선식에 $Y=0$을 대입하면 $X=30$이므로 모든 생산요소를 X재 생산에 투입하면 을국의 X재 생산량이 더 많다. 따라서 을국은 X재 생산에 절대우위를 가짐을 알 수 있다.

④ 갑국의 X재 생산의 기회비용이 4이고, 을국의 X재 생산의 기회비용이 $\frac{2}{3}$이므로 X재 1단위와 교환되는 Y재의 비율이 $\frac{2}{3}$와 4 사이로 결정되면 두 나라 모두 무역의 이득을 얻을 수 있다. 그러므로 X재와 Y재의 교역비율이 1 : 1로 주어지면 두 나라가 모두 교역에 응하게 될 것이다.

06 ④ 1) 생산물로 기회비용을 표로 나타내면 다음과 같다.

구분	물고기	커피
A	1물고기 = 1커피	1커피 = 1물고기
B	1물고기 = 2커피	1커피 = 0.5물고기

2) 지문분석

④ 물고기 1kg의 교역조건은 1커피 < 1물고기 < 2커피이므로 물고기 1kg당 커피 1.5kg과 교환하면 A, B 모두에게 이익이다.

[오답체크]

① 아래와 같이 시간당 생산량으로 살펴보면 B는 커피생산에 절대우위가 있다.

	물고기	커피
A	2	2
B	1.5	3

② B의 생산가능곡선의 기울기가 A의 생산가능곡선의 기울기보다 더 가파르다.

③ A와 B가 같이 생산할 때의 생산가능곡선은 두 사람이 독립적으로 생산할 때의 생산가능곡선을 이어붙인 형태로 원점에 대해서 오목하다.

07 ④ 1) 기회비용은 다음과 같다.

구분	A국	B국
쌀	$\frac{5}{8}=0.625$	$\frac{10}{12}=0.83$
공작기계	$\frac{8}{5}=1.6$	$\frac{12}{10}=1.2$

2) 쌀 생산의 기회비용은 A국이 더 낮고, 공작기계 생산의 기회비용은 B국이 더 낮다. 그러므로 A국은 쌀 생산에 비교우위가 있고, B국은 공작기계 생산에 비교우위가 있다.

08 상중하

A국, B국은 X재와 Y재만을 생산하고, 생산가능곡선은 각각 $X=2-0.2Y$, $X=2-0.05Y$이다. A국과 B국이 X재와 Y재의 거래에서 서로 합의할 수 있는 X재의 가격은? [서울시 7급 17]

① Y재 4개
② Y재 11개
③ Y재 21개
④ 거래가 불가능하다.

09 상중하

생산요소가 노동 하나뿐인 A국과 B국은 소고기와 의류만을 생산한다. 소고기 1단위와 의류 1단위 생산에 필요한 노동투입량이 다음과 같을 때, 무역이 발생하기 위한 의류에 대한 소고기의 상대가격의 조건은? [지방직 7급 13]

구분	소고기 1단위	의류 1단위
A	1	2
B	6	3

① $\frac{P_{소고기}}{P_{의류}} \le 2$

② $1.5 \le \frac{P_{소고기}}{P_{의류}} \le 6$

③ $0.5 \le \frac{P_{소고기}}{P_{의류}} \le 2$

④ $2 \le \frac{P_{소고기}}{P_{의류}}$

10 상중하

A국은 한 단위의 노동으로 하루에 쌀 5kg을 생산하거나 옷 5벌을 생산할 수 있다. B국은 한 단위의 노동으로 하루에 쌀 4kg을 생산하거나 옷 2벌을 생산할 수 있다. 두 나라 사이에 무역이 이루어지기 위한 쌀과 옷의 교환비율이 아닌 것은? (단, A국과 B국의 부존노동량은 동일하다) [국가직 7급 17]

① $\frac{P_{쌀}}{P_{옷}} = 0.9$
② $\frac{P_{쌀}}{P_{옷}} = 0.6$
③ $\frac{P_{쌀}}{P_{옷}} = 0.4$
④ $\frac{P_{쌀}}{P_{옷}} = 0.8$

정답 및 해설

08 ② 1) 각국의 생산가능곡선식을 정리하면 A국의 생산가능곡선은 $Y = 10 - 5X$, B국의 생산가능곡선은 $Y = 40 - 20X$이다.

2) 생산가능곡선 기울기(절댓값)가 X재 생산의 기회비용이며 X재의 상대가격이다.

3) A국의 X재 생산의 기회비용은 Y재 5단위, B국의 X재 생산의 기회비용은 Y재 20단위이다.

4) 두 나라 사이에서 거래가 이루어지려면 기회비용의 사이에 존재해야 하므로 X재 1단위와 교환되는 Y재의 양이 5단위에서 20단위 사이에서 결정되어야 한다.

09 ③ 1) 두 나라에서 각 재화 생산의 기회비용을 계산해 보면 아래의 표와 같다.

구분	소고기	의류
A국	0.5	2
B국	2	0.5

2) 무역이 이루어질 때 두 나라가 모두 이득을 얻기 위해서는 교역조건이 양국의 국내가격비 사이에서 결정되어야 하므로 의류에 대한 소고기의 상대가격($\frac{P_{소고기}}{P_{의류}}$)은 두 나라에서 소고기 생산의 기회비용인 0.5와 2 사이에서 결정되어야 한다.

10 ③ 1) 국내가격비($\frac{P_{쌀}}{P_{옷}}$)는 쌀 1단위와 교환되는 옷의 양을 의미하므로 각국의 국내가격비는 쌀 생산의 기회비용과 같다.

2) 갑국은 5쌀 = 5옷이므로 1옷 = 1쌀이고, 을국은 4쌀 = 2옷이므로 1쌀은 1/2옷이다. 따라서 양국이 이득을 보기 위해서는 이 기회비용의 사이에 존재해야한다.

11 상중하

헥셔-오린(Heckscher-Ohlin)모형의 기본 가정으로 옳지 않은 것은? [국가직 7급 20]

① 각 산업에서 규모수익은 일정하게 유지된다.
② 양국 간 기술수준 및 선호는 다르다.
③ 노동과 자본의 산업 간 이동은 완전히 자유롭다.
④ 노동과 자본의 국가 간 이동은 완전히 불가능하다.

12 상중하

A국과 B국이 두 생산요소 노동(L)과 자본(K)을 가지고 두 재화 X와 Y를 생산한다고 가정하자. 두 재화 X와 Y의 생산기술은 서로 다르나 A국과 B국의 기술은 동일하다. 그리고 A국과 B국의 노동과 자본의 부존량은 각각 $L_A = 100$, $K_A = 50$이며, $L_B = 180$, $K_B = 60$이다. 또한 두 재화 X와 Y의 생산함수는 각각 $X = L^2K$, $Y = LK^2$으로 주어진다. 헥셔-오린(Heckscher-Ohlin)이론에 따를 경우 옳은 것을 모두 고르면? [국가직 7급 13]

ㄱ. 상대적으로 자본이 풍부한 나라는 B국이다.
ㄴ. 상대적으로 노동집약적인 산업은 X재 산업이다.
ㄷ. A국은 Y재, B국은 X재에 비교우위가 있다.

① ㄱ, ㄴ
② ㄴ, ㄷ
③ ㄱ, ㄷ
④ ㄱ, ㄴ, ㄷ

13 상중하

A국은 노동과 자본만을 사용하여 노동집약재와 자본집약재를 생산하며 자본에 비해 상대적으로 노동이 풍부한 나라다. 스톨퍼-사무엘슨 정리를 따를 때, A국의 자유무역이 장기적으로 A국의 소득분배에 미치는 영향은? [지방직 14]

① 자본과 노동의 실질보수가 모두 상승한다.
② 자본과 노동의 실질보수가 모두 하락한다.
③ 자본의 실질보수가 상승하고 노동의 실질보수가 하락한다.
④ 자본의 실질보수가 하락하고 노동의 실질보수가 상승한다.

정답 및 해설

11 ② 1) 헥셔-오린 정리의 가정은 다음과 같다.

㉠ 2국-2재화-2요소의 무역모형이다.

㉡ 두 국가의 생산함수는 동일하다(생산함수는 수확체감의 법칙이 작용하고 규모에 대한 수익이 불변).

㉢ 기회비용이 체증하여 생산가능곡선이 원점에 대하여 오목하다.

㉣ 두 국가(A국, B국) 사이의 부존자원비율이 서로 다르다.

㉤ 두 재화(X재, Y재) 생산의 요소집약도(K/L)가 서로 다르다.

㉥ 두 국가의 수요에 대한 사회무차별곡선(선호)이 동일하다.

㉦ 두 국가 간 생산요소의 이동은 불가능하다.

㉧ 두 국가 간 상품의 무역은 자유롭게 이루어지며 운송비는 없다.

㉨ 생산물시장과 생산요소시장이 완전경쟁시장이다.

2) 지문분석

② 양국 간 기술수준의 차이로 설명하는 것이 비교우위론이다.

12 ② 1) 재화의 성격을 살펴보기 위해 재화 생산의 한계기술대체율을 계산해 보면 각각 다음과 같다.

$$\begin{cases} MRTS_{LK}^{X} = \dfrac{MP_L}{MP_K} = \dfrac{2LK}{L^2} = 2(\dfrac{K}{L}) \\ MRTS_{LK}^{Y} = \dfrac{MP_L}{MP_K} = \dfrac{K^2}{2KL} = 0.5(\dfrac{K}{L}) \end{cases}$$

2) 생산자 균형에서는 한계기술대체율과 요소의 상대가격비가 동일하므로 다음의 식이 성립한다.

$$\begin{cases} 2(\dfrac{K}{L})^X = (\dfrac{w}{r}) \rightarrow (\dfrac{K}{L})^X = 0.5(\dfrac{w}{r}) \\ 0.5(\dfrac{K}{L})^Y = (\dfrac{w}{r}) \rightarrow (\dfrac{K}{L})^Y = 2(\dfrac{w}{r}) \end{cases}$$

3) 위의 식에서 $(\frac{K}{L})^X < (\frac{K}{L})^Y$이므로 X재는 노동집약재, Y재는 자본집약재이다. 그러므로 자본풍부국인 A국은 자본집약재인 Y재에 비교우위를 갖고, 노동풍부국인 B국은 노동집약재인 X재에 비교우위를 갖는다.

[오답체크]

ㄱ. 주어진 노동량과 자본량을 바탕으로 1인당 자본량을 구하면 $(\frac{K}{L})^A = \frac{50}{100} = 0.5$이고, $(\frac{K}{L})^B = \frac{60}{180} = 0.33$이므로 A국은 자본풍부국, B국은 노동풍부국이다.

13 ④ 스톨퍼-사무엘슨 정리에 의하면 자유무역이 이루어질 경우 각국에서 풍부한 생산요소의 실질소득은 증가하나 희소한 생산요소의 실질소득이 감소한다. A국은 노동풍부국이므로 자유무역이 이루어지면 A국에서는 노동의 실질소득은 증가하고 자본의 실질소득은 감소하게 될 것이다.

14 상중하

다음 표와 같은 조건하에서 A국과 B국은 옷과 쌀 2가지 상품을 생산하고 있다. 노동만이 두 상품의 유일한 생산요소이고 노동의 한계생산물은 불변인 리카르도모형을 고려하자. 이제 자유무역으로 국제시장에서 상대가격($\frac{P_{옷}}{P_{쌀}}$)은 1이 되었다고 가정하자. 무역 전후에 대한 설명으로 옳은 것은? (단, wage는 명목임금, P는 가격, MP는 노동의 한계생산물을 나타낸다)

[지방직 7급 16]

A국		B국	
$wage = 12$		$wage^* = 6$	
$MP_{옷} = 2$	$MP_{쌀} =$	$MP^*_{옷} =$	$MP^*_{쌀} = 1$
$P_{옷} =$	$P_{쌀} = 4$	$P^*_{옷} = 3$	$P^*_{쌀} =$

① A국은 쌀을 수출할 것이다.
② 무역 이전에, 옷 생산의 경우 B국의 $MP^*_{옷}$이 A국의 $MP_{옷}$보다 높다.
③ 무역 이전에, 쌀 생산의 경우 B국의 $MP^*_{쌀}$이 A국의 $MP_{쌀}$보다 높다.
④ 무역이 발생하지 않을 것이다.

15 상중하

숙련노동자가 비숙련노동자에 비해 풍부한 A국과 비숙련노동자가 숙련노동자에 비해 풍부한 B국이 있다. 폐쇄경제를 유지하던 두 나라가 무역을 개시하여 A국은 B국에 숙련노동집약적인 재화를 수출하고, B국으로부터 비숙련노동집약적인 재화를 수입한다고 가정하자. 헥셔-오린모형의 예측에 따라 이러한 무역 형태가 A국과 B국의 노동시장에 미칠 영향에 대한 설명으로 옳은 것은? (단, 두 나라 모두 숙련노동자의 임금이 비숙련노동자의 임금에 비해 높다)

[국가직 7급 16]

① A국의 숙련노동자와 비숙련노동자의 임금격차가 확대될 것이다.
② B국의 숙련노동자와 비숙련노동자의 임금격차가 확대될 것이다.
③ A국 비숙련노동자의 교육 투자를 통한 숙련노동자로의 전환 인센티브가 감소한다.
④ B국 비숙련노동자의 교육 투자를 통한 숙련노동자로의 전환 인센티브가 증가한다.

정답 및 해설

14 ① 1) 균형상태에서는 임금이 한계생산물가치(VMP_L)와 일치하므로 $w = MP_L \times P$의 관계가 성립한다. 그러므로 A국에서 옷의 가격 $P_{옷} = 6$, 쌀 생산의 한계생산물 $MP_{쌀} = 3$이고, B국에서 옷의 한계생산물 $MP^*_{옷} = 2$, 쌀의 가격 $P^*_{쌀} = 6$임을 알 수 있다.

2) 무역이 이루어지기 전에 $(\frac{P_{옷}}{P_{쌀}})^A = \frac{6}{4} = 1.5$이고, $(\frac{P_{옷}}{P_{쌀}})^B = \frac{3}{6} = 0.5$이므로 옷의 가격은 상대적으로 B국이 더 낮고, 쌀의 가격은 상대적으로 A국이 더 낮으므로 각각을 특화할 것이다.

3) 국제시장의 상대가격인 $\frac{P_{옷}}{P_{쌀}} = 1$이면 두 나라의 상대가격 사이에 교역조건이 존재하므로 무역이 이루어질 것이다.

[오답체크]

② 무역 이전에, 옷 생산의 경우 B국의 $MP^*_{옷}$은 2, A국의 $MP_{옷}$은 2이므로 동일하다.

③ 무역 이전에, 쌀 생산의 경우 B국의 $MP^*_{쌀}$은 1이고 A국의 $MP_{쌀}$은 3이므로 A국이 높다.

④ 교역조건이 정당하여 무역이 이루어질 것이다.

15 ① 자유무역이 이루어지면 각국에서 풍부한 생산요소의 소득은 증가하나 희소한 생산요소의 소득은 감소하므로 A국에서는 숙련노동자의 소득이 증가하고, B국에서는 비숙련노동자의 소득이 증가한다. 그러므로 A국에서는 숙련노동자와 비숙련노동자의 임금격차가 확대될 것이고, B국에서는 숙련노동자와 비숙련 노동자의 임금격차가 축소될 것이다. A국에서는 숙련노동자가 되기 위해 노력하겠지만 B국은 그렇지 않을 것이다.

[오답체크]

② B국의 숙련노동자와 비숙련노동자의 임금격차가 축소될 것이다.

③ A국 비숙련노동자의 교육 투자를 통한 숙련노동자로의 전환 인센티브가 증가한다.

④ B국 비숙련노동자의 교육 투자를 통한 숙련노동자로의 전환 인센티브가 감소한다.

16 상중하

갑국과 을국으로 이루어진 세계경제가 있다. 생산요소는 노동과 자본이 있는데, 갑국은 노동 200단위와 자본 60단위, 을국은 노동 800단위와 자본 140단위를 보유하고 있다. 양국은 두 재화 X와 Y를 생산할 수 있는데, X는 노동집약적 재화이고 Y는 자본집약적 재화이다. 헥셔-오린 모형에 따를 때 예상되는 무역 패턴은? (단, 노동과 자본은 양국에서 모두 동질적이다) [국가직 7급 18]

① 갑국은 Y를 수출하고 을국은 X를 수출한다.
② 갑국은 X를 수출하고 을국은 Y를 수출한다.
③ 갑국과 을국은 X와 Y를 모두 생산하며, 완전특화를 통해 무역으로 교환한다.
④ 갑국과 을국은 X와 Y를 모두 생산하며, 각자 자급자족한다.

17 상중하

레온티에프 역설(Leontief paradox)에 대한 설명으로 옳지 않은 것은? [지방직 7급 17]

① 제품의 성숙단계, 인적자본, 천연자원 등을 고려하면 역설을 설명할 수 있다.
② 2차 세계대전 직후 미국의 노동자 1인당 자본장비율은 다른 어느 국가보다 낮았다.
③ 미국에서 수출재의 자본집약도는 수입재의 자본집약도보다 낮은 것으로 나타났다.
④ 헥셔-오린 정리에 따르면 미국은 상대적으로 자본집약적 재화를 수출할 것으로 예측되었다.

18 산업 내 무역에 관한 설명으로 옳은 것은? [국가직 14]
상중하

① 산업 내 무역은 규모의 경제와 관계없이 발생한다.
② 산업 내 무역은 부존자원의 상대적인 차이 때문에 발생한다.
③ 산업 내 무역은 경제여건이 다른 국가 사이에서 이루어진다.
④ 산업 내 무역은 유럽연합 국가들 사이의 활발한 무역을 설명할 수 있다.

정답 및 해설

16 ① 1) 각 국가가 어떤 부존자원의 풍부국인지 살펴보면 $(\frac{K}{L})^{\text{갑}} = \frac{60}{200}$이고, $(\frac{K}{L})^{\text{을}} = \frac{140}{800} = \frac{35}{200}$이므로 $(\frac{K}{L})^{\text{갑}} > (\frac{K}{L})^{\text{을}}$이다. $(\frac{K}{L})^{\text{갑}} > (\frac{K}{L})^{\text{을}}$이므로 갑국은 자본풍부국, 을국은 노동풍부국이다.

2) 헥셔-오린 정리에 의하면 각국은 풍부한 생산요소를 집약적으로 투입하는 재화 생산에 특화하므로 두 나라 사이에 무역이 이루어지면 갑국은 자본집약재인 Y재, 을국은 노동집약재인 X재 생산에 특화하여 수출할 것이다.

[오답체크]

② 갑국은 Y를 수출하고 을국은 X를 수출한다.
③ 헥셔-오린 정리에 의하면 불완전특화가 이루어지므로 무역 이후에도 각국은 두 재화를 모두 생산한다. 다만, 각국은 자급자족할 때보다 비교우위가 있는 재화를 더 많이 생산하여 그 중 일부를 무역을 통해 비교열위에 있는 재화와 교환하게 된다.
④ 갑국과 을국은 X와 Y를 모두 생산하며, 부분특화를 통한 무역을 실시한다.

17 ② 헥셔-오린 정리의 실증분석을 마친 1953년 레온티에프는 헥셔-오린 정리의 예상과는 정반대의 당황스러운 결과를 발견하게 되었다. 전 세계에서 자본이 가장 풍부한(=1인당 자본장비율) 미국이 노동집약적 재화를 수출하고 자본집약적 재화를 수입하고 있다는 것이다.

18 ④ 산업 내 무역(intra-industry trade)은 시장구조가 독점적 경쟁이거나 규모의 경제가 발생하는 경우에 주로 발생하며, 부존자원의 차이와는 관련이 없다. 산업 내 무역은 주로 경제발전의 정도 혹은 경제여건이 비슷한 나라들 사이에서 이루어지므로 유럽연합 국가들 사이의 활발한 무역을 설명할 수 있다.

19 상중하

동종 산업 내에서 수출과 수입이 동시에 나타나는 무역을 산업 내 무역(intra-industry trade)이라고 한다. 이러한 형태의 무역이 발생하는 원인으로 옳은 것만을 모두 고르면? [국가직 21]

ㄱ. 비교우위
ㄴ. 규모의 경제
ㄷ. 제품 차별화
ㄹ. 상이한 부존자원

① ㄱ, ㄴ
② ㄱ, ㄷ
③ ㄴ, ㄷ
④ ㄴ, ㄹ

20 상중하

자국과 외국은 두 국가 모두 한 가지 재화만을 생산하며, 노동투입량과 노동의 한계생산량의 관계는 다음 표와 같다. 자국과 외국의 현재 노동부존량은 각각 11과 30이고 모두 생산에 투입된다. 국가 간 노동이동이 자유로워지면 세계 총생산량의 변화는? [국가직 7급 14]

노동투입량(명)	1	2	3	4	5	6	7	8	9	10	11
노동의 한계생산량(개)	20	19	18	17	16	15	14	13	12	11	10

① 4개 증가
② 8개 증가
③ 12개 증가
④ 16개 증가

정답 및 해설

19 ③ ㄴ, ㄷ. 산업 내 무역은 동일한 경제력이 비슷한 국가가 시장을 확장시켜 규모의 경제와 독점적 경쟁, 즉 제품 차별화를 통해 무역을 하려는 것이다.

[오답체크]

ㄱ, ㄹ. 산업 간 무역은 비교우위와 상이한 부존자원 등의 이유를 발생시킨다.

20 ④ 1) 현재 자국에서는 노동부존량이 11이므로 마지막 단위의 노동이 한계생산물이 10이고, 외국에서는 노동부존량이 3이므로 마지막 단위의 노동의 한계생산물이 18이다.

2) 자국에서 노동 1단위가 외국으로 이동하면 자국에서의 생산량은 10단위 감소하는 반면 외국에서는 17단위의 재화가 추가로 생산되므로 세계 전체 생산량은 7단위 증가한다.

3) 국가 간 노동이동은 두 나라에서 노동의 한계생산물이 같아질 때까지 이루어질 것이므로 결국 자국에서 4단위의 노동이 외국으로 이동한다. 자국에서 외국으로 4단위의 노동이 이동하면 자국의 생산량은 46단위(= 13 + 12 + 11 + 10)가 감소하나, 외국의 생산량은 62단위(= 17 + 16 + 15 + 14)가 증가한다.

4) 따라서 국가 간 노동이동이 자유롭다면 세계 총생산량은 16단위가 증가한다.

STEP 2 심화문제

21 상중하

다음 그림에 따를 때 A국과 B국 사이에서 특화를 통한 무역이 가능하게 되는 컴퓨터 가격의 범위로 옳은 것은? [국회직 8급 19]

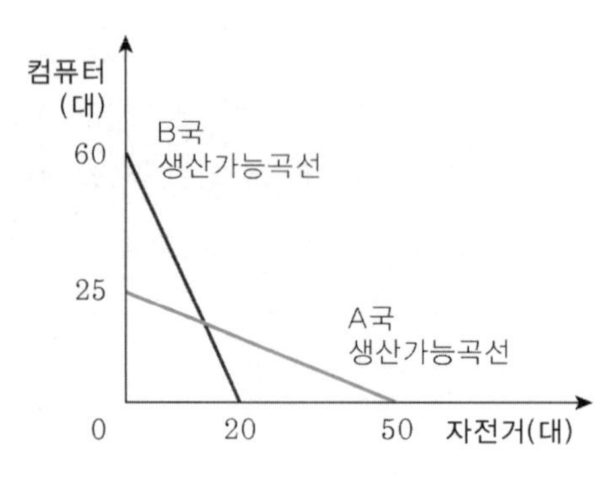

① $(P_{최저}, P_{최고})$ = (자전거 $\frac{1}{2}$대, 자전거 2대)

② $(P_{최저}, P_{최고})$ = (자전거 $\frac{1}{2}$대, 자전거 3대)

③ $(P_{최저}, P_{최고})$ = (자전거 $\frac{1}{3}$대, 자전거 2대)

④ $(P_{최저}, P_{최고})$ = (자전거 $\frac{1}{3}$대, 자전거 3대)

⑤ $(P_{최저}, P_{최고})$ = (자전거 2대, 자전거 3대)

22 상중하 서희와 문희가 옥수수 1단위를 생산하는 데 필요한 시간과 고기 1단위를 생산하는 데 필요한 시간은 다음 표와 같다.

(단위: 시간)

구분	옥수수	고기
서희	18	10
문희	16	12

서희는 하루에 6시간, 문희는 하루에 8시간을 일할 수 있으며, 두 재화 생산에 필요한 생산요소는 노동뿐이다. 두 사람이 모두 이득을 볼 수 있는 교환비율은 얼마인가? [국회직 8급 15]

① 고기 1단위당 옥수수 5/9 ~ 3/4단위
② 고기 1단위당 옥수수 4/3 ~ 9/5단위
③ 고기 1단위당 옥수수 8/9 ~ 6/5단위
④ 고기 1단위당 옥수수 5/6 ~ 9/8단위
⑤ 고기 1단위당 옥수수 5/8 ~ 2/3단위

정답 및 해설

21 ③ 1) 생산가능곡선의 기울기는 X축 재화의 상대가격이므로 자전거의 상대가격은 각각 컴퓨터 0.5대, 컴퓨터 3대가 된다.
2) 이 값의 사이에서 교역조건을 설정하면 양국 모두 무역의 이익을 볼 수 있다.
3) 따라서 컴퓨터의 가격으로 표시하면 자전거 1/3 ~ 자전거 2대가 된다.

22 ① 1) 문제에서는 고기 1단위당 가격을 옥수수로 표시하고 있으므로 두 사람의 고기 가격 / 옥수수 가격을 구하여야 한다.
2) 서희의 상대가격은 고기 가격 / 옥수수 가격 = 10/18이다.
3) 문희의 상대가격은 고기 가격 / 옥수수 가격 = 12/16이다.
4) 결국 두 사람이 교환을 통해서 모두 이득을 보기 위해서는 고기 가격 / 옥수수 가격 = 고기 1단위당 옥수수의 단위가 10/18 = 5/9와 12/16 = 3/4 사이에 존재해야 한다.

23 상중하

A국가와 B국가는 디지털TV와 의복을 생산하고 있다. 두 상품의 생산에는 다음 표에 제시한 바와 같은 노동시간이 투입된다고 하자. 두 국가 사이의 무역에 대한 설명 중 옳지 않은 것은? [국회직 8급 13]

구분	디지털TV	의복
A국가	10시간	4시간
B국가	20시간	5시간

① A국가에서 디지털TV 1단위 생산의 기회비용은 의복 2.5단위이다.
② A국가는 디지털TV와 의복 생산에서 절대우위를 갖고 있다.
③ B국가에서 의복 1단위 생산의 기회비용은 디지털TV 0.4단위이다.
④ B국가는 의복 생산에서 비교우위를 갖고 있다.
⑤ 디지털TV 1단위와 의복 3단위를 교환하는 조건이면 양국은 무역에 참여할 것이다.

24 상중하

세계에 두 나라(A국, B국)만 있다. 이 세계경제에는 사과와 바나나 두 재화만 있다. 폐쇄경제일 때 사과가격을 바나나가격으로 나눈 상대가격이 A국에서는 2이고, B국에서는 5이다. 개방경제하에서 교역가능조건이 아닌 것은? [국회직 8급 14]

① A국의 수출업자는 사과 150개를 수출하는데 그 대가로 바나나 650개를 받는다.
② A국의 수입업자는 바나나 100개를 수입하는데 그 대가로 사과 20개를 준다.
③ A국의 수입업자는 바나나 100개를 수입하는데 그 대가로 사과 30개를 준다.
④ B국의 수출업자는 바나나 200개를 수출하는데 그 대가로 사과 100개를 받는다.
⑤ B국의 수입업자는 사과 100개를 수입하는데 그 대가로 바나나 150개를 준다.

정답 및 해설

23 ③ B국가에서 의복 1단위 생산의 기회비용은 디지털TV 5/20 = 0.25단위이다.

24 ⑤ 1) 상대가격을 $\frac{\text{사과가격}}{\text{바나나가격}}$으로 정의한다면 이는 사과 1개와 교환되는 바나나의 양을 의미한다. 폐쇄경제의 A국에서는 사과 1개가 바나나 2개와 교환되었고, 폐쇄경제의 B국에서는 사과 1개가 바나나 5개와 교환되고 있었다. 그리고 개방에서의 교역조건은 반드시 폐쇄경제에서의 양국 가격 2와 5 사이에서 결정되어야 한다.

2) 지문분석

⑤ B국 수입업자는 사과 1개를 구입하면서 바나나 1.5개를 주고 있다. 이는 교역조건이 1.5임을 의미하고 폐쇄경제에서의 양국 가격 2와 5 사이에 있지 않으므로 불가능한 교역조건이다.

[오답체크]

① A국 수출업자는 사과 1개를 팔면서 바나나를 4.3개 받고 있다. 이는 교역조건이 4.3임을 의미하고 폐쇄경제에서의 양국 가격 2와 5 사이에 있으므로 가능한 교역조건이다.

② A국 수입업자는 사과 1개를 주면서 바나나 5개를 구입하고 있다. 이는 교역조건이 5임을 의미하고 폐쇄경제에서의 양국 가격 2와 5 사이에 있으므로 가능한 교역조건이다.

③ A국 수입업자는 사과 1개를 주면서 바나나 3.3개를 구입하고 있다. 이는 교역조건이 3.3임을 의미하고 폐쇄경제에서의 양국 가격 2와 5 사이에 있으므로 가능한 교역조건이다.

④ B국 수출업자는 사과 1개를 받으면서 바나나 2개를 주고 있다. 이는 교역조건이 2임을 의미하고 폐쇄경제에서의 양국 가격 2와 5 사이에 있으므로 가능한 교역조건이다.

25 상중하

두 폐쇄경제 A국과 B국의 총생산함수는 모두 $Y = EK^{0.5}L^{0.5}$와 같은 형태로 나타낼 수 있다고 하자. A국은 상대적으로 K가 풍부하고 B국은 상대적으로 L이 풍부하며, A국은 기술수준이 높지만 B국은 기술수준이 낮다. 만약 현재 상태에서 두 경제가 통합된다면 B국의 실질임금률과 실질이자율은 통합 이전에 비하여 어떻게 변화하는가? (단, Y, K, L은 각각 총생산, 총자본, 총노동을 나타내며, E는 기술수준을 나타낸다) [국회직 8급 18]

① 임금률은 상승하고 이자율은 하락할 것이다.
② 임금률은 하락하고 이자율은 상승할 것이다.
③ 임금률과 이자율 모두 상승할 것이다.
④ 임금률은 상승하지만 이자율의 변화는 알 수 없다.
⑤ 이자율은 하락하지만 임금률의 변화는 알 수 없다.

26 상중하

립진스키(Rybczynski) 정리에 대한 다음 설명 중 교역당사국의 입장에서 가장 옳은 것은? [국회직 8급 14]

① 교역조건이 일정할 때 풍부한 생산요소의 증가는 모든 재화의 생산증가를 가져온다.
② 풍부한 생산요소가 증가되면 오퍼곡선은 아래축(수입량) 방향으로 수축된다.
③ 일반적으로 희소한 생산요소가 증가되면 교역조건에 크게 영향을 주지 않는다.
④ 일반적으로 풍부한 생산요소가 증가되면 수입수요는 증가한다.
⑤ 생산요소의 변화는 오퍼곡선에 별 영향을 주지 않는다.

정답 및 해설

25 ① 1) 두 폐쇄경제의 통합은 무역을 시작하는 것과 같다.

2) A국은 상대적으로 K가 풍부하고 B국은 상대적으로 L이 풍부하다면 A국은 K집약재, B국은 L집약재 생산에 비교우위가 있다.

3) 이 경우 무역이 이루어지면 스톨퍼-사무엘슨 정리에 의해 B국의 경우 임금률은 상승하고 이자율은 하락한다.

26 ④ 1) 립진스키 정리는 재화의 상대가격이 불변인 상황에서 한 생산요소의 부존량이 증가하는 경우 그 요소를 집약적으로 사용하는 재화의 생산이 절대적으로 증가하고 타 요소를 집약적으로 사용하는 재화의 생산은 절대적으로 감소한다는 것이다.

2) 오퍼곡선은 수출상품과 수입상품의 상대가격(교역조건)의 변화에 따라서 수입하고자 하는 수입량과 그 대가로 수출하고자 하는 수출량의 조합의 궤적이다.

3) 지문분석

④ A국에서 풍부한 노동이 증가한다고 하자. 립진스키 정리에 의하면 노동집약적 재화 생산이 증가하고 자본집약재 생산은 감소한다. 이 때 소비는 X재와 Y재 모두 증가한다고 하자. 그렇다면 노동집약재 수출(생산 – 소비) 교환량은 증가하고, 자본집약재 수입(소비 – 생산) 교환량도 증가한다. 결국 풍부한 생산요소가 증가하면 수입수요는 증가한다.

[오답체크]

① A국이 노동이 풍부하다면 노동이 증가했을 때 노동집약재 생산이 증가하고 자본집약재 생산은 감소한다.

②⑤ A국에서 풍부한 노동이 증가한다고 하자. 노동집약재 생산은 증가하고 자본집약재 생산은 감소한다. 소비는 X재와 Y재 모두 증가한다고 하자. 그렇다면 노동집약재 수출(생산 – 소비)량은 증가하고, Y재 수입(소비 – 생산)량도 증가한다. 결국 동일한 재화의 상대가격에서도 더 많은 수출과 수입이 이루어지므로 오퍼곡선은 X축(수출량) 방향으로 확장 이동한다.

③ 일반적으로 립진스키 정리는 소국을 가정한다. 그렇다면 A국에서 희소한 생산요소(자본)가 증가하면 자본집약재 생산이 증가하고 노동집약재생산이 증가한다. 하지만 A국이 대국이라면 A국에서 희소한 생산요소(자본)의 증가는 자본집약재의 생산을 늘리므로 노동집약재의 국제가격이 하락한다. 결국 희소한 생산요소가 증가하여도 교역조건에 영향을 줄 수 있다.

STEP 3 실전문제

27 상중하

두 국가 A, B가 옷과 빵만 생산·소비한다고 하자. 자유무역을 하기 전에 각국은 다음 표와 같이 생산과 소비를 하고 있었다. 두 국가가 자유무역을 한 후에 A국은 옷만 300단위를 생산했고, B국은 빵만 300단위를 생산했다고 할 때, 다음 설명 중 옳은 것은? [회계사 14]

구분	옷	빵
A국	100	200
B국	150	50

① 두 국가가 자유무역을 통해 얻은 이득의 합은 빵 50단위, 옷 100단위이다.
② 교역조건이 '옷 1단위 = 빵 1.2단위'이면서, A국이 교역 이전과 동일한 양의 옷을 소비했다면, A국이 자유무역으로부터 얻는 이득은 빵 40단위, 옷 0단위이다.
③ 교역조건이 '옷 1단위 = 빵 1.2단위'이면서, A국이 교역 이전과 동일한 양의 옷을 소비했다면, B국이 자유무역으로부터 얻는 이득은 빵 0단위, 옷 40단위이다.
④ 교역조건이 '옷 1단위 = 빵 1.2단위'이면서, B국이 빵 60단위를 소비했다면, B국이 자유무역으로부터 얻는 이득은 빵 10단위, 옷 40단위이다.
⑤ A국이 교역 이전과 동일한 양의 옷을 소비했다면, '옷 1단위 = 빵 2단위'도 가능한 교역조건 중 하나였다.

28 상중하

두 국가 A, B가 옷과 식료품만 생산·소비한다고 하자. 이 두 국가는 각각 120단위의 노동력을 갖고 있으며, 노동이 유일한 생산요소로서 각 재화 1단위를 생산하는데 소요되는 노동력은 다음 표와 같다. A국에서 옷과 식료품은 완전대체재로서 옷 1단위와 식료품 1단위는 동일한 효용을 갖는다. B국에서 옷과 식료품은 완전보완재로서 각각 1단위씩 한 묶음으로 소비된다. 단, 교역은 두 국가 사이에서만 가능하다. 다음 설명 중 옳지 않은 것은? [회계사 15]

국가	옷	식료품
A	2	4
B	3	9

① 교역 전 A국은 옷만 생산·소비한다.
② 교역 전 B국은 동일한 양의 옷과 식료품을 생산·소비한다.
③ 교역 시 A국은 교역조건에 관계없이 식료품만 생산한다.
④ 교역 시 B국은 옷을 수출하고 식료품을 수입한다.
⑤ 교역 시 '식료품 1단위 = 옷 $\frac{7}{3}$단위'는 가능한 교역조건 중 하나이다.

정답 및 해설

27 ② ②③ A국은 무역 전 100옷, 200빵을 소비하였다. 옷 1단위 = 빵 1.2단위의 교역조건으로 무역 후 100옷을 소비하고 200옷 ➜ 240빵이므로 빵 40개가 증가하였다.

[오답체크]

① 두 국가가 자유무역을 통해 얻은 이득의 합은 빵 50단위, 옷 50단위이다.

④ B국은 무역 전 150옷, 50빵을 소비하였다. 교역조건이 '옷 1단위 = 빵 1.2단위'이면서, B국이 빵 60단위를 소비했다면, 나머지 240빵으로 옷을 교역하면 옷 200을 얻게 되어 B국이 자유무역으로부터 얻는 이득은 빵 10단위, 옷 50단위이다.

⑤ 옷의 교역조건은 1빵 < 옷 < $\frac{5}{3}$빵 이므로 '옷 1단위 = 빵 2단위'는 교역이 불가능한 교역조건이다.

28 ③ 1) A국은 식료품을, B국은 옷을 특화한다.

국가	옷	식료품
A	2 ➜ $\frac{2}{4}$식료품	4 ➜ $\frac{4}{2}$옷
B	3 ➜ $\frac{3}{9}$식료품	9 ➜ $\frac{9}{3}$옷

2) 지문분석

③ 교역조건은 기회비용과 관련이 있고, 기회비용은 특화품목과 관련이 있으므로 옳지 않다.

[오답체크]

① 교역 전 A국은 옷을 더 잘 생산하고 완전대체재이므로 옷만 생산·소비한다.

② 교역 전 B국은 완전보완관계이므로 동일한 양의 옷과 식료품을 생산·소비한다.

④ 교역 시 B국은 기회비용이 작은 옷을 수출하고 식료품을 수입한다.

⑤ 무역의 이익이 발생하는 교역조건은 2옷 < 식료품 < 3옷이므로 '식료품 1단위 = 옷 $\frac{7}{3}$ 단위'는 가능한 교역조건 중 하나이다.

29 상중하

동일한 노동량을 보유하고 있는 두 국가 A, B는 유일한 생산요소인 노동을 이용하여 두 재화 X, Y만을 생산한다. 두 국가 각각의 생산가능곡선은 직선이다. 각국은 교역의 이득이 있는 경우에만 자국에 비교우위가 있는 재화의 생산에 완전특화한 후 상대국과 교역한다. 다음 표는 이에 따른 두 국가의 생산 조합과 교역 후 소비 조합을 나타낸다.

구분	A국		B국	
	생산	소비	생산	소비
X재	100	80	0	20
Y재	0	20	100	80

다음 설명 중 옳은 것만을 모두 고르면? (단, 교역은 두 국가 사이에서만 일어난다)

[회계사 19]

가. X재 수량을 가로축에 놓을 때, 생산가능곡선 기울기의 절댓값은 A국이 B국보다 크다.
나. B국은 X재 생산에 절대우위가 있다.
다. 교역조건은 'X재 1단위 = Y재 1단위'이다.

① 가 ② 나 ③ 다
④ 가, 다 ⑤ 나, 다

30 상중하

2국 2재화 리카도(Ricardo)모형을 가정하자. 두 국가는 각각 100시간의 노동을 보유한다. 다음 표는 각국이 재화 X, Y 각 1단위를 생산하는 데 필요한 노동투입 시간과 교역 후 소비조합을 나타낸다. 다음 설명 중 옳은 것만을 모두 고르면? (단, 교역은 이득이 양(+)인 경우에만 일어난다)

[회계사 20]

구분	단위당 노동투입 시간		교역 후 소비조합	
	A국	B국	A국	B국
X재	1	5/4	60	a
Y재	2	5/4	b	c

가. A국은 X재, B국은 Y재에 비교우위가 있다.
나. a는 60이다.
다. b는 20보다 크고 40보다 작아야 한다.
라. c가 50이면 A국은 수출 재화 1단위당 수입 재화 3/4단위의 이득을 본다.

① 가, 나 ② 가, 다 ③ 나, 라
④ 가, 다, 라 ⑤ 나, 다, 라

정답 및 해설

29 ③ 다. 생산에서 소비로 변했을 때 줄어든 것을 수출하고 늘어난 것을 수입하므로 교역조건은 'X재 1단위 = Y재 1단위'이다.

[오답체크]

가. A국은 X재를 B국은 Y재를 완전특화한다. 생산가능곡선의 기울기는 X재 생산의 기회비용을 의미하므로 A국의 생산가능곡선의 기울기의 절댓값은 작다.

나. B국은 Y재 생산에 절대우위가 있다.

30 ② 1) 각 재화의 기회비용을 구하면 다음과 같다.

구분	A국	B국
X재	0.5	1
Y재	2	1

2) 기회비용이 일정하므로 완전특화가 이루어진다. 100시간의 시간이 부여되었으므로 생산량을 구하면 다음과 같다.

구분	A국	B국
X재	100	80
Y재	50	80

3) 지문분석

가. A국은 기회비용이 작은 X재, B국은 Y재에 비교우위가 있다.

다. A국이 스스로 X재를 60개 생산한다면 Y재는 20개여야 한다. 따라서 무역의 이익이 커야하므로 b > 20이어야 한다. 또한 B국에서 스스로 X재를 40개를 생산하면 Y재 40개를 얻을 수 있으므로 b < 40이어야 한다. 따라서 b는 20보다 크고 40보다 작아야 한다.

[오답체크]

나. A국이 100개를 생산하였으므로 A국이 소비한 60개를 제외하고 나머지 40개를 B국에 수출하여야 한다. 따라서 a = 40이다.

라. c가 50이면 A국은 X재를 40개를 수출하여 Y재 30개를 얻는다. 따라서 X재의 기회비용이 $\frac{3}{4}$Y이므로 A국은 수출 재화 1단위당 수입 재화 $\frac{1}{4}$단위의 이득을 본다.

31 상중하

2국가 2재화 리카도(Ricardo)모형을 가정하자. 아래의 표는 A국과 B국이 각각 1시간의 노동으로 생산할 수 있는 X재 및 Y재의 양이다.

구분	A국	B국
X재	6개	1개
Y재	4개	2개

A국 임금은 시간당 A국 통화 6단위이고, B국 임금은 시간당 B국 통화 1단위이다. B국 통화 1단위당 A국 통화 2단위가 교환될 경우, 다음 중 옳은 것을 모두 고르면? [회계사 22]

가. 교역 이전, A국에서 X재의 개당 가격은 A국 통화 1단위다.
나. 교역 이전, B국에서 Y재의 개당 가격은 A국 통화로 환산하면 A국 통화 1단위다.
다. 교역 이전, A국 통화로 환산한 Y재의 개당 가격은 B국에서 더 낮다.
라. A국은 X재를 수출하고, B국은 Y재를 수출할 것이다.

① 가 ② 가, 다 ③ 나, 라
④ 나, 다, 라 ⑤ 가, 나, 다, 라

정답 및 해설

31 ⑤ 1) 생산량이 클수록 생산성이 높으므로 A국이 두 재화 모두 절대우위, B국이 두 재화 모두 절대열위에 있다.

2) A국의 기회비용을 구하면 $6X = 4Y$ ➜ $X = \frac{2}{3}Y$, $Y = \frac{3}{2}X$이다.

3) B국의 기회비용을 구하면 $X = 2Y$ ➜ $X = 2Y$, $Y = \frac{1}{2}X$이다. 따라서 A국은 X재에 비교우위, Y재에 비교열위가 있고, B국은 X재에 비교열위, Y재에 비교우위가 있다.

4) 지문분석

가. A국의 시간당 임금이 A국 통화 6단위이고 1시간의 노동으로 6개를 생산할 수 있으니 X재의 개당 가격은 A국 통화 1단위이다.

나. 교역 이전, B국에서 Y재의 개당 가격은 B국 통화 0.5단위이다. B국 통화 1단위당 A국 통화 2단위가 교환될 경우 B국 통화를 A국 통화로 환산하면 A국 통화 1단위다.

$$\frac{\text{B국 통화 1단위}}{\text{Y재 2개}} \times \frac{\text{A국 통화 2단위}}{\text{B국 통화 1단위}} = \text{A국 통화 1단위/Y재}$$

다. A국의 Y재의 개당 가격은 $\frac{\text{A국 통화 6단위}}{\text{Y재 4개}} = \text{A국 통화 1.5단위/Y재}$이다.

B국의 Y재의 개당 가격은 $\frac{\text{B국 통화 1단위} = \text{A국통화 2단위}}{\text{Y재 2개}} = \text{A국 통화 1단위/Y재}$이다. 교역 이전, A국 통화로 환산한 Y재의 개당 가격은 B국에서 더 낮다.

라. 옳은 지문이다.

32 상중하

X재와 Y재만을 생산하는 두 국가 A국, B국으로 이루어진 리카르도모형을 가정하자. A국과 B국의 노동자 수는 각각 600으로 동일하다. 두 국가에서 교역 이전에는 X재 산업에 고용된 노동자 수와 Y재 산업에 고용된 노동자 수가 동일하다. 즉, $L_X^A = L_Y^A$, $L_X^B = L_Y^B$이다. 교역이 이루어지는 경우 각국은 비교우위가 있는 재화 생산에 완전특화한 후 X재와 Y재를 1:1로 교환한다. A국과 B국에서 각 재화 한 단위를 생산하는 데 소요되는 노동자 수는 아래 표와 같다. 다음 설명 중 옳지 않은 것은? (단, L_j^i는 i국의 j재 산업에 고용된 노동자 수이다)

[회계사 21]

구분	A국	B국
X재	2	6
Y재	3	4

① A국은 모든 재화에 대해 절대우위를 갖는다.
② 교역 이전에 A국은 Y재를 100단위 생산한다.
③ 교역이 이루어지면 A국의 X재 생산량은 교역 이전의 두 배가 된다.
④ 교역이 이루어지면 A국과 B국의 X재 생산량 합계는 교역 이전에 비해 100단위 늘어난다.
⑤ 교역 전후 B국의 X재 소비량이 동일하다면 교역 이후 B국의 Y재 소비량은 125단위이다.

정답 및 해설

32 ⑤ 1) 교역 전에는 600명의 노동자를 반반인 300명씩 투입하여 생산량을 표시하면 다음과 같다.

구분	A국	B국	합계
X재	150	50	200
Y재	100	75	175

2) 비교우위를 판단하면 다음과 같다.

구분	A국	B국
X재	$\frac{2}{3}$Y	$\frac{3}{2}$Y
Y재	$\frac{3}{2}$X	$\frac{2}{3}$X

따라서 A국은 X재를, B국은 Y재를 특화한다.

3) 600명으로 완전특화를 하면 다음과 같다.

구분	A국	B국	합계
X재	300	0	300
Y재		150	150

4) 지문분석

⑤ 교역 전후 B국의 X재 소비량이 50으로 동일하다면 교역 이후 B국의 Y재 소비량은 100단위이다.

[오답체크]

① A국은 두 재화 모두 생산비가 적게 들기 때문에 모든 재화에 대해 절대우위를 갖는다.

② 교역 이전에 A국은 300명으로 Y재를 100단위 생산한다.

③ 교역이 이루어지면 A국의 생산량은 X재 150에서 300으로 늘어나 교역 이전의 두 배가 된다.

④ 교역이 이루어지면 A국과 B국의 X재 생산량 합계는 교역 이전에 비해 200에서 300으로 100단위 늘어난다.

33 상중하

두 국가(자국과 외국)와 두 재화(X재와 Y재)로 구성된 리카도모형을 가정하자. 자국의 X재와 Y재의 단위노동투입량(unit labor requirement)을 a_{LX}와 a_{LY}로, X재와 Y재의 가격을 P_X 와 P_Y로 표시한다. 그리고 외국의 X재와 Y재의 단위노동투입량을 a^*_{LX}와 a^*_{LY}로 표시한다. 다음 설명 중 옳지 않은 것은? [회계사 18]

① $\frac{P_X}{P_Y} > \frac{a_{LX}}{a_{LY}}$이면 자국은 X재만 생산한다.

② 폐쇄경제 균형에서 자국이 두 재화를 모두 생산하는 경우 $\frac{P_X}{P_Y} = \frac{a_{LX}}{a_{LY}}$가 성립한다.

③ $\frac{a^*_{LX}}{a^*_{LY}} > \frac{a_{LX}}{a_{LY}}$이면 자국은 X재에 대해 비교우위를 갖는다.

④ $\frac{a^*_{LX}}{a^*_{LY}} > \frac{a_{LX}}{a_{LY}}$이면 자유무역하에서 X재의 균형 상대가격은 $\frac{a_{LY}}{a_{LX}}$보다 크거나 같다.

⑤ 자국이 외국과 비교하여 두 재화의 생산에 있어 절대우위를 가질 때 자유무역은 자국의 임금과 외국의 임금을 일치시킨다.

정답 및 해설

33 ⑤ 1) X재 시간당 임금은 상품가격을 단위 노동투입량으로 나눈 $\frac{P_X}{a_{LX}}$이다. 이와 동일하게 Y재 시간당 임금은 $\frac{P_Y}{a_{LY}}$이다.

2) 지문분석

⑤ 리카도모형에서는 자유무역이 이루어지더라도 두 나라의 임금이 일치하지 않는다. 임금이 일치하는 것은 헥셔-오린 정리에 해당한다.

[오답체크]

① $\frac{P_X}{P_Y} > \frac{a_{LX}}{a_{LY}}$이면 $\frac{P_X}{a_{LX}} > \frac{P_Y}{a_{LY}}$이다. 이 경우 모든 노동자들이 X재 산업으로 이동할 것이므로 X재만 생산한다.

② 한 재화의 시간당 임금이 높다면 그 재화만 생산할 것이다. 두 재화 모두 생산한다면 폐쇄경제 균형에서 자국이 두 재화를 모두 생산하는 경우 $\frac{P_X}{P_Y} = \frac{a_{LX}}{a_{LY}}$가 성립한다.

③ $\frac{a_{LX}^*}{a_{LY}^*} > \frac{a_{LX}}{a_{LY}}$이면 X재 생산 시 노동시간이 외국이 더 들기 때문에 자국은 X재에 대해 비교우위를 갖는다.

④ $\frac{a_{LX}^*}{a_{LY}^*} > \frac{a_{LX}}{a_{LY}}$이면 자유무역하에서 X재의 균형 상대가격은 두 나라의 X재 생산의 기회비용 사이에서 결정된다. 즉, $\frac{a_{LY}}{a_{LX}}$ ≤ 두 나라의 X재 생산의 기회비용 ≤ $\frac{a_{LX}^*}{a_{LY}^*}$이다.

34 상중하

A국은 주어진 노동 1,000시간과 자본 3,000단위를 사용해 두 재화 X와 Y를 생산한다. X재 1개를 생산하기 위해 노동 1시간과 자본 2단위가 필요하고 Y재 1개를 생산하기 위해 노동 1시간과 자본 4단위가 필요하다. 다음 설명 중 옳은 것은? (단, A국은 생산가능곡선상에서만 생산한다) [회계사 20]

① X재 최대 생산량은 1,500개이다.
② Y재 최대 생산량은 1,000개이다.
③ X재 생산의 기회비용은 일정하다.
④ X재와 Y재를 균등하게 생산하는 경우 유휴자원은 발생하지 않는다.
⑤ X재의 가격이 2, Y재의 가격이 3이면 X재와 Y재 생산에 노동과 자본이 균등하게 배분된다.

35 상중하

어떤 연도에 A국, B국, C국은 옷, 자동차, 컴퓨터를 다음 표에 제시된 금액만큼 생산하고 해당 재화에 대하여 지출한다. 다음 설명 중 옳은 것은? (단, 국가는 3개 국가, 재화는 3개 재화만 존재하며, 각 재화의 가격은 100달러로 동일하고, 각국은 같은 재화라면 자국 재화에 대하여 우선 지출한다고 가정한다) [회계사 16]

(단위: 백만달러)

구분	생산액			지출액		
	옷	자동차	컴퓨터	옷	자동차	컴퓨터
A국	6	3	0	3	3	3
B국	0	6	3	3	3	3
C국	3	0	6	3	3	3

① A국의 GDP가 B국의 GDP보다 크다.
② A국은 B국에 옷을 수출한다.
③ B국의 무역수지는 흑자이다.
④ B국과 C국 사이에는 무역이 이루어지지 않는다.
⑤ C국은 A국과의 무역에서 3백만달러 적자이다.

정답 및 해설

34 ④ 1) X재와 Y재를 생산할 때 노동제약이 $X+Y=1{,}000$과 자본제약식 $X+2Y=1{,}500$이므로 두 제약을 모두 만족시키는 영역만 생산이 가능하다. 두 식을 연립해서 풀면 $X=500$, $Y=500$으로 계산된다.

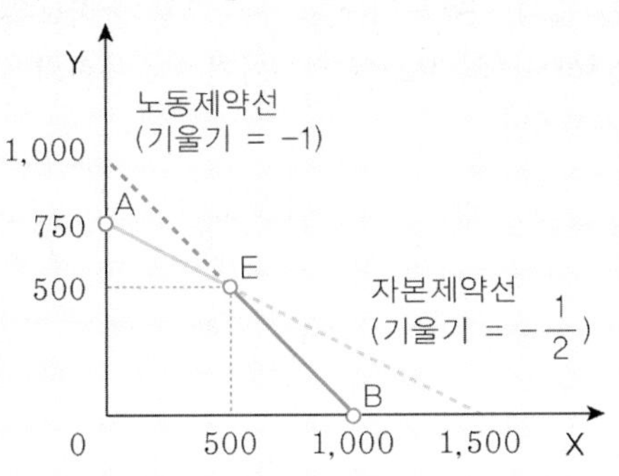

2) 지문분석

④ X재와 Y재를 500개씩 생산하는 경우(균등하게 생산하는 경우) 유휴자원은 발생하지 않는다.

[오답체크]

① X재 최대 생산량은 1,000개이다.

② Y재 최대 생산량은 750개이다.

③ X재 생산의 기회비용은 생산점에 따라 다르다.

⑤ 생산가능곡선상의 어떤 점에서 생산이 이루어질지 알아보려면 등수입곡선의 개념이 필요하다. 등수입곡선이란 결합생산이 이루어질 때 총수입이 동일한 X재와 Y재의 조합을 나타내는 선을 말한다. X재와 Y재를 판매할 때 총수입 $TR=P_X \cdot X+P_Y \cdot Y \rightarrow Y=-\frac{P_X}{P_Y}X+\frac{TR}{P_Y}$이다.

X재의 가격이 2, Y재의 가격이 3이면 등수입곡선의 기울기는 $-\frac{2}{3}$이다.

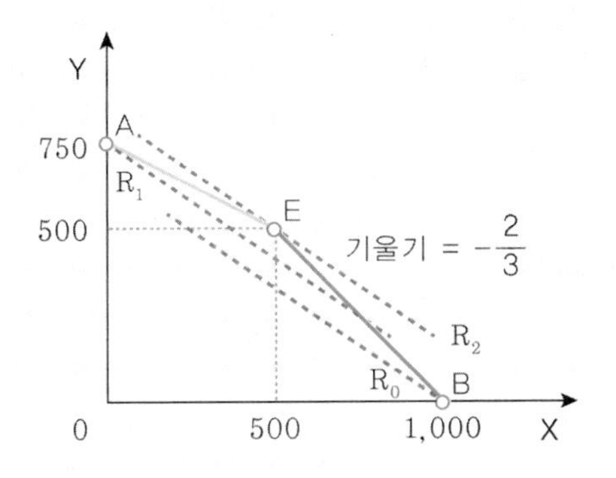

총수입이 가장 큰 점은 E점이므로 이점에서는 노동 500단위와 자본 1,000단위가 투입된다.

35 ② C국은 자국의 옷을 사용할 것이므로 B국의 옷은 A국에서 수입할 수밖에 없다.

[오답체크]

① 재화의 가격은 동일하고 9개씩 소비하였으므로 세 국가의 GDP가 동일하다.

③ B국의 무역수지는 자동차 3개를 수출하고 옷 3개를 수입하였으므로 균형이다.

④ B국은 C국에게 자동차를 수출하였다.

⑤ C국은 A국과의 무역에서 컴퓨터를 수출하였으므로 3백만달러 흑자이다.

36 상중하

헥셔-오린(Heckscher-Ohlin)모형과 관련된 다음 설명 중 옳지 않은 것은? [회계사 15]

① 2국가-2재화-2요소모형으로 나타낼 수 있다.
② 레온티에프(W. Leontief)의 역설은 자본이 상대적으로 풍부한 나라인 미국이 노동집약적인 제품을 수출하고 자본집약적인 제품을 수입하는 현상을 일컫는다.
③ 각국은 상대적으로 풍부한 생산요소를 많이 사용하여 생산하는 제품에 비교우위가 있다.
④ 생산요소의 국가 간 이동이 불가능하더라도 생산요소의 상대가격이 균등화되는 경향이 있다.
⑤ 국가 간 생산함수에 차이가 있다고 가정한다.

37 상중하

헥셔-오린모형에 관한 다음 설명 중 옳은 것만을 모두 고르면? [회계사 21]

가. 생산기술 차이에 따른 국가 간 교역 발생을 설명하는 이론이다.
나. 완전한 자유무역이 이루어지면 양국의 생산요소 가격은 절대적으로 균등화된다.
다. 완전한 자유무역이 이루어지면 자본이 풍부한 국가의 자본집약도는 증가한다.

① 가 ② 나 ③ 다
④ 가, 다 ⑤ 나, 다

38 상중하

2국가(A국 및 B국) 2재화(X재 및 Y재) 헥셔-오린모형을 가정하자. X재는 노동집약재이고 Y재는 자본집약재이다. 만약 A국이 상대적 노동풍부국, B국이 상대적 자본풍부국일 경우, 다음 설명 중 옳지 않은 것은? [회계사 22]

① 무역 이전, $\frac{\text{X재가격}}{\text{Y재가격}}$은 A국이 B국보다 낮다.

② 무역 이전, $\frac{\text{단위당 자본사용보수}}{\text{단위당 노동사용보수}}$는 B국이 A국보다 낮다.

③ A국은 X재를, B국은 Y재를 각각 불완전특화 생산하여 수출한다.

④ 무역의 결과, 양국 간 단위당 노동사용보수의 격차는 감소하지만 단위당 자본사용보수의 격차는 증가한다.

⑤ 무역의 결과, A국의 자본 소유자의 실질소득은 감소한다.

정답 및 해설

36 ⑤ 국가 간 생산함수가 동일하다고 가정한다.

37 ⑤ 나. 완전한 자유무역이 이루어지면 요소가 풍부한 쪽의 재화의 생산이 증가하므로 해당 생산요소의 가격이 상승하고 빈약한 쪽의 생산요소가격이 하락한다. 따라서 교역 후 양국의 생산요소 가격은 절대적으로 균등화된다.

다. 완전한 자유무역이 이루어지면 자본이 풍부한 국가는 자본집약재를 생산한다. 이로 인해 자본가격이 상승하므로 자본집약도는 증가한다.

[오답체크]

가. 생산기술이 동일하지만 요소부존량의 차이에 따른 국가 간 교역 발생을 설명하는 이론이다.

38 ④ 1) A국은 노동풍부국이므로 노동집약재인 X재를 특화하고, B국은 자본풍부국이므로 자본집약재인 Y재를 특화한다.

2) 지문분석

④ 무역의 결과, 요소가격 균등화 정리에 따라 양국 간 단위당 노동과 자본의 보수의 격차는 감소한다.

[오답체크]

① 무역 이전, X재는 노동집약재이므로 노동풍부국인 A국의 $\frac{\text{X재가격}}{\text{Y재가격}}$이 B국보다 낮다.

② 무역 이전, $\frac{\text{단위당 자본사용보수}}{\text{단위당 노동사용보수}}$는 자본풍부국인 B국이 A국보다 낮다.

③ 헥셔-오린모형에서는 각각 불완전특화 생산하여 수출한다.

⑤ 무역의 결과, A국은 노동집약재가 주로 생산되어 자본의 고용이 감소하므로 자본 소유자의 실질소득은 감소한다.

39 상중하

노동(L)과 자본(K)을 사용하여 X재와 Y재를 생산하는 헥셔-오린(Heckscher-Ohlin)모형을 고려하자. 아래 그래프에 대한 설명에서 (가)와 (나)를 바르게 짝지은 것은? (단, XX와 YY는 X재와 Y재의 등량곡선을 나타내며, 상대임금은 (임금/임대료)를 의미한다. 등비용선은 각 등량곡선과 한 점에서 접한다) [회계사 16]

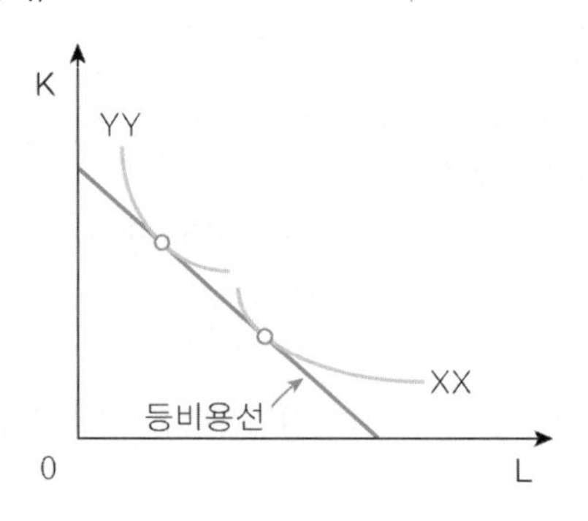

- X재의 가격이 상승하면 상대임금은 (가).
- Y재의 가격이 상승하면 상대임금은 (나).

	(가)	(나)
①	하락한다	하락한다
②	상승한다	하락한다
③	하락한다	상승한다
④	상승한다	상승한다
⑤	변하지 않는다	변하지 않는다

40 상중하

A국과 B국의 독점적 경쟁시장에서 생산되는 자동차를 고려하자. 두 국가 간 자동차 무역에 대한 다음 설명 중 옳은 것은? [회계사 16]

가. 무역은 자동차 가격의 하락과 다양성의 감소를 초래한다.
나. 산업 내 무역(intra-industry trade)의 형태로 나타난다.
다. A국과 B국의 비교우위에 차이가 없어도 두 국가 간 무역이 일어난다.
라. 각 국의 생산자잉여를 증가시키지만, 소비자잉여는 감소시킨다.

① 가, 나 ② 가, 다 ③ 나, 다
④ 나, 라 ⑤ 다, 라

정답 및 해설

39 ② 1) 그래프를 보면 X재 생산에는 노동이 많이 투입되며 Y재 생산에는 자본이 많이 투입된다. 이를 통해 X재는 노동집약재, Y재는 자본집약재임을 알 수 있다.

2) X재의 가격이 상승하면 노동집약재의 생산이 증가하여 노동의 상대가격인 상대임금은 증가할 것이다.

3) Y재의 가격이 상승하면 자본집약재의 생산이 증가하여 자본고용이 증가하므로 자본가격이 상승한다. 따라서 노동의 상대가격은 하락한다.

40 ③ [오답체크]

가. 산업 내 무역인 자동차 무역은 자동차 가격의 하락과 다양성의 증가를 초래한다.

라. 무역을 통해 대량생산이 가능하여 규모의 경제가 발생하므로 생산자잉여와 소비자잉여 모두 증가시킨다.

41 상중하 다음과 같이 노동과 토지를 투입하여 하나의 재화만 생산하는 자국과 외국으로 이루어진 경제를 상정해 보자. 국가 간 노동이동의 효과에 대한 다음 설명 중 옳지 않은 것은?

[회계사 17]

- 두 생산요소 중 노동만 국가 간 이동이 가능하다.
- 수평축은 자국과 외국의 노동량을 합한 세계 총노동량을 나타낸다.
- 자국의 노동량은 왼쪽 축(원점은 O로 표시함)에서부터, 외국의 노동량은 오른쪽 축(원점은 O^*로 표시함)에서부터 측정된다.
- 왼쪽 수직축은 자국의 한계생산물, 오른쪽 수직축은 외국의 한계생산물을 나타낸다.
- 노동의 국가 간 이동이 발생하기 이전의 자국의 노동량은 OL_1, 외국의 노동량은 O^*L_1이다.

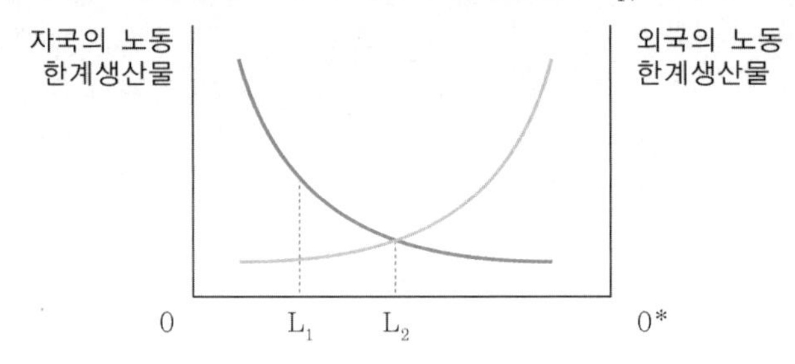

① 자국의 임금은 하락한다.
② 외국의 임금은 상승한다.
③ 재화의 세계 총생산량은 증가한다.
④ 노동은 외국에서 자국으로 이동한다.
⑤ 자국 토지 소유자의 실질소득은 감소한다.

정답 및 해설

41 ⑤ 1) 그래프를 통해서 자국의 노동량 < 외국의 노동량임을 알 수 있다.

2) 임금은 한계생산물에 의해 결정되고 자국의 임금이 외국의 임금보다 높으므로 외국에서 자국으로 노동이동이 발생한다.

3) 따라서 외국의 임금은 노동의 공급 감소로 상승하고, 자국의 임금은 노동의 공급 증가로 하락할 것이다.

4) 지문분석

⑤ 외국에서 자국으로 노동이동이 이루어지면 토지에 의한 생산이 늘어나므로 토지소유자의 실질소득은 증가한다.

[오답체크]

①②④ 위의 설명 참조

③ 한계생산성이 서로 같아지는 L_2가 되면 생산성이 최대가 되므로 재화의 세계총생산량은 증가한다.

Topic 24 자유무역과 보호무역

01 자유무역

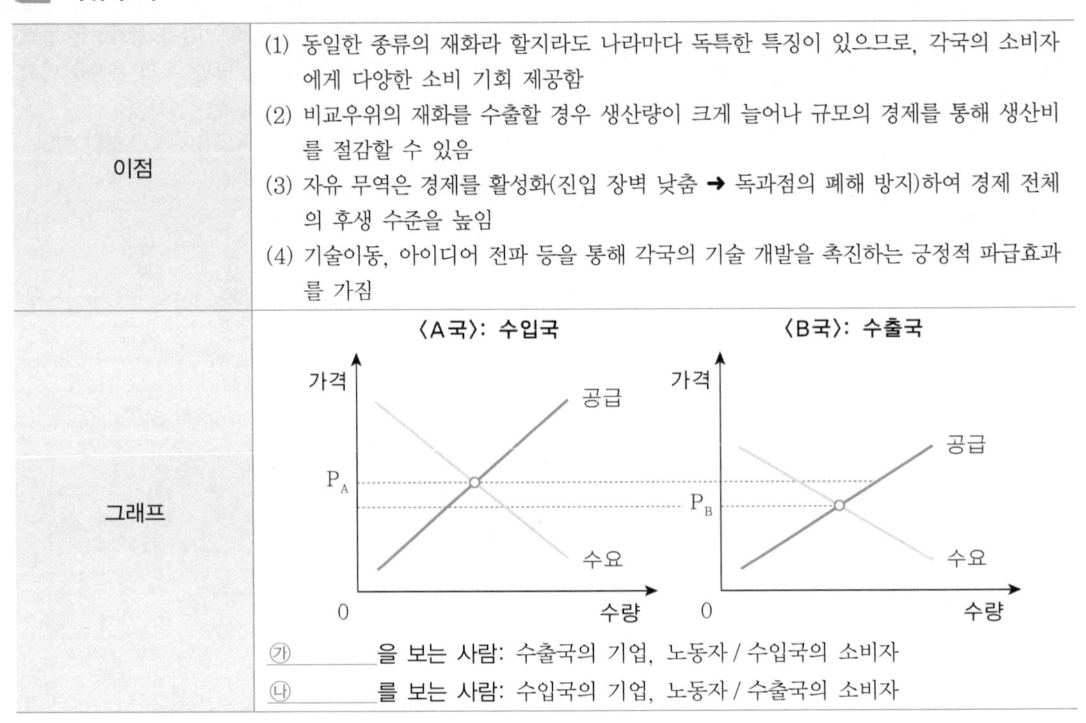

이점	(1) 동일한 종류의 재화라 할지라도 나라마다 독특한 특징이 있으므로, 각국의 소비자에게 다양한 소비 기회 제공함 (2) 비교우위의 재화를 수출할 경우 생산량이 크게 늘어나 규모의 경제를 통해 생산비를 절감할 수 있음 (3) 자유 무역은 경제를 활성화(진입 장벽 낮춤 ➜ 독과점의 폐해 방지)하여 경제 전체의 후생 수준을 높임 (4) 기술이동, 아이디어 전파 등을 통해 각국의 기술 개발을 촉진하는 긍정적 파급효과를 가짐
그래프	〈A국〉: 수입국 / 〈B국〉: 수출국 (가격, 공급, 수요, P_A, P_B, 0, 수량) ㉮ ______ 을 보는 사람: 수출국의 기업, 노동자 / 수입국의 소비자 ㉯ ______ 를 보는 사람: 수입국의 기업, 노동자 / 수출국의 소비자

02 보호무역

의미	관세와 같은 정책을 이용하여 자유무역 시 피해를 보는 산업을 없애고 자국의 산업을 발전시키는 것
필요성	자국민의 실업방지, 유치산업보호, 불공정 무역대응, 국가안보

핵심키워드

㉮ 이득, ㉯ 손해

보호무역 정책의 수단	(1) 관세: 무역을 통해 거래되는 재화에 부과되는 조세 (2) 비관세장벽 ① 수입 허가제: 수입할 리스트를 만들고 리스트에 없는 상품은 수입을 금지하는 방식 ② 수입 담보금제: 정부가 수입을 허가할 때 수입업자로 하여금 수입 신청 금액의 일부분을 은행에 적립하도록 하는 것. 적립 금액이 높을수록 수입 억제 효과가 있음 ③ 구상무역: 한 나라가 자국의 수출 범위 내에서 상대국의 수입을 허가하는 무역 ④ 기준 강화: 자동차 배기 가스 방출량 등을 이유로 수입의 기준을 강화하는 방법 ⑤ 보조금 지급: 정부가 수출 업체에게 보조금을 지급하는 방법. 무역 분쟁을 야기할 수 있음 ⑥ 쿼터제: ㉮ ________을 정해 놓고 그 이상은 수입하지 않음 예 스크린 쿼터

03 관세

개념	관세선을 통과하는 상품에 대해 부과하는 조세. 가장 널리 사용되는 무역 정책 수단
경제적 효과 (소국모형)	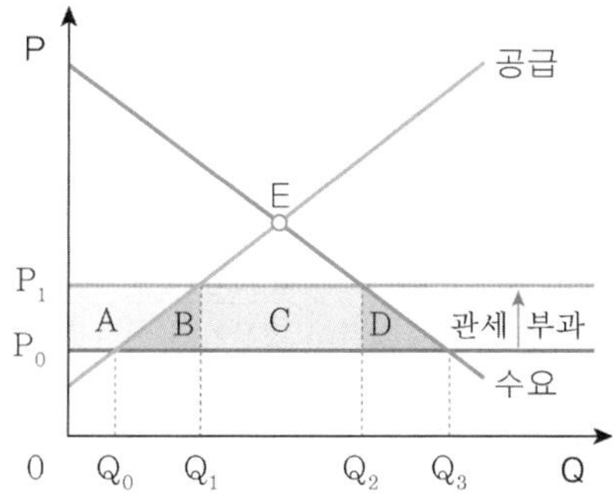 P, 공급, E, P_1, P_0, A, B, C, D, 관세 부과, 수요, 0, Q_0, Q_1, Q_2, Q_3, Q · P_0: 국제가격 · P_1: 관세 부과 후 국내가격 · Q_3-Q_0: 관세 부과 전 수입량 · Q_2-Q_1: 관세 부과 후 수입량 ① 관세 부과 후 줄어드는 소비자잉여: A+B+C+D ② 관세 부과 후 늘어나는 생산자잉여: A ③ 관세수입: C ④ 관세로 이한 후생손실: B+D ⑤ 위의 그래프를 통해 알 수 있는 관세의 효과 ㉠ ㉯ ________ 효과: 관세 부과로 국내 생산량이 증가하게 됨 ㉡ ㉰ ________ 효과: 관세를 부과하면 국내 수요량이 감소하게 됨 ㉢ 재정 수입의 증대: 수입량에 따른 관세 부과는 정부의 재정 수입을 늘려주게 됨 ㉣ 국제수지 개선 효과: 관세를 부과하면 국제수지가 개선되는 효과를 가져올 수 있음 ㉤ 소비자 후생 및 사회적 후생의 손실: 소비자잉여가 감소하고 사회 전체의 후생이 줄어듦

핵심키워드

㉮ 수입 할당량, ㉯ 생산 증가, ㉰ 소비 억제

<table>
<tr><td>경제적 효과
(대국모형)</td><td>
P, 공급, E, P*, P_1^L, A, B, C, P_0, t(관세), D, P_0^L, 수요, 0, Q_0, Q_1, Q^*, Q_2, Q_3, Q
· P_0: 관세 부과 전 국제가격
· P_0^L: 관세 부과 후 국제가격
· P_1^L: 관세 부과 후 국내가격
① 관세가 부과되면 국제가격이 하락(P_0^L)하여 교역조건은 개선됨
② 관세 부과 후 국내가격은 하락된 새로운 국제가격에 관세를 부과($P_0^L + t = P_1^L$)한 만큼 가격이 상승함
③ 대국의 경우는 소국에 비하여 국내가격이 작게 상승하여 작은 관세효과($P_1^L - P_0$)가 발생함
④ 국내생산 증가, 국내소비 감소, 국제수지 개선, 소비자잉여 감소, 생산자잉여 증가 등이 발생함
⑤ 재정수입 = b + d
⑥ 사회적 후생변화
ⓐ 소비자잉여 감소 + 생산자잉여 증가 + 관세수입 - 후생손실 = d - (a + c)
ⓑ 사회적 후생 변화분은 ㉮ ______ 일수도 ㉯ ______ 일 수도 있음
</td></tr>
<tr><td>종류</td><td>
(1) 반덤핑관세: 특정 국가의 상품이 정상가격 이하로 수입되는 덤핑 행위에 대하여 부과
(2) 상계관세: 수출국에서 직·간접적으로 생산 또는 수출에 대하여 장려금이나 보조금을 지급하였을 때 이를 상쇄하기 위해 부과하는 관세
(3) 보복관세: 상대국의 자국 상품에 대한 관세 부과에 대항하기 위해 부과하는 관세
(4) 긴급관세: 국내 산업의 보호를 위해 긴급한 조치가 필요하거나, 특정 상품의 수입을 제한하기 위해 부과하는 고율의 관세
</td></tr>
</table>

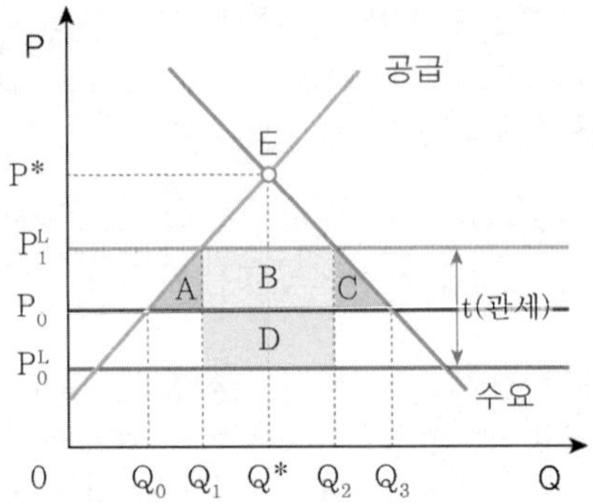

핵심키워드

㉮ 양, ㉯ 음

최적관세율	(1) 개념 관세 부과로 교역조건이 개선되면 관세 부과국의 사회후생이 증대될 수 있는데, 관세부과국의 사회후생이 극대가 되는 관세 (2) 공식 $t = \frac{1}{\epsilon^* - 1}$ (ϵ^**: 외국의 수입수요의 가격탄력성)
메츨러의 역설	(1) 개념 관세 부과로 수입품의 국내 상대가격이 관세 부과 전보다 ㉮ ________하는 현상 (2) 조건 ㉠ 상대국의 수입수요가 비탄력적(관세 부과로 수출품의 생산량 감소 시 수출품의 가격 대폭 상승) ㉡ 수입품에 대한 한계소비성향이 작을 때(관세 부과로 실질소득 증가에도 수입품의 가격 소폭 상승) 발생함
실효보호관세율	(1) 의미 관세 부과로 특정 산업이 보호받는 정도를 ㉯ ____________이라 함 (2) 공식 $q = \frac{\text{부과 후 부가가치} - \text{부과 전 부가가치}}{\text{부과 전 부가가치}}$

04 세계화와 지역화

세계화	(1) 개념: 세계를 무대로 사회 각 분야의 교류가 확대되고, 이에 따른 세계적 규범과 행위 기준이 정립되는 현상 ➜ 1990년대 이후 냉전의 종식과 함께 세계는 이념과 체제를 초월한 무한 경쟁시대로 진입하면서 전세계의 단일 시장화 추구가 가속화됨 (2) 배경 ① 이념 대립을 바탕으로 하던 냉전 체제의 붕괴 ② 교통과 통신 수단의 발달 ③ WTO의 출범과 다국적 기업의 활발한 경제 활동 증가 (3) 영향 ① 개인과 기업 및 국가 간의 경쟁 심화 ➜ 무한 경쟁시대의 도래 ② 세계적 차원에서의 경제적 효율성은 증대됨 ③ 선진국 및 선진국 기업에 유리한 환경 조성 ④ 기업이나 개인에 대한 정부의 보호 및 규제 제한 ⑤ 국제 분업의 이익 증대 ➜ 경제의 대외의존도 심화

핵심키워드

㉮ 하락, ㉯ 실효보호관세율

지역화

(1) 지역주의화(regionalization)

① 지역주의화(경제 블록화): 지리적으로 인접해 있으면서 경제적으로 상호 의존도가 높은 국가들이 공동의 이해 증진을 위해 경제 블록을 형성하는 것 ➜ 궁극적으로 회원국 간의 관세 인하나 무역 제한의 철폐 지향

② 지역적 경제 통합의 유형

통합유형	관세철폐	비가맹국 공동관세	생산요소 이동	경제정책 협조	통합기구
㉮ ______	○				NAFTA
㉯ ______	○	○			
㉰ ______	○	○	○		CACM
경제동맹	○	○	○	△	EU
경제완전 통합	○	○	○	○	

(2) 지역적 경제 통합

① 지역주의의 추세: 세계 경제 및 무역질서는 UR을 중심으로 한 다자간 자유무역질서를 향해 가고 있는 동시에 다른 한편으로는 지역주의 또는 배타적 협력강화의 방향으로 나아가고 있음

② 지역주의화 확산의 배경: 범세계적인 자유무역주의는 그 실현이 용이하지 않기 때문에 이해를 같이하는 소수 국가 간에 자유무역을 실천하는 것이 용이할 뿐 아니라 이는 다자간 자유무역질서의 구축에도 도움이 된다는 인식이 제고되고 있음 ➜ 이런 이유 때문에 지역주의(regionalism)는 앞으로도 더욱 활성화될 것이며 세계 경제의 다극화 현상(미국 경제의 쇠퇴, EU 및 일본의 성장, 아시아 신흥공업국의 부각 등)도 심화될 것임

핵심키워드

㉮ 자유무역지역, ㉯ 관세동맹, ㉰ 공동시장

STEP 1 기본문제

01 상중하

교역이 전혀 없던 두 국가 간에 완전한 자유무역이 개시된다고 하자. 다음 중 가장 옳은 것은? [서울시 7급 16]

① 어느 한 개인이라도 이전보다 후생수준이 낮아지는 일은 없다.
② 산업 간 무역보다는 산업 내 무역이 더 많이 생길 것이다.
③ 무역의 확대로 양국에서의 실업이 감소한다.
④ 수출재시장의 생산자잉여와 수입재시장의 소비자잉여가 모두 증가한다.

02 상중하

자유무역이 가져오게 될 현상으로 적절하지 않은 것은? [국가직 7급 11]

① 동질의 노동력에 대한 각국의 임금격차가 줄어든다.
② 국가 간 산업구조의 차이가 커진다.
③ 동일한 상품에 대한 국가 간의 가격균등화가 일어난다.
④ 수입대체산업이 활성화된다.

정답 및 해설

01 ④ 수출이 이루어지면 세계 전체적으로는 이익을 본다.

[오답체크]
① 수입국의 생산자는 손해를 본다.
② 알 수 없다.
③ 무역의 확대로 수입국에서는 생산이 감소할 것이므로 실업이 증가할 수 있다.

02 ④ ②④ 자유무역이 이루어지면 각국은 비교우위산업에 특화하기 때문에 국가 간 산업구조의 차이가 커지고 수입대체산업은 위축된다.

[오답체크]
①③ 헥셔-오린 정리에 따라 당연히 국가 간 동일 상품의 가격이 균등화되며 노동풍부국은 낮았던 임금이 높아지고 자본풍부국은 높았던 임금이 낮아져 각국의 임금격차가 줄어든다.

03 상중하

소국인 A국에서 X재의 국내 수요함수와 공급함수는 각각 $P = 12 - Q$, $P = Q$(P: 가격, Q: 수량)이며, 세계시장에서의 X재 가격은 4이다. A국이 X재 시장을 전면 개방한 직후 국내 수요함수와 공급함수에 변화가 없다면, 개방 후 A국의 후생변화는? (단, 후생은 소비자잉여와 생산자잉여의 합이다) [국가직 21]

① 4만큼 증가
② 6만큼 증가
③ 8만큼 증가
④ 10만큼 증가

04 상중하

소국인 A국은 쌀시장이 전면 개방되었으나 국내 생산자를 보호하기 위해 관세를 부과하기로 하였다. 관세 부과의 경제적 효과로 옳지 않은 것은? (단, 국내수요곡선은 우하향하고 국내공급곡선은 우상향하며, 부분균형 분석을 가정한다) [국가직 21]

① 국내소비량은 감소하며, 수요가 가격탄력적일수록 감소 효과가 커진다.
② 국내생산과 생산자잉여가 증가한다.
③ 사회후생의 손실이 발생한다.
④ 수입의 감소로 국제가격이 하락하므로 국내가격은 단위당 관세보다 더 적게 상승한다.

05 상중하

소규모 개방경제에서 국내 생산자들을 보호하기 위해 Y재의 수입에 대하여 관세를 부과할 때 다음 중 옳은 것을 모두 고르면? (단, Y재에 대한 국내 수요곡선은 우하향하고 국내 공급곡선은 우상향한다) [서울시 7급 14]

ㄱ. Y재의 국내생산이 감소한다.
ㄴ. 국내 소비자잉여가 감소한다.
ㄷ. 국내 생산자잉여가 증가한다.
ㄹ. Y재에 대한 수요와 공급의 가격탄력성이 낮을수록 관세 부과로 인한 경제적 손실(deadweight loss)이 커진다.

① ㄱ, ㄹ
② ㄴ, ㄷ
③ ㄴ, ㄷ, ㄹ
④ ㄱ, ㄴ, ㄷ
⑤ ㄱ, ㄷ, ㄹ

06 상중하 A국이 수출 물품에 단위당 일정액을 지급하는 보조금 정책이 교역조건에 미치는 효과에 대한 설명으로 옳은 것을 모두 고르면? (단, 다른 조건은 일정하다) [국가직 13]

> ㄱ. A국이 대국이면, 교역조건은 악화된다.
> ㄴ. A국이 소국이면, 교역조건은 개선된다.
> ㄷ. A국이 소국이면, 국내시장에서 수출품의 가격은 상승한다.

① ㄱ, ㄴ ② ㄴ, ㄷ
③ ㄱ, ㄷ ④ ㄱ, ㄴ, ㄷ

정답 및 해설

03 ① 1) 그래프

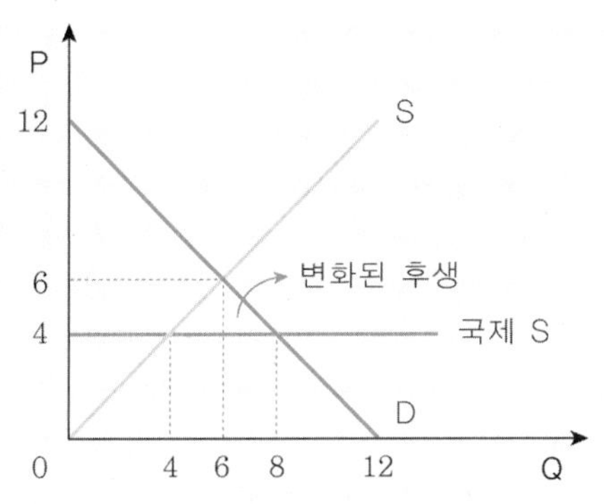

2) 변화된 후생은 $2 \times 4 \times \frac{1}{2} = 4$이다.

04 ④ 소국인 경우 국제가격에 영향을 주지 못한다.

05 ② ㄴ. 관세부과 후 시장가격이 상승하였으므로 국내 소비자잉여가 감소한다.
ㄷ. 국내생산이 증가하여 국내 생산자잉여가 증가한다.

[오답체크]
ㄱ. Y재의 관세로 인해 가격이 상승하므로 국내생산이 증가한다.
ㄹ. Y재에 대한 수요와 공급의 가격탄력성이 클수록 관세 부과로 인한 경제적 손실(deadweight loss)이 커진다. 조세와 동일하게 생각하면 된다.

06 ③ ㄱ. A국이 대국이면 수출보조금을 지급함에 따라 A국의 수출량이 증가하면 수출품의 국제가격이 하락하므로 수출보조금을 지급하면 교역조건이 악화된다.
ㄷ. A국이 수출보조금을 지급함에 따라 수출량이 증가하면 A국이 대국인지 소국인지에 관계없이 국내시장에서 수출품의 가격이 상승한다.

[오답체크]
ㄴ. A국이 소국이라면 수출보조금을 지급하더라도 수출품의 국제가격이 변하지 않으므로 교역조건도 변하지 않는다.

07 상중하

A국은 세계 철강시장에서 무역을 시작하였다. 무역 이전과 비교하여 무역 이후에 A국 철강시장에서 발생하는 현상으로 옳은 것을 모두 고른 것은? (단, 세계 철강시장에서 A국은 가격수용자이며 세계 철강가격은 무역 이전 A국의 국내가격보다 높다. 또한 무역 관련 거래비용은 없다) [노무사 18]

ㄱ. A국의 국내 철강가격은 세계가격보다 높아진다.
ㄴ. A국의 국내 철강 거래량은 감소한다.
ㄷ. 소비자잉여는 감소한다.
ㄹ. 생산자잉여는 증가한다.
ㅁ. 총잉여는 감소한다.

① ㄱ, ㄴ, ㄷ
② ㄱ, ㄴ, ㄹ
③ ㄱ, ㄷ, ㅁ
④ ㄴ, ㄷ, ㄹ
⑤ ㄷ, ㄹ, ㅁ

08 상중하

A국의 구리에 대한 국내 수요곡선은 $Q = 12 - 2P$이고, 국내 공급곡선은 $P = Q$이다. 구리의 국제시장가격이 5라면, A국 구리 생산업체들의 국내판매량과 수출량은? (단, Q는 수량, P는 가격을 나타내고, 이 나라는 소규모 개방경제라고 가정한다) [노무사 14]

① 국내판매량: 2, 수출량: 3
② 국내판매량: 3, 수출량: 2
③ 국내판매량: 3, 수출량: 3
④ 국내판매량: 4, 수출량: 0
⑤ 국내판매량: 4, 수출량: 1

09 상중하 한 나라의 쌀 시장에서 국내 생산자의 공급곡선은 $P=2Q$, 국내 소비자의 수요곡선은 $P=12-Q$이며, 국제시장의 쌀 공급곡선은 $P=4$이다. 만약 이 나라 정부가 수입쌀에 대해 50%의 관세를 부과한다면 정부의 관세수입 규모는? (단, 이 나라는 소규모 경제이며 Q는 생산량, P는 가격이다) [서울시 7급 18]

① 2 ② 3

③ 6 ④ 8

정답 및 해설

07 ④ 1) 세계 철강가격이 A국의 철강가격보다 높으므로 A국이 무역을 하게 되면 A국은 철강을 수출하게 되는데, A국은 가격수용자(소국)이므로 무역 이후 A국의 철강가격은 세계가격과 같아진다.

2) A국의 국내가격이 세계가격 수준으로 상승하면 A국의 소비자잉여는 감소하고, 생산자잉여는 증가하는데 생산자잉여가 더 크므로 총잉여는 증가한다.

3) 무역을 함에 따라 국내가격이 상승하면 국내거래량은 감소하게 된다.

08 ① 1) 국제시장가격 $P=5$를 국내수요곡선식에 대입하면 국내수요량이 2단위이고, $P=5$를 국내공급곡선식에 대입하면 공급량이 5단위이다.

2) 국제시장가격이 5로 주어져 있다면 A국의 구리 생산업체들은 5단위를 생산하여 국내에 2단위를 판매하고 3단위를 수출할 것이다.

09 ③ 1) 그래프

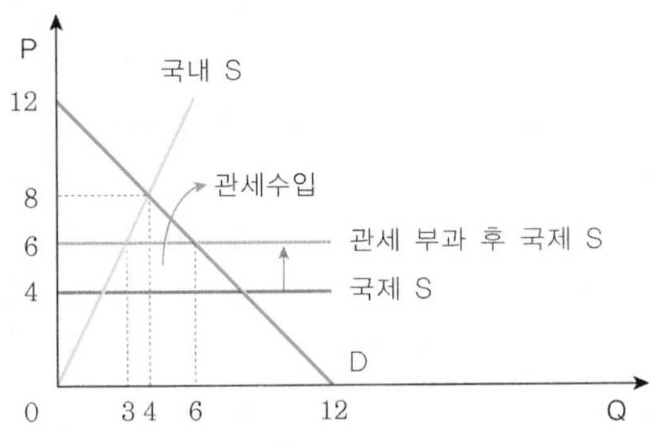

2) 국제가격이 4이므로 수입쌀에 대해 50%의 관세를 부과하면 국내에서 쌀가격이 6으로 상승한다.

3) $P=6$을 수요함수에 대입하면 국내수요량이 6이고, $P=6$을 공급곡선에 대입하면 국내공급량이 3이므로 관세부과 후의 수입량은 3이 된다.

4) 단위당 관세액이 2이고, 관세부과 후의 수입량이 3이므로 정부가 얻는 관세수입의 크기는 6임을 알 수 있다.

10 상중하

A국에서 어느 재화의 국내 수요곡선과 국내 공급곡선은 다음과 같다.

- 국내 수요곡선: $Q_d = 16 - P$
- 국내 공급곡선: $Q_s = -6 + P$

A국이 자유무역을 허용하여 이 재화가 세계시장가격 $P_w = 6$으로 거래되고 있다고 하자. 이 때, 단위당 2의 수입관세를 부과할 경우의 국내시장 변화에 대한 설명으로 옳지 않은 것은? (단, P는 이 재화의 가격이며, A국의 수입관세 부과는 세계시장가격에 영향을 미치지 못한다)

[국가직 7급 18]

① 소비자잉여는 18만큼 감소한다.
② 생산자잉여는 2만큼 증가한다.
③ 수요량은 4만큼 감소한다.
④ 사회후생은 4만큼 감소한다.

정답 및 해설

10 ③ 1) 그래프

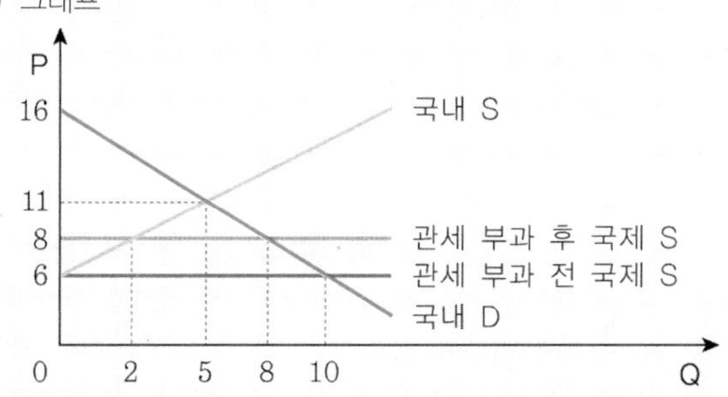

2) 주어진 세계시장가격을 수요곡선과 공급곡선식에 대입하면 수요량이 10단위이고, 공급량이 0이므로 자유무역이 이루어질 때 수입량은 10단위이다.

3) 단위당 2의 관세가 부과되면 국내가격이 8로 상승하게 된다. $P=8$을 수요곡선과 공급곡선식에 대입하면 수요량이 8이고, 공급량이 2이므로 단위당 2의 관세를 부과한 이후의 수입량은 6단위임을 알 수 있다.

4) 단위당 2의 관세를 부과함에 따라 가격이 2만큼 상승하면 소비자잉여는 $18(=\frac{1}{2}\times(10+8)\times 2)$만큼 감소하나 생산자잉여는 $2(=\frac{1}{2}\times 2\times 2)$만큼 증가하고, 정부는 $12(=2\times 6)$의 관세수입을 얻는다.

5) 관세 부과로 인한 후생손실의 크기는 4이다.

11
상중하

A국은 자동차 수입을 금하고 있다. 이 나라에서 자동차 한 대의 가격은 2억원이고 판매량은 40만대에 불과하다. 어느 날 새로 선출된 대통령이 자동차시장을 전격 개방하기로 결정했다. 개방 이후 자동차가격은 국제시세인 1억원으로 하락하였고, 국내 시장에서의 자동차 판매량도 60만대로 증가하였다. 이에 대한 설명으로 가장 옳은 것은? (단, 수요곡선과 공급곡선은 직선이며, 공급곡선은 원점을 지난다) [서울시 7급 17]

① 국내 소비자잉여 증가분은 국내 생산자잉여 감소분의 2배 이상이다.
② 국내 사회적잉여 증가분은 국내 생산자잉여 감소분보다 크다.
③ 국내 소비자잉여는 예전보다 2배 이상 증가하였다.
④ 국내 사회적잉여 증가분은 국내 소비자잉여 증가분의 절반 이상이다.

정답 및 해설

11 ③ 1) 그래프

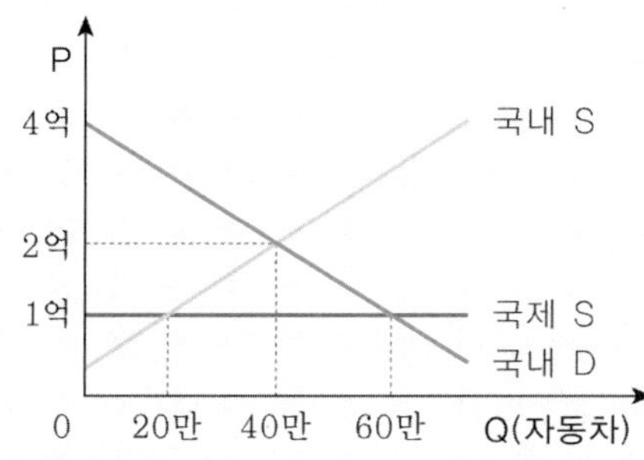

2) 수입이 금지되고 있을 때는 자동차 가격이 국내수요와 국내공급에 의해 결정되는데 가격이 2억원, 거래량은 40만대이다. 자동차시장이 개방되어 자동차가격이 1억원으로 하락한 이후에는 소비량이 60만대이다.

3) 공급곡선이 원점을 통과하는 우상향의 직선이면 공급곡선상의 모든 점에서 공급의 가격탄력성이 1억원이므로 수입자유화에 따라 자동차가격이 50% 하락하면 국내의 자동차 공급량도 50% 감소한다. 그러므로 수입자유화 이후 국내자동차 공급량은 20만대임을 알 수 있다.

4) 수입자유화 이후 국내 자동차 공급량이 20만대이고 국내소비량이 60만대이므로 수입량은 40만대이다.

5) 수입자유화로 인한 생산자잉여 감소분은 $30(=\frac{1}{2}\times(40+20)\times1)$이다.

6) 소비자잉여 증가분은 $50(=\frac{1}{2}\times(40+60)\times1)$이다.

7) 사회전체의 총잉여 증가분은 $20(=\frac{1}{2}\times40\times1)$이다.

8) 자동차 시장 개방 전에는 소비자잉여가 $40(=\frac{1}{2}\times40\times2)$이었으나 자동차 시장 개방으로 소비자잉여가 50만큼 증가하였으므로 국내 소비자잉여는 시장개방 이전보다 2배 이상 증가함을 알 수 있다.

[오답체크]

① 국내 소비자잉여 증가분은 50이고 국내 생산자잉여 감소분은 30이므로 2배가 되지 않는다.

② 국내 사회적잉여 증가분은 20이고 국내 생산자잉여 감소분은 30이므로 생산자잉여 감소분이 더 크다.

④ 국내 사회적잉여 증가분은 20이고 국내 소비자잉여 증가분은 50이므로 절반이 되지 못한다.

12 상중하

어느 소국개방경제가 특정 재화의 수입에 대해 단위당 일정액의 세금을 부과하였을 때 그 효과에 대한 분석으로 옳지 않은 것은? (단, 이 재화의 국내 수요곡선은 우하향하고 국내 공급곡선은 우상향한다) [국가직 7급 12]

① 국내시장가격은 국제가격보다 관세액과 동일한 금액만큼 상승한다.
② 사회적 순후생손실(net welfare loss)은 국내 소비량의 감소나 생산량의 증가와 무관하다.
③ 생산자잉여는 증가하고 소비자잉여는 감소한다.
④ 총잉여는 관세부과 이전보다 감소한다.

13 상중하

국제시장가격에 영향을 미치지 못하는 소국 A가 재화 B에 대해 무역정책을 고려하고 있다. 무역정책에는 수입가격의 일정 비율을 관세로 부과하는 수입관세정책과 수입량을 제한하는 수입쿼터정책이 있다. 수입재 시장만을 고려한 부분균형분석에 기초해 볼 때 위 두 정책이 갖는 효과의 공통점은? [지방직 7급 14]

① 국내의 허가된 수입업자가 국제가격과 국내가격의 차액만큼 이익을 본다.
② 국내 생산자의 잉여를 증가시킨다.
③ 정부의 관세 수입이 늘어난다.
④ 재화 B의 공급에서 국내생산이 차지하는 비중이 줄어든다.

14 상중하 자유무역을 하는 소규모 경제의 A국이 X재 수입품에 관세를 부과했다. 관세부과 이후의 균형에 대한 설명으로 옳은 것만을 모두 고르면? (단, 관세부과 이후에도 수입은 계속된다. 또한 A국의 X재에 대한 수요곡선과 공급곡선에는 각각 수요의 법칙과 공급의 법칙이 적용된다)

[지방직 7급 18]

ㄱ. A국의 생산량은 증가하고 정부의 관세수입이 발생한다.
ㄴ. A국의 생산자 잉여는 감소하고, 소비자 잉여는 증가한다.
ㄷ. A국에서 경제적 순손실(Deadweight loss)이 발생한다.

① ㄱ, ㄴ
② ㄱ, ㄷ
③ ㄴ, ㄷ
④ ㄱ, ㄴ, ㄷ

정답 및 해설

12 ② ②④ 소국개방경제는 교역조건에 영향을 줄 수 없으므로 관세부과의 교역조건개선 효과는 없고, 무역량 감소(국내 소비량 감소, 국내 생산량 증가)로 인한 후생손실효과만 존재한다.

[오답체크]

① 소국개방경제가 관세를 부과하면 수입품의 국제가격에 영향을 줄 수 없으므로 교역조건은 불변이다. 따라서 국내가격은 국제가격에 관세를 부과한 만큼 상승한다.

③ 소국개방경제가 관세를 부과하면 국내 생산량이 증가하여 생산자잉여는 증가하고, 국내 소비량이 감소하여 소비자잉여는 감소한다.

13 ② 관세가 부과되거나 쿼터가 설정되어 B재의 수입량이 감소하면 B재의 국내가격이 상승한다. B재의 가격이 상승하면 국내 생산량이 증가하므로 B재의 공급에서 국내생산이 차지하는 비중이 증가한다. 따라서 생산자잉여를 증가시킨다.

14 ② ㄱ. 관세를 부과하더라도 수입이 계속되므로 A국의 생산량은 증가하고 정부의 관세수입이 발생한다.
ㄷ. 관세를 부과하면 정부는 관세수입을 얻게 되나 자원배분의 왜곡이 발생하므로 사중적 손실이 발생한다.

[오답체크]

ㄴ. 관세부과 후 A국의 생산자 잉여는 증가하고, 소비자잉여는 감소한다.

15 상중하

A국과 B국은 상호 무역에 대해 각각 관세와 무관세로 대응할 수 있다. 다음은 양국이 동시에 전략을 선택할 경우의 보수행렬이다. 이에 관한 설명으로 옳지 않은 것은? (단, 본 게임은 1회만 행해지고 괄호 안의 왼쪽 값은 A국의 보수, 오른쪽 값은 B국의 보수를 나타낸다)

[노무사 19]

(단위: 억원)

구분		B국	
		무관세	관세
A국	무관세	(300, 250)	(400, 100)
	관세	(150, 300)	(200, 200)

① A국의 우월전략은 관세이다.
② B국의 우월전략은 무관세이다.
③ 내쉬균형의 보수조합은 (300, 250)이다.
④ 내쉬균형은 파레토 효율적(Pareto efficient)이다.
⑤ 우월전략균형이 내쉬균형이다.

16 상중하

자유무역 시 A국의 국내 생산자는 80달러의 수입 원모를 투입하여 생산한 옷을 국내시장에서 한 벌 당 100달러에 판매하고 있다. 만약 A국이 수입 옷 한 벌 당 10%의 명목관세를 부과하는 정책으로 전환한다면, A국의 국내시장 옷 가격은 100달러에서 110달러로 상승하여 A국 국내 생산자의 옷 한 벌 당 부가가치는 20달러에서 30달러로 증가한다. 이 때 A국 국내 생산자의 부가가치 변화율로 바라본 실효보호관세율(effective rate of protection)은?

[지방직 7급 16]

① 40%
② 50%
③ 60%
④ 70%

정답 및 해설

15 ① 1) A국은 B국이 무관세인 경우 무관세를 선택하면 300, 관세를 선택하면 150이므로 무관세를 선택한다.

2) A국은 B국이 관세인 경우 무관세를 선택하면 400, 관세를 선택하면 200이므로 무관세를 선택한다.

3) 따라서 A국은 무관세를 선택한다.

4) B국은 A국이 무관세인 경우 무관세를 선택하면 250, 관세를 선택하면 100이므로 무관세를 선택한다.

5) B국은 A국이 관세인 경우 무관세를 선택하면 300, 관세를 선택하면 200이므로 무관세를 선택한다.

6) 따라서 B국은 무관세를 선택한다. 이에 따라 둘 다 무관세를 선택할 것이다.

16 ② 1) $\text{실효보호관세율} = \frac{\text{관세부과 후 부가가치} - \text{관세부과 전 부가가치}}{\text{관세부과 전 부가가치}} \times 100$이다.

2) 자유무역이 이루어질 때 국내생산자는 80달러에 원모를 수입하여 옷을 생산한 후 100달러에 판매하므로 부가가치가 20달러이다.

3) 정부가 옷 수입에 대해 10%의 관세를 부과함에 따라 옷을 110달러에 판매할 수 있게 되게 되면 부가가치가 30달러로 증가한다.

4) 따라서 실효보호관세율은 $50\%(=\frac{30-20}{20} \times 100)$이다.

국제무역론

제12장

해커스 서호성 객관식 경제학

STEP 2 심화문제

17 상중하

소규모 폐쇄경제인 A국가의 X재에 대한 수요곡선과 공급곡선은 다음과 같고, 국제가격이 400이다. A국가가 경제를 개방할 때 발생하는 현상 중 옳은 것은? [국회직 8급 13]

> $Q_X^D = 500 - P_X$
> $Q_X^S = -100 + P_X$
> (Q_X^D: X재의 수요량, Q_X^S: X재의 국내 공급량, P_X: X재의 가격)

① A국가는 X재를 수입하게 된다.
② 소비자잉여는 10,000이 된다.
③ X재의 국내 거래량은 증가한다.
④ X재의 공급량은 감소한다.
⑤ 사회적 총잉여는 개방 전보다 10,000만큼 증가한다.

18 상중하

K국에서 농산물의 국내 수요곡선은 $Q_D = 100 - P$, 국내 공급곡선은 $Q_S = P$이고, 농산물의 국제가격은 20이다. 만약 K국 정부가 국내 생산자를 보호하기 위해 단위당 10의 관세를 부과한다면, 국내 생산자잉여의 변화량과 사회적 후생손실은? [국회직 8급 17]

	국내 생산자잉여 변화량	사회적 후생손실
①	250 증가	500
②	250 증가	100
③	250 감소	500
④	250 감소	100
⑤	450 증가	100

정답 및 해설

17 ⑤

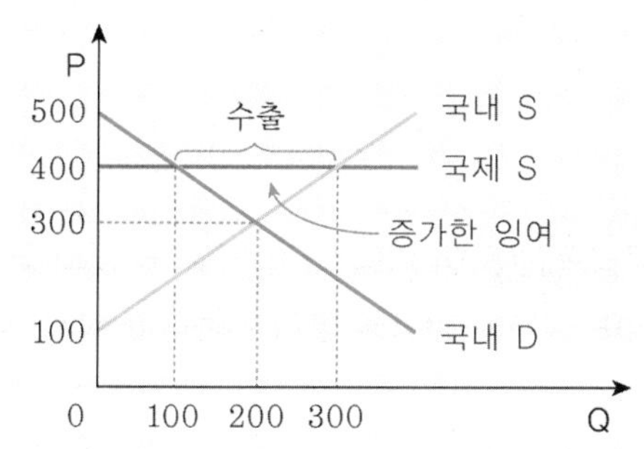

증가한 잉여: $100 \times 200 \times \frac{1}{2} = 10,000$

[오답체크]

① 국제가격에서 수요량이 100, 공급량이 300이므로 수출국이다.

② 소비자잉여는 $(500 - 400) \times \frac{100}{2} = 5,000$이다.

③ 수출국이므로 국내 거래량은 감소한다.

④ 수출량까지 포함하면 공급량은 증가한다.

18 ② 1) 그래프

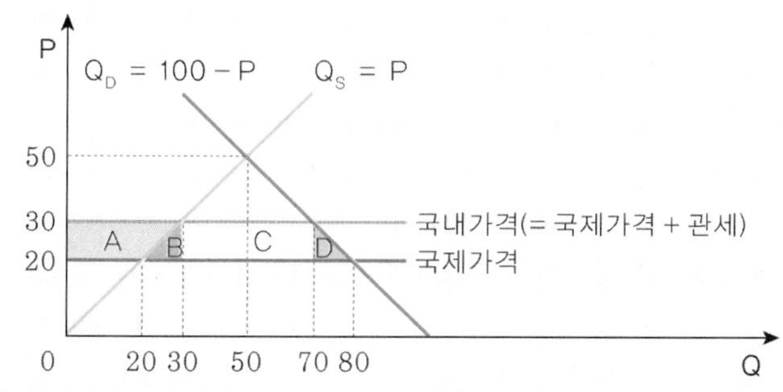

2) 생산자잉여 변화량은 A이므로 $0.5 \times (20 + 30) \times 10 = 250$ 증가하였다.

3) 후생손실은 B + D만큼 감소하므로 $0.5 \times 10 \times 10 + 0.5 \times 10 \times 10 = 100$이다.

STEP 3 실전문제

19 상중하

수입관세 부과의 효과에 대한 부분균형 분석을 고려해 보자. 소국의 수입관세 부과는 X재의 국제가격에 영향을 주지 않으나, 대국의 수입관세부과는 X재의 국제가격을 하락시킨다. 수입관세 부과의 효과에 대한 다음 설명 중 옳지 않은 것은? [회계사 18]

① 소국의 수입관세 부과는 소국의 소비자잉여를 감소시킨다.
② 소국의 수입관세 부과는 소국의 생산자잉여를 증가시킨다.
③ 소국의 수입관세 부과는 소국의 사회후생을 감소시킨다.
④ 대국의 수입관세 부과가 대국의 사회후생에 미치는 효과는 일률적이지 않다.
⑤ 대국의 수입관세 부과는 대국의 교역조건을 악화시킨다.

20 상중하

A국 밀 시장의 국내 수요곡선(D)과 국내 공급곡선(S)이 다음 그림과 같다. 밀의 국제시장가격은 단위당 50이고 A국의 국제 밀 시장 참여 여부에 영향을 받지 않는다고 하자. 다음 설명 중 가장 옳지 않은 것은? [회계사 14]

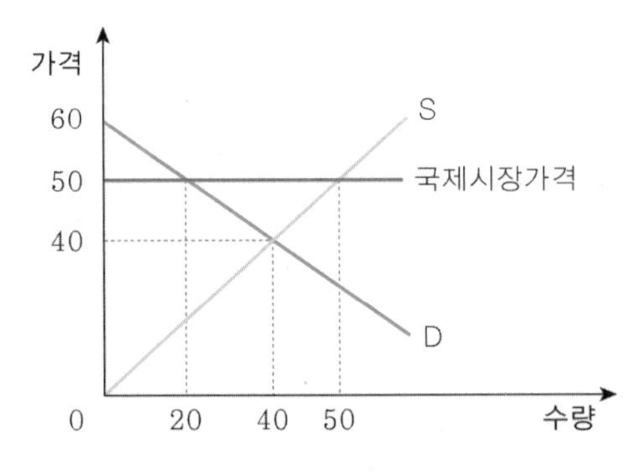

① 밀의 수출입이 금지되면 A국의 밀 생산량은 40이다.
② 밀의 자유무역이 허용되면 A국은 밀을 10단위 수출한다.
③ 밀의 자유무역이 허용되면 A국의 국내 밀 가격은 상승한다.
④ 밀의 자유무역이 허용되면 A국의 국내 소비자잉여는 감소한다.
⑤ 밀의 자유무역이 허용되면 A국의 총잉여(소비자잉여와 생산자잉여의 합)는 150만큼 증가한다.

정답 및 해설

19 ⑤ 대국의 수입관세 부과는 대국의 재화수요를 감소시켜 수입가격을 낮춘다. 이로 인해 대국의 교역조건을 호전시킨다.

20 ② 1) A국의 참여가 국제가격에 영향을 미치지 못하므로 소국이다.
2) 밀의 자유무역이 허용되면 A국은 밀을 30단위 수출한다.

21 대국 개방 경제인 A국의 X재에 대한 시장수요와 시장공급이 다음과 같다.
상중하

• 시장수요: $Q_d = 100 - 20P$
• 시장공급: $Q_s = 20 + 20P$
(단, Q_d, Q_s, P는 각각 X재의 수요량, 공급량, 가격을 나타낸다)

X재의 세계 시장가격은 3이고, A국은 세계 시장가격에 X재를 수출하고 있다. 정부는 수출을 증진하기 위해 수출하는 물량을 대상으로 개당 1의 보조금 정책을 도입한다. 이 정책으로 인해 수출량이 늘어남에 따라 세계 시장가격이 2.5로 하락한다면, 다음 설명 중 옳은 것은?

[회계사 20]

① 수출은 30만큼 증가한다.
② 국내 소비는 20만큼 감소한다.
③ 보조금은 40만큼 지출된다.
④ 생산자잉여는 80만큼 증가한다.
⑤ 사회적 후생은 35만큼 감소한다.

정답 및 해설

21 ⑤ 1) 보조금 지급 전의 가격은 3이므로 수요량이 40이고 공급량은 80이므로 40의 수출이 발생한다.

2) 보조금 지급 후에 시장가격이 하락한 상태에서 보조금이 지급되므로 보조금 지급 후 최종가격은 3.5이다. 이 때 수요량은 30이고 공급량은 90이므로 60이 수출된다.

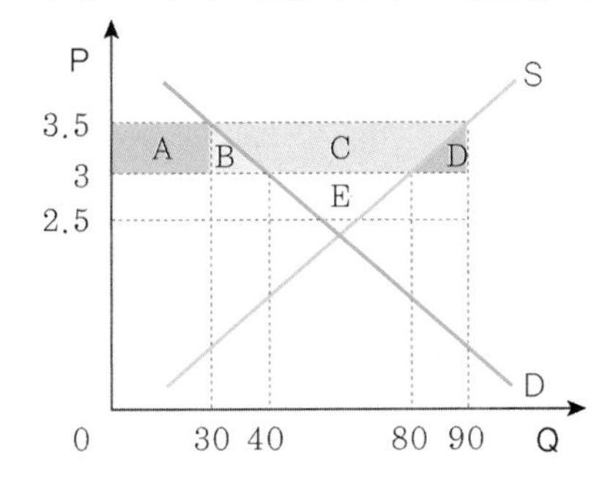

3) 지문분석

⑤ 소비자잉여의 변화분 = −(A + B)

생산자잉여의 변화분 = A + B + C

수출보조금 지급액 = −(B + C + D + E) ➜ 사회후생의 변화분 = −(B + D + E)

B = $\frac{1}{2} \times 0.5 \times 10 = 2.5$, D = $\frac{1}{2} \times 0.5 \times 10 = 2.5$, E = $0.5 \times 60 = 30$이므로 후생손실은 35이다. 따라서 사회적 후생은 35만큼 감소한다.

[오답체크]

① 수출은 20만큼 증가한다.

② 국내 소비는 10만큼 감소한다.

③ 보조금(B + C + D + E)은 $1 \times 60 = 60$만큼 지출된다.

④ 생산자잉여(A + B + C)는 $(90 + 80) \times 0.5 \times \frac{1}{2} = 42.5$만큼 증가한다.

22 상중하

X재를 교역하는 수입국과 수출국에 관한 다음 설명 중 옳은 것만을 모두 고르면? (단, 수요곡선은 우하향하고 공급곡선은 우상향한다) [회계사 21]

가. 교역 이후 수출국의 X재 가격은 상승하나 수입국의 X재 가격은 하락한다. 나. 대국인 수입국이 수입관세를 부과할 경우 수입국의 후생 변화는 불분명하다. 다. 소국인 수입국이 수입관세를 부과할 경우 수입국에서 소비자는 손실을 보고 생산자는 이득을 얻는다. 라. 수출국이 수출보조금을 도입하는 경우 수출국의 후생은 증가한다.

① 가, 나
② 나, 다
③ 다, 라
④ 가, 나, 다
⑤ 가, 다, 라

정답 및 해설

22 ④ **[오답체크]**

1) 라. 수출국이 수출보조금을 도입하는 경우 수출국의 후생은 감소한다.

2) 수출보조금 - 소국

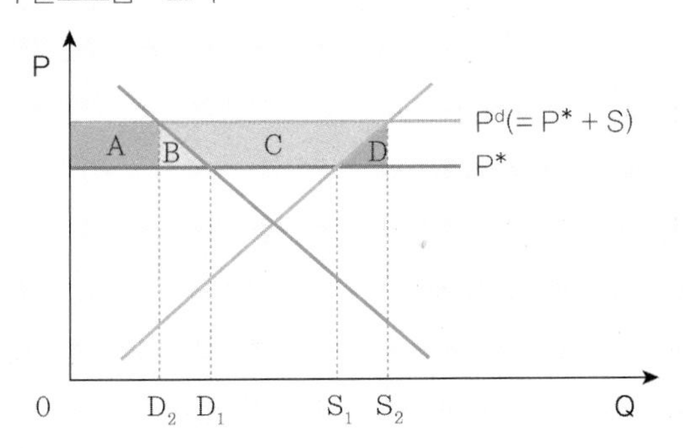

생산자 잉여: A + B + C

소비자 잉여: − A − B

수출보조금: − B − C − D

후생손실: − B − D

3) 수출보조금 - 대국

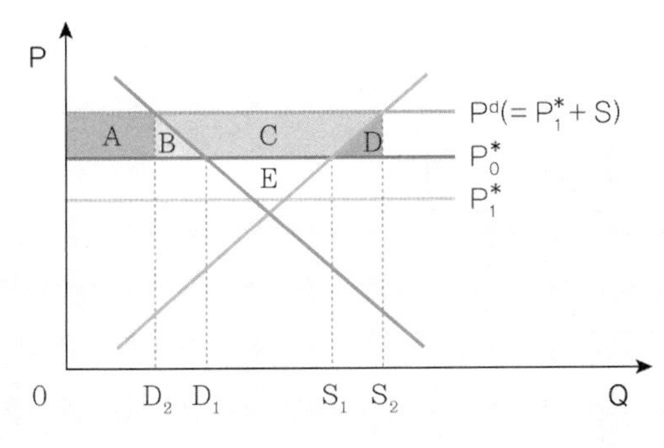

생산자 잉여: A + B + C

소비자 잉여: − A − B

수출보조금: − B − C − D − E

후생손실: − B − D − E

23 상중하 아래 그림은 대국이 X재에 수입관세를 부과할 때 나타나는 경제적 효과를 보여준다. S는 X재에 대한 대국의 공급곡선을, D는 수요곡선을 나타낸다. 수입관세 부과는 X재의 세계시장가격을 P_W에서 P_T^*로 하락시키고 X재의 국내가격을 P_T로 상승시킨다. 수입관세 부과의 경제적 효과에 대한 다음 설명 중 옳지 않은 것은? [회계사 22]

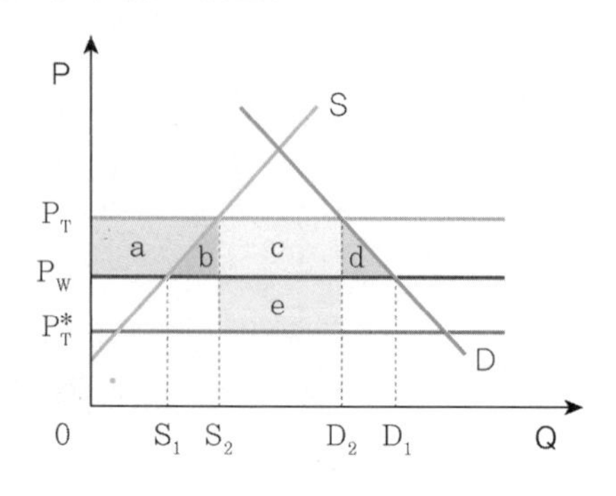

① 소비자잉여의 감소는 $a+b+c+d$이다.
② 대국의 사회적 후생 증가 조건은 $c>b+d$이다.
③ c는 국내 소비자에게 전가되는 관세 부담이다.
④ e는 관세의 교역조건 효과이다.
⑤ 생산자잉여의 증가는 a이다.

24 상중하 그림은 어느 대국 개방 경제에서 수입 재화에 대한 관세 부과로 인한 효과를 나타낸다. 관세 부과는 자국 내 가격을 P_W에서 P_T로 상승시키지만 세계시장가격을 P_W에서 P_T^*로 하락시킨다. 이에 대한 설명으로 옳은 것은? [회계사 20]

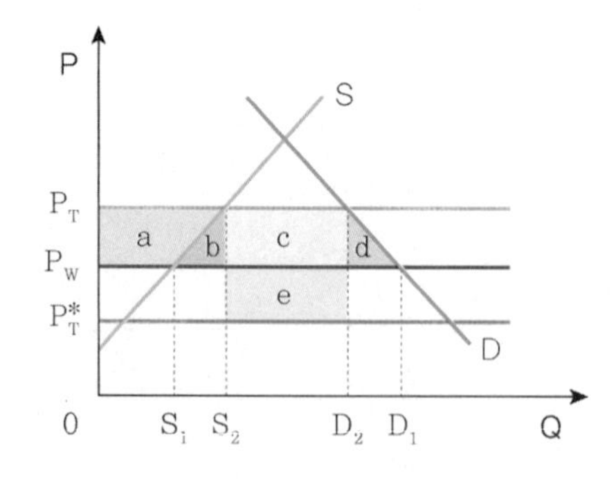

① 관세 부과 후 수입량은 D_1-S_1이다.
② 관세 부과로 인해 소비자 잉여는 a + c만큼 감소한다.
③ 관세 부과로 인해 생산자 잉여는 a + b + c + d만큼 증가한다.
④ 관세 부과로 인한 생산의 비효율성은 b로 표시된다.
⑤ b + d의 크기가 e보다 크면 관세 부과로 인해 사회적 후생은 증가한다.

정답 및 해설

23 ②

	생산자잉여 변동: a
−	소비자잉여 변동: a + b + c + d
+	관세수입: c + e
	사회후생 변화: e − (b + d)

B: 생산왜곡손실
D: 소비왜곡손실
E: 교역조건*개선으로 인한 이득

* 교역조건: 한 단위 수출하여 얻은 금액으로 수입할 수 있는 양

$$\text{교역조건} = \frac{\text{수출재의 가격}}{\text{수입재의 가격}}$$

24 ④ 관세 부과로 인하여 국내가격이 P_W에서 P_T로 상승하면 국내생산량이 최적수준인 S_1보다 더 많은 S_2로 증가하므로 b만큼의 후생손실이 발생하고, 국내소비량이 최적수준인 D_1보다 적은 D_2로 감소하므로 d만큼의 후생손실이 발생한다. 즉, b는 관세 부과에 따른 생산의 비효율성, d는 관세부과에 따른 소비의 비효율성을 나타낸다.

[오답체크]
① 관세 부과 후 수입량은 $D_2 - S_2$이다.
② 관세 부과로 인해 소비자 잉여는 a + b + c + d만큼 감소한다.
③ 관세 부과로 인해 생산자 잉여는 a만큼 증가한다.
⑤ 정부의 관세수입은 c + e이므로 위의 소비자잉여와 생산자잉여의 감소분을 더하면 총잉여의 변화분은 e − (b + d)이다. 따라서 b + d의 크기가 e보다 크면 관세 부과로 인해 사회적 후생은 감소한다.

25 상중하

소국 개방 경제인 A국 정부는 자국 산업을 보호하기 위해 X재와 Y재에 각각 40%와 50%의 종가관세를 부과한다. X재의 세계 시장가격은 150이고 X재의 생산에 투입되는 유일한 부품인 Y재의 세계시장가격은 100이다. 관세가 국내 산업을 얼마나 보호하는지 파악하기 위해 관세 부과에 따른 부가가치의 상승 정도를 나타내는 실효보호율에 관심 있다면, A국이 X재에 대해 부과한 관세의 실효보호율은? [회계사 20]

① 10% ② 20% ③ 30%
④ 40% ⑤ 50%

26 상중하

소국인 A국은 X재 생산에 사용되는 유일한 원자재인 Y재를 수입한다. A국은 수입되는 X재에 명목관세 10%를 부과하지만, Y재에는 관세를 부과하지 않는다. X재와 Y재의 세계 시장가격은 각각 100, 80이다. X재에 대한 실효보호관세율(effective rate of protection)은? [회계사 22]

① 10.0% ② 12.5% ③ 20.0%
④ 50.0% ⑤ 52.5%

정답 및 해설

25 ② 1) 최종재인 X재의 가격이 150, 중간재인 Y재의 가격이 100이므로 중간재 투입계수 $\alpha = \frac{2}{3}$이다.

2) 실효보호관세율 $q = \frac{T - \alpha t}{1 - \alpha}$이다. 최종재인 X재에 대한 관세율 $T = 0.4$, 중간재인 Y재에 대한 관세율 $t = 0.5$이므로 실효보호 관세율 $= q = \frac{0.4 - (\frac{2}{3} \times 0.5)}{1 - \frac{2}{3}} = 0.2$이다.

3) 즉, 관세가 부과되지 않을 때 중간재를 100의 가격으로 수입하여 최종재를 생산한 후 150의 가격으로 판매하므로 부가가치가 50이다.

4) 관세 부과 후 중간재에 50% 관세를 부과하였으므로 중간재의 가격 150이고 관세 부과 후 가격이 210이므로 부가가치가 60이 되어 부가가치 증가율이 20%이다.

26 ④ 1) 실효보호관세율은 관세의 부가가치 보호정도를 나타내는 지표이다.

2) 실효보호관세율 $= \frac{\text{관세 부과 후 부가가치} - \text{자유무역 시 부가가치}}{\text{자유무역 시 부가가치}}$

3) $\frac{\{100 \times (1 + 0.1) - 80\} - (100 - 80)}{100 - 80} \times 100 = 50\%$

제13장
국제금융론

Topic 25 환율
Topic 26 국제수지

Topic 25

환율

01 환율의 의미와 결정

의미	자국 화폐와 외국 화폐의 교환 비율
환율 표시법	우리나라는 자국 화폐 표시 환율 채택 ➜ 환율은 외국 화폐의 가격 예 1달러 = 1,000원 or 원/달러 = 1,000원
환율의 종류	(1) ㉮ ________ ① 의미: 자국화폐와 외국화폐의 교환비율을 의미함 ② 1달러 = 1,000원로 표기 (2) ㉯ ________ ① 의미: 한 나라의 재화와 서비스가 다른 나라의 재화와 서비스가 교환되는 비율로 두 나라의 물가를 고려한 환율을 말함 ② $\epsilon = \frac{e \times P_f}{P}$ (e: 명목환율, P_f: 외국물가, P: 국내물가)
환율 변동	(1) 원/달러 환율 상승(㉰ ________): 달러화에 대해 원화의 가치가 떨어짐 (2) 원/달러 환율 인하(㉱ ________): 달러화에 대해 원화의 가치가 높아짐
외화 수요	외화가 해외로 ㉲ ________되는 것 예 수입, 해외투자, 해외여행, 외채상환, 해외 송금 등
외화 공급	외화가 국내로 ㉳ ________되는 것 예 수출, 외국인의 국내투자와 국내관광, 차관도입 해외친지의 국내 송금 등
환율 결정	외환시장에서 외화의 수요와 공급이 일치하는 수준에서 결정

02 환율제도

구분	고정환율제도	변동환율제도
개념	한 나라의 환율을 정부가 결정, 운영하는 제도	외환시장에서 외화의 수요와 공급에 의해 결정되는 제도
장점	환율 운영이 안정적 ➜ 수출입의 안정적 유지 ➜ 국민 경제 안정	국제수지 불균형을 자동적으로 해결 ➜ 불균형 해소를 위한 정부 개입 불필요
단점	(1) 불균형 해소를 위한 정부 개입 필요 (2) 무역 분쟁 초래	(1) 환율의 변동이 수시로 발생 ➜ 수출입 불안정 (2) 환투기 초래

핵심키워드

㉮ 명목환율, ㉯ 실질환율, ㉰ 평가절하, ㉱ 평가절상, ㉲ 유출, ㉳ 유입

03 환율 변동의 영향

구분	환율 하락(평가절상)	환율 상승(평가절하)
수출	수출품 외화표시 가격 상승 ➜ ㉮ ______에 부정적 영향 증가	수출품 외화표시 가격 하락 ➜ 수출에 긍정적 영향 증가
수입	수입품 원화표시 가격 하락, ➜ ㉯ ______에 긍정적 영향 증가	수입품 원화표시 가격 상승 ➜ 수입에 부정적 영향 증가
국제수지	악화	개선
국내 물가	수입 원자재가격 안정, 물가 안정	수입 원자재가격 상승, 물가 상승
서비스 분야	해외 관광 증가, 해외 유학 증가, 외국인 국내 관광 감소	해외 관광 감소, 해외 유학 감소, 외국인 국내 관광 증가
외국자본 도입 기업	원화 환산 외채 감소, 외채 상환부담 감소	원화 환산 외채 증가, 외채 상환부담 증가

04 구매력평가설과 이자율평가설

구매력평가설 (㉰ ______ 초점)

(1) 개념

① 재화와 서비스의 거래. 즉, 경상거래가 환율결정에 가장 중요한 역할을 한다고 본다는 입장

② "국제적 ㉱ ______의 법칙"에 이론적 바탕을 두고 만약 국제무역에 있어서 수송비나 거래수수료, 정보획득비용, 보호무역장벽 등 일체의 거래비용이 없다고 가정하면, 통화 1단위의 실질가치가 모든 나라에서 동일하도록 환율이 결정된다고 봄

③ 환율은 양국 통화의 구매력이 같아지는 수준에서 환율이 결정되며, 양국의 ㉲ ______에 차이가 생기면 구매력에 차이가 생기므로 환율이 변한다는 이론

(2) 빅맥지수(빅맥환율)와 화폐가치의 평가

예를 들어, 2010년 6월 30일 빅맥 1개의 가격이 한국에서는 3,000원, 미국에서는 3달러라면, 3달러와 3,000원의 구매력은 같음. 따라서 절대적 구매력평가이론에 따른 환율은 1달러당 1,000원(= 3,000 / 3달러)임. 구매력 평가환율은 현재 시장환율이 원화의 가치를 적절하게 하고 있는지를 판단하는 기준으로서 이용될 수 있음. 만약 현재 실제통용환율은 1,500원이라면, 우리나라 원화가치가 구매력평가환율보다 약 34% 저평가 되어 있음을 보여주고 있음

(3) 환율의 변화: 상대적 구매력평가설

$$\frac{\Delta e}{e}(\text{환율상승률}) = \frac{\Delta P}{P}(\text{자국의 물가상승률}) - \frac{\Delta P_f}{P_f}(\text{외국의 물가상승률})$$

(4) 문제점과 평가

① 문제점: 생산하는 상품이 동질적일 수 없으므로 일물일가의 법칙이 성립하지 않으며 수많은 비교역재가 존재함

② 평가: 단기적인 환율의 움직임은 잘 나타내지 못하고 있으나 ㉳ ______인 환율의 변화추세에는 잘 반영하는 것으로 평가되고, 거래비용이 낮은 선진국들 사이에서는 구매력평가설이 잘 적용되는 것으로 나타남

핵심키워드

㉮ 수출, ㉯ 수입, ㉰ 경상수지, ㉱ 일물일가, ㉲ 물가상승률, ㉳ 장기적

이자율평가설 (㉮ ________ 초점)	(1) 개념: 이자율이 높은 곳으로 외화가 이동하여 환율을 변화시킨다는 것 (2) 가정 ① 국가 간 자본이동이 완전하므로 양국에서의 투자수익률이 동일함 ② 거래비용이 존재하지 않음 (3) 균형 ① 양국에서의 ㉯ ________이 동일해질 때까지 자본이 이동함 ② $\frac{\Delta e}{e}$(환율상승률) $= r$(국내이자율) $- r_f$(외국이자율) (4) 평가 ① 자본통제와 같은 제도적 제약이 존재하거나 거래비용으로 인하여 국가 간 자본이동성이 완전하지 못하면 이자율평가설이 성립하지 않음 ② 이자율평가설의 현실성 부합성 여부는 두 나라 간 자본이동이 얼마나 자유로운지, 금융자산이 얼마나 동질적인지에 따라 결정됨
환율제도 변화	금본위제도 ➜ 브레턴우즈(㉰ ________) ➜ 킹스턴체제(㉱ ________) ➜ 플라자합의(독일, 일본 화폐가치 ㉲ ________, 미국 화폐가치 ㉳ ________)

핵심키워드

㉮ 자본수지, ㉯ 투자수익률, ㉰ 고정환율제도, ㉱ 변동환율제도, ㉲ 절상, ㉳ 절하

STEP 1 기본문제

01 상중하

A국은 교역의존도가 높은 경제로 변동환율제도를 채택하고 있다. 다른 조건이 일정할 때 A국 통화의 가치를 단기적으로 상승시키는 사건은? (단, 모든 사건은 외생적으로 발생하였다고 가정한다) [국가직 21]

① 국내 물가의 상승
② 수입품에 대한 국내 수요 감소
③ 해외 경기의 침체
④ 외국인 주식투자액 한도의 축소

정답 및 해설

01 ② 1) 통화가치의 상승은 A국 통화/외국 통화 환율이 낮아짐을 의미한다.
2) 환율이 낮아지기 위해서는 외화의 수요가 감소하거나 공급이 증가해야 한다.

[오답체크]
① 국내 물가의 상승은 수출에 불리하므로 외화의 공급이 감소한다.
③ 해외 경기의 침체는 수출이 안되므로 외화의 공급이 감소한다.
④ 외국인 주식투자액 한도의 축소는 외국인의 투자가 줄어들기 때문에 외화의 공급이 감소한다.

02 상중하 다음 그림은 최근 3개월 간 환율의 추이를 보여주고 있다. 8월 30일 이후의 환율추이가 지속될 것으로 가정할 경우에 예상되는 것으로 옳지 않은 것은? [지방직 7급 12]

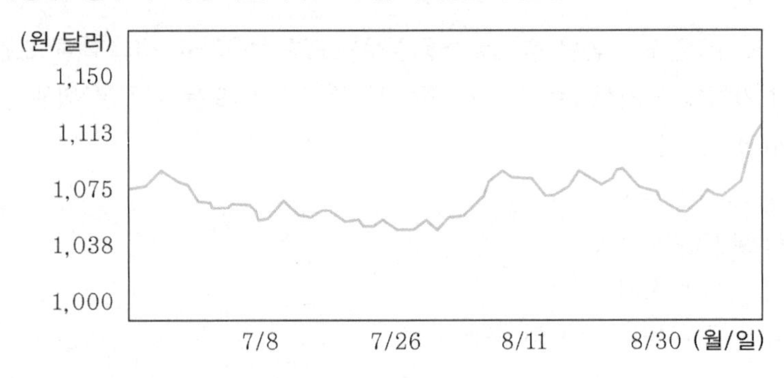

① 미국 여행시기를 앞당기는 것이 유리할 것이다.
② 달러화에 대한 원화의 가치가 하락할 것이다.
③ 미국산 수입 농산물의 국내가격은 상승할 것이다.
④ 국내기업의 대미 수출품 가격경쟁력이 약화될 것이다.

03 상중하 최근 우리나라의 대미 달러 환율이 급속히 상승하였다. 이의 원인에 대한 설명으로 경제적 논리에 가장 부합하지 않는 것은? [국가직 7급 10]

① 글로벌 금융위기로 인해 외국 기관투자가들이 우리나라 주식을 매각하였다.
② 우리나라 채권에 대한 미국투자자들의 수요가 증가하였다.
③ 국제금융시장의 불확실성 증가로 인해 달러 수요가 증가하였다.
④ 대미 달러 환율 상승의 기대가 달러화에 대한 가수요를 부추겼다.

04 상중하 변동환율제도를 채택한 개방경제에서, 〈보기〉 중 이 경제의 통화가치를 하락시키는(환율 상승) 경우를 모두 고른 것은? [서울시 7급 19]

〈보기〉

ㄱ. 원유 수입액의 감소
ㄴ. 반도체 수출액의 증가
ㄷ. 외국인의 국내주식 투자 위축
ㄹ. 자국 은행의 해외대출 증가

① ㄱ, ㄷ
② ㄱ, ㄹ
③ ㄴ, ㄷ
④ ㄷ, ㄹ

정답 및 해설

02 ④ 원/달러환율이 상승하면 수출품의 국제가격이 하락하므로 국내기업의 대미 수출품 가격경쟁력이 강화될 것이다.

[오답체크]

①② 8월 30일 이후 원/달러환율이 상승추세에 있으므로 원화가치는 하락추세에 있는 것이다. 원화가치가 하락추세에 있다면 미국 여행시기를 앞당겨서 환차손을 방지하는 것이 유리할 것이다.

③ 원/달러환율이 상승하면 원화표시 수입품의 가격이 상승하므로 미국산 수입 농산물의 국내가격은 상승할 것이다.

03 ② 우리나라 채권에 대한 미국 투자자들의 수요가 증가하면 미국 투자자들이 우리나라 채권구입을 위해 달러를 매각하고 원화를 매입한다. 이로 인해 외환시장에서 달러의 공급이 증가하여 환율이 하락한다.

04 ④ 통화가치를 하락시키는 경우는 환율이 상승하는 것으로 외화수요가 증가하거나 외화공급이 감소하는 경우이다.

[오답체크]

ㄱ. 원유 수입액의 감소하면 외화의 수요가 감소하여 환율이 하락한다.
ㄴ. 반도체 수출액의 증가는 외화공급을 증가시켜 환율이 하락한다.

05 상중하

미국 달러화 대비 갑, 을, 병국 화폐의 가치 변동률이 각각 −2%, 3%, 4%일 때 가장 옳은 것은? [서울시 7급 19]

① 갑국 화폐의 가치가 상대적으로 가장 크게 상승했다.
② 을국 제품의 달러 표시 가격이 상승했다.
③ 1달러당 병국 화폐 환율이 상승했다.
④ 병국 화폐 1단위당 을국 화폐 환율이 하락했다.

06 상중하

환율에 대한 설명으로 옳지 않은 것은? [국가직 7급 17]

① 원화의 평가절상은 원유 등 생산 원자재를 대량으로 수입하는 우리나라의 수입 원가부담을 낮춰 내수 물가안정에 기여한다.
② 미국의 기준금리 인상은 원화의 평가절하를 유도하여 우리나라의 수출 기업에 유리하게 작용한다.
③ 대규모 외국인 직접투자가 우리나라로 유입되면 원화의 평가절하가 발생하고 우리나라의 수출 증대로 이어진다.
④ 실질환율은 한 나라의 재화와 서비스가 다른 나라의 재화와 서비스로 교환되는 비율을 말한다.

07 상중하

미국산 연필은 1달러, 중국산 연필은 2위안, 미국과 중국의 화폐 교환비율은 1달러당 5위안이다. 이 때 미국 연필당 중국 연필로 표시되는 실질환율은? (단, 미국산 연필과 중국산 연필은 완벽하게 동일하다) [지방직 7급 20]

① 0.1 ② 0.4
③ 2.5 ④ 10

08 상중하

다음 표는 각국의 시장환율과 빅맥가격을 나타낸다. 빅맥가격으로 구한 구매력평가 환율을 사용할 경우, 옳은 것은? (단, 시장환율의 단위는 '1달러 당 각국 화폐'로 표시되며, 빅맥가격의 단위는 '각국 화폐'로 표시된다) [국가직 7급 17]

국가(화폐단위)	시장환율	빅맥가격
미국(달러)	1	5
브라질(헤알)	2	12
한국(원)	1,000	4,000
중국(위안)	6	18
러시아(루블)	9	90

① 브라질의 화폐가치는 구매력평가 환율로 평가 시 시장환율 대비 고평가된다.
② 한국의 화폐가치는 구매력평가 환율로 평가 시 시장환율 대비 저평가된다.
③ 중국의 화폐가치는 구매력평가 환율로 평가 시 시장환율 대비 고평가된다.
④ 러시아의 화폐가치는 구매력평가 환율로 평가 시 시장환율 대비 저평가된다.

정답 및 해설

05 ② 을국 화폐의 가치가 상승하였으므로 을국 제품의 달러 표시 가격이 상승하였다.

[오답체크]
① 병국 화폐의 가치가 상대적으로 가장 크게 상승했다.
③ 병국 화폐의 가치가 상승하였으므로 1달러당 병국 화폐 환율이 하락했다.
④ 병국 화폐의 가치가 을국 화폐보다 더 많이 상승하였으므로 병국 화폐 1단위당 을국 화폐 환율이 상승했다.

06 ③ 대규모 직접투자 자금이 유입되면 외환의 공급이 증가하므로 환율이 하락하여 원화가 평가절상된다. 원화가 평가절상되면 우리나라의 순수출이 감소한다.

07 ③ 실질환율 = 명목환율 × $\frac{\text{외국물가}}{\text{자국물가}}$ → $\frac{\text{5위안}}{1\$} \times \frac{1\$}{\text{2위안}} = 2.5$이다.

08 ③ 각국의 구매력평가 환율을 구해보면 브라질 $\frac{12}{5} = 2.4$, 한국 $\frac{4,000}{5} = 800$, 중국 $\frac{18}{5} = 3.6$, 러시아 $\frac{90}{5} = 18$이다. 따라서 중국의 화폐가치는 구매력평가 환율(3.6)로 평가 시 시장환율($\frac{6}{1} = 6$) 대비 고평가된다.

[오답체크]
① 브라질의 화폐가치는 구매력평가 환율(2.4)로 평가 시 시장환율(2) 대비 저평가된다.
② 한국의 화폐가치는 구매력평가 환율(800)로 평가 시 시장환율(1000) 대비 고평가된다.
④ 러시아의 화폐가치는 구매력평가 환율(18)로 평가 시 시장환율(90) 대비 고평가된다.

09 상중하

구매력평가설과 이자율평가설이 성립한다고 가정한다. 한국과 미국의 명목이자율이 각각 5%, 6%이며, 한국의 예상 물가상승률이 3%일 경우 옳지 않은 것은? [국가직 7급 11]

① 미국의 예상 물가상승률은 4%이다.
② 달러에 대한 원화의 실질환율은 상승한다.
③ 한국과 미국의 실질이자율은 동일하다.
④ 원/달러 환율은 1% 하락할 것으로 예상된다.

10 상중하

다음 자료의 내용과 부합하는, A씨의 1년 후 예상 환율은? [지방직 7급 18]

> A씨는 은행에서 운영 자금 100만원을 1년간 빌리기로 했다. 원화로 대출받으면 1년 동안의 대출 금리가 21%인 반면, 동일한 금액을 엔화로 대출받으면 대출 금리는 10%이지만 대출금은 반드시 엔화로 상환해야 한다. 현재 원화와 엔화 사이의 환율은 100엔당 1,000원이고, A씨는 두 대출 조건이 같다고 생각한다.

① 1,000원/100엔
② 1,100원/100엔
③ 1,200원/100엔
④ 1,250원/100엔

11 상중하

F국 통화 1단위는 H국 통화 105단위이며, H국의 연이자율은 10%이고, F국의 연이자율은 5%이다. 무위험이자율평가이론(Covered Interest Parity)이 성립할 때, F국 통화 1단위에 대한 1년 기준 선도환율(Forward Exchange Rate)은? (단, H국과 F국 간의 통화거래에는 아무런 제약조건이 없다) [지방직 7급 10]

① H국 통화 90단위
② H국 통화 100단위
③ H국 통화 110단위
④ H국 통화 120단위

12 다음 제시문의 ㉠~㉢에 들어갈 용어를 바르게 연결한 것은? [지방직 7급 18]
상중하

> 구매력평가이론(Purchasing Power Parity theory)은 양국의 화폐 1단위의 구매력이 같도록 환율이 결정된다는 것이다. 구매력평가이론에 따르면 양국 통화의 (㉠)은 양국의 (㉡)에 따라 결정되며, 구매력평가이론이 성립하면 (㉢)은 불변이다.

	㉠	㉡	㉢
①	실질환율	경상수지	명목환율
②	명목환율	경상수지	실질환율
③	명목환율	물가수준	실질환율
④	실질환율	물가수준	명목환율

정답 및 해설

09 ② 1) 이자율평가설이 성립하므로 원/달러 환율 변화율 = 한국의 이자율 − 미국의 이자율이다.
2) 5% = 6% + (−1%)로 앞으로 한국의 환율은 1% 하락한다.
3) 구매력평가설이 성립하므로 원/달러 환율 상승률 = 한국의 예상물가상승률 − 미국의 예상물가상승률이다.
4) −1% = 3% − 미국의 예상 물가상승률이므로 미국의 예상 물가상승률은 5%이다.
5) 실질이자율 = 명목이자율 − 예상 물가상승률이므로 한국과 미국의 실질이자율은 모두 2%로써 동일하다.
6) 실질환율변화율 = 명목환율변화율 + 미국 물가상승률 − 한국 물가상승률이므로 실질환율변화율 = −1% + 4% − 3% = 0%이기 때문에 달러에 대한 원화의 실질환율은 변하지 않는다.

10 ② 1) 원화로 차입할 때와 엔화로 차입할 때의 대출조건이 동일하다고 제시되었으므로 1년 뒤에 상환하는 금액이 같아야 한다.
2) (110엔 × 1년 뒤의 환율) = 1,210원 ➜ 1년 뒤의 환율 = $\frac{1{,}210\text{원}}{110\text{엔}} = \frac{11\text{원}}{1\text{엔}} = \frac{1{,}100\text{원}}{100\text{엔}}$ 이어야 한다.

11 ③ 1) 원리금으로 표현한 이자율평가설: (1 + H국 이자율) = $\frac{\text{선물환율}}{\text{현물환율}}$(1 + F국 이자율) ➜ $\frac{1+\text{F국 이자율}}{1+\text{H국 이자율}} = \frac{\text{선물환율}}{\text{현물환율}}$
2) $\frac{1+0.1}{1+0.05} = \frac{\text{선물환율}}{105}$ 이 성립한다. 따라서 선물환율은 110이다.

12 ③ 1) 절대적 구매력평가설에 의하면 명목환율은 양국의 물가수준에 의해 $e = \frac{P}{P_f}$ 로 결정된다.
2) 절대적 구매력평가설이 성립하면 $P = e \times P_f$가 성립하므로 실질환율 $\varepsilon = \frac{e \times P_f}{P}$ 은 항상 1로 불변이다.

13 상중하

A국가에 대한 B국가의 명목환율(A국가의 통화 1단위와 교환되는 B국가의 통화량)이 매년 10%씩 상승한다고 하자. 만일 두 국가 사이에 구매력평가설(Purchasing Power Parity)이 성립한다면 다음 중 가장 옳은 것은? [서울시 7급 18]

① A국가의 물가상승률이 B국가의 물가상승률보다 낮을 것이다.
② A국가의 물가상승률이 B국가의 물가상승률보다 높을 것이다.
③ A국가에 대한 B국가의 실질환율은 해마다 10%씩 상승할 것이다.
④ A국가에 대한 B국가의 실질환율은 해마다 10%씩 하락할 것이다.

14 상중하

인천공항에 막 도착한 A씨는 미국에서 사먹던 빅맥 1개의 가격인 5달러를 원화로 환전한 5,500원을 들고 햄버거 가게로 갔다. 여기서 A씨는 미국과 똑같은 빅맥 1개를 구입하고도 1,100원이 남았다. 다음 설명 중 옳은 것을 모두 고른 것은? [노무사 17]

ㄱ. 한국의 빅맥가격을 달러로 환산하면 4달러이다.
ㄴ. 구매력평가설에 의하면 원화의 대미 달러 환율은 1,100원이다.
ㄷ. 빅맥가격을 기준으로한 대미 실질환율은 880원이다.
ㄹ. 빅맥가격을 기준으로 볼 때, 현재의 명목환율은 원화의 구매력을 과소평가하고 있다.

① ㄱ, ㄴ ② ㄱ, ㄷ ③ ㄱ, ㄹ
④ ㄴ, ㄷ ⑤ ㄷ, ㄹ

15 상중하 투자자들이 위험에 대하여 중립적인 경우, 현재 환율이 1달러당 1,000원이고, 1년 만기 채권의 이자율이 미국에서는 1%, 우리나라에서는 2%일 때, 국가 간 자금이 이동하지 않을 조건에 해당하는 것은? [지방직 7급 19]

① 우리나라의 이자율이 1년 후 1%로 하락한다.
② 투자자가 1년 후 환율이 1달러당 1,010원이 될 것으로 예상한다.
③ 미국의 이자율이 1년 후 2%로 상승한다.
④ 투자자가 1년 후에도 환율이 1달러당 1,000원으로 유지될 것으로 예상한다.

정답 및 해설

13 ① 1) 조건을 구매력평가설에 적용하면 B/A국의 명목환율변화율 = B국의 물가상승률 − A국의 물가상승률이다.
2) B국의 명목환율이 매년 10% 상승한다는 것은 B국의 물가상승률이 A국보다 10% 높다는 것을 의미한다.
3) 구매력평가설이 성립하면 일물일가의 원칙에 따라 실질환율은 항상 1이 된다.

14 ③ 1) 5달러를 원화로 환전하면 5,500원이므로 명목환율이 1달러 = 1,100원이다. 명목환율이 1달러 = 1,100원이고, 한국의 빅맥가격이 4,400원이므로 빅맥가격을 달러로 환산하면 4달러가 된다.
2) 미국에서는 빅맥이 5달러이고, 한국에서는 4,400원이므로 빅맥가격을 기준으로 한 구매력평가환율(명목환율)은 1달러 = 880원이다.
3) 명목환율이 1달러 = 1,100원이므로 빅맥가격을 기준으로 볼 때 현재의 명목환율은 원화의 구매력을 과소평가하고 있는 상태이다.

15 ② 1) 국가 간 자본이동이 이루어지지 않으려면 이자율평가설이 성립해야 한다. 이자율평가설에서 원/달러 환율 변화율 = 한국의 이자율 − 미국의 이자율이 성립해야 한다.
2) 두 나라의 이자율이 고정된 상태에서 환율의 예상상승률 $\frac{\Delta e^e}{e} = 1\%$가 되어도 이자율평가설이 성립한다. 현재 환율이 1달러 = 1,000원이기 때문에 1년 뒤 투자자의 예상환율이 1달러 = 1,010원인 경우에도 두 나라에서의 투자수익률이 같아지므로 국가 간 자금이동이 발생하지 않는다.

[오답체크]

①③ 1년 만기 채권의 이자율이 우리나라는 2%, 미국은 1%이므로 환율의 예상상승률 $\frac{\Delta e^e}{e} = 0$인 상태에서 이자율평가설이 성립하려면 1년 후 시점이 아니라 현 시점에서 곧바로 우리나라의 이자율이 1% 포인트 하락하거나, 미국의 이자율이 1% 포인트 상승하여야 한다.

16 이자율 평가설은 $i = \frac{\Delta s^e}{s} + i^f$이다. 이에 관한 설명으로 옳은 것은? (단, i는 국내 명목이자
상중하
율, i^f는 해외 명목이자율, s는 명목환율, $\Delta s^e = s_{t+1}^e - s_t$는 예상 명목환율 변화이다)

① $i = i^f$이고 $\Delta s^e > 0$이면 해외자본 유출이 발생한다.
② 예상 환율 s_{t+1}^e가 주어져 있을 때 이자율과 현재 환율은 비례 관계를 갖는다.
③ 해외 투자자가 국내에 투자할 때 수익률은 $(i - i^f) + \frac{\Delta s^e}{s}$이다.
④ $i > i^f$일 때 국내 화폐의 가치는 미래에 상승할 것으로 예측된다.

17 주요 국제통화제도 또는 협정에 대한 설명으로 옳은 것은? [지방직 7급 20]
상중하

① 1960년대 미국의 경상수지 흑자는 국제 유동성 공급을 줄여 브레튼우즈(Bretton Woods)체제를 무너뜨리는 요인이었다.
② 1970년대 초 금 태환을 정지시키고 동시에 미 달러화를 평가절상하면서 브레튼우즈체제는 종식되었다.
③ 1970년대 중반 킹스턴(Kingston)체제는 통화로서 금의 역할을 다시 확대하여 고정환율체제로의 복귀를 시도하였다.
④ 1980년대 중반 플라자(Plaza)협정으로 미 달러화의 평가절하가 추진되었다.

18 국제통화제도에 대한 설명으로 옳지 않은 것은? [국가직 7급 10]
상중하

① 금본위제도는 전형적인 고정환율제도이다.
② 킹스턴체제에서는 회원국들이 독자적인 환율제도를 선택할 수 있는 재량권을 부여하고 있다.
③ 브레튼우즈체제는 달러화를 기축통화로 하는 변동환율제도도입을 골자로 한다.
④ 1985년 플라자협정의 결과로 달러화의 가치가 하락하였다.

정답 및 해설

16 ① 1) $i - i^f = \dfrac{\Delta s^e}{s}$ ➜ 국내이자율 − 외국이자율 = 환율변화율

2) 지문분석

① $i = i^f$이고 $\Delta s^e > 0$이면 1년 뒤 환율이 상승한다. 미래 환율이 상승하기 위해서는 이자율이 하락해야 한다. 이로 인해 해외자본유출이 발생한다.

[오답체크]

② $i - i^f = \dfrac{s^e_{t+1} - s_t}{s}$이므로 예상환율이 일정하다면 이자율이 증가하려면 현재환율이 작아야 한다. 따라서 반비례 관계를 가진다.

③ 해외 투자자가 국내에 투자할 때 수익률은 $(i - i^f) - \dfrac{\Delta s^e}{s}$이다.

④ $i > i^f$일 때 환율이 상승하므로 국내 화폐의 가치는 미래에 하락할 것으로 예측된다.

17 ④ 1985년 뉴욕에서 미국, 독일(서독), 영국, 일본, 프랑스 5개국이 상호 환율 조정을 위한 플라자협정을 체결했다. 이로 인해 달러화는 평가절하되었고 일본의 엔화와 서독의 마르크화는 상당히 평가절상되었다.

[오답체크]

③ 브레튼우즈체제는 고정환율제도, 킹스턴체제는 변동환율제도이다.

18 ③ 브레튼우즈체제는 달러화를 기축통화로 하는 고정환율제도인데 비해, 킹스턴체제는 각국이 자유롭게 환율제도를 선택할 수 있도록 하는 제도이다.

STEP 2 심화문제

19 상중하

환율에 대한 설명으로 〈보기〉에서 옳은 것을 모두 고르면? [국회직 8급 14]

〈보기〉

ㄱ. 정부가 외환시장에서 달러를 매각하면 환율이 상승한다.
ㄴ. 세계 주요 외환시장에서 달러화 약세가 계속되면 환율이 하락한다.
ㄷ. 국가 간 자본이동이 어려우면, 예상되는 평가절하는 두 국가 간의 이자율 차이만큼 나타난다.

① ㄱ ② ㄴ ③ ㄱ, ㄴ
④ ㄴ, ㄷ ⑤ ㄱ, ㄴ, ㄷ

20 상중하

한국과 미국의 연간 물가상승률은 각각 4%와 6%이고 환율은 달러당 1,200원에서 1,260원으로 변하였다고 가정할 때, 원화의 실질환율의 변화는? [감정평가사 19]

① 3% 평가절하
② 3% 평가절상
③ 7% 평가절하
④ 7% 평가절상
⑤ 변화 없다.

21 상중하

소규모 개방경제의 재화시장 균형에서 국내총생산(Y)이 100으로 고정되어 있고, 소비 $C = 0.6Y$, 투자 $I = 40 - r$, 순수출 $NX = 12 - 2\varepsilon$이다. 세계 이자율이 10일 때, 실질환율은? (단, r은 국내 이자율, ε은 실질환율, 정부지출은 없으며, 국가 간 자본이동은 완전하다) [감정평가사 20]

① 0.8 ② 1 ③ 1.2
④ 1.4 ⑤ 1.5

22 상중하

환율결정이론에 대한 다음 설명 중 옳지 않은 것은? [국회직 8급 13]

① 절대구매력평가설이 성립한다면 실질환율은 1이다.
② 경제통합의 정도가 커질수록 구매력평가설의 설명력은 높아진다.
③ 구매력평가설에 따르면 자국의 물가가 5% 오르고 외국의 물가가 7% 오를 경우, 국내통화는 2% 평가절상된다.
④ 이자율평가설에 따르면 미래의 예상환율 변화는 현재의 환율에 영향을 주지 않는다.
⑤ 구매력평가설은 경상수지에 초점을 맞추는 반면, 이자율평가설은 자본수지에 초점을 맞추어 균형환율을 설명한다.

정답 및 해설

19 ② ㄴ. 달러화 약세는 달러 가격이 하락함을 의미하므로 환율이 하락한다.

[오답체크]

ㄱ. 정부가 외환시장에서 달러를 매각하면 달러가 풍부해지면서 달러의 가격인 환율은 하락한다.

ㄷ. 국가 간의 자본이동이 완전할 때 이자율평가설 $r = r_f + \frac{e^e_{t+1} - e_t}{e_t}$이 성립한다. 국가 간의 자본이동이 어려운 경우 국가 간의 이자율 차이와 예상환율변화율은 일치하지 않는다.

20 ③ 1) 실질환율의 변화율 = 명목환율의 변화율 + 외국의 물가상승률 − 국내물가상승률
2) 5% + 6% − 4 = 7%이다.
3) 환율이 7% 상승하였으므로 7% 평가절하된 것이다.

21 ② 1) 국가 간 자본이동이 완전하다면 국제이자율과 국내이자율이 동일해야 한다. 세계이자율이 10이므로 국내이자율도 10이 되어 투자 $I = 30$이다.
2) 정부지출이 없으므로 $Y = C + I + NX$가 성립해야 한다.
3) $100 = 60 + 30 + 12 - 2\varepsilon$가 성립하므로 $\varepsilon = 1$이다.

22 ④ 이자율평가설에 따르면 미래의 예상환율 변화는 현재 환율에 동일한 방향으로 영향을 미친다.

23 구매력평가설에 대한 설명으로 옳지 않은 것만을 〈보기〉에서 모두 고르면? [국회직 8급 19]
상중하

〈보기〉

ㄱ. 구매력평가설은 일물일가의 법칙에 근거한다.
ㄴ. 구매력평가설에 따르면 두 나라 화폐의 실질환율은 두 나라 물가수준의 차이를 반영해야 한다.
ㄷ. 구매력평가설에 따르면 실질환율은 항상 일정해야 한다.

① ㄱ ② ㄴ ③ ㄷ
④ ㄴ, ㄷ ⑤ ㄱ, ㄴ, ㄷ

24 각 나라의 빅맥가격과 현재 시장환율이 다음 표와 같다. 빅맥가격을 기준으로 구매력평가설이 성립할 때, 다음 중 자국 통화가 가장 고평가(overvalued) 되어 있는 나라는?
상중하

[감정평가사 17]

구분	빅맥가격	현재 시장환율
미국	3달러	-
영국	2파운드	1파운드 = 2달러
한국	3,000원	1달러 = 1,100원
인도네시아	20,000루피아	1달러 = 8,000루피아
멕시코	400페소	1달러 = 120페소

① 미국 ② 영국 ③ 한국
④ 인도네시아 ⑤ 멕시코

25 상중하 2015년과 2020년 빅맥가격이 아래와 같다. 일물일가의 법칙이 성립할 때, 옳지 않은 것은? (단, 환율은 빅맥가격을 기준으로 표시한다) [감정평가사 20]

2015년		2020년	
원화 가격	달러 가격	원화 가격	달러 가격
5,000원	5달러	5,400원	6달러

① 빅맥의 원화 가격은 두 기간 사이에 8% 상승했다.
② 빅맥의 1달러당 원화 가격은 두 기간 사이에 10% 하락했다.
③ 달러 대비 원화의 가치는 두 기간 사이에 10% 상승했다.
④ 달러 대비 원화의 실질환율은 두 기간 사이에 변하지 않았다.
⑤ 2020년 원화의 명목환율은 구매력평가 환율보다 낮다.

정답 및 해설

23 ② ㄴ. 물가수준의 차이를 반영하는 것은 명목환율이다. 실질환율은 일물일가의 원칙이 성립해야 하므로 물가수준과 관계없이 구매력평가설이 성립한다면 1이다.

24 ② 1) 영국: 3달러/2파운드 = 1.5달러/1파운드
2) 한국: 3,000원/3달러 = 1,000원/1달러
3) 인도네시아: 20,000루피아/3달러 = 약 6,666루피아/1달러
4) 멕시코: 400페소/3달러 = 133페소/1달러

25 ⑤ 구매력평가 환율이 성립한다면 명목환율이 구매력평가 환율과 같아진다.

[오답체크]
① 빅맥의 원화 가격은 5,000원 ➜ 5,400원이 되었으므로 두 기간 사이에 8% 상승했다.
② 빅맥의 1달러당 원화 가격은 2015년 1달러 = 1,000원 ➜ 2020년에 1달러 = 900원이므로 두 기간 사이에 10% 하락했다.
③ 달러 대비 원화의 가치는 2015년 1달러 = 1,000원 ➜ 2020년에 1달러 = 900원이므로 두 기간 사이에 10% 상승했다.
④ 달러 대비 원화의 실질환율은 구매력평가설에서는 1이므로 변하지 않는다.

26 상중하

이자율평가설(interest rate parity theory)에 대한 설명으로 옳은 것은? (단, 환율은 외국통화 1단위에 대한 자국통화의 교환비율이다) [국회직 8급 14]

① 외국의 명목이자율과 기대환율이 고정되었을 때 자국의 명목이자율이 증가하면 환율은 상승한다.

② 외국의 명목이자율과 자국의 명목이자율이 고정되었을 때 기대환율이 증가하면 외국통화의 가치가 상승한다.

③ 양국의 생산물시장에서 동일한 상품을 동일한 가격에 구매할 수 있도록 환율이 결정된다.

④ 이자율평가설이 성립하면 실질이자율은 항상 1이다.

27 상중하

한국과 미국의 명목이자율은 각각 3%, 2%이다. 미국의 물가상승률이 2%로 예상되며 현재 원/달러 환율은 1,000원일 때, 옳은 것을 모두 고른 것은? (단, 구매력평가설과 이자율평가설이 성립한다) [감정평가사 20]

ㄱ. 한국과 미국의 실질이자율은 같다. ㄴ. 한국의 물가상승률은 3%로 예상된다. ㄷ. 원/달러 환율은 1,010원이 될 것으로 예상된다.

① ㄱ ② ㄴ ③ ㄱ, ㄴ
④ ㄴ, ㄷ ⑤ ㄱ, ㄴ, ㄷ

정답 및 해설

26 ② 외국의 명목이자율과 자국의 명목이자율이 고정되었을 때 환율이 오를 것으로 예상되면 외국화폐에 대한 수요가 증가하므로(즉, 환율이 오르기 전에 외국화폐로 바꾸려 할 것이므로) 외국통화의 가치가 상승할 것이다.

[오답체크]

① 외국의 명목환율이 고정된 상태에서 자국의 명목이자율이 증가하면 외국에서 자국으로 투자가 이루어지고, 이는 자국 환율의 하락을 가져 온다.

③ 구매력평가설에 대한 설명이다.

④ 이자율평가설이 아닌 구매력평가설에서 실질환율은 항상 1이다.

27 ⑤ 1) 이자율평가설은 원/달러 환율 변화율 = 한국의 명목 이자율 - 미국의 명목 이자율이다.

2) 주어진 조건을 이용하면 1% = 3% - 2%이다. 따라서 원/달러 환율은 1% 상승하여 1,010원이 될 것으로 예상된다.

3) 구매력평가설은 원/달러 환율 변화율 = 한국의 물가상승률 - 미국의 물가상승률이다.

4) 주어진 조건을 이용하면 1% = 한국의 물가상승률 - 2% ➜ 한국의 물가상승률은 3%이다.

5) 한국과 미국의 실질이자율은 0%로 동일하다.

28 상중하

A국의 6개월 만기 정기예금 이자율이 2%이고, B국의 6개월 만기 정기예금 이자율이 5%라고 하자. 현재 A국과 B국 통화의 현물시장(spot exchange rate) 환율이 1,000이다. 무위험 이자율평가설(covered interest rate parity)에 따른다면 6개월 만기 선물시장(forward exchange rate)의 환율로서 가장 가까운 것은? (단, 환율은 B국 화폐 1단위와 교환되는 A국 화폐액으로 정의된다) [국회직 8급 15]

① 950 ② 970 ③ 1,020
④ 1,030 ⑤ 1,050

29 상중하

다음 그림은 국내 통화의 실질절하(real depreciation)가 t_0에 발생한 이후의 무역수지 추이를 보여준다. 이에 대한 설명 중 옳지 않은 것은? (단, 초기 무역수지는 균형으로 0이다)

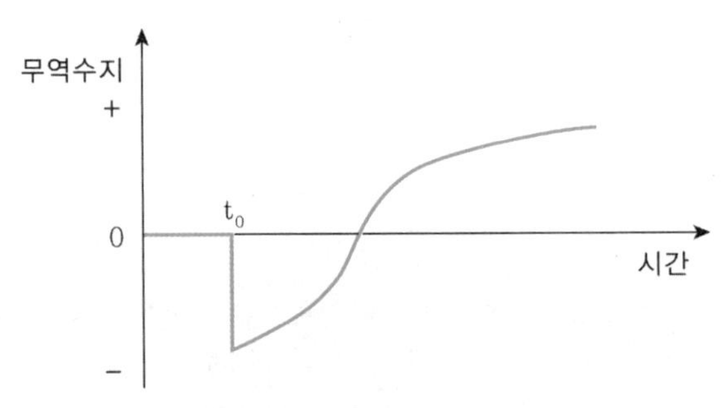

① 그림과 같은 무역수지의 조정과정을 J-곡선(J-curve)이라 한다.
② 실질절하 초기에 수출과 수입이 모두 즉각 변화하지 않아 무역수지가 악화된다.
③ 실질절하 후 시간이 흐름에 따라 수출과 수입이 모두 변화하므로 무역수지가 개선된다.
④ 수출 수요탄력성과 수입 수요탄력성의 합이 1보다 작다면 장기적으로 실질절하는 무역수지를 개선한다.
⑤ 마샬-러너 조건(Marshall-Lerner condition)이 만족되면 장기적으로 실질절하는 무역수지를 개선한다.

정답 및 해설

28 ② 1) 무위험 이자율평가설 $r = r_f + \frac{f-e}{e}$ (f는 선물환율, e는 선물환율이다)

2) 환율은 B국 화폐 1단위와 교환되는 A국 화폐액으로 정의되고 있다.

3) A국 이자율 = B국의 이자율이므로 $0.02 = 0.05 + \frac{f-1,000}{1,000}$ ➜ $f = 970$이다.

29 ④ 수출수요탄력성과 수입수요탄력성의 합이 1보다 크다면 실질절하는 무역수지를 개선한다.

STEP 3 실전문제

30 상중하

외환시장에서 국내 통화가치를 상승시키는 요인으로 옳은 것을 모두 고르면? [회계사 20]

가. 국내 실질이자율 상승
나. 수입 수요의 증가
다. 외국 물가 대비 국내 물가 수준의 하락
라. 우리나라 제품에 대한 외국의 무역 장벽 강화

① 가, 나　② 가, 다　③ 나, 다
④ 나, 라　⑤ 다, 라

31 상중하

자국통화로 표시한 외국통화 1단위의 가치인 명목환율이 7% 올랐고, 자국과 외국의 물가상승률은 각각 2%와 7%였다고 하자. 실질환율을 외국의 재화 · 서비스 1단위와 교환 가능한 자국의 재화·서비스의 양으로 정의할 때, 실질환율의 변화와 그에 따른 자국 수출량의 변화로 옳은 것은? [회계사 14]

	실질환율	수출량
①	불변	불변
②	2% 하락	증가
③	2% 상승	증가
④	12% 하락	감소
⑤	12% 상승	증가

정답 및 해설

30 ② 가. 국내 실질이자율 상승은 외화유입을 증가시켜 환율을 하락시킨다.
다. 외국 물가 대비 국내 물가 수준의 하락은 국내제품의 생산비가 상대적으로 저렴해져 자국의 수출증가요인이 된다. 따라서 환율이 하락한다.

[오답체크]
나. 수입 수요가 증가하면 외화의 수요가 증가하여 환율이 상승한다.
라. 우리나라 제품에 대한 외국의 무역 장벽 강화는 순수출이 감소하여 환율이 상승한다.

31 ⑤ 1) 실질환율의 변화율(12%) = 명목환율의 변화율(7%) + 외국의 물가상승률(7%) − 국내의 물가상승률(2%)
2) 실질환율이 상승하였으므로 순수출이 증가한다.

32 상중하

구매력평가설(PPP; Purchasing Power Parity)에 따르면 두 나라의 물가지수 비율과 통화의 교환비율은 같아야 한다. 다음 그림에서 A는 한국 대 미국의 소비자 물가지수의 비율을, B는 원화 대 달러화의 교환비율을 지수형태로 나타낸 것이다. 다음 그림과 PPP에 대한 설명으로 옳은 것을 모두 고르면? (단, 두 지수는 2010년을 100으로 한다) [회계사 17]

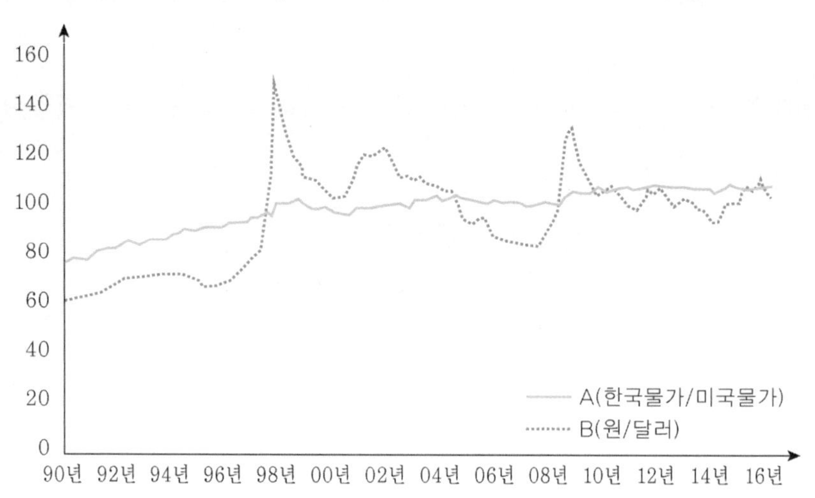

> 가. PPP에 따르면 실질환율은 명목환율과 반드시 일치해야 한다.
> 나. 2008년 글로벌 금융위기 이후, 우리나라와 미국의 물가수준은 같다.
> 다. PPP에 따르면 1997년 IMF사태 이전에 원화는 과대평가되었다.
> 라. 핸드폰 A의 국내가격이 1,000,000원일 때, 미국에서 가격이 1,000달러라면, PPP에 의한 환율은 1,000원/달러여야 한다.

① 가, 나 ② 가, 다 ③ 가, 라
④ 나, 라 ⑤ 다, 라

33 상중하 A국과 B국 사이에 상대적 구매력평가가 성립한다. 다음 표는 A국과 B국의 2010년과 2018년의 물가지수를 나타낸다.

구분	A국	B국
2010년	100	110
2018년	112	121

2010년에 A국과 B국 사이의 환율(B국 통화 1단위와 교환되는 A국 통화의 양)이 1이었다면, 2018년의 환율은? [회계사 19]

① 0.94 ② 0.96 ③ 0.98
④ 1.00 ⑤ 1.02

정답 및 해설

32 ⑤ 다. PPP에 따르면 1997년 IMF사태 이전에 원/달러 환율이 낮으므로 원화는 과대평가되었다.
라. 핸드폰 A의 국내 가격이 1,000,000원일 때, 미국에서 가격이 1,000달러라면, PPP에 의한 환율은 $\frac{1,000,000원}{1,000\$}$ = 1,000원/달러여야 한다.

[오답체크]
가. PPP에 따르면 실질환율 1이고 명목환율은 원/달러 환율이다. 양자가 일치하는 것은 아니다.
나. 2008년 글로벌 금융위기 이후, 우리나라와 미국의 물가수준이 같다면 A가 수평이어야 한다. 미세한 차이가 있으므로 같다고 볼 수 없다.

33 ⑤ 1) A국 통화/B국 통화 환율 상승률 = A국의 물가상승률 − B국의 물가상승률이다.
2) 물가지수의 변화율이 물가상승률이다. A국의 물가상승률은 12%이고 B국의 물가상승률은 10%이다.
3) 위의 공식에 대입하면 12% − 10% = 2% ➜ 환율은 2% 상승하여야 하므로 1.02가 된다.

34 상중하

표는 각국의 1인당 명목GDP와 구매력평가(PPP) 기준 1인당 GDP를 나타낸다. 이에 대한 설명 중 옳은 것을 모두 고르면? [회계사 20]

국가	1인당 명목GDP(US달러)	PPP 기준 1인당 GDP(US달러)
A	85,000	80,000
B	48,000	54,000
C	55,000	55,000
D	65,000	54,000
E	45,000	90,000

가. A국의 물가수준이 가장 높다.
나. B국의 물가수준은 D국과 같다.
다. C국의 물가수준은 미국과 같다.
라. E국의 구매력은 C국의 2배이다.

① 가, 나　② 가, 다　③ 나, 다
④ 나, 라　⑤ 다, 라

35 상중하

아래 표는 자국통화 표시 빅맥가격과 미국 달러화 대비 자국통화의 현재 환율을 나타낸다. 미국의 빅맥가격이 4달러일 때, 빅맥 PPP(purchasing power parity)에 근거한 환율 대비 현재 환율이 높은 순으로 국가를 나열한 것은? [회계사 21]

국가	자국통화 표시 빅맥가격	현재 환율
A	30	5
B	200	100
C	100	20

① A - B - C　② A - C - B　③ B - C - A
④ C - A - B　⑤ C - B - A

정답 및 해설

34 ⑤ 1) 시장환율을 적용하여 계산한 한 나라의 1인당 GDP가 PPP 기준 1인당 GDP보다 작다는 것은 물가수준이 낮다는 것을 의미한다.

2) 반대로 1인당 GDP가 더 높다면 물가가 높은 것을 의미한다.

3) 지문분석

다. 양자가 같으므로 C국의 물가수준은 미국과 같다.

라. E국의 물가가 C국보다 2배 낮으므로 구매력은 C국의 2배이다.

[오답체크]

가. A국은 $\frac{85,000}{80,000}$ = 약 1.06인데, D국은 $\frac{65,000}{54,000}$ = 약 1.20이므로 D국의 물가수준이 가장 높다.

나. D국의 물가수준이 더 높다.

35 ③ 1) 구매력평가설은 일물일가의 원칙이 성립하므로 $P = e \cdot P_f$ ➜ $P_f = 4\$$이다.

2) 표로 정리하면 다음과 같다.

국가	빅맥 PPP 환율	현재환율 / 빅맥 PPP 환율
A	$\frac{30}{4} = 7.5$	$\frac{5}{7.5}$ = 약 0.67
B	$\frac{200}{4} = 50$	$\frac{100}{50} = 2$
C	$\frac{100}{4} = 25$	$\frac{20}{25} = 0.8$

36 상중하

현재 1개월 만기 달러화 선물환율이 1,000원/달러이다. 은행 A, B, C는 각각 990원/달러, 1,010원/달러, 1,080원/달러로 1개월 후 환율을 예측하고 있다. 1개월 후 달러화의 현물환율이 1,020원/달러인 경우 다음 설명 중 옳은 것을 모두 고르면? (단, 거래 비용은 존재하지 않는다) [회계사 20]

> 가. 예측환율에서 실제환율을 차감한 예측오차의 절댓값이 가장 큰 곳은 C이다.
> 나. 현재 A가 선물로 달러화를 매도하고 1개월 후 현물로 달러화를 매입하면 달러당 20원의 손해가 발생한다.
> 다. 현재 B가 선물로 달러화를 매입하고 1개월 후 현물로 달러화를 매도하면 달러당 10원의 이익을 얻는다.
> 라. 현재 C가 선물로 달러화를 매입하고 1개월 후 현물로 달러화를 매도하면 달러당 60원의 이익을 얻는다.

① 가, 나 ② 가, 다 ③ 나, 다
④ 나, 라 ⑤ 다, 라

37 상중하

다음은 이자율 평형 조건(interest rate parity condition)에 대한 설명이다. (가)와 (나)를 바르게 짝지은 것은? [회계사 17]

> 이자율 평형 조건이 성립할 때, 가로축을 환율(외국통화 1단위에 대한 자국통화의 교환비율), 세로축을 국내이자율로 하는 그래프를 그리면, 우하향하는 형태로 그려진다. 이때, 이 그래프는 팽창적 통화정책으로 인하여 지속적으로 인플레이션이 발생한 경우에 (가), 단기에 상환하여야 할 외화부채가 증가한 경우에 (나).

	(가)	(나)
①	왼쪽으로 이동하고	왼쪽으로 이동한다
②	왼쪽으로 이동하고	오른쪽으로 이동한다
③	움직이고 않고	움직이지 않는다
④	오른쪽으로 이동하고	왼쪽으로 이동한다
⑤	오른쪽으로 이동하고	오른쪽으로 이동한다

38 상중하 현재 한국의 1년 만기 국채수익률은 3%이고 미국의 1년 만기 국채수익률은 1%라고 가정하자. 위험이자율평가설(uncovered interest rate parity)이 성립할 때 향후 1년간 예상되는 환율 변동으로 옳은 것은? (단, 두 나라 국채의 위험수준은 동일하다고 가정한다)

[회계사 15]

① 원화 가치 불변
② 원화 가치 2% 상승
③ 원화 가치 2% 하락
④ 원화 가치 4% 상승
⑤ 원화 가치 4% 하락

정답 및 해설

36 ① 가. 1개월 후 현물환율이 1,020원/달러가 되었으므로 A의 예측오차는 −30원, B의 예측오차는 −10, C은행의 예측오차는 +60원이다. 따라서 예측환율에서 실제환율을 차감한 예측오차의 절댓값이 가장 큰 곳은 C이다.

나. 현재 A가 선물로 달러화를 매도하면 1$를 팔고 1,000원을 받고 1개월 후 현물로 달러화를 매입하면 1,020원을 주고 달러를 사야 하므로 달러당 20원의 손해가 발생한다.

[오답체크]

다. 현재 B가 선물로 달러화를 매입하고 1개월 후 현물로 달러화를 매도하면 달러당 20원의 이익을 얻는다.

라. 현재 C가 선물로 달러화를 매입하고 1개월 후 현물로 달러화를 매도하면 달러당 20원의 이익을 얻는다.

37 ⑤ 1) 팽창적 통화정책 ➜ 예상물가수준 상승 ➜ 자국의 화폐가치 하락 ➜ 환율의 예상상승률 증가이다. 주어진 이자율 수준에서 환율의 예상상승률이 높아지면 해외의 이자율이 상승하므로 외화의 유출이 증가한다. 자본유출이 증가하면 환율이 상승한다. 따라서 오른쪽으로 이동한다.

2) 단기적으로 상환할 외화부채가 증가하면 외환수요가 증가하므로 환율이 상승한다. 이자율의 변화는 없으므로 오른쪽으로 이동한다.

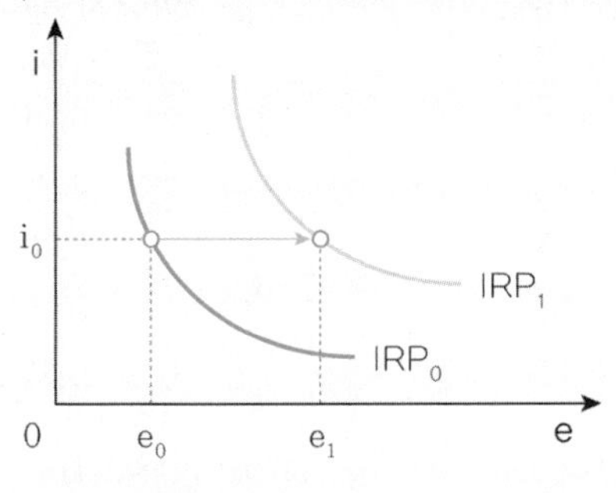

38 ③ 1) 원/달러 환율 변화율 = 한국의 이자율 − 미국의 이자율

2) 2% = 3% − 1%이므로 원화가치가 2% 하락한다.

39 상중하 다음 개방경제모형을 고려하자.

- $IS: Y = C(Y) + I(i) + G_0 + NX(EP_0^*/P_0,\ Y_0^*)$
- $LM: \dfrac{M_0}{P_0} = L(Y, i)$
- UIP(유위험 이자율 평가) : $i = i_0^* + (E_0^e - E)/E$

외국 소득 감소에 따른 분석으로 옳지 않은 것은? (단, Y, C, I, i, G, NX, E, P, M/P, L, E^e는 각각 소득, 소비, 투자, 명목이자율, 정부지출, 순수출, 명목환율, 물가, 실질화폐공급, 실질화폐수요, 기대 환율이고, 위 첨자 *가 있는 변수는 외국 변수이며 아래 첨자 0이 표시되어 있는 변수는 외생 변수이다. 소비는 소득의 증가함수, 투자는 명목이자율의 감소함수, 순수출은 실질환율(EP^*/P), 외국 소득에 대하여 모두 증가함수이며, 실질화폐수요는 소득, 명목이자율에 대하여 각각 증가함수, 감소함수이다) [회계사 21]

① 명목환율이 하락한다.
② 명목이자율이 하락한다.
③ 소득이 감소한다.
④ 투자가 증가한다.
⑤ 소비가 감소한다.

40 상중하 1년 후 원/달러 환율이 1,100원으로 예상되고, 현재 달러예금이자율은 연 5%이다. 아래의 표는 현재 원/달러 환율에 따라 변동되는 원/달러 환율의 예상연간변화율과 원화표시 달러예금의 연간기대수익률을 보여준다. 만약 국내 원화예금의 이자율이 연 10%라면, 자산접근법에 따른 외환시장의 현재 균형환율은? (단, 자산은 예금이며 모든 계산은 소수 셋째 자리에서 반올림 하였다) [회계사 22]

현재 원/달러 환율	원/달러 환율의 예상 연간변화율	원화표시 달러예금의 연간기대수익률
1,150	(-)0.04	0.01
1,100	0.00	0.05
1,050	0.05	0.10
1,000	0.10	0.15
950	0.16	0.21

① 1,150원/달러 ② 1,100원/달러 ③ 1,050원/달러
④ 1,000원/달러 ⑤ 950원/달러

정답 및 해설

39 ① 1) 외국소득이 감소하면 순수출이 감소하므로 IS곡선이 좌측 이동하고 유위험 이자율평가설에서 명목환율에 반비례한다.

2) 이를 그래프로 표현하면 다음과 같다.

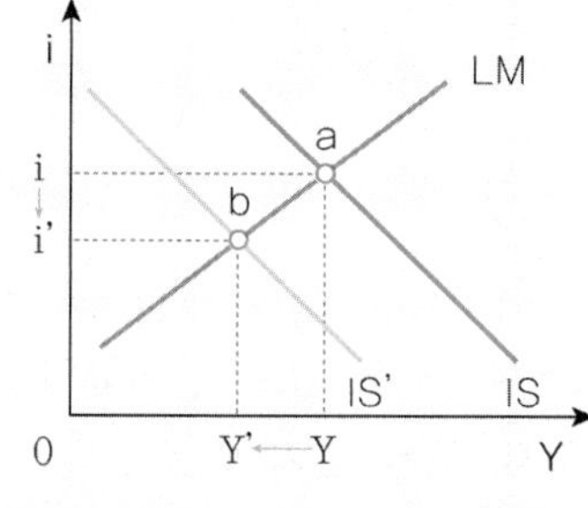

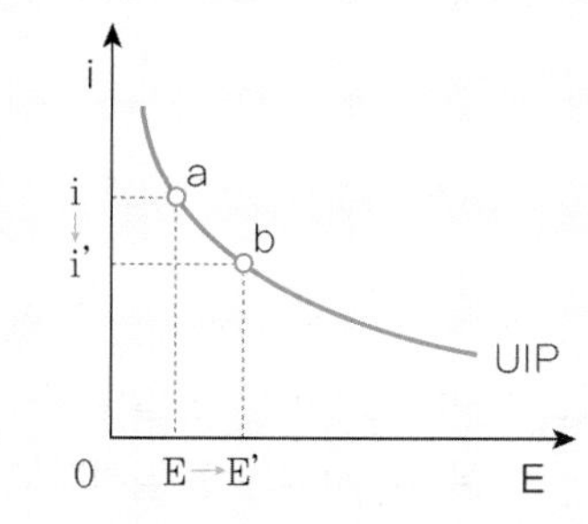

3) 지문분석

①② 명목이자율이 하락하여 명목환율이 상승한다.

[오답체크]

③ IS곡선이 좌측으로 이동하여 소득이 감소한다.

④ 이자율이 하락하여 투자가 증가한다.

⑤ 소득이 감소하여 소비가 감소한다.

40 ③ 1) 원화표시 달러예금의 기대수익률이란 달러로 예금을 하고 환율을 통해 원화로 바꾸었을 때의 수익률이다.

2) 자산접근법(= 이자율평가설)이 성립하므로 국내에 원화로 예금했을 때 이자율과 원화표시 달러 예금의 연간기대수익률이 같아야 한다.

3) 따라서 둘 다 0.10인 1$ = 1,050원이 현재 환율이 된다.

41 상중하

현재 원/달러 환율이 1,000원/달러이다. 달러로 예금할 경우 연 1% 수익을 얻고 원화로 예금할 경우 연 2% 수익을 얻는다. 금융시장에서 환율변동을 고려할 경우 달러 예금과 원화 예금의 1년 투자수익률이 동일하다고 기대된다. 금융시장에서 기대되는 1년 후 원/달러 환율은? (단, 소수점 이하는 반올림하며 거래비용은 존재하지 않는다) [회계사 20]

① 980 ② 990 ③ 1,000
④ 1,010 ⑤ 1,020

42 상중하

미국의 명목이자율이 8%이고, 우리나라의 명목이자율이 12%라고 하며, 두 나라의 실질이자율은 동일하다고 한다. 두 나라의 실질환율이 일정하다고 할 때, 달러로 표시되는 원화의 가치는 어떻게 될 것으로 예상되는가? [회계사 18]

① 8% 하락
② 4% 하락
③ 4% 상승
④ 5% 상승
⑤ 8% 상승

43 상중하

한국의 물가상승률은 2%로 향후에도 동일할 것으로 예상되고 있으며, 한국의 명목이자율은 3%이고 한국과 미국의 실질이자율은 동일하다고 하자. 또한, 현재 미달러 대비 원화의 현물환율은 1달러당 1,100원이며, 1년 선물환율은 1달러당 1,111원이라고 하자. 피셔효과, 화폐수량설, 이자율평가설(interest rate parity theory)이 성립한다면 다음 중 옳은 것은? [회계사 19]

① 한국의 실질이자율은 2%이다.
② 미국의 명목이자율은 4%이다.
③ 미국의 향후 1년 동안 물가상승률은 1%로 예상된다.
④ 한국의 실질GDP 증가율이 2%라면 한국의 통화증가율은 3%이다.
⑤ 한국의 명목GDP 증가율이 5%라면 한국의 통화증가율은 4%이다.

정답 및 해설

41 ④ 1) 원/달러 환율 변화율 = 한국의 이자율 – 미국의 이자율
2) 한국의 이자율 2% – 미국의 이자율 1% = 1%이므로 환율은 1% 상승하여 1,010이다.

42 ② 1) 우리나라의 명목이자율이 미국의 명목이자율보다 4%p 높지만 실질이자율이 동일하다는 것은 우리나라의 물가상승률이 4%p 더 높다는 의미이다.
2) 실질환율 변화율 = 명목환율 변화율 + 외국의 물가상승률 – 자국의 물가상승률이다.
3) 0% = 명목환율 변화율 – 4%이므로 명목환율이 4% 상승할 것이다.
4) 이는 원화가치가 4% 하락할 것임을 추론할 수 있다.

43 ③ 1) 원/달러 환율상승률 = 한국의 명목이자율 – 미국의 명목이자율 = 3% – 2% = 1%
2) 한국의 실질이자율 = 한국의 명목이자율 – 한국의 물가상승률 = 3% – 2% = 1%
3) 미국의 실질이자율 1%이므로 미국의 물가상승률은 1%이다.

[오답체크]
① 한국의 실질이자율은 1%이다.
② 미국의 명목이자율은 2%이다.
④ 한국의 실질GDP 증가율이 2%라면 한국의 통화증가율 = 물가상승률(2%) + 실질GDP 증가율(2%)이므로 4%이다.
⑤ 명목GDP 증가율은 물가상승률 + 실질 GDP 증가율이다. 한국의 명목GDP 증가율이 5%라면 한국의 통화증가율은 5%이다.

44 상중하

국제평가이론(international parity theorem)이 성립할 경우, A, B, C에 들어갈 숫자로 옳은 것은? (단, 환율은 외국화폐 1단위에 대한 자국화폐의 교환비율이다) [회계사 22]

- 외국과 자국의 연간 기대 인플레이션이 각각 3%와 (A)%이다.
- 외국과 자국의 1년 만기 국채금리가 각각 (B)%와 7%이다.
- 현물환율이 100이고, 1년 만기 선물환율이 (C)이다.

	A	B	C
①	4	6	102
②	5	5	102
③	5	6	103
④	5	6	102
⑤	4	5	103

45 상중하

이자율평가설(interest rate parity theory)과 구매력평가설(purchasing power parity theory)이 항상 성립할 때, 같은 값을 갖는 두 변수는? [회계사 18]

① 외국의 명목이자율과 자국의 명목이자율
② 외국의 실질이자율과 자국의 실질이자율
③ 외국의 물가상승률과 자국의 물가상승률
④ 자국의 명목이자율과 자국의 실질이자율
⑤ 명목환율과 실질환율

정답 및 해설

44 ② 1) 절대적 구매력평가설은 명목환율 $= \frac{P}{P_f}$ 가 성립한다.

2) 상대적 구매력평가설은 명목환율의 변화율 = 자국의 물가상승률 – 외국의 물가상승률이다. 문제에서 외국과 자국의 연간 기대 인플레이션이 각각 3%와 (A)%이므로 명목환율의 변화율 = A% – 3%이다.

3) 이자율평가설은 명목환율 변화율 = 자국의 이자율 – 외국의 이자율이다. 문제에서 외국과 자국의 1년 만기 국채금리가 각각 (B)%와 7%이므로 명목환율의 변화율 = 7% – B%이다.

4) 이를 종합하면 A% – 3% = 7% – B% ➜ A% + B% = 10%이다.

5) A% + B% = 10%이므로 ①, ② 중 정답이 있어야 한다.

6). 지문분석

② 자국의 물가상승률이 5% – 외국의 물가상승률 3% = 명목환율의 변화율 2%이어야한다. 따라서 선물환율은 102가 성립하므로 정답이 된다.

[오답체크]

① 자국의 물가상승률이 4% – 외국의 물가상승률 3% = 명목환율의 변화율 1%이어야한다. 따라서 선물환율은 101이어야 하므로 옳지 않다.

45 ② 1) 구매력평가설 ➜ 원/달러 환율상승률 = 한국의 물가상승률 – 미국의 물가상승률

2) 이자율평가설 ➜ 원/달러 환율상승률 = 한국의 이자율 – 미국의 이자율

3) 한국의 명목이자율 – 한국의 물가상승률 = 미국의 명목이자율 – 미국의 물가상승률 ➜ 한국의 실질이자율 = 미국의 실질이자율

46 상중하

다음은 이자율 평형조건(interest rate parity condition)과 환율(외국 통화 1단위에 대한 자국통화의 교환비율)에 대한 설명이다. (가)와 (나)를 바르게 짝지은 것은? [회계사 16]

> 이자율 평형조건이 성립하고, 미래의 기대환율이 주어지며, 외국의 이자율도 고정되었다고 하자. 이 때, 국내이자율과 환율의 조합을 그래프로 그리면, 국내이자율이 높을수록 환율은 (가) 하는 형태로 나타난다. 만약, 미래의 기대환율이 상승할 경우, 이 그래프는 (나). (단, 그래프의 가로축은 환율, 세로축은 이자율을 나타낸다)

	(가)	(나)
①	하락	오른쪽으로 이동한다
②	상승	오른쪽으로 이동한다
③	하락	왼쪽으로 이동한다
④	상승	왼쪽으로 이동한다
⑤	하락	움직이지 않는다

47 상중하

자국과 외국의 화폐시장이 다음의 균형조건을 각각 충족한다.

> • 자국: $\frac{M}{P} = kY$
>
> • 외국: $\frac{M^*}{P^*} = k^* Y^*$

M, P, Y는 각각 명목화폐공급, 물가 및 총생산을 나타내며, k는 상수이다. 외국 변수는 별(*) 표시로 자국 변수와 구분한다. 자국의 명목화폐공급 증가율과 경제성장률이 외국에 비해 각각 7% 포인트와 2% 포인트 높다. 상대적 구매력평가가 성립한다고 할 때, 명목환율의 변화율은? (단, 명목환율은 외국화폐 1단위에 대한 자국화폐의 교환비율이다) [회계사 22]

① 2.0% ② 3.5% ③ 5.0%

④ 7.0% ⑤ 9.0%

정답 및 해설

46 ① 1) 이자율 평형조건: 국내 이자율 = 외국의 이자율 + 환율변화율(= $\frac{\text{미래의 기대환율} - \text{현재환율}}{\text{현재환율}}$)

2) 국내이자율이 높을수록 외화의 유입이 증가하므로 환율은 하락한다.

3) 미래의 기대환율이 상승하면 본국으로 나갈 때 수익률이 하락하므로 더 높은 이자율을 받으려고 할 것이다. 따라서 오른쪽으로 이동한다.

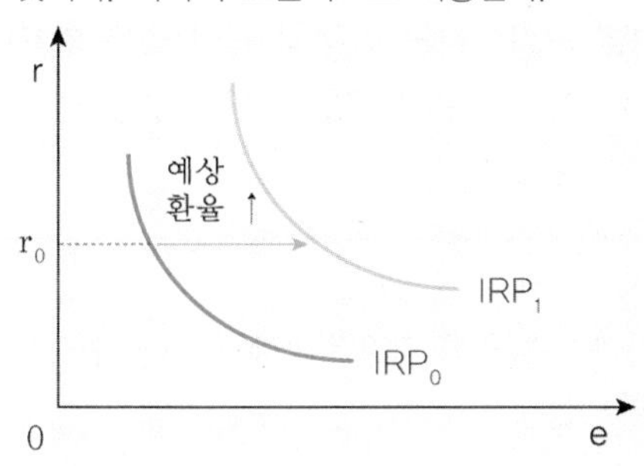

47 ③ 1) 문제의 공식을 변화율로 나타내면 $\frac{\Delta M}{M} - \frac{\Delta P}{P} = \frac{\Delta k}{k} + \frac{\Delta Y}{Y}$이다. 문제에서 k는 상수이므로 변화율은 0이다. 이를 변형하여 다시 쓰면 $\frac{\Delta P}{P} = \frac{\Delta Y}{Y} - \frac{\Delta M}{M}$이다.

2) 상대적 구매력평가설은 환율 변화율 = 자국의 물가상승률 − 외국의 물가상승률이다.

3) 문제에서 자국이 명목화폐증가율이 7% 포인트, 경제성장률이 2% 포인트 높으므로 자국의 물가상승률이 5% 포인트 높다. 따라서 명목화폐증가율은 5% 포인트이다.

48 상중하

다음 그림은 자국통화의 평가절하에 따른 경상수지 변화를 나타낸다. 구간 (가), (나)에서 나타나는 외화표시 수출가격 및 수출물량 변화에 대한 설명으로 가장 적절한 것은? [회계사 21]

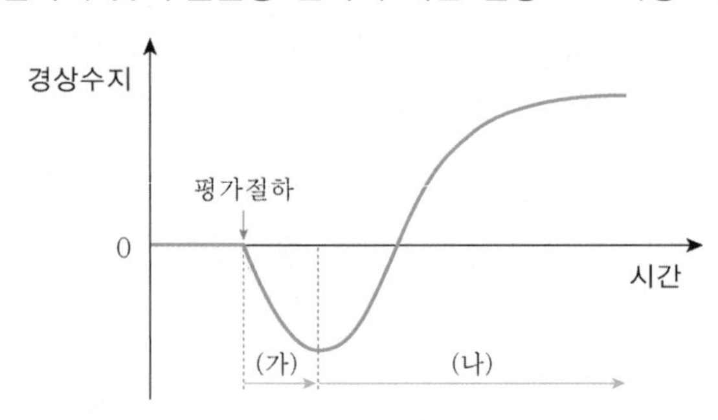

	(가)		(나)	
	수출가격	수출물량	수출가격	수출물량
①	상승	불변	상승	불변
②	하락	불변	상승	증가
③	하락	불변	하락	증가
④	불변	감소	하락	증가
⑤	불변	감소	불변	증가

49 상중하

우리나라의 반도체 수출업자가 미국에 1만달러의 상품을 수출하고 그 대금을 6개월 후에 지급받기로 계약했다. 현재 선물시장에서 6개월 후 달러의 선물가격은 1,170원이다. 원화 금융시장에서 연간 이자율은 10%, 달러화 금융시장에서 연간 이자율은 12%이다. 수출업자가 수출계약 체결과 동시에 시행할 수 있는 환위험 관리전략은 아래와 같다. 현물환율이 현재 달러당 1,200원에서 6개월 후에 달러당 1,150원이 된다면 6개월 후에 수출업자가 얻는 이득이 큰 순으로 나열된 것은? (단, 수수료 및 거래비용은 없다) [회계사 21]

> (가) 6개월 후에 1만달러를 팔기로 하는 선물계약을 체결한다.
> (나) 6개월 후에 원리금 1만달러를 갚기로 하고 달러화 금융시장에서 해당 원금을 빌린 후에 원화 금융시장에 6개월 동안 투자한다.
> (다) 아무런 조치를 취하지 않는다.

① (가) – (나) – (다)
② (가) – (다) – (나)
③ (나) – (가) – (다)
④ (나) – (다) – (가)
⑤ (다) – (가) – (나)

정답 및 해설

48 ③ 1) 최초에는 수출가격이 하락하고 수출물량은 불변이므로 경상수지가 악화된다.
2) 시간이 지나 수출가격이 하락하고 수출물량이 더 증가하므로 경상수지가 증가한다.

49 ③ 1) 6개월이므로 연간이자율의 절반이 사용할 이자율이 된다.
2) 지문분석
(가) 6개월 후에 1만달러를 팔기로 하는 선물계약을 체결한다.

$$10{,}000\$ \times \text{선물환율} = 10{,}000\$ \times \frac{1{,}170\text{원}}{1\$} = 1{,}170\text{만원}$$

(나) 6개월 후에 원리금 1만달러를 갚기로 하고 달러화 금융시장에서 해당 원금을 빌린 후에 원화 금융시장에 6개월 동안 투자한다.

$$\frac{10{,}000\$}{1+\text{달러이자율}} \times \text{현재환율} \times (1+\text{한국이자율}) - \text{빌린 돈 } 10{,}000\$ + \text{6개월 뒤 받는 돈 } 10{,}000\$$$

$$\rightarrow \frac{10{,}000\$}{1+0.06} \times \frac{1{,}200\text{원}}{1\$} \times (1+0.05) = \text{약 } 1{,}189\text{원}$$

(다) 아무런 조치를 취하지 않는다.

$$10{,}000\$ \times \text{6개월 뒤 환율} = 10{,}000\$ \times \frac{1{,}150\text{원}}{1\$} = 1{,}150\text{만원}$$

50 상중하 아래 그림은 자국의 화폐시장과 외환시장의 균형이 연계되어 있음을 보여준다. 국내화폐시장에서 결정된 균형이자율(R^*)이 외환시장에서는 자국예금수익률이 되어, 자국화폐표시 외국예금기대수익률과 같아질 때 현재의 균형환율(E^*)이 결정된다. 아래의 그림을 이용한 단기 분석으로 옳은 설명을 모두 고르면? [회계사 22]

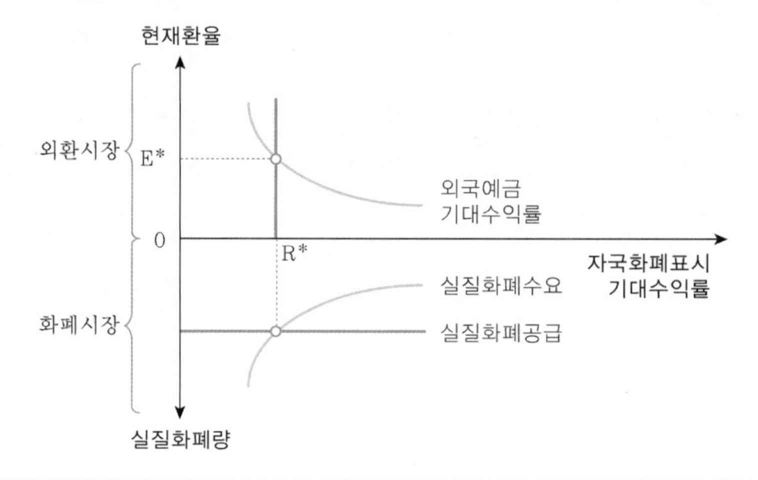

- 실질화폐공급 = $\frac{\text{명목화폐공급량}}{\text{물가수준}}$
- 외국예금기대수익률 = 외국예금이자율 + $\frac{\text{예상미래환율} - \text{현재환율}}{\text{현재환율}}$
- 실질화폐수요는 소득의 증가함수이고, 이자율의 감소함수이다.

가. 자국의 소득증가는 현재의 자국화폐가치를 상승시킨다.
나. 예상미래환율의 하락은 현재의 자국화폐가치를 상승시킨다.
다. 외국예금이자율의 하락은 현재의 자국화폐가치를 상승시킨다.

① 가 ② 나 ③ 가, 다
④ 나, 다 ⑤ 가, 나, 다

51 상중하

금융위기가 발생한 신흥시장국에서 일반적으로 나타나는 현상으로 가장 거리가 먼 것은?

[회계사 19]

① 자본유출이 발생한다.
② 주가지수가 하락한다.
③ 해당국 통화의 대외 가치가 하락한다.
④ 현금보유성향이 강해져 통화승수가 상승한다.
⑤ 신용경색과 대출축소로 실물경기가 악화된다.

정답 및 해설

50 ⑤ 가. 자국의 소득증가는 실질화폐수요를 증가시켜 실질화폐수요곡선을 하방 이동시킨다. 이로 인해 자국화폐표시 기대수익률이 증가하여 현재환율을 하락시켜 자국화폐가치를 상승시킨다.
나. 예상미래환율의 하락은 외국예금의 기대수익률을 낮추므로 현재환율을 하락시킨다. 따라서 자국화폐가치를 상승시킨다.
다. 외국이자율의 외국예금의 기대수익률을 낮추므로 현재환율을 하락시킨다. 따라서 자국화폐가치를 상승시킨다.

51 ④ 금융위기가 발생하게 되면 외화의 유출이 발생하여 자국화폐의 가치가 하락한다. 또한 금융기관의 파산이 발생할 가능성이 높아 현금보유성향이 높아져 통화승수가 하락한다.

Topic 26

국제수지

01 구성

구분		내용
개념		1년간 한 나라가 수취한 외화와 지불한 외화의 차액으로, 국제수지는 균형을 이룸
거래특성에 의한 구분		(1) **경상수지:** 일상적인 대외 거래 결과에 따른 외화의 차액 (2) **자본·금융계정:** 외국과의 자본 거래 결과에 따른 외화의 차액
경상수지	상품수지	(1) 상품의 수출과 수입에서 생긴 외화의 차액 (2) 국제수지에서 가장 큰 비중 (3) 국민경제의 소득 및 고용과 직접 관련
	서비스 수지	운수, 여행, 통신, 보험, ㉮ ______ 사용료 등에서 생긴 외화의 차액
	본원소득 수지	임금소득, 대외 자산 및 부채와 관련된 이자, 투자에 대한 ㉯ ______ 등에서 생긴 외화의 차액
	이전소득 수지	아무런 대가없이 무상으로 주고받는 외화의 차액 예 해외교포의 국내 송금, 구호금, ㉰ ______, 국제 기금 출연금
자본수지	금융계정	직접투자, 증권 같은 간접 ㉱ ______ 등에서 자본 유출 및 유입의 차액
	자본수지	자산 거래에 의한 외화의 차액
준비자산의 증감		(1) 한국은행이 국제수지의 불균형을 바로잡기 위해 사용할 수 있는 준비자산의 변동으로서, 준비자산은 금·외화자산 등의 형태로 보유함. 중앙은행을 제외한 모든 경제주체들이 각종 대외거래를 한 결과 외화가 부족한 경우에는 중앙은행이 보유하고 있는 준비자산으로 메워야 함. 이 경우 준비자산은 감소하게 됨 (2) 준비자산의 증감 = 경상수지 + 자본금융계정 + 오차 및 누락

02 균형

구분	내용
개념	(1) 외화의 수치 = 외화의 지급 (2) 흑자나 적자가 없는 상태 (3) 현실적으로 매번 달성하는 것은 불가능하지만 중장기적 균형 추구
흑자 (수취 > 지급)	(1) **장점:** 소득증가, 고용확대, 외채상환, 국가신인도 상승, 원자재 안정적 공급, 외국인 투자 확대, 해외 직접 투자 확대 (2) **단점:** 통화량 증대, 물가 상승, 무역 마찰

핵심키워드

㉮ 특허권, ㉯ 배당금, ㉰ 무상원조, ㉱ 투자

적자 (수취 < 지급)	(1) 단기적 적자를 무조건 손해라고 볼 필요는 없음 (2) 만성적 적자, 경기 침체 지속, 통화량 감소, 외채 증가, 국가 신인도 하락, 외환위기 발생
국민소득 항등식과 경상수지	(1) 경상수지와 국내총생산 ① 국민소득의 균형 $Y = C + I + G + X - M$ ➜ 순수출(경상수지)을 나타내는 식으로 정리, 경상수지$(X - M)$ = 국내총생산(Y) − 국내총지출$(C + I + G)$ ② 국내총생산(Y) > 국내총지출$(C + I + G)$이면 경상수지$(X - M)$ ㉮ ________ ③ 국내총생산(Y) < 국내총지출$(C + I + G)$ ➜ 경상수지$(X - M)$ ㉯ ________ (2) 경상수지와 국내저축·투자와의 관계 ① 국민소득의 균형 $Y = C + I + G + X - M$ ➜ 순투자(I)에 대한 식으로 정리, 경상수지$(X - M)$ = 민간저축$(Y - T - C)$ + 정부저축$(T - G)$ − 투자(I) = 국내총저축 − 투자 ② 국내총저축 > 투자이면 경상수지 ㉮ ________ ③ 국내총저축 < 투자이면 경상수지 ㉯ ________ ④ 다시 위의 식을 투자(I)에 대한 식으로 다시 정리하면 국내총투자(I) = 민간저축$(Y - T - C)$ + 정부저축$(T - G)$ + 해외저축$(M - X)$ = 국내총저축 + 해외저축 ⑤ 투자의 재원조달은 국내저축(민간저축 + 정부저축)과 해외저축에 의해 충당됨 (3) 쌍둥이 적자(twin deficit) ① 국내총투자(I) = ㉰ ________저축$(Y - T - C)$ + ㉱ ________저축$(T - G)$ + ㉲ ________저축$(M - X)$을 $X - M$으로 다시 정리하면 $X - M = (Y - T - C) - I + (T - G)$ 경상수지$(X - M)$ = (민간저축 − 투자) + (국내재정) ② (민간저축 − 투자)가 일정한 경우 재정적자가 증가하면 경상수지적자도 증가함 ③ 한편 재정적자와 경상수지적자가 동시에 발생하는 경우를 쌍둥이적자라 함

03 J커브효과와 마셜-러너 조건

J커브효과	평가절하(환율인상)를 하면 국제수지가 개선되는데 이 때 즉시 개선되지 않고 단기적으로는 악화되었다가 시간이 경과함에 따라 서서히 증가하는 현상으로 그래프가 J곡선 모양으로 그려짐
마셜-러너 조건	(1) 의미 자국의 화폐를 평가절하를 실시할 경우 국제수지가 개선될 조건 (2) 개선 조건 ① (자국의) 수입수요의 가격탄력성 + (자국의) 수출공급의 가격탄력성 > 1 ② (자국의) 수입수요의 가격탄력성 + (외국의) 수입수요의 가격탄력성 > 1

핵심키워드

㉮ 흑자, ㉯ 적자, ㉰ 민간, ㉱ 정부, ㉲ 해외

04 BP곡선

개념	BP곡선은 외환시장 및 국제수지(경상수지 + 자본수지 + 오차 및 누락)를 균형시키는 국민소득과 이자율의 관계를 나타내는 곡선
기울기	(1) 자본이동성이 큰 경우 자본시장이 개방되어 자본이동성이 크면 작은 이자율 차이에도 자본유출입이 많아지므로 BP곡선 기울기가 ㉮ ________ 해짐. 즉, 국민소득이 증가하여 경상수지가 악화될 때 이자율이 조금만 상승해도 자본유입이 원활하게 이루어짐 (2) 소국개방경제 자본시장이 완전히 개방되어 있고 경제규모가 작아서 세계경제에 영향을 미칠 수 없는 경제를 소국개방경제라고 함. 소국개방경제의 이자율은 세계이자율 수준과 같으므로 BP곡선은 세계이자율 수준에서 ㉯ ________임
이동	환율이 인상되거나 물가가 하락하면 BP곡선은 ㉰ ________ 이동함
균형	IS, LM, BP곡선이 교차하는 점에서 달성되며 생산물시장과 화폐시장과 국제수지의 동시균형을 의미함
완전개방경제하의 재정정책과 통화정책	(1) ㉱ ________제도일 경우 재정정책 효과가 있으며 통화정책은 효과가 없음 (2) ㉲ ________제도일 경우 통화정책 효과가 있으며 재정정책 효과가 없음

핵심키워드

㉮ 완만, ㉯ 수평, ㉰ 하방(우측), ㉱ 고정환율, ㉲ 변동환율

STEP 1 기본문제

01 상중하

A국의 2018년 국제수지표의 일부 항목이다. 다음 표에서 경상수지는 얼마인가? [노무사 19]

- 상품수지: 54억달러
- 서비스수지: -17억달러
- 본원소득수지: 3억달러
- 이전소득수지: -5억달러
- 직접투자: 26억달러
- 증권투자: 20억달러

① 35억달러 흑자 ② 40억달러 흑자 ③ 60억달러 흑자
④ 61억달러 흑자 ⑤ 81억달러 흑자

02 상중하

변동환율제하에서의 국제수지표에 대한 설명으로 옳은 것만을 모두 고르면? (단, 국제수지표에서 본원소득수지, 이전소득수지, 오차와 누락은 모두 0과 같다) [국가직 7급 18]

ㄱ. 국민소득이 국내총지출보다 크면 경상수지는 적자이다.
ㄴ. 국민저축이 국내투자보다 작으면 경상수지는 적자이다.
ㄷ. 순자본유출이 정(+)이면 경상수지는 흑자이다.

① ㄱ ② ㄴ
③ ㄱ, ㄷ ④ ㄴ, ㄷ

정답 및 해설

01 ① 경상수지는 상품수지, 서비스수지, 본원소득수지, 이전소득수지이다. 따라서 54 - 17 + 3 - 5 = 35억달러 흑자이다.

02 ④ ㄴ. 국민저축 $S = Y - C - G$이므로 GDP항등식 $Y = C + I + G + (X - M)$을 정리하면 $Y - C - G = I + (X - M)$ ➜ $S = I + (X - M)$, $(X - M) = S - I$가 된다. 이 식에서 $S < I$이면 $(X - M) < 0$이므로 국민저축이 국내투자보다 작으면 경상수지가 적자이다.

ㄷ. 순자본유출이 0보다 크다는 것은 자본수지가 적자임을 의미한다. 경상수지 + 자본수지 = 0이므로 자본수지가 적자이면 경상수지는 흑자이다.

[오답체크]

ㄱ. 국내총지출 $A = C + I + G$이므로 GDP항등식 $Y = C + I + G + (X - M)$은 $Y = A + (X - M)$ ➜ $(X - M) = Y - A$로 바꾸어 쓸 수 있다. 이 식에서 $Y > A$이면 $(X - M) > 0$이므로 국민소득이 국내총지출보다 크면 경상수지가 흑자임을 알 수 있다.

03 상중하

GDP를 $Y = C + I + G + X - M$으로 표시할 때, GDP에 관한 설명으로 옳지 않은 것은? (단, C는 소비, I는 투자, G는 정부지출, $X - M$은 순수출(무역수지로 측정)이다) [노무사 17]

① 무역수지가 적자일 경우, GDP는 국내 경제주체들의 총지출보다 작다.
② GDP가 감소해도 무역수지는 흑자가 될 수 있다.
③ M(수입)은 C, I, G에 포함되어 있는 수입액을 모두 다 더한 것이다.
④ 올해 생산물 중 판매되지 않고 남은 재고는 올해 GDP에 포함되지 않는다.
⑤ 무역수지가 흑자이면 국내 저축이 국내 투자보다 더 크다.

04 상중하

먼델-플레밍(Mundell-Fleming)모형을 가정할 때 다음의 상황에서 나타날 수 있는 현상으로 옳지 않은 것은? (단, 마셜-러너 조건이 충족된다고 가정한다) [국가직 21]

- A국과 B국은 소규모 개방경제하에서 변동환율제도를 채택하고 있고 단기적으로 물가가 고정되어 있으며 자본 유출입은 자유롭다.
- 글로벌 경기 침체를 극복하기 위해 A국은 국채를 통한 재정지출을 증가시키고 B국은 통화량을 증가시켰다.

① 자본이 B국에서 A국으로 이동한다.
② A국의 경상수지가 악화된다.
③ A국의 통화가 평가절상된다.
④ A국과 B국의 경기가 회복된다.

05 상중하

경제주체들의 환율 예상이 정태적으로 형성되는 경우, 변동환율제도를 채택한 소규모 개방경제 국가에서 중앙은행이 긴축적 통화정책을 실시할 때 나타나는 현상은? (단, 국가 간 자본이동이 완전하고, 다른 조건이 일정하다) [지방직 19]

① 실질소득은 감소하고 자국화폐는 평가절상된다.
② 자국화폐는 평가절하되고 실질소득은 증가한다.
③ 실질소득은 변화가 없고 자국화폐는 평가절상된다.
④ 환율은 변화가 없고 실질소득은 감소한다.

정답 및 해설

03 ④ 올해 생산물 중 판매되지 않은 재고도 국내에서 생산된 것이므로 GDP에 포함된다. 올해 생산물 중 판매되지 않은 것은 재고투자로 집계된다.

04 ④ 먼델-플레밍모형은 고정환율제에서는 재정정책이, 변동환율제도에서는 통화정책이 효과가 있음을 보여준다. 따라서 변동환율제도를 채택하고 있는 상태에서 A국은 재정정책을 실시했으므로 효과가 없고 B국은 통화정책을 실시했으므로 효과가 있다.

[오답체크]
① 재정정책은 이자율을 상승시키고, 통화정책은 이자율을 하락시킨다. 따라서 이자율이 높은 A국으로 자본이 이동한다.
② 국제수지는 균형이어야 한다. A국의 자본수지가 +이므로 경상수지가 악화된다.
③ 이자율 상승으로 인하여 A국의 통화가 평가절상된다.

05 ① 중앙은행이 긴축적인 통화정책을 실시하면 LM곡선이 왼쪽으로 이동하므로 이자율이 상승한다. 이자율이 상승하면 자본유입으로 외환공급이 증가하므로 환율이 하락한다. 평가절상이 이루어지면 순수출이 감소하므로 IS곡선이 왼쪽으로 이동한다. 그러므로 변동환율제도하에서 긴축적인 통화정책을 실시하면 자국화폐가 평가절상되고, 국민소득은 감소하게 된다.

06 상중하

세계는 A국, B국, C국의 세 국가로 구성되어 있으며, 국가 간 자본이동에는 아무런 제약이 없다. B국은 고정환율제도를 채택하고 있으며, C국은 변동환율제도를 채택하고 있다. A국의 경제불황으로 인하여 B국과 C국의 A국에 대한 수출이 감소하였을 때, B국과 C국의 국내경제에 미칠 영향에 대한 설명으로 옳지 않은 것은? [지방직 7급 16]

① B국 중앙은행은 외환을 매각할 것이다.
② C국의 환율(C국 화폐로 표시한 A국 화폐 1단위의 가치)은 상승할 것이다.
③ B국과 C국 모두 이자율 하락에 따른 자본유출을 경험한다.
④ C국이 B국보다 A국 경제불황의 영향을 더 크게 받을 것이다.

07 상중하

甲국은 자본이동이 완전히 자유로운 소규모 개방경제로 IS-LM곡선이 만나는 거시경제 균형 상태에 있다. 甲국이 고정환율제도를 포기하고 변동환율제도를 채택하였다고 가정할 때 정책 효과의 변화에 대한 설명으로 옳지 않은 것은? (단, IS곡선과 LM곡선은 각각 우하향, 우상향한다) [지방직 21]

① 정부지출의 증가는 자본 유입을 유발한다.
② 정부지출의 증가는 순수출을 악화시킨다.
③ 통화정책이 소득에 미치는 효과가 커진다.
④ 통화정책의 독립성을 상실한다.

08 상중하

단기적으로 대미 환율(₩/$)을 가장 크게 하락시킬 가능성이 있는 우리나라 정부와 중앙은행의 정책 조합으로 옳게 짝지은 것은? (단, 우리나라는 자본이동이 완전히 자유롭고, 변동환율제도를 채택하고 있는 소규모 개방경제 국가이다. IS와 LM곡선은 각각 우하향, 우상향하며, 경제주체들의 환율 예상은 정태적이다) [국가직 7급 20]

① 확장적 재정정책, 확장적 통화정책
② 확장적 재정정책, 긴축적 통화정책
③ 긴축적 재정정책, 확장적 통화정책
④ 긴축적 재정정책, 긴축적 통화정책

정답 및 해설

06 ④ 변동환율제도를 채택하고 있는 C국의 경우에는 외환수요가 증가하더라도 중앙은행이 외환시장에 개입하지 않으므로 환율이 상승하게 된다. 환율이 상승하면 순수출이 증가하므로 다시 IS곡선이 오른쪽으로 이동하여 국민소득이 원래 수준으로 돌아간다.

[오답체크]

① B국 중앙은행은 고정환율제도를 채택하고 있으므로 부족해진 외환을 채우기 위해 외환을 매각할 것이다.

②③ A국의 불황으로 B국과 C국의 수출이 감소하면 두 나라의 IS곡선이 모두 왼쪽으로 이동한다. IS곡선이 왼쪽으로 이동하면 이자율이 하락하므로 자본유출이 이루어진다. 자본유출이 이루어지면 외환수요가 증가하므로 환율상승 압력이 발생한다. 따라서 C국의 환율(C국 화폐로 표시한 A국 화폐 1단위의 가치)은 상승할 것이다.

③ B국과 C국 모두 수출감소로 IS곡선이 좌측으로 이동하여 이자율 하락에 따른 자본유출을 경험한다.

07 ④ 고정환율제도는 통화정책의 독립성이 없다. 변동환율제도로 변화하였으므로 통화정책의 독립성이 확보되었다.

[오답체크]

①② 정부지출의 증가는 IS곡선을 우측으로 이동시켜 이자율을 상승시킨다. 이자율 상승은 자본유입의 원인이다. 자본이 유입되면 환율이 하락하여 순수출이 감소한다.

③ 통화정책은 LM곡선을 우측으로 이동시켜 이자율을 하락시킨다. 이자율 하락은 자본유출의 원인이다. 자본이 유출되면 환율이 상승하여 순수출이 증가한다. 순수출이 증가하면 IS곡선이 우측으로 이동하여 국민소득이 증가한다.

08 ② 1) 환율이 하락하는 것은 원화가치 상승, 달러가치 하락을 의미한다.
2) 원화가치 상승을 위해서는 이자율이 올라가야 하므로 확장적 재정정책을 통해 IS곡선을 우측으로 이동시키고 긴축적 통화정책을 통해 LM곡선을 좌측으로 이동시켜야 한다.

09 상중하 먼델-플레밍모형을 이용하여 고정환율제하에서 정부지출을 감소시킬 경우 나타나는 변화로 옳은 것은? (단, 소규모 개방경제하에서 국가 간 자본의 완전이동과 물가불변을 가정하고, IS곡선은 우하향, LM곡선은 수직선이다) [노무사 21]

① IS곡선은 오른쪽 방향으로 이동한다.
② LM곡선은 오른쪽 방향으로 이동한다.
③ 통화량은 감소한다.
④ 고정환율수준 대비 자국의 통화가치는 일시적으로 상승한다.
⑤ 균형국민소득은 증가한다.

10 상중하 A국은 자본이동 및 무역거래가 완전히 자유로운 소규모 개방경제이다. A국의 재정정책과 통화정책에 따른 최종 균형에 관한 설명으로 옳은 것은? (단, 물가는 고정되어 있다고 가정하고 IS-LM-BP모형에 의한다) [노무사 19]

① 고정환율제에서 확장적 재정정책과 확장적 통화정책 모두 국민소득을 증대시키는 효과가 있다.
② 고정환율제에서 확장적 재정정책은 국민소득을 증대시키는 효과가 없지만, 확장적 통화정책은 효과가 있다.
③ 고정환율제에서 확장적 재정정책은 국민소득을 증대시키는 효과가 있지만, 확장적 통화정책은 효과가 없다.
④ 변동환율제에서 확장적 재정정책은 국민소득을 증대시키는 효과가 있지만, 확장적 통화정책은 효과가 없다.
⑤ 변동환율제에서 확장적 재정정책과 확장적 통화정책 모두 국민소득을 증대시키는 효과가 없다.

11 환율과 국제수지에 대한 설명으로 옳지 않은 것은? [국가직 7급 12]
상중하

① 구매력평가설에 따를 때, 다른 조건은 일정하고 우리나라의 통화량만 증가하는 경우 원/달러환율은 하락한다.
② 원/달러 환율이 하락하는 경우 원화가 평가절상된 것이다.
③ 달러 대비 원화가치의 하락은 우리나라의 대미 수출 증가 요인으로 작용한다.
④ 자본이동이 자유로운 경우, 다른 조건은 일정하고 우리나라의 이자율만 상대적으로 상승하면 원화의 가치가 상승한다.

정답 및 해설

09 ③ 1) 먼델-플레밍모형에서 고정환율제도라면 재정정책은 효과가 있으나 통화정책은 효과가 없다.
2) 정부지출을 축소하였으므로 IS곡선 좌측 이동 ➜ 외화의 초과수요 ➜ 환율 상승 ➜ 고정환율제도이므로 환율을 하락시키기 위해 외화 매입 ➜ 통화량 증가 ➜ LM곡선 우측 이동 ➜ 최초와 비교 시 이자율 불변, 국민소득 감소

[오답체크]
① IS곡선은 왼쪽 방향으로 이동한다.
② LM곡선은 왼쪽 방향으로 이동한다.
④ 고정환율수준 대비 자국의 통화가치는 일시적으로 하락한다.
⑤ 균형국민소득은 감소한다.

10 ③ 1) 자본이동이 자유로운 경우이므로 BP곡선의 기울기는 수평이다.
2) 고정환율제에서 확장적 재정정책을 실시하면 IS곡선이 우측으로 이동시켜 이자율이 상승한다. 이때 환율이 하락하므로 이를 막기 위해서는 통화량을 증가시켜 LM곡선을 우측으로 이동시켜야 한다. 따라서 확장적 재정정책은 효과가 있다.
반면 확장적 금융정책을 실시하면 LM곡선을 우측으로 이동시켜 이자율이 하락한다. 이 때 환율이 상승하므로 환율 상승을 막기 위해서는 국공채를 매각하여 통화를 흡수하여야 한다. 따라서 LM곡선이 좌측으로 이동하므로 효과가 없다.
3) 변동환율제에서 확장적 재정정책을 실시하면 IS곡선을 우측으로 이동시켜 이자율이 상승한다. 이때 환율을 하락하여 순수출이 감소하므로 IS곡선을 왼쪽으로 이동하여 효과가 없다. 반면 확장적 금융정책을 실시하면 LM곡선이 우측으로 이동하여 이자율이 하락한다. 따라서 환율이 상승하므로 순수출이 증가하여 IS곡선도 우측으로 이동시키므로 효과가 크다.

11 ① 상대적 구매력평가설에서 다른 조건은 일정하고 우리나라의 통화량이 증가하면 우리나라에 인플레이션이 발생한다. 이는 자국의 화폐가치의 하락을 유도하므로 원/달러 환율은 상승한다.

[오답체크]
② 환율하락은 원화가치의 상승을 의미하므로 원화가 평가절상된 것이다.
③ 환율이 상승(원화가치의 하락)하면 수출품의 국제가격이 하락하므로 수출이 증가한다.
④ 우리나라의 이자율이 상승하면 해외자본의 유입이 발생하므로 원화가치가 상승하여 원/달러 환율은 하락한다.

12 상중하 국가 간 자본의 자유이동과 자유변동환율제도를 가정할 때, 국민소득을 증가시키기 위한 확장적 재정정책과 확장적 통화정책의 효과에 대한 설명으로 옳은 것은? [지방직 7급 10]

① 재정정책이 통화정책보다 효과가 크다.
② 재정정책과 통화정책 모두 효과가 없다.
③ 재정정책과 통화정책 모두 효과가 크다.
④ 통화정책이 재정정책보다 효과가 크다.

13 상중하 먼델－플레밍모형에 대한 설명으로 옳지 않은 것은? [국가직 7급 11]

① 먼델－플레밍모형은 IS－LM모형과 마찬가지로 재화 및 용역시장을 설명하지만 순수출을 추가적으로 포함한다.
② 소국개방경제의 경우, 고정환율제하에서는 재정정책만이 소득에 영향을 미친다.
③ 소국개방경제의 경우, 변동환율제하에서는 금융정책만이 소득에 영향을 미친다.
④ 소국개방경제의 경우, 일국과 관련된 위험할증이 증가하면 소득이 감소한다.

14 상중하 다음은 자본이동이 완전히 자유로운 고정환율제도에서의 재정정책 효과를 설명한 것이다. ㉠ ~ ㉢에 들어갈 말을 바르게 나열한 것은? (단, 이 국가는 소규모 개방경제국이다)

[지방직 7급 11]

> 재정지출의 증대 ➜ 환율 (㉠) 압력 ➜ 중앙은행 외환 (㉡) 개입 ➜ 통화량 (㉢) ➜ 국민소득 증대

	㉠	㉡	㉢
①	상승	매입	증가
②	하락	매도	감소
③	하락	매입	증가
④	상승	매도	감소

정답 및 해설

12 ④ 먼델-플레밍모형에서 자유변동환율제는 통화정책이, 고정환율제는 재정정책이 더 효과가 있다.

13 ④ 먼델-플레밍모형의 결과는 고정환율제하에서는 재정정책만이 소득에 영향을 미치고, 변동환율제하에서는 금융정책이 소득변화에 효과적이라고 한다. 또한 일국의 정치혼란이나 소요사태, 외환위기 등으로 위험할증이 증가할 경우 먼델-플레밍모형에 의하면 국내이자율이 위험할증만큼 증가하여 투자가 축소되겠지만 이자율 상승으로 화폐수요가 감소하여 파생통화량이 증가하면 환율이 상승(평가절하)하고 그로인해 순수출이 증가하여 소득이 증가한다고 한다.

14 ③ 1) 고정환율제도하에서 확대재정정책을 실시하면 최초의 균형점에서 IS곡선이 우측 이동한다. 이자율이 상승하여 자본의 유입으로 환율 하락 압력이 생기므로 고정환율제도의 경우 정부가 개입하여 달러를 매입함으로써 현재의 환율을 유지하는 과정에서 본원통화가 증가하고 통화량이 증가한다. 따라서 LM곡선이 우측 이동하고 국민소득은 증가한다. 이처럼 고정환율제도하에서의 확대재정정책의 효과는 매우 강력하다.

2) 그래프

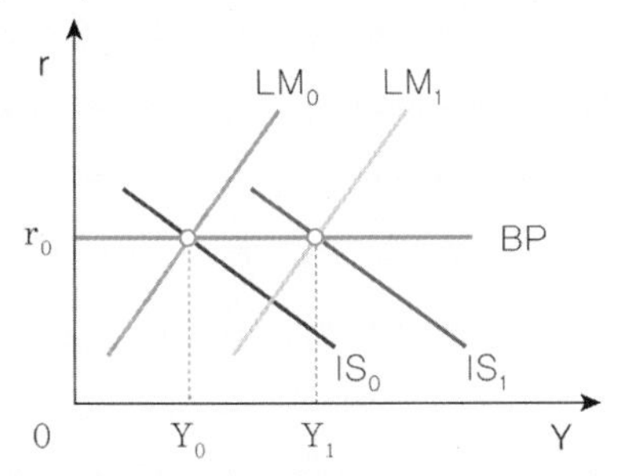

15 상중하 자본이동이 완전히 자유로운 소국개방경제를 가정하자. 먼델-플레밍의 IS-LM-BP모형에 대한 설명으로 옳지 않은 것은? [국가직 7급 16]

① BP곡선은 (산출, 이자율) 평면에서 수평선으로 나타난다.
② 고정환율제하에서 통화정책은 국민소득에 영향을 미치지 못한다.
③ 변동환율제하에서는 통화정책의 독자성이 보장된다.
④ 재정정책의 국민소득에 대한 효과는 고정환율제보다 변동환율제하에서 더 커진다.

16 상중하 외부로부터 디플레이션 충격이 발생하여 국내 경제에 영향을 미치고 있을 때, 확장적 통화정책을 시행할 경우의 거시경제 균형에 대한 효과로 옳지 않은 것은? [서울시 7급 15]

① 폐쇄경제모형에 따르면 이자율이 하락하여 투자가 증가한다.
② 자본시장이 완전히 자유로운 소규모 개방경제모형에서는 고정환율을 유지하려면 다른 충격에 대응하는 통화정책을 독립적으로 사용할 수 없다.
③ 변동환율제를 채택하고 자본시장이 완전히 자유로운 소규모 개방경제모형에서는 수출이 감소한다.
④ 교역상대국에서도 확장적 통화정책을 시행할 경우 자국통화가치를 경쟁적으로 하락시키려는 환율전쟁 국면으로 접어든다.

정답 및 해설

15 ④ 자본이동이 완전히 자유로운 먼델-플레밍모형에서 고정환율제도하에서는 재정정책이 효과적이고, 변동환율제도하에서는 통화정책이 효과적이다.

16 ③ 확장적 통화정책을 실시하면 이자율이 상승하여 외화의 유출이 증가한다. 환율 상승 시 변동환율제를 채택하고 자본시장이 완전히 자유로운 소규모 개방경제모형에서는 수출이 증가한다.

17 상중하

자본이동이 불완전하고 변동환율제도를 채택한 소규모 개방경제의 IS-LM-BP모형에서 균형점이 $(Y_0,\ i_0)$으로 나타났다. 이 때, 확장적 재정정책에 따른 새로운 균형점에 대한 설명으로 옳은 것은? (단, Y는 총소득, i는 이자율이다) [지방직 7급 17]

① 총소득은 Y_0보다 크고, 이자율은 i_0보다 높다.
② 총소득은 Y_0보다 크고, 이자율은 i_0보다 낮다.
③ 총소득은 Y_0보다 작고, 이자율은 i_0보다 높다.
④ 총소득은 Y_0보다 작고, 이자율은 i_0보다 낮다.

18 상중하

다음은 먼델-플레밍모형을 이용하여 고정환율제도를 취하고 있는 국가의 정책 효과에 대해서 설명한 것이다. ㉠과 ㉡을 바르게 연결한 것은? [서울시 17]

> 정부가 재정지출을 (㉠)하면 이자율이 상승하고 이로 인해 해외로부터 자본 유입이 발생한다. 외환 시장에서 외화의 공급이 증가하여 외화가치가 하락하고 환율의 하락 압력이 발생한다. 하지만 고정환율제도를 가지고 있기 때문에 환율이 변할 수는 없다. 결국 환율을 유지하기 위해 중앙은행은 외화를 (㉡)해야 한다.

	㉠	㉡
①	확대	매입
②	확대	매각
③	축소	매입
④	축소	매각

정답 및 해설

17 ① 1) 확대적인 재정정책을 실시하면 IS곡선이 오른쪽으로 이동하여 이자율이 상승하므로 자본유입이 이루어진다.

2) 자본유입이 이루어지면 외환공급이 증가하므로 환율이 하락한다. 평가절상이 이루어지면 순수출 감소로 IS곡선이 일부 왼쪽으로 이동한다. 그리고 평가절상이 이루어지면 BP곡선도 왼쪽으로 이동한다.

3) 자본이동이 불완전한 경우 변동환율제도하에서 확장적인 재정정책을 실시하면 국민소득은 증가하고 이자율은 상승하게 된다.

18 ① 1) 정부가 재정지출을 확대하면 IS곡선이 오른쪽으로 이동하므로 이자율이 상승한다.

2) 이자율이 상승하면 해외로부터 자본유입이 이루어지므로 외환공급이 증가한다. 외환의 공급이 증가하면 환율하락 압력이 발생하게 된다.

3) 고정환율제도하에서는 중앙은행이 개입하여 환율을 일정하게 유지해야 하므로 외환공급이 증가할 때 환율을 일정하게 유지하려면 중앙은행이 외환을 매입해야 한다.

4) 중앙은행이 외환을 매입하면 LM곡선도 오른쪽으로 이동하므로 국민소득이 큰 폭으로 증가하게 된다. 그러므로 고정환율제도하에서는 재정정책이 매우 효과적이다.

STEP 2 심화문제

19 상중하

다음 〈보기〉 중 국제경제에 대한 설명으로 옳은 것은 모두 몇 개인가? [국회직 8급 14]

〈보기〉

ㄱ. 재정흑자와 경상수지적자의 합은 0이다.
ㄴ. 경상수지적자의 경우 자본수지 적자가 발생한다.
ㄷ. 규모에 대한 수확이 체증하는 경우 이종산업(inter-industry) 간 교역이 활발하게 되는 경향이 있다.
ㄹ. 중간재가 존재할 경우 요소집약도가 변하지 않더라도 요소가격균등화가 이루어지지 않는다.
ㅁ. 만약 일국의 국민소득이 목표치를 넘을 경우 지출축소정책은 타국과 정책마찰을 유발한다.

① 1개　② 2개　③ 3개
④ 4개　⑤ 5개

20 상중하

다음 중 BP(Balance of Payments)곡선 (가로축: 소득, 세로축: 이자율)의 우하향 이동에 영향을 주는 외생변수의 변화에 관한 설명 중 가장 옳지 않은 것은? [국회직 8급 14]

① 외국소득의 증가
② 외국상품가격의 상승
③ 국내통화의 평가절상예상
④ 외국이자율의 상승
⑤ 국내기업수익률의 상승예상

정답 및 해설

19 ② 개방경제의 생산물시장 균형은 $(Y-T-C)+(T-G)-I=X-M$ ➜ $NS-I=X-M$(NS는 국민저축으로 표현 가능하다)이다.

ㄹ. 중간재가 존재하면 요소집약도가 일정하여도 MP_L, MP_K가 변해서 한계기술대체율 또는 요소의 상대가격이 변할 수 있다. 따라서 요소가격 균등화 정리는 성립하지 않는다.

ㅁ. 지출의 크기를 축소하는 정책은 수입품의 수요도 줄이는 것이므로 외국(타국)과 정책마찰을 유발한다.

[오답체크]

ㄱ. $(Y-T-C)+(T-G)-I=X-M$을 다시 변형하면 $(T-G)+(X-M)=(I-S)$이다. 좌변은 재정흑자와 경상수지 적자의 합이다. 우변에 $(I-S)$는 0이 아니므로 재정흑자와 경상수지 적자의 합도 0이 아니다.

ㄴ. $NS-I=X-M$에서 좌변의$(X-M)$이 음(−)이면 우변의 $(NS-I)$도 음(−)이다. $(X-M)$이 음(−)이라는 것은 경상수지가 적자임을 의미한다. 경상수지 적자를 메꾸기 위해 자본을 외국으로부터 빌리면 자본이 국내로 유입되므로 자본수지 흑자가 발생한다. 결국 경상수지 적자의 경우 자본수지 흑자가 발생한다.

ㄷ. 규모에 대한 수확이 체증(IRS)하는 경우 규모의 경제가 발생한다. 결국 규모에 대한 수확이 체증하는 경우 동종산업 간(intra-industry) 교역(산업 내 무역)이 활발해진다.

20 ④ BP곡선은 다음과 같이 표현된다. $BP=X(Y_f,\ \frac{eP_f}{P})-M(Y,\ \frac{eP_f}{P})+F(r-r_f)=0$

외국이자율(r_f)이 상승하면 외국의 투자수익률(r_f+e^e)이 상승하여 자본이 외국으로 유출되므로 국제수지 적자가 발생한다. 국제수지 균형을 회복하기 위해서는 소득(Y)이 줄어서 수입이 감소해야 한다. 결국 외국이자율이 상승하면 BP곡선은 소득(Y)이 줄어드는 방향으로 좌상향 이동한다.

[오답체크]

① 외국소득(Y_f)이 증가하면 수출이 늘어나서 국제수지가 흑자가 된다. 국제수지 균형을 회복하기 위해서는 소득(Y)이 늘어서 수입이 증가해야 한다. 결국 외국소득이 증가하면 BP곡선은 소득(Y)이 늘어나는 방향으로 우하향 이동한다.

② 외국상품의 가격(P_f)이 상승하면 사람들은 국내상품의 소비를 늘리므로 수출이 늘고 수입을 줄여서 국제수지 흑자가 발생한다. 국제수지 균형을 회복하기 위해서는 소득(Y)이 늘어서 수입이 증가해야 한다. 결국 외국소득이 증가하면 BP곡선은 소득(Y)이 늘어나는 방향으로 우하향 이동한다.

③ 국내통화의 평가절상이 예상($e^e\downarrow$)되면 외국의 투자수익률(r_f+e^e)이 하락하여 자본이 국내로 유입되므로 국제수지 흑자가 발생한다. 국제수지 균형을 회복하기 위해서는 소득(Y)이 늘어서 수입이 증가해야 한다. 결국 국내통화의 평가절상이 예상되면 BP곡선은 소득(Y)이 늘어나는 방향으로 우하향 이동한다.

⑤ 국내기업 수익률(r)이 상승할 것이라고 예상이 되면 자본이 국내로 유입되므로 국제수지 흑자가 발생한다. 국제수지 균형을 회복하기 위해서는 소득(Y)이 늘어서 수입이 증가해야 한다. 결국 국내기업 수익률 상승이 예상되면 BP곡선은 소득(Y)이 늘어나는 방향으로 우하향 이동한다.

21 상중하

甲국의 국민소득(Y)은 소비(C), 민간투자(I), 정부지출(G), 순수출(NX)의 합과 같다. 2016년과 같이 2017년에도 조세(T)와 정부지출의 차이($T - G$)는 음(-)이었고 절대크기는 감소하였으며, 순수출은 양(+)이었지만 절대크기는 감소하였다. 이로부터 유추할 수 있는 2017년의 상황으로 옳은 것을 〈보기〉에서 모두 고른 것은? [감정평가사 18]

〈보기〉

ㄱ. 국가채무는 2016년 말에 비해 감소하였다.
ㄴ. 순대외채권은 2016년 말에 비해 감소하였다.
ㄷ. 민간저축은 민간투자보다 더 많았다.
ㄹ. 민간저축과 민간투자의 차이는 2016년보다 그 절대크기가 감소하였다.

① ㄱ, ㄴ ② ㄱ, ㄷ ③ ㄴ, ㄷ
④ ㄴ, ㄹ ⑤ ㄷ, ㄹ

22 상중하

변동환율제를 채택하고 있는 어떤 소규모 개방경제에서 현재의 국내 실질이자율이 국제 실질이자율보다 낮다. 국제자본이동성이 완전한 경우의 먼델-플레밍모형(Mundell-Fleming model)에 의할 때 국내 경제 상황의 변화로 옳은 것을 〈보기〉에서 모두 고르면? [국회직 8급 16]

〈보기〉

ㄱ. 순자본유입이 발생할 것이다.
ㄴ. 순수출이 더 증가할 것이다.
ㄷ. 실질이자율이 더 상승할 것이다.
ㄹ. 외환시장에서 초과공급이 발생할 것이다.

① ㄱ, ㄴ ② ㄱ, ㄷ ③ ㄴ, ㄷ
④ ㄴ, ㄹ ⑤ ㄷ, ㄹ

정답 및 해설

21 ⑤ 1) GDP항등식 $Y = C + I + G + X - M$을 변형하면 $X - M = Y - C - I - G$이다. 왼쪽 항목에 T를 더하고 빼주면 $X - M = (Y - C - T) - I + (T - G)$이다.

2) $Y - C - T$는 민간저축 S_P이고 $T - G$는 정부저축 S_G이므로 변형하면 $X - M = S_P - I - (T - G)$이다.

3) 지문분석

ㄷ. 문제에서 순수출은 양이고 정부지출은 음이므로 민간 저축은 (+)이다.

ㄹ. 그 양이 감소하였으므로 민간저축과 민간투자의 차이는 줄어들었다.

[오답체크]

ㄱ. 문제에서 $T - G$가 (-)이므로 추가적으로 국채발행을 해야 한다. 따라서 국가채무는 2016년 말에 비해 증가하였다.

ㄴ. 국제수지는 균형이어야 하는데 경상수지인 $X - M$이 (+)이므로 외국으로 자본유출이 이루어져야 한다. 따라서 순대외채권은 2016년 말보다 증가하였다.

22 ③ 1) 변동환율제를 채택하고 있는 어떤 소규모 개방경제에서 현재의 국내 실질이자율이 국제 실질이자율보다 낮으면 확대 금융정책을 사용한 경우이므로 LM곡선이 우측으로 이동 ➜ BP곡선 하방으로 이동하여 자본수지 적자 ➜ 환율 상승 ➜ 수출 증가, 수입 감소 ➜ IS곡선 우측 이동 ➜ 산출량 증가, 이자율 불변

2) 지문분석

ㄴ. 수출증가, 수입감소로 순수출이 증가한다.

ㄷ. F점에서 효과이므로 실질이자율이 G점으로 상승한다.

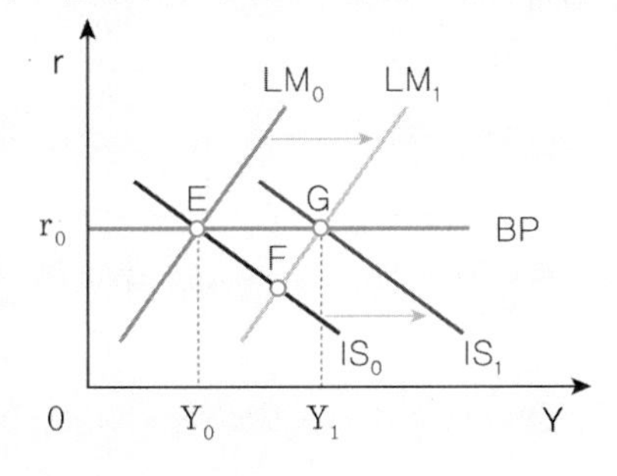

[오답체크]

ㄱ. 순자본유출이 발생할 것이다.

ㄹ. 외환시장에서 초과수요가 발생할 것이다.

23 상중하

변동환율제를 채택한 A국이 긴축재정을 실시하였다. 먼델-플레밍모형을 이용한 정책 효과에 관한 설명으로 옳은 것을 모두 고른 것은? (단, 완전한 자본이동, 소국개방경제, 국가별 물가수준 고정을 가정한다) [감정평가사 21]

ㄱ. 원화가치는 하락한다.
ㄴ. 투자지출을 증가시킨다.
ㄷ. 소득수준은 변하지 않는다.
ㄹ. 순수출이 감소한다.

① ㄱ, ㄴ ② ㄱ, ㄷ ③ ㄱ, ㄹ
④ ㄴ, ㄷ ⑤ ㄴ, ㄹ

24 상중하

변동환율제도를 도입하고 있으며 자본이동이 완전히 자유로운 소규모 개방경제에서, 최근 경기침체에 대응하여 정부가 재정지출을 확대하는 경우 나타날 수 있는 현상으로 옳은 것을 〈보기〉에서 모두 고르면? [국회직 8급 17]

〈보기〉

ㄱ. 균형이자율과 균형국민소득은 변화가 없다.
ㄴ. 국내통화가 평가절상되고 자본수지가 개선된다.
ㄷ. 수출이 감소하고 경상수지가 악화된다.
ㄹ. 균형이자율과 균형국민소득 모두 증가한다.

① ㄱ, ㄴ ② ㄱ, ㄷ ③ ㄷ, ㄹ
④ ㄱ, ㄴ, ㄷ ⑤ ㄴ, ㄷ, ㄹ

25 자본 이동이 완전한 먼델－플레밍(Mundell-Fleming)모형에서 A국의 정부지출 확대 정책의 효과에 관한 설명으로 옳은 것은? (단, A국은 소규모 개방경제이며, A국 및 해외 물가수준은 불변, IS곡선은 우하향, LM곡선은 우상향한다) [감정평가사 20]

상중하

① 환율제도와 무관하게 A국의 이자율이 하락한다.
② 고정환율제도에서는 A국의 국민소득이 증가한다.
③ 변동환율제도에서는 A국의 국민소득이 감소한다.
④ 고정환율제도에서는 A국의 경상수지가 개선된다.
⑤ 변동환율제도에서는 A국의 통화가치가 하락한다.

정답 및 해설

23 ② 1) 변동환율제에서 긴축재정을 실시하면 IS곡선이 좌측으로 이동하여 이자율이 하락한다.
2) 이자율이 하락하면 환율이 상승하여 순수출이 증가하므로 IS곡선은 우측으로 이동한다.
3) 따라서 재정정책은 최종적으로 영향을 미치지 못한다.
4) 지문분석
ㄱ. 이자율이 낮아지므로 외화의 공급이 감소하여 원화가치는 하락한다.
ㄷ. 최초의 상태로 돌아오므로 소득수준은 변하지 않는다.

[오답체크]
ㄴ. 이자율이 최초의 상태로 돌아오므로 투자지출이 증가하지 않는다.
ㄹ. 환율 상승으로 인해 순수출이 증가한다.

24 ④ 1) 완전히 자유로운 소규모 개방경제이므로 BP곡선이 수평이다.
2) 정부지출 증가 ➔ IS곡선 우측 이동 ➔ BP곡선 상방에 위치하므로 자본수지 흑자 ➔ 외환공급증가, 환율하락(평가절상) ➔ 수출감소, 수입증가(경상수지 적자) ➔ IS곡선 좌측 이동
3) 따라서 변동환율제도에서의 재정정책은 효과가 없다.

[오답체크]
ㄹ. 균형이자율과 균형국민소득 모두 변화가 없다.

25 ② 1) 먼델-플레밍모형에서는 고정환율제도일 때 재정정책은 효과가 있지만 금융정책은 효과가 없다.
2) 먼델-플레밍모형에서는 변동환율제도일 때 금융정책은 효과가 있지만 재정정책은 효과가 없다.

26 상중하 A국 경제 성장의 급격한 둔화로 A국으로 유입되었던 자금이 B국으로 이동할 때, B국의 상품수지와 이자율의 변화로 옳은 것은? [국회직 8급 19]

① 상품수지 악화, 이자율 하락
② 상품수지 악화, 이자율 상승
③ 상품수지 개선, 이자율 하락
④ 상품수지 개선, 이자율 상승
⑤ 상품수지 변화 없음, 이자율 하락

27 상중하 A국은 글로벌 과잉유동성에 따른 대규모 투기 자본 유입에 대응하기 위해 A국의 주식 및 채권에 대한 외국인 투자자금에 2%의 금융거래세를 부과하고자 한다. A국의 금융거래세 도입 정책에 대한 설명으로 옳지 않은 것은? [국회직 8급 19]

① A국 통화의 절하 요인이다.
② A국 자본수지의 흑자 요인이다.
③ A국 증권시장의 변동성을 줄이는 요인이다.
④ A국으로의 외환 유입을 줄이는 요인이다.
⑤ A국 기업의 외자조달 비용을 높이는 요인이다.

28 상중하

甲국은 자본이동이 완전히 자유로운 소규모 개방경제이다. 변동환율제도하에서 甲국의 거시경제모형이 다음과 같을 때, 정책효과에 관한 설명으로 옳지 않은 것은? (단, Y, M, r, e, p, r^*, p^*는 각각 국민소득, 통화량, 이자율, 명목환율, 물가, 외국이자율, 외국물가이다)

[감정평가사 18]

- 소비함수: $C = 1{,}000 + 0.5(Y - T)$
- 투자함수: $I = 1{,}200 - 10{,}000r$
- 순수출: $NX = 1000 - 1000\epsilon$
- 조세: $T = 1{,}000$
- 정부지출: $G = 2{,}000$
- 실질환율: $\epsilon = e\frac{p}{p^*}$
- 실질화폐수요: $L_D = 40 - 1000r + 0.01Y$
- 실질화폐공급: $L_S = \frac{M}{p}$
- $M = 5{,}000$
- $p = 100$
- $p^* = 100$
- $r^* = 0.02$

① 정부지출을 증가시켜도 균형소득은 변하지 않는다.
② 조세를 감면해도 균형소득은 변하지 않는다.
③ 통화공급을 증가시키면 균형소득은 증가한다.
④ 확장적 재정정책을 실시하면 e가 상승한다.
⑤ 확장적 통화정책을 실시하면 r이 하락한다.

정답 및 해설

26 ① 1) 자금이 유입된다는 것은 B국 자산에 대한 수요가 늘어난다는 의미이고 이는 자산가격의 상승으로 이어진다. 자산가격과 이자율은 역의 관계에 있으므로 이자율은 하락한다.
2) 자금 유입은 자본수지 흑자를 의미하고 국제수지가 균형이 되려면 경상수지는 그만큼 악화되어야 한다.

27 ② 금융거래세 도입은 외국자본의 이탈을 가져와 자본수지의 적자요인이 된다.

28 ⑤ 1) 자본이동이 완전히 자유롭기 때문에 BP곡선은 수평이다.
2) 변동환율제도이므로 통화정책은 효과가 있고 재정정책은 효과가 없다.
3) 지문분석
⑤ 확장적 통화정책을 실시하면 LM곡선이 우측으로 이동하여 r이 하락한다. 이로 인해 환율이 상승하여 순수출이 증가한다. 따라서 IS곡선이 우측으로 이동하여 국민소득은 증가하고 이자율은 처음으로 되돌아간다.

29 상중하

중앙은행이 긴축적 통화정책을 시행할 때 나타나는 현상에 대한 설명으로 옳은 것만을 〈보기〉에서 모두 고르면? [국회직 8급 19]

〈보기〉

ㄱ. 이자율이 상승한다.
ㄴ. 외환에 대한 수요가 증가한다.
ㄷ. 국내 통화가치가 상승한다.
ㄹ. 수입가격의 하락으로 무역수지가 개선된다.

① ㄱ, ㄴ ② ㄱ, ㄷ ③ ㄴ, ㄷ
④ ㄴ, ㄹ ⑤ ㄷ, ㄹ

30 상중하

개방경제하에서 단순 케인지안 거시경제모형의 설정에 필요한 정보를 수집하였더니 〈보기〉와 같았다. 〈보기〉에 나타난 거시경제 정책이 균형국민소득과 경상수지에 미치는 영향으로 옳은 것은? [국회직 8급 16]

〈보기〉

- 독립적 소비지출: 20조원
- 독립적 정부지출: 200조원
- 독립적 수출: 160조원
- 한계소비성향: 0.8
- 독립적 투자지출: 150조원
- 조세수입: 200조원
- 독립적 수입: 30조원
- 한계수입성향: 0.2
- 정부는 재정지출을 30조원 늘리기로 하였다.
- 확장적 재정정책 이후 독립적 수출은 175조원으로 증가하였다.
- 소득세는 존재하지 않고 정액세만 존재한다.

	균형국민소득	경상수지
①	100.5조원 증가	5.5조원 악화
②	112.5조원 증가	변동 없음
③	110.5조원 증가	변동 없음
④	112.5조원 증가	7.5조원 악화
⑤	110.5조원 증가	3.75조원 악화

31 상중하 만성적인 국제수지적자를 기록하고 있는 나라에서는 확대재정정책이 확대금융정책보다 더 효과적일 수 있다. 그 이유로 옳은 것은? [국회직 8급 17]

① 확대재정정책과 확대금융정책은 수입을 증가시킬 우려가 있다.
② 확대금융정책의 실시로 단기자본이 유출될 가능성이 있다.
③ 확대금융정책은 이자율을 상승시키고, 투자와 생산성을 위축시킨다.
④ 확대재정정책은 자국통화의 평가절하를 가져오고 이로 인해 수출이 감소한다.
⑤ 금융정책은 필립스곡선에 의해 제약되나 재정정책은 그렇지 않다.

정답 및 해설

29 ② 긴축적 통화정책은 통화량 감소 ➜ 이자율 상승 ➜ 국내 자산 수요 증가 ➜ 자국 화폐 수요 증가 ➜ 환율 하락 ➜ 수입 증가, 수출 감소를 가져온다.

[오답체크]
ㄴ. 이자율이 상승하므로 외환의 공급이 증가하고, 외화수요가 감소한다.
ㄹ. 수입가격 하락과 수출가격 증가를 가져와 무역수지가 악화된다.

30 ④ 1) 정부는 재정지출을 30조원 늘리기로 하였다.
2) 확장적 재정정책 이후 독립적 수출은 175조원으로 증가하였으므로 수출 증가분은 15조원이다. 따라서 독립지출 증가분은 30 + 15 = 45조원이다.
3) 승수는 $\frac{1}{1-c(1-t)+m} = \frac{1}{1-0.8(1-0)+0.2} = \frac{1}{0.4} = 2.5$이다. 따라서 균형국민소득 증가분은 $45 \times 2.5 = 112.5$조원이다.
4) 한계수입성향이 0.2이므로 수입은 22.5조원 증가하고 이를 수출증가분에서 제하면 $15 - 22.5 = -7.5$조원이 되어 경상수지는 7.5조원 악화된다.

31 ② 1) 확대재정정책이 효과가 있다고 하였으므로 고정환율제도로 풀어야 한다.
2) 확대금융정책을 실시하면 LM곡선이 우측으로 이동하여 BP곡선 하방에 위치한다. 따라서 단기자본이 유출되어 자본수지 적자가 발생한다. 고정환율제도이므로 이자율을 상승시켜야 자본유입이 가능하기 때문에 다시 LM곡선을 좌측으로 이동시켜야 한다.

32 상중하

세계 대부자금시장에서 대부자금에 대한 수요가 증가하는 경우 단기에 자본이동이 자유롭고 변동환율제를 채택하고 있는 소규모개방경제의 순수출, 투자, 소득에 미치는 효과로서 옳은 것은? (단, 멘델-플레밍(Mundell-Fleming)모형을 가정한다) [국회직 8급 14]

	순수출	투자	소득
①	증가	감소	증가
②	증가	증가	증가
③	증가	감소	감소
④	감소	증가	감소
⑤	감소	감소	감소

33 상중하

자본이동이 완전히 자유로운 소규모 개방경제의 IS-LM-BP모형에서 화폐수요가 감소할 경우 고정환율제도와 변동환율제도하에서 발생하는 변화에 대한 설명으로 옳지 않은 것을 〈보기〉에서 모두 고르면? [국회직 8급 18]

〈보기〉

ㄱ. 변동환율제도하에서 화폐수요가 감소하면 LM곡선이 오른쪽으로 이동한다.
ㄴ. 변동환율제도하에서 이자율 하락으로 인한 자본유출로 외환수요가 증가하면 환율이 상승한다.
ㄷ. 변동환율제도하에서 평가절하가 이루어지면 순수출이 증가하고 LM곡선이 우측으로 이동하여 국민소득은 감소하게 된다.
ㄹ. 고정환율제도하에서 외환에 대한 수요증가로 환율상승 압력이 발생하면 중앙은행은 외환을 매각한다.
ㅁ. 고정환율제도하에서 화폐수요가 감소하여 LM곡선이 오른쪽으로 이동하더라도 최초의 위치로는 복귀하지 않는다.

① ㄱ, ㄴ　② ㄴ, ㄷ　③ ㄷ, ㄹ
④ ㄷ, ㅁ　⑤ ㄹ, ㅁ

정답 및 해설

32 ① 1) 자본이동이 자유로운 경우 이자율평가설이 성립하고 BP곡선은 수평이다.

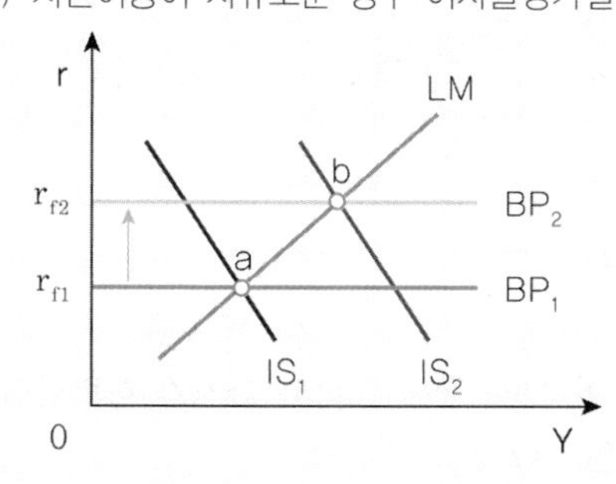

2) 대부자금 수요가 증가하면 대부자금의 가격인 국제이자율(r_f)이 상승하면서 BP곡선이 상방으로 이동한다.

3) 대내균형 a점에서는 국제수지가 적자이므로 환율이 상승하고 IS곡선이 우측으로 이동한다. 최종균형은 b점이다.

4) a점에서 b점으로 이동하므로 소득은 증가한다. 이자율이 상승하므로 투자는 감소한다.

5) 소득이 증가하여 수입이 증가(순수출 감소)하지만 환율이 상승하여 순수출은 증가한다.

33 ④ ㄷ. 평가절하 ➜ 환율 상승 ➜ 순수출 증가 ➜ IS곡선 우측 이동 ➜ 소득 증가

ㅁ. 화폐수요 감소 ➜ LM곡선 우측 이동 ➜ 외환 유출로 인한 환율 상승 압력 ➜ 외환 매도 및 통화량 감소 ➜ LM곡선 좌측 이동하여 복귀

34 상중하

A국은 기준금리를 유지하였는데 B국은 기준금리를 인상하였을 때 A국 경제에 미치는 단기적 영향 중 가장 적절하지 않은 것은? (단, A국 경제는 자본이동이 자유롭고 변동환율제도를 채택하고 있다) [국회직 8급 16]

① 자본 유출 발생
② 환율의 상승(국내통화의 평가절하)
③ 무역수지의 개선
④ 자본수지의 악화
⑤ 고용의 감소

35 상중하

정부가 경기부양을 위하여 확장금융정책을 시행하면서 동시에 건전한 재정을 위하여 재정적자 폭을 줄이는 긴축재정정책을 시행할 때, 소규모 개방경제인 이 나라에서 나타날 것으로 기대되는 현상을 〈보기〉에서 모두 고르면? [국회직 8급 15]

〈보기〉

ㄱ. 국내 채권 가격이 상승한다.
ㄴ. 이자율평가설(interest rate parity)에 따르면, 국내 통화의 가치가 하락한다.
ㄷ. 국제수지 중에서 무역수지보다 자본수지의 개선을 가져온다.

① ㄱ　② ㄷ　③ ㄱ, ㄴ
④ ㄴ, ㄷ　⑤ ㄱ, ㄴ ,ㄷ

정답 및 해설

34 ⑤ 상대적으로 A국의 기준금리가 낮아지므로 A국에서 자본 유출 발생 ➜ 자본수지 악화 ➜ 외환공급 감소 ➜ 환율 상승(국내통화의 평가절하) ➜ 수출증가, 수입감소 ➜ 무역수지 개선 ➜ 총수요 증가 ➜ 고용 개선이 순차적으로 이루어질 것이다.

35 ⑤ 정부가 경기부양을 위하여 확장 금융정책을 시행하면 LM곡선이 우측으로 이동한다. 동시에 건전한 재정을 위하여 긴축재정정책을 시행하면 IS곡선이 좌측으로 이동한다. 따라서 이자율이 크게 하락한다.

ㄱ. 이자율과 채권가격은 음(-)의 관계이므로 이자율이 하락할 때 국내 채권가격은 상승한다.

ㄴ. 이자율평가설에 따르면 국내 이자율이 하락할 때 자본이 외국으로 유출되므로 환율이 상승한다. 환율 상승은 국내 통화의 가치가 하락함을 의미한다.

ㄷ. 국내 이자율 하락으로 자본이 유출되므로 자본수지는 악화된다. 한편 환율이 상승하므로 수출은 늘고 수입은 줄어서 무역수지, 경상수지는 개선된다.

STEP 3 실전문제

36 다음 중 우리나라 국제수지상의 경상수지 흑자로 기록되는 것은? [회계사 21]
상중하

① 한국은행이 IMF로부터 10억달러를 차입했다.
② 외국 투자자들이 국내 증권시장에서 1억달러어치의 국내 기업 주식을 매입했다.
③ 국내 기업 A가 특허권을 외국에 매각하고 20만달러를 벌었다.
④ 외국에서 1년 미만 단기로 일하는 우리나라 근로자가 근로소득으로 받은 10만달러를 국내로 송금했다.
⑤ 우리나라 정부가 개발도상국에 2천만달러의 무상원조를 제공했다.

37 다음 그림은 변동환율제를 채택하고 있는 어느 소규모 개방경제의 IS - LM - BP곡선을 나타낸다. (가) 외국 소득 감소, (나) 외국 이자율 상승이 각각 가져오는 균형 소득 변화로 옳은 것은? [회계사 22]
상중하

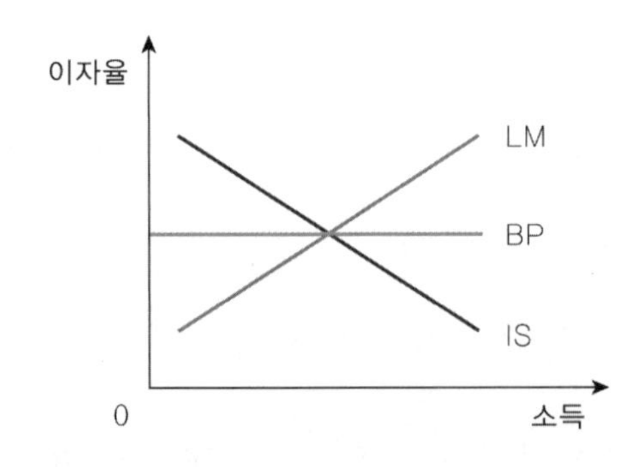

	(가)	(나)
①	소득 불변	소득 증가
②	소득 감소	소득 불변
③	소득 감소	소득 증가
④	소득 감소	소득 감소
⑤	소득 증가	소득 감소

정답 및 해설

36 ④ 본원소득수지의 흑자이므로 경상수지의 흑자요인이다.

[오답체크]

① 금융계정의 기타투자의 흑자요인이다.

② 금융계정의 흑자요인이다.

③ 자본수지의 흑자요인이다.

⑤ 이전소득수지의 적자이므로 경상수지의 적자요인이다.

37 ① 1) 외국의 소득감소는 순수출의 감소를 가져오므로 IS곡선이 좌측 이동하여 이자율이 하락한다. 이로 인해 환율이 상승하므로 순수출이 증가하여 소득은 불변이다.

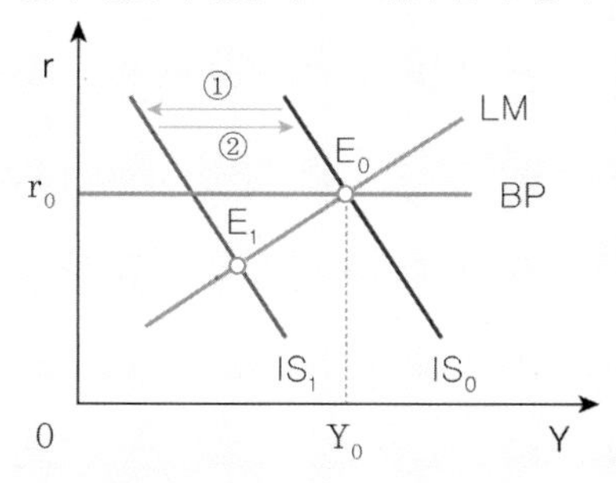

2) 외국의 이자율 상승은 자국의 이자율 하락을 가져오므로 BP곡선이 하방으로 이동하여 환율이 상승한다. 이로 인해 순수출이 증가하여 소득은 증가한다.

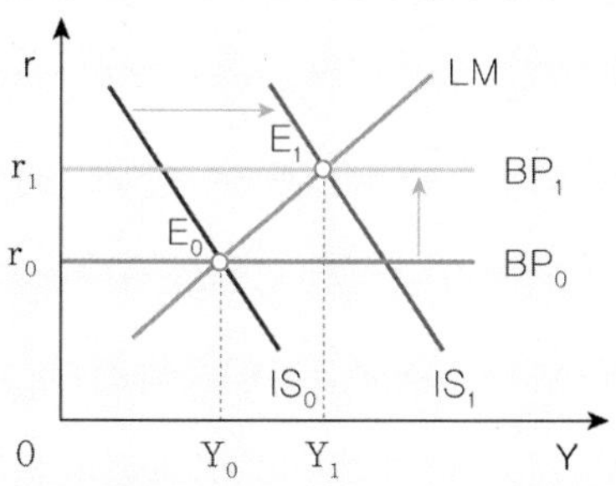

38 상중하 다음 그림은 변동환율제를 채택하고 있는 어떤 소규모 개방경제의 IS－LM－BP곡선을 나타낸다. 중앙은행이 팽창적 통화정책을 실시할 경우 환율 및 총수요 변화로 옳은 것은? (단, 환율은 외국통화 1단위에 대한 자국통화의 교환비율을 의미한다) [회계사 17]

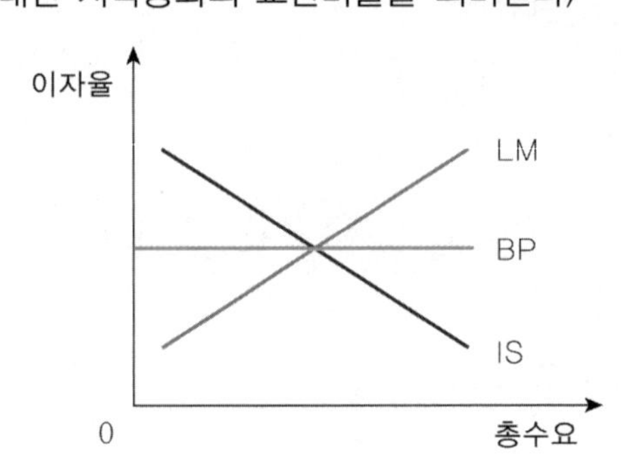

	환율	총수요
①	상승	증가
②	하락	감소
③	상승	감소
④	하락	증가
⑤	불변	불변

39 상중하 다음 그림은 고정환율제를 채택하고 있는 어느 소규모 개방경제의 IS – LM – BP곡선을 나타낸다. 해외 이자율이 상승할 경우 통화량과 소득의 변화로 옳은 것은? (단, 중앙은행은 불태화정책을 사용하지 않는다) [회계사 18]

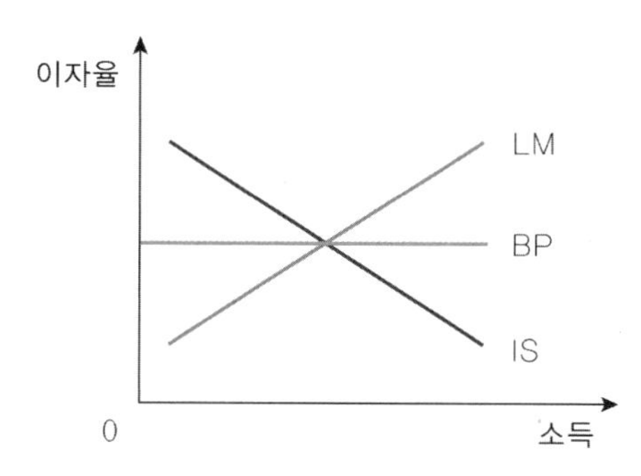

	통화량	소득
①	증가	증가
②	감소	감소
③	증가	감소
④	감소	증가
⑤	불변	불변

정답 및 해설

38 ① 1) 팽창적 통화정책을 실시하면 LM곡선이 하방으로 이동하여 이자율이 하락한다.
2) 이자율이 하락하면 자본유출이 이루어지므로 외환수요가 증가하여 환율이 상승한다.
3) 환율이 상승하면 순수출이 증가하므로 IS곡선이 오른쪽으로 이동하게 된다.
4) 따라서 국민소득(= 총수요)이 증가하게 된다.

39 ② 1) 해외 이자율 상승 ➜ BP곡선이 상방이동하여 외국으로 자본유출이 이루어진다.
2) 자본유출이 이루어지면 외환수요가 증가하므로 외환시장에서 환율 상승 압력이 발생한다.
3) 고정환율제도는 외환을 매각해야하므로 통화량이 감소하여 LM곡선이 왼쪽으로 이동하게 되어 소득이 감소한다.

40 상중하

자본이동이 완전히 자유로운 소규모 개방경제의 IS-LM-BP모형에서 대체지급수단의 개발로 화폐수요가 감소할 때, 고정환율제와 변동환율제하에서 균형국민소득의 변화로 옳은 것은? (단, IS곡선은 우하향하고 LM곡선은 우상향한다고 가정) [회계사 15]

	고정환율제	변동환율제
①	증가	증가
②	불변	증가
③	불변	감소
④	감소	불변
⑤	감소	감소

41 상중하

변동환율제도를 채택하고 있는 A국 중앙은행이 보유하던 미국 달러를 매각하고 자국 통화를 매입하였다. 이에 대한 다음 설명 중 옳은 것을 모두 고르면? [회계사 16]

가. A국 통화 가치가 미국 달러 대비 하락한다.
나. A국 통화 공급량이 감소한다.
다. A국 외환보유액이 감소한다.
라. A국 물가가 상승하고 실질GDP가 증가한다.

① 가, 나 ② 나, 다 ③ 다, 라
④ 가, 다, 라 ⑤ 나, 다, 라

정답 및 해설

40 ② 1) 화폐수요가 감소하면 현금통화비율이 감소하여 통화승수가 증가한다. 따라서 통화량이 증가하여 LM곡선이 우측 이동한다.
2) 먼델-플레밍모형에서 통화정책은 변동환율제도일 때만 효과가 있다.
3) LM 증가 ➜ 이자율 하락 ➜ 환율 상승 ➜ 순수출 증가 ➜ IS곡선 우측 이동 ➜ 국민소득 증가

41 ② 1) 자국통화를 매입하였으므로 LM곡선이 좌측 이동하여 이자율이 상승한다.
2) 지문분석
나. 자국통화를 매입하였으므로 A국 통화 공급량이 감소한다.
다. 달러를 매각하였으므로 A국 외환보유액이 감소한다.

[오답체크]
가. 이자율이 상승하므로 A국 통화 가치가 미국 달러 대비 상승한다.
라. 통화량이 감소하므로 A국 물가가 하락하고 실질GDP가 감소한다.

42 상중하

다음 그림은 어느 개방경제의 BP곡선을 나타낸다. C점은 경상수지와 자본수지가 모두 균형인 상태이다. D점에서의 경상수지와 자본수지 상태로 옳은 것은? [회계사 18]

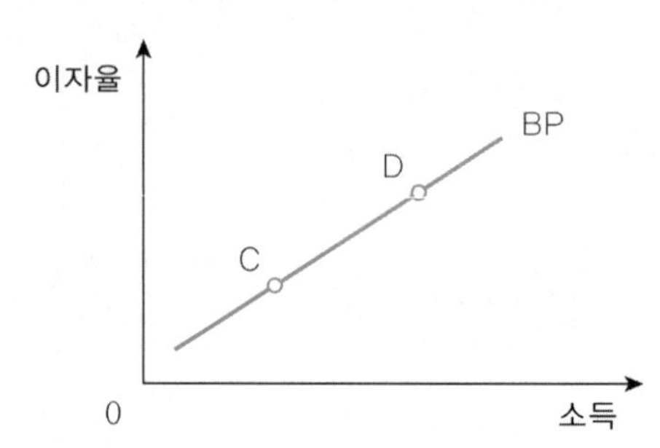

	경상수지	자본수지
①	적자	적자
②	적자	흑자
③	흑자	적자
④	흑자	흑자
⑤	균형	균형

43 상중하

자본이동이 완전히 자유롭고 고정환율제도를 채택한 소규모 개방 경제의 IS－LM－BP모형을 고려할 때, 다음 중 균형국민소득을 감소시키는 것은? (단, IS곡선은 우하향하고 LM곡선은 우상향한다고 가정) [회계사 14]

① 화폐수요의 감소
② 독립투자지출의 증가
③ 화폐공급의 감소
④ 국제이자율의 상승
⑤ 조세삭감

정답 및 해설

42 ② 1) C에서 D로 이동하면 가로축의 소득이 증가하여 수입이 증가한다. 이로 인해 경상수지는 적자가 발생한다.

2) C에서 D로 이동하면 세로축의 이자율이 증가하여 외화의 유입이 증가한다. 이로 인해 자본수지는 흑자가 발생한다.

43 ④ 1) 먼델-플레밍모형에서 IS곡선이 좌측 이동시 국민소득이 감소한다.

2) 그래프

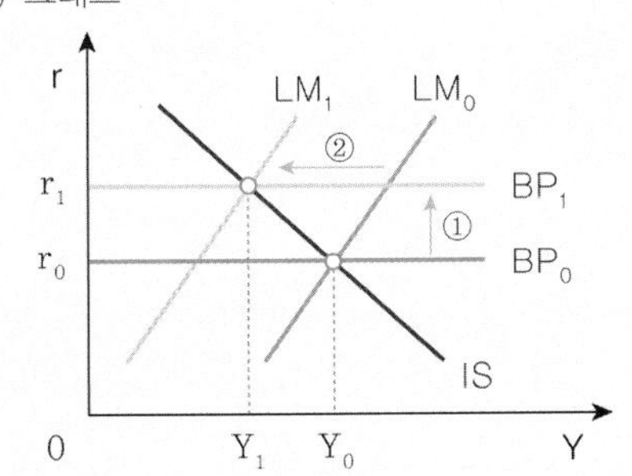

3) 지문분석

④ 국제이자율 상승 ➜ 외환의 초과수요 ➜ 외화 매각 ➜ LM곡선 좌측 이동 ➜ 국민소득 감소

[오답체크]

① 화폐수요의 감소는 LM곡선의 이동요인이므로 효과가 없다.

② 독립투자지출의 증가 ➜ IS곡선 우측 이동 ➜ 외환의 초과공급 ➜ 외화 매입 ➜ LM우측 이동 ➜ 국민소득 증가

③ 화폐공급의 감소는 LM곡선의 이동요인이므로 효과가 없다.

⑤ 조세 삭감 ➜ IS곡선 우측 이동 ➜ 외환의 초과공급 ➜ 외화 매입 ➜ LM곡선 우측 이동 ➜ 국민소득 증가

44 상중하

다음 그림은 고정환율제를 채택하고 있는 어느 소규모 개방경제의 IS-LM-BP곡선을 나타낸다. BP곡선은 BP_1과 BP_2 중 하나이다. 다음 설명 중 옳지 않은 것은? (단, 현재 균형점은 E이다) [회계사 21]

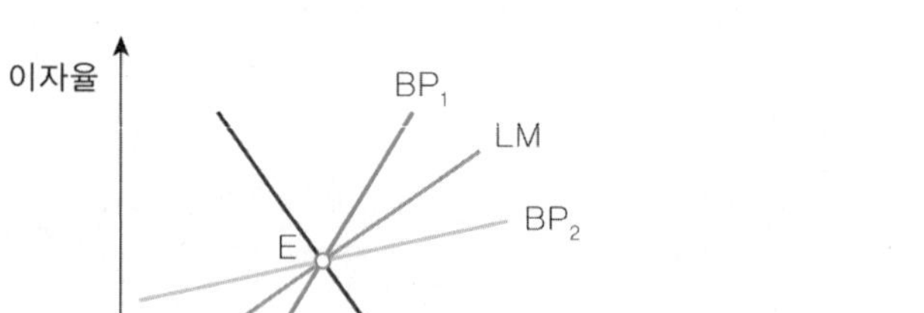

① 자본의 이동은 BP_1인 경우보다 BP_2인 경우에 더 자유롭다.

② 확장적 재정정책이 시행되면 BP_1인 경우와 BP_2인 경우 모두 이자율이 상승한다.

③ 확장적 재정정책에 따른 소득 증가효과는 BP_1인 경우보다 BP_2인 경우에 더 크다.

④ 확장적 재정정책에 따른 구축효과는 BP_1인 경우보다 BP_2인 경우에 더 크다.

⑤ 확장적 통화정책이 소득에 미치는 효과는 BP_1인 경우와 BP_2인 경우에 동일하다.

정답 및 해설

44 ④ 1) 확장적 재정정책과 통화정책을 그래프로 표현하면 다음과 같다.

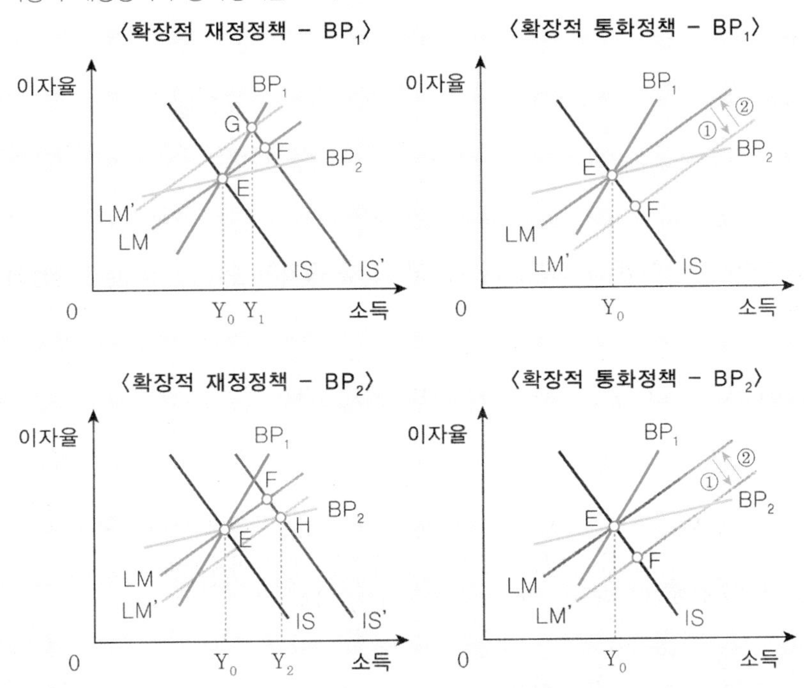

2) 지문분석

④ 확장적 재정정책에 따른 구축효과는 BP_1인 경우가 이자율이 더 많이 증가하므로 구축효과가 크다.

[오답체크]

① 자본의 이동은 기울기가 완만할수록 자유롭기 때문에 BP_1인 경우보다 BP_2인 경우에 더 자유롭다.

② 확장적 재정정책이 시행되면 IS곡선이 우측이동하므로 BP_1인 경우와 BP_2인 경우 모두 이자율이 상승한다.

③ 확장적 재정정책에 따른 소득 증가효과는 BP_1인 경우(G점)보다 BP_2인 경우(H)에 더 크다.

⑤ 확장적 통화정책이 소득에 미치는 효과가 없으므로 둘 다 동일하다.

45 상중하

완전한 자본이동과 소규모 개방경제를 가정하는 먼델-플레밍(Mundell-Fleming)모형을 고려하자. 변동환율제도하에서 다른 모든 조건은 동일한 가운데, 교역상대국의 보호무역조치로 인해 수출이 외생적으로 감소하였다. 이에 따른 새로운 균형을 기존의 균형과 비교한 결과로 옳지 않은 것은? (단, 소비는 처분가능소득만의 함수이고 투자는 실질이자율만의 함수이다)

[회계사 19]

① 투자는 불변이다.
② 총소득은 불변이다.
③ 순수출은 감소한다.
④ 자국 통화가치는 하락한다.
⑤ 오쿤의 법칙이 성립하면 실업률은 불변이다.

46 상중하

소규모 개방경제모형이 다음과 같을 때, 정부지출 증가가 순수출 및 실질 환율에 미치는 영향으로 옳은 것은?

[회계사 20]

- 재화시장: $Y_0 = C(Y_0) + I(r) + G_0 + NX(\varepsilon, Y_0, Y_0^*)$
- 실질 이자율: $r = r_0^*$

(단, Y, C, I, G, NX, ε, r, Y^*, r^*는 각각 소득, 소비, 투자, 정부지출, 순수출, 실질 환율, 실질 이자율, 외국 소득, 외국 실질 이자율을 나타낸다. 변수에 아래 첨자 0이 표시되어 있으면 외생변수이다. 소비는 소득의 증가함수, 투자는 실질 이자율의 감소함수, 순수출은 실질 환율, 소득, 외국 소득에 대하여 각각 증가함수, 감소함수, 증가함수이다)

	순수출	실질 환율
①	감소	하락
②	증가	하락
③	불변	하락
④	감소	상승
⑤	증가	상승

47 상중하

어떤 소규모 개방경제모형이 다음과 같을 때, 이와 관련된 설명 중 옳은 것은? [단, Y, C, I, G, NX, M, P, L, r, r^*, θ, e는 각각 소득, 소비, 투자, 정부지출, 순수출, 통화량, 물가, 실질 화폐수요, 이자율, 해외이자율, 국가 위험할증, 환율(외국통화 1단위에 대한 자국통화의 교환비율)이고, 변수에 아래 첨자 0이 붙여진 것은 외생 변수이다] [회계사 16]

> • 재화시장: $Y = C(Y) + I(r_0) + G_0 + NX(e)$
> • 화폐시장: $M_0/P_0 = L(r_0, Y)$
> • 이자율: $r_0 = r_0^* + \theta_0$
> (소비는 소득의 증가함수, 투자는 이자율의 감소함수, 순수출은 환율의 증가함수이다. 아울러 실질 화폐수요는 이자율의 감소함수이고 소득의 증가함수이다)

① 정부지출이 증가하면 환율이 상승한다.
② 정부지출이 증가하면 소득이 증가한다.
③ 정부지출이 증가하면 실질 화폐수요가 감소한다.
④ 국가 위험할증이 높아지면 순수출이 증가한다.
⑤ 국가 위험할증이 높아지면 소득이 감소한다.

정답 및 해설

45 ③ 1) 수출이 외생적으로 감소하면 IS곡선이 좌측 이동한다. 이로 인해 이자율이 하락하여 외화의 유출이 발생하고 환율이 상승한다.
2) 변동환율제도이므로 환율이 상승하고 순수출이 증가하여 최초의 상태로 복귀한다.
3) 지문분석
③ 환율상승으로 인해 순수출은 증가한다.
[오답체크]
① 국제이자율 = 국내이자율이므로 투자는 불변이다.
② 최초의 상태로 돌아가므로 총소득은 불변이다.
④ 최초 이자율 하락으로 인해 자국 통화가치는 하락한다.
⑤ 최종적으로 국민소득이 변하지 않아서 오쿤의 법칙이 성립하면 실업률은 불변이다.

46 ① 1) 정부지출을 증가시켰으므로 IS곡선이 우측으로 이동하여 이자율이 상승한다.
2) 이자율이 상승하였으므로 외화가 유입되어 환율이 하락하고 이로 인해 순수출이 감소한다.

47 ④ 국가 위험할증이 높아지면 외화의 유출로 환율이 상승하여 순수출이 증가한다.
[오답체크]
① 정부지출이 증가하면 IS곡선이 우측으로 이동하여 이자율이 상승한다. 이로 인해 환율이 하락한다.
② 환율변동을 문제에서 제시하고 있으므로 변동환율제도를 가정하고 있다. 정부지출이 증가하면 IS곡선이 우측으로 이동하여 이자율이 상승한다. 이로 인해 환율이 하락하여 순수출이 감소한다. 이로인해 IS곡선이 좌쪽으로 이동한다.
③ 정부지출이 증가하면 IS곡선이 우측으로 이동하여 이자율이 상승한다. 이자율이 상승하면 실질 화폐수요가 감소한다. 다만, 소득도 증가하여 실질 화폐수요가 증가하므로 최종적인 실질 화폐수요는 알 수 없다.
⑤ 국가 위험할증이 높아지면 환율이 상승하여 순수출이 증가하므로 국민소득이 증가한다.

48 상중하

환율 상승(자국 통화가치의 하락)을 유도하기 위한 중앙은행의 외환시장 개입 중 불태화 개입(sterilized intervention)이 있었음을 나타내는 중앙은행의 재무상태표(대차대조표)로 가장 적절한 것은? (단, ↑는 증가, ↓는 감소를 의미한다) [회계사 17]

①

자산	부채
국내자산	본원통화 ↑
외화자산 ↑	국내부채
	외화부채

②

자산	부채
국내자산 ↓	본원통화
외화자산 ↑	국내부채
	외화부채

③

자산	부채
국내자산	본원통화 ↓
외화자산 ↓	국내부채
	외화부채

④

자산	부채
국내자산	본원통화 ↑
외화자산	국내부채 ↓
	외화부채

⑤

자산	부채
국내자산 ↑	본원통화 ↑
외화자산	국내부채
	외화부채

49 상중하

한국 국적인 민아가 국내 은행에서 대출받은 자금으로 스리랑카에 아이스크림 가게를 연다고 하자. 다음 중 옳은 것은? [회계사 14]

① 한국의 해외포트폴리오투자(foreign portfolio investment)가 증가하여 한국의 순자본유출(net capital outflow)이 증가한다.
② 한국의 해외포트폴리오투자가 감소하여 한국의 순자본유출이 감소한다.
③ 한국의 해외직접투자(foreign direct investment)가 증가하여 한국의 순자본유출이 증가한다.
④ 한국의 해외직접투자가 감소하여 한국의 순자본유출이 감소한다.
⑤ 한국의 해외포트폴리오투자와 해외직접투자가 동시에 증가하여 한국의 순자본유출이 증가한다.

50 다국적 기업과 해외직접투자에 대한 다음 설명 중 옳은 것을 모두 고르면? [회계사 18]
상중하

가. 다른 조건이 일정할 때, 규모의 경제가 클수록 기업은 수출보다는 해외직접투자를 선호한다. 나. 독립된 기업으로부터 중간재를 조달(outsourcing)할 때 발생하는 거래비용은 기업들로 하여금 해외직접투자를 선호하게 만드는 요인이다. 다. 다른 조건이 일정할 때, 한 국가의 수입관세가 높을수록 그 국가로의 해외직접투자가 일어날 가능성은 커진다.

① 가 ② 나 ③ 다
④ 가, 나 ⑤ 나, 다

정답 및 해설

48 ② 1) 중앙은행이 환율 상승을 유도하기 위해 달러를 시중에서 매입해야 한다.
2) 중앙은행이 매입하면 중앙은행이 보유한 외화자산이 증가한다.
3) 불태환 정책을 실시하였으므로 달러 매입으로 증가한 본원통화를 다시 정부가 감소시켜야 하므로 국채를 매각하여 증가한 본원통화를 다시 감소시켜야 한다. 따라서 본원통화는 불변이다.

49 ③ 1) 직접투자는 경영참여를 통해 지속적인 이익을 얻는 것이다.
2) 간접투자는 외국의 주식 및 채권 구입에 사용되면 포트폴리오투자(=증권투자)이다.
3) 아이스크림 가게를 연 것은 직접투자에 해당한다.

50 ⑤ 나. 독립된 기업으로부터 중간재를 조달(outsourcing)할 때 발생하는 거래비용은 기업들로 하여금 중간재를 조달할 수 있는 국가에 직접투자를 선호하게 만드는 요인이다.
다. 다른 조건이 일정할 때, 한 국가의 수입관세가 높을수록 그 국가로의 해외직접투자를 통해 관세로 인한 손해를 줄이려고 할 것이므로 해외투자가 일어날 가능성은 커진다.

[오답체크]

가. 다른 조건이 일정할 때, 규모의 경제가 크고 국내 공장에서 생산량을 늘릴수록 단위당 생산비가 하락하므로 외국에 공장을 설립하기 보다는 국내에서 대량으로 생산하여 수출하는 것이 유리하다.

해커스
서호성 객관식 경제학
2권 | 거시·국제

초판 1쇄 발행 2022년 10월 7일

지은이	서호성
펴낸곳	해커스패스
펴낸이	해커스 경영아카데미 출판팀
주소	서울특별시 강남구 강남대로 428 해커스 경영아카데미
고객센터	02-566-0001
교재 관련 문의	publishing@hackers.com
학원 강의 및 동영상강의	cpa.Hackers.com
ISBN	2권: 979-11-6880-641-2 (14320)
	세트: 979-11-6880-639-9 (14320)
Serial Number	01-01-01